La passion de Gilda

Rex Reed

La passion
de Gilda

Roman

NOTE DE L'EDITEUR

Cette oeuvre est strictement fictive. Les noms, les personnages, les endroits et les incidents ne sont que le fruit de l'imagination de l'auteur ou sont utilisés fictivement, et toute ressemblance avec des événements, des lieux ou des personnes réelles, vivantes ou non, est purement accidentelle.

Paru sous le titre **Personal Effects**

Traduit de l'américain par

Micheline Gervais

Cette édition de *La passion de Gilda*
est publiée par les Éditions de la Seine
avec l'aimable autorisation des Éditions Phidal

Les perles ne se cassent pas; elles restent
homogènes et portent malheur.

Greta Garbo dans le film «Grand Hôtel».

PROLOGUE

C'est sous un soleil éclatant que Billy Buck descendait de sa limousine noire au cimetière de Forest Lawn. Gilda n'aurait pas aimé qu'il fasse si beau. Billy avait l'impression de se trouver sous les projecteurs un soir de première. Il y avait là, d'ailleurs, le même genre de foule, mais aujourd'hui c'était sur des pelouses bien entretenues qu'elle s'était rassemblée, comme les figurants dans *The Day of the Locust*, parmi de grandes statues blanches plutôt que sur le trottoir d'un cinéma; c'était une foule grisée par l'odeur de meurtre et dont l'excitation était évidente.

Quelle radieuse matinée! En ce jour où le monde entier aurait dû revêtir un voile de deuil, le brouillard s'était levé sur Glendale et le soleil resplendissait dans toute la vallée de San Fernando, et jusqu'à Hollywood; c'était un soleil chaud et d'un jaune citron éclatant.

Gilda aurait préféré que la cérémonie se déroule sous la pluie, évoquant les funérailles d'Ava Gardner dans *The Barefoot Contessa*, devant une foule affligée sous des parapluies noirs. Elle avait toujours envié à James Mason cette scène des funérailles dans *A Star is Born* où les admirateurs affolés s'acharnent après une Judy Garland au visage pincé, pâle et cadavérique, entourée d'innombrables imperméables ruisselant de pluie.

— George Cukor savait ce qu'il faisait en donnant à Judy la meilleure de toutes les scènes d'enterrement, avait-elle dit à Billy à plus d'une reprise. Quand mon tour viendra, mon grand, assure-toi bien qu'il pleut!

Billy se fraya un chemin parmi les gens qui bordaient le trottoir de la chapelle, en se demandant ce que Gilda aurait pensé de tout ça. Il s'imaginait voir l'actrice qui, d'un seul mouvement de tête, rejetterait en arrière sa magnifique chevelure brun roux et lèverait au ciel son ravissant visage aux superbes pommettes de chat qu'aucun maquillage n'avait jamais masquées. Il lui semblait voir ses yeux aussi verts que l'eau de Mykonos; elle adresserait au ciel son grand sourire de chat qui a bouffé une souris et maudirait ce soleil chauffé à blanc qui lui refusait un adieu typiquement hollywoodien. Comme d'habitude, elle porterait ses perles dont

11

elle mordillerait nerveusement un rang. Ah, si quelqu'un pouvait provoquer le soleil à disparaître, c'était bien Gilda Greenway!

Il avait la gorge serrée à la revoir ainsi en imagination.

Depuis toujours, Billy Buck était un peu amoureux de Gilda. Elle avait fait l'objet de son adoration pendant toute son adolescence alors que dans la pénombre des cinémas, à la chaleur des spectateurs à proximité de lui, il l'avait admirée dans *Night Anthem* ou *Young Daisy Ashley* ou encore *Only the Damned*. Les manifestations estudiantines, les sorties, les matchs de foot, il avait tout sacrifié afin de passer les samedis en compagnie de sa star préférée. A cette époque, il était loin de se douter qu'un jour cette même déesse, l'Aphrodite de ses fantaisies nocturnes, daignerait lui effleurer le visage d'une main. C'était par ce geste qu'elle l'avait vraiment possédé!

Il faut croire qu'il avait l'impression d'avoir perdu sa virginité ce jour-là au Screenwwriters' Club. C'était en 1965. Billy Buck était alors un brillant chroniqueur arrivé depuis peu de New York, et la ville entière, surtout la haute société de Beverly Hills, était en admiration devant lui. Gilda Greenway avait beau n'y accorder aucune importance, elle n'en était pas moins curieuse.

— Quel âge avez-vous, Billy Buck? lui demanda-t-elle après que Garson Kanin les eût présentés l'un à l'autre.

L'actrice était déjà en avance sur lui de trois vodkas et lui lançait des regards obliques de ses beaux yeux égéens.

— Vingt-sept ans, dites-vous? Ma foi, vous êtes encore un enfant. Moi, à vingt-sept ans, Ted Kearney m'avait déjà crevé le cœur. Il m'avait déflorée à dix-sept ans.

C'est alors qu'elle avait tendu la main et avait effleuré le visage du journaliste. Quelle sublime sensation! Elle avait ri un peu, mais Billy n'avait jamais oublié ses paroles. Suite à cette rencontre, il avait donc fait mention d'elle et de son grand Ted Kearny dans sa chronique, ce qui lui avait valu d'être inondé d'appels du studio exigeant une rétraction. Sans compter ses amis qui eux se demandaient s'il n'avait pas perdu la raison! Ce qu'il avait écrit était pourtant la vérité. Chacun savait que le grand Irlandais avait fait venir Gilda en Californie en 1940 et orchestré sa carrière chez MGM qui en était d'ailleurs à son apogée. Elle était sa maîtresse depuis fort longtemps. Gilda devait plus tard réprimander Billy et se moquer de son ignorance.

— N'oublie pas que nous sommes à Hollywood, Billy. Ce n'est pas le pays de la réalité, c'est celui des légendes; à toi de les inventer.

Aujourd'hui, la légende avait disparu, abattue la veille de Noël.

* * *

— Qui c'est, celui-là?

— Certainement quelqu'un d'important, étant donné qu'il faut pratiquement un passeport pour entrer.

— J'ai réussi à photographier Victoria Principal.

— Oublie-la. C'est King Godwin la grande vedette aujourd'hui.

Billy emprunta le trottoir jusqu'à la chapelle, faisant la sourde oreille aux chasseurs d'autographes qui s'étiraient le cou la bouche ouverte, aux femmes d'un certain âge, avec leurs mouchoirs de toile et leurs colliers de perles, aux vieillards, aux jeunes pédés enlacés, aux amateurs de sensations fortes. Ils étaient tous d'une nervosité extrême à la suite de cette manchette dans le *Los Angeles Times* : « La Dame aux perles abattue à sa résidence de Beverly Hills. La police interroge King Godwin. »

Il se demandait s'il était le seul à se montrer à Hollywood ce jour-là sans un garde du corps ou un petit revolver. On devrait nous fouiller à la porte, pensa-t-il, se rappelant la panique qu'avaient engendrée les meurtres du groupe Manson. Les célébrités avaient bien voulu se déplacer pour rendre hommage à Gilda, mais elles manifestaient une certaine crainte. Pourtant, le meurtre de l'actrice n'avait rien de particulièrement brutal, mais il avait évoqué des images à l'esprit des gens devant leur café matinal le jour de Noël. Des images d'une star légendaire abattue d'une balle et dont on avait trouvé le corps ensanglanté à la lueur morbide de son arbre de Noël; des images aussi d'une vedette plus jeune mais non moins légendaire qu'on avait surprise à ses côtés, en état de choc. Situation peu rassurante dans cette ville où tant de citoyens avaient déjà le shérif à leurs trousses. Et les policiers n'étaient pas très bavards.

Billy cachait sous des lunettes de soleil Givenchy ses yeux bouffis et les vilains cernes qui apparaissaient lorsqu'il manquait de sommeil. Il n'avait presque pas fermé l'œil depuis le meurtre de Gilda et n'acceptait toujours pas le fait qu'elle soit morte. Comme le voulait ce vieux slogan de la Metro, Billy avait connu plus d'étoiles qu'on n'en trouvait au firmament. Et pourtant, aucune d'elles n'avait eu sur lui le même effet que Gilda; elle le rendait à tel point gaga qu'il en avait les jambes molles et rougissait en sa présence!

— Allons chez Chasen's, avait-elle insisté la veille de Noël, modifiant ainsi leur projet de se rendre à une soirée chez Inez Godwin à Holmby Hills. Je ne suis pas d'humeur au mélodrame et je n'ai certes pas l'intention de rester chez moi.

Gilda avait donné une semaine de congé à madame Denby, sa gouvernante, et semblait avoir soudain constaté à quel point l'immense demeure était vide sans la présence de cette triste matrone qui la gardait avec une jalousie maternelle.

Gilda était très morose ce soir-là. C'était peut-être le temps des fêtes qui la rendait nostalgique comme tant d'autres solitaires. Elle avait peut-être du chagrin au souvenir d'un temps désormais révolu. Qui sait? A leur arrivée chez Chasen's, donc, il n'y avait presque personne sauf un groupe très bruyant convié par les Aaron Spelling et Gilda n'y connaissait pas un chat.

— Ce sont eux qui dirigent aujourd'hui, les gens de la télé. Et les vedettes n'ont pas de visage. Ah, Gable, Cooper, George Brent, Cary... Ceux-là, c'étaient des hommes. Qu'est-ce qu'on a de nos jours? Oh, je ne chasserais pas Clint Eastwood de mon lit un soir de tempête, mais les autres ont tous des gueules de rien. Tiens, si Spencer Tracy ressuscitait, le cher homme, il ne pourrait probablement pas trouver de boulot, même pas à jouer le Père Noël dans le parking de la Paramount.

Ils buvaient au bon vieux temps, à un temps révolu, à l'époque où Hollywood avait encore du genre. Ils en étaient à leur seconde bouteille de Cristal lorsque le maître d'hôtel s'approcha d'eux.

— Navré de vous déranger, mademoiselle. On vous demande au téléphone. Cette dame insiste pour vous parler de toute urgence mais refuse de s'identifier.

— Merde! fit Gilda en poussant un soupir, après quoi elle se rendit au téléphone.

A son retour à table, elle s'excusa auprès du journaliste.

— Désolée de mettre un terme à notre petit dîner intime, Billy. Je dois m'occuper d'une chose très ennuyeuse. Je t'en prie, reste et finis le champagne. Inutile que nous soyons deux à gâcher notre soirée.

Comme il fallait s'y attendre, elle refusa que Billy la raccompagne.

— J'ai déjà demandé un taxi, mon grand, dit-elle avant de se retirer dans un froufroutement de taffetas vert.

Billy acheva son traditionnel repas de dinde rôtie, après quoi il but un Courvoisier en compagnie de Roddy McDowall. Ce dernier lui raconta la plus amusante histoire à propos de ce que les Reagan avaient servi à la reine Elizabeth lors de la visite de la souveraine à leur ranch. Le chroniqueur était de retour chez lui à temps pour regarder à la télé la seconde partie de *Waterloo Bridge*. La dernière chose qui lui était venue à l'esprit avant de s'endormir était que Gilda trouverait très marrante l'histoire de

Sa Majesté, dans la boue jusqu'aux genoux, à qui on avait servi des *burritos*, sorte de sandwichs mexicains.

Hélas, il n'aurait jamais l'occasion de la lui raconter.

Un policier avait réveillé le journaliste à sept heures le matin de Noël, cherchant à obtenir de lui des renseignements. Par la suite, après environ une dizaine d'appels de curieux qui lui offraient rapidement leurs condoléances avant de lui demander ce qu'il savait, Billy avait décroché le téléphone, fermé les rideaux, et s'était étendu confortablement avec une bouteille de whisky. Il avait regardé de vieux films de Gilda sur cassettes-vidéo et feuilleté un ancien numéro de l'*Architectural Digest* dans lequel avaient paru des photos des Perles, nom que Gilda avait donné à sa somptueuse résidence.

Une journaliste agressive au maquillage outrancier braqua un micro devant Billy et trottina à côté de lui jusqu'à l'entrée de la chapelle; elle martelait les tuiles d'ardoise de ses talons aiguilles comme un caniche nerveux aux ergots trop longs. Un technicien, mini-caméra sur l'épaule, enregistrait l'interview. La journaliste dégagea une mèche de cheveux de sa bouche trop rouge, et s'adressa à la caméra sans regarder son sujet.

— Billy Buck, comment comptez-vous garder le souvenir de Gilda?

— En secret et en silence!

Billy se souvenait de sa première visite en cette étrange chapelle. C'était à l'occasion des funérailles de Jeannette MacDonald en 1965. Les mêmes fans hystériques s'étaient rassemblés un matin froid et sec de janvier. Etait-ce le studio qui les y avait envoyés? Pour l'occasion, on avait libéré dans la chapelle une multitude de petits oiseaux qui piaillaient sans arrêt, et on avait joué sur un appareil stéréo deux mélodies que Jeannette avait rendu populaires, à savoir, *Indian Love Call* et *Ah, Sweet Mystery of Life*. Les derniers géants de la MGM étaient là en 1965, mais où se trouvaient-ils donc aujourd'hui? Gilda leur avait survécu à tous!

Billy aperçut Victoria Principal, Robert Evans, Mike et Binnie Frankovich, et Allan Carr. Gilda les avait à peine connus. Où étaient-ils quand, sur son déclin, elle avait eu besoin de leur soutien? Comment se fait-il que des gens qui ne daignent même pas vous adresser la parole de votre vivant décident infailliblement de faire acte de présence à vos funérailles, surtout si le *National Enquirer* est sur place pour croquer des photos?

La seule contemporaine de Gilda que Billy reconnut était Bess Flowers, la reine des figurantes qui, devant l'insistance de la star, avait paru dans chacun de ses quarante-cinq films. Gilda avait la superstition que Bess était son porte-bonheur. Fidèle jusqu'à la fin, Bess portait une robe de satin rose que le studio lui avait prêtée. «Les figurants ne jouent jamais, ils doivent réagir», l'avait prévenue Gilda jadis, en 1945. Sereine, l'ironique ange de la mort de mille et un enterrements à l'écran jouait aujourd'hui son rôle pour de vrai.

A son entrée à la chapelle, Billy fut accosté par un petit homme chauve qui tenait à la main un cigare éteint.

— Ça va?

— Bonjour, Sam, répondit Billy à Sam Durand, ancien gros bonnet du studio, aujourd'hui à la retraite. Heureux de te voir.

— Heureux? J'en doute. Non, mais c'est pas croyable, hein? Gilda Greenway assassinée! dit-il en secouant la tête. Je me souviens, c'était encore une gosse quand nous lui avons fait signer son premier contrat à la Metro. Tu ne peux pas te figurer à quel point elle était belle. Cette photo que tu as dénichée pour ton article, c'est rien à côté de ce qu'elle était. Oh, quelle vie elle a menée cette femme! Elle avait l'étoffe d'une star dès l'instant où Larry Malnish avait aperçu sa photo dans la vitrine d'un photographe à Tulsa. C'est cette photo-là que tu aurais dû publier avec ton article. Pas l'autre. Les quatre admirateurs? Les quatre queq'chose.

— Les quatre fans, répondit Billy d'un ton sec.

Il s'agissait d'une photo qu'Ed Sullivan avait à l'époque fait paraître dans le *Daily News* et la légende se lisait comme suit : « La Dame aux perles et ses quatre fans. » Billy n'en revenait pas que cette photo existât depuis si longtemps déjà. Impossible de dire adieu à Gilda sans elle. Il en avait trouvé un double parmi les souvenirs de Devon un bon soir, il y avait de ça très longtemps. C'était une photo des quatre fans : Devon, King, Inez et May. Que d'innocence et d'espoir se lisaient sur leur visage en ce jour d'hiver de 1956.

— Ils sont tous là? demanda Billy.

— Ceux sur la photo? Non! dit Sam Durand en faisant la grimace. Inez, l'épouse de King, est arrivée.

— Son ex-épouse! le reprit Billy.

— Elle est accompagnée d'un jeune garçon. Elle n'a pas très bonne mine, mais quels nichons! Dis-moi, combien d'enfants elle et King ont-ils eus?

— Un seul fils. Il se nomme Hollis.

— C'est bien ce que je pensais, ajouta Sam. Une femme de son âge, avec un garçon de l'âge de son fils! Dans mon temps, les femmes ne s'affichaient pas avec des enfants. Pas à l'église.

— Autre temps, autres mœurs.

— Ce n'est pas mieux pour autant, rétorqua le vieil homme qui fit un geste avec son cigare. May Fischoff se trouve à côté d'elle. J'aurais pensé qu'elle prendrait place avec Hollis étant donné qu'ils sont associés et qu'en plus il vit avec elle, ajouta-t-il en faisant un clin d'œil à Billy. Pourtant non, il est là-bas, à côté de King.

— Il faut croire qu'Inez avait besoin d'une vieille amie aujourd'hui. Leur amitié ne date pas d'hier. D'ailleurs, Inez et King ne s'adressent presque jamais la parole depuis qu'ils sont divorcés.

— Ah, cette May alors, ce qu'elle est futée, non? Un diable d'impresario! Et une des premières à découvrir quel pouvoir ces gens-là peuvent exercer dans notre métier. Conclure une affaire avec elle aujourd'hui, c'est comme conclure une affaire avec Howard Hughes. Elle sait se défendre, cette gonzesse. Bon, il ne manque plus que Devon Barnes. Que diable est-elle devenue? C'était une fille sensass. Bonne petite actrice, et bien moulée avec ça. Nous pensions avoir misé gagnants lorsque Gilda et King ont tourné ce film avec elle il y a quelques années. Il s'intitulait comment déjà? *Cobras*? Mais, ce film-là, c'était du genre trop artistique. Tu vois, personne d'autre que les jeunes ne va plus au cinéma de nos jours. Et ils sont tellement blasés qu'ils défoncent tout si on ne leur donne pas au moins trois viols et quatorze accidents de voitures à la première bobine. Eh non! On n'entend jamais parler de Devon Barnes à présent.

Billy lui fit un signe de tête.

— A un de ces jours, Sam.

Comme il se frayait lentement un chemin vers l'allée latérale de la chapelle, il entendit une voix gutturale qui le fit s'arrêter à nouveau.

— Elle a toujours su comment remplir une salle, cette chère Gilda.

Billy se retourna pour saluer Bud Dahlripple.

— Salut, Billy. Que fais-tu ici, parmi la plèbe?

Dahlripple était jadis l'adjoint de Sydney Guilaroff chez MGM, à l'époque où ce dernier était le roi de la coiffure à Hollywood. Bud les avait toutes coiffées : Ava, Lana, Rita, et Gilda. C'était Guilaroff qui faisait la mise en pli et donnait le coup de peigne, mais il laissait ensuite à Bud le soin de vaporiser la laque.

— C'était elle la plus charmante. Tu lui as rédigé un bel adieu, Billy. Et cette photo! Il n'y avait que toi pour la trouver. Ainsi, c'était Gilda qui les avait découverts tous les quatre, n'est-ce-pas? C'est renversant. Il faut l'admettre, c'était une femme exceptionnelle. Tu te souviens de cette fameuse scène dans *Night Anthem*? C'est Peter Lorre qui lui dit : « Ce n'est qu'un simple soldat. Il est complètement démuni. » Et Gilda jette son collier de perles par-dessus l'épaule et lui répond : « Pourtant, je lui appartiens! » Ça, c'était une fameuse scène!

Cette réplique, de même que le collier de perles, avaient lancé Gilda dans sa carrière. Il avait suffi de quatre mots et toutes les femmes en Amérique demandaient un collier de perles comme cadeau de Noël. Les perles étaient devenues symboliques de Gilda Greenway. Au fil des ans, en effet, combien de photos Billy avait-il vues où elle mordillait son fameux collier!

Plusieurs années après ce film, au moment où Patrick Wainwright était entré dans la vie de Gilda, il lui avait offert un superbe collier à sept rangs qui distinguerait l'actrice pour le reste de sa vie. Patrick Wainwright, c'était l'incarnation même de Monsieur Cinéma. Un homme aux yeux bleus, mesurant un mètre quatre-vingt-cinq, il avait les jambes arquées. C'était lui qui avait pris la plupart de ces photos de Gilda; il avait comme ambition de devenir réalisateur, vous comprenez. Il savait donc comment s'y prendre pour capter les reflets roux de ses cheveux, comment lui demander de glisser les perles dans sa bouche et les croquer juste pour lui. Gilda disait souvent pour badiner qu'il avait gâché sa carrière de réalisateur en devenant une des stars préférées de l'Amérique. C'était la vérité.

Billy se souvenait du jour où il avait appris la liaison de Gilda et de Patrick, un des secrets les mieux gardés de Hollywood. Le lendemain de sa première rencontre avec Gilda, un ami lui avait annoncé que Patrick et elle étaient amants depuis des années. Pas possible! Patrick Wainwright, le cascadeur devenu cowboy et le cowboy métamorphosé en Don Juan de Broadway en 1956! On le comptait parmi les plus célèbres. Son épouse était une fervente catholique clouée au lit depuis un accident de voiture dans lequel leur unique enfant avait trouvé la mort. Patrick le Juste, celui qui ne divorcerait jamais de son épouse! A l'est de Palm Springs, c'était à elle qu'il appartenait, ainsi qu'à sa mère et aux bons vieux Américains. A l'ouest de là, cependant, il appartenait tout entier à Gilda, à qui cela convenait parfaitement. Le mariage ne lui réussissait pas très bien, avait-elle avoué à Billy. Elle avait fait trois tentatives, sans grand succès. Une chose lui avait réussi, cependant. C'était la débauche. Et le langage qu'elle employait parfois en faisait foi!

— Il te plaît?

Billy se retrouva tout à coup nez à nez avec Byron Kerr, chroniqueur de ses rivaux, acrimonieux et dépourvu de talent, qui écrivait dans les journaux de Chicago et d'ailleurs au pays. Il frottait d'une main le revers de son costume de toile blanche tout froissé.

— Je me le suis procuré à une vente aux enchères d'articles ayant appartenu à des célébrités.

— A Sydney Greenstreet, je parie.

— A Tom Wolfe! répliqua Byron d'une voix indignée.

— Je te félicite! dit Billy sur un ton glacial. Il ne faut surtout pas avoir trop sobre apparence à des funérailles!

— Gilda avait beaucoup de classe. Elle saura me pardonner. J'espère qu'elle fera preuve d'autant de générosité envers Sam. J'ai entendu ce qu'il te disait. Oh, mais ça alors! Si MGM a découvert Gilda Greenway dans la vitrine d'un photographe à Tulsa, alors moi, j'ai découvert l'uranium. Tiens, je remarque que seuls trois des quatre fans se sont donné la peine de venir.

— Jusqu'à présent.

— Billy, tu as toujours été trop indulgent envers Devon Barnes. Tu penses qu'elle va rentrer d'exil pour rendre hommage à sa confidente? Je crois savoir que les policiers aimeraient lui dire un mot à cette Devon. Si on demandait au lieutenant Biggs?

— Bonjour, messieurs.

Billy n'avait même pas à se retourner. Il lui avait suffi d'entendre l'accent de Chicago, celui du maire Richard Daley, et de sentir soudain derrière lui une masse parfumée d'Aramis et trempée de sueur; il avait reconnu le flic. Le détective deuxième classe Lionel Biggs, de la police judiciaire de West Los Angeles, était en civil; il portait une chemise blanche sans cravate, un petit drapeau américain épinglé au revers de son veston sport à carreaux, et en guise de boutons de manchettes, de minuscules balles de pistolet en or. Il avait deux chaînes au cou. L'une, très fine, qui disparaissait dans le poil blanc de sa poitrine, et l'autre, épaisse et courte, qui lui entourait le cou à la manière d'un nœud coulant plaqué or.

Billy avait connu Biggs sur un plateau lors du tournage d'un film dont King était la vedette; c'était un remake en technicolor d'un long métrage de Fritz Lang. King y reprenait le rôle de Mitchum, policier minable mais honnête qui cherche à mettre le grappin sur le personnage d'Everett Sloane sans toutefois impliquer Gloria Grahame. Lionel Biggs travaillait alors clandestinement comme conseiller technique en ce qui touchait les procédures policières. Toujours est-il qu'il avait fini par obtenir un rôle, une courte scène écrite expressément pour lui, parce qu'il avait sauvé la peau de King après l'avoir surpris à sauter l'épouse du réalisateur!

A la suite de cet incident, King avait demandé au scénariste d'inventer quelque chose pour Lionel. Il avait fait en sorte que le réalisateur accepte le scénario, et avait même persuadé son impresario, May Fischoff, de représenter le policier.

— Désolé de t'avoir réveillé aussi tôt hier matin, dit Biggs.

— Ne vous en faites pas pour ça, lieutenant.

— Allons, Billy. Appelle-moi Lionel. Tu sais, j'étais un grand admirateur de mademoiselle Greenway. Je n'étais pas un des quatre fans, mais...

— Je vous en prie, Biggs. Je commence à regretter d'avoir fait paraître cette photo. C'est de l'histoire ancienne, mais tout à coup, on ne parle plus que d'eux au lieu de Gilda.

— T'as vu les journaux ce matin?

Billy fit signe que non.

— Je n'étais pas d'humeur à apprendre d'autres nouvelles à sensation.

— Eh bien! Tu en as manqué une bonne. On aurait voulu garder le secret, seulement, il y a un imbécile au commissariat qui a parlé. Alors, autant que tu saches ce que tout le monde ici sait déjà. Nous avons trouvé un exemplaire de cette même photo dans la main de mademoiselle Greenway.

— Une photo des quatre fans? Gilda devait avoir un peu de vague à l'âme et pensait à ses vieux souvenirs.

Biggs fronça les sourcils.

— Ouais. Et toi, tu es d'accord pour partager tes scoops avec Byron Kerr, je suppose? J'ai à te parler cet après-midi, dit-il en s'éloignant. En attendant, je dois surveiller la foule.

— Tu es poussière et tu retourneras en poussière ...

— Que vaut une robe sans joli derrière?

— Pour l'amour du ciel!

May Fischoff adressait ce reproche à Inez Hollister-Godwin. En dépit de la fraîcheur dans la chapelle climatisée, Inez était blême et couverte de sueur. Le maquillage qu'elle avait appliqué avec tant de soin devant son miroir à la Joan Crawford commençait à couler. Ses narines avaient repris leur état d'inflammation plus ou moins constante. A première vue, on aurait pu croire qu'Inez était sincèrement affligée. Cependant, May savait ce qui en était. Elle avait vu les films de Susan Hayward, n'est-ce pas!

Malheureusement pour Inez, la chapelle était bondée de gens aux yeux exercés et aux oreilles aiguisées. Personne n'ignorait qu'elle abusait de stupéfiants. Ou plutôt, peut-une seule personne l'ignorait-elle, de se reprendre May. Inez elle-même!

— Regarde, c'est madame Danvers.

Inez montra la femme du doigt, après avoir appelé la gouvernante de Gilda par le sobriquet qu'elle lui avait attribué des années auparavant, à sa première visite chez l'actrice en Californie.

— Cette goule! Elle a toujours la mine revêche, quelles que soient les circonstances. Chaque fois que je la vois, je pense que c'est l'*Halloween*.

— Les bonnes sœurs à Brooklyn ne t'ont jamais dit que ce n'était pas poli de montrer du doigt? Rentre tes griffes, ma chère, l'implora May.

— Va te faire foutre, ma chérie, lui répondit Inez entre les dents, en avalant un tranquillisant.

Non, mais elle en avait du culot, cette May, de prétendre s'inquiéter d'elle. Autant de culot que Gilda, qui avait joué à la prima donna et n'avait pas daigné se montrer à sa soirée la veille de Noël, lui dérobant ainsi une dernière chance de faire les chroniques mondaines. Enfin, elle en avait fini avec cette fichue Gilda Greenway. Inez ne regrettait rien. Elle avait appris que pour survivre, il ne faut jamais rien regretter.

May ne valait guère mieux. Inez l'avait aperçue devant la maison à côté de sa voiture blanche en train de séduire Mitch, le jeune amant de la divorcée. Hollis serait heureux de l'apprendre! Seulement, Inez ne tenait pas à briser le cœur de son fils. A moins, bien sûr, d'y être absolument forcée. De toute manière, les événements des derniers jours lui donnaient matière à écrire une meilleure histoire. Elle tourna la tête et remarqua Billy Buck au fond de la chapelle. Tiens, pensa-t-elle, je lui téléphonerai cet après-midi et lui demanderai son assistance pour la rédaction de mon livre. J'ai l'intention de l'intituler : « *De la montagne à Hollywood : l'histoire de Gilda Greenway. D'après quelqu'un qui la connaissait bien.* »

En raison des stupéfiants qu'elle avait consommés et de la situation dramatique de l'heure, Inez se mit soudain à trembler. Elle avait le visage couvert de larmes et de terribles bouffées de chaleur l'accablaient.

— Tu n'aurais pas un papier-mouchoir, May? demanda-t-elle en touchant du doigt le bras de son amie.

Ah! Tout de même! Elle est donc capable d'un peu de chagrin malgré toute la coke et je ne sais quoi encore qu'elle a pu s'envoyer dans l'organisme, pensa May. Cette dernière se souvenait qu'Inez n'avait pas toute sa tête la veille de Noël, cette tête à laquelle elle infligeait des traitements à la boue volcanique de la princesse Borghese. Elle était si droguée ce soir-là que May s'était inquiétée de son état mental, surtout lorsque King avait fait son apparition chez son ex-épouse. Dieu sait comment Inez avait trouvé moyen de conduire jusque chez Gilda sans accident. Heureusement, Inez était trop gelée pour avoir reconnu May, elle-même cachée derrière le volant de sa voiture. Quel soulagement!

May était accablée de chagrin et de remords. Elle contemplait l'urne d'albâtre sur son pied en fer forgé à l'avant de la chapelle. On aurait dit qu'au soleil, l'urne était imprégnée d'une lueur rosée vaguement translucide. May se demandait si c'était chaud à l'intérieur de ce vase où reposaient les cendres de Gilda; elle s'imaginait y voir les petits fragments d'os semblables à des miettes de pain.

« Tu auras tout dans la vie, ma jolie », lui avait promis Gilda à l'âge de cinq ans. « L'intelligence, la beauté, le succès et l'amour. Ecoute bien ce que te dit ta vieille diseuse de bonne aventure. Un jour, tu t'approcheras de moi en me regardant droit dans les yeux et tu me diras que j'avais raison. »

Ça, alors! Gilda avait bel et bien eu raison. Elle avait prédit exactement ce qui arriverait à chacun d'eux.

Prenons King, par exemple. C'était aujourd'hui une étoile dans le ciel de Hollywood, mais il vivait sa carrière à la manière d'un zombie; en effet, lorsque le studio l'envoyait ici et là tourner des extérieurs, il dormait autant qu'il le pouvait et évitait à tout prix de rentrer chez lui. Il échappait ainsi à un mariage qui n'avait jamais marché. Dans le couple, c'était Inez qui avait de l'ambition mais sa carrière était vouée à l'échec depuis le début. Après avoir renoncé à ses propres aspirations, elle avait tenté d'atteindre la renommée par le biais de son célèbre époux, et cela non plus n'avait pas réussi. Quant à Devon, sa beauté et sa sensibilité avaient certes joué en sa faveur, mais elle avait traité sa carrière au cinéma comme une irritante façon de meubler les périodes creuses entre ses autres activités qu'elle estimait prioritaires. Il restait May. Elle qui n'avait jamais été entreprenante, elle qui n'avait jamais eu ni l'ambition, ni le physique, ni la motivation, ni le talent pour réussir. Elle était, pour ainsi dire, le cheval peu prometteur arrivé bon gagnant.

Des quatre, c'était elle qui avait le mieux réussi.

Elle avait en effet comme clients dix des acteurs les plus rémunérés à Hollywood. Il y avait aujourd'hui même sur son bureau trois contrats ayant rapport à des productions de quarante millions de dollars chacune. Il n'y manquait plus que les signatures. Lorsqu'elle entrait au Bistro, le maître d'hôtel s'agenouillait devant elle. May avait son propre téléphone à sa table du Polo Lounge. Le magazine *Interior Design* publierait sous peu en page couverture la maison qu'elle venait d'acheter. En outre, *The Ladies' Home Journal* l'avait nommée une des dix femmes les plus admirées en Amérique. Elle avait le pouvoir, l'influence et la richesse. Elle avait aussi Hollis, son filleul de vingt et un ans, et la seule personne de son entourage dont l'amour était aussi grand, aussi noble et absolu que celui de son père à l'égard de sa mère. A cette exception près, toutefois : au contraire de son père, l'adoration de Hollis pour May n'excluait personne.

Elle vivait avec Hollis depuis deux ans. Comme sa vie avait changé depuis! May avait montré au jeune homme comment diriger une agence. En contrepartie, il avait apporté aux affaires la clientèle des vedettes rock dont elle était complètement ignorante. Et aujourd'hui, ils partageaient un bureau aussi bien qu'un lit. Gilda n'approuvait pas cette liaison, et ce, depuis le début. Elle et May s'étaient vivement querellées à ce sujet. Le bonheur de May, le nouveau sens que la vie prenait pour elle, lui faisaient faire la sourde oreille à toute logique concernant l'écart d'âge. Pourtant, il y avait parfois des jours où, bien qu'elle ait perdu quarante kilos en deux ans et réussi à passer des robes-tentes à une taille quarante, elle se sentait encore vieille, laide et grosse. Elle avait même fait une crise de zona à force de se demander pourquoi Hollis souhaitait passer le reste de sa vie auprès d'une femme de l'âge de sa mère.

May lança un regard en direction du jeune homme qui accompagnait King de l'autre côté de l'allée. Il était aujourd'hui plus grand que son célèbre père et, au dire de May, deux fois plus séduisant. Ses cheveux aux mèches décolorées par le soleil étaient à peine plus foncés que la crinière de King couleur de blé, aujourd'hui parsemée de gris; son visage était une version masculine des traits de sa mère, autrefois très belle. Il avait cependant les yeux de lapis de son père, à bordure épaisse de cils foncés. Parfait exemple d'algèbre génétique, de penser May. Les yeux de King reproduits à une puissance infinie!

King leva les yeux vers elle, constata qu'elle mangeait son fils des yeux, et s'efforça de lui faire un pâle sourire. Pour une fois, l'acteur portait un costume Cerutti bleu foncé au lieu du T-shirt, du blouson de cuir brun et du jean délavé qui faisaient sa renommée dans le monde entier. Des verres fumés à la Dick Tracy lui cachaient les yeux, ces scintillants yeux bleu de mer avec lesquels il avait fait fortune et qui l'avaient plongé dans deux poursuites en paternité bien détaillées dans les journaux.

King était complètement exténué. Il n'avait pas fermé l'œil depuis le soir où les flics l'avaient trouvé devant le corps ensanglanté de Gilda aux Perles. La scène lui avait rappelé un film de second ordre qu'il n'avait jamais voulu tourner. On l'avait relâché tôt le matin de Noël, après l'avoir interrogé. Il n'attendait plus que le rapport du médecin légiste pour être disculpé de tout soupçon. Or, il savait que la ville en haleine s'attendait à apprendre qu'on l'accusait de meurtre au premier degré. Enfin, il n'avait l'intention d'aller nulle part. Il en avait assez de courir. Il avait passé sa vie à fuir et aujourd'hui, il n'avait plus envie d'aller où que ce soit.

— Dis, qui c'est ce type, le ministre du culte? demanda Inez à May. Son visage m'est singulièrement familier.

— Mais oui! s'écria May après l'avoir reconnu. C'est un acteur!

Elle oubliait son nom, mais c'était un client de son père au tout début, alors que les acteurs de composition, ceux d'origine ethnique et les numéros de cabaret composaient la moitié de sa clientèle, et Gilda Greenway en constituait le reste. Il avait un drôle de nom et avait joué principalement des rôles de mouchards, de salauds ou d'agents de la Gestapo. Une fois, de manière assez brillante d'ailleurs, il avait interprété un jeune assassin psychosé à la poursuite de John Garfield.

C'est Samson Pope! Voilà, de se souvenir enfin May. Il avait interprété le rôle du prêtre qui accompagnait Gilda à la chaise électrique dans *Only the Damned*. (« Oh! mon père, j'veux pas me faire griller », l'implorait Gilda tandis que toute la salle était en larmes. « J'suis innocente. J'veux pas qu'on me fasse rôtir. ») C'était donc ici que se retrouvait maintenant le vieux Samson, l'ironie du sort ayant voulu qu'il lui incombe de rendre l'ultime hommage à Gilda, de sa belle voix de baryton à la Orson Welles. Quel patelin! Il y avait de l'ironie dans tout, même dans la mort.

May regarda King à nouveau, cherchant à déceler chez lui quelque signe d'émotion; il paraissait distrait. En se passant la main sur sa blonde crinière, il jeta sans le vouloir un regard à l'arrière de la chapelle, en direction de la porte ouverte, symbole de liberté. Il y aperçut une grande femme en noir qui se frayait avec peine un chemin parmi la foule massée à l'entrée. Elle me manque tellement que je m'imagine la voir partout, pensa-t-il en se frottant les yeux. L'ayant regardée une seconde fois, il devait pourtant constater que c'était bien Devon. Elle réapparaissait soudain par magie après sa mystérieuse disparition deux ans plus tôt.

— Non, papa, ne bouge pas! lui dit Hollis en retenant son père qui avait sans réfléchir mis un pied dans l'allée.

May entendit quelqu'un exprimer sa surprise.

— C'est elle!

La foule était en émoi. May aperçut Devon elle aussi. En chapeau noir, voilette noire, tailleur Chanel noir, Devon n'était pas vêtue de neuf bien que, tout comme les anciennes créations d'Adrian que Gilda avait conservées de chez MGM, ses vêtements étaient encore de mode. Elle était tout de noir vêtue, à l'exception de ses perles.

Depuis l'autre côté de la chapelle, deux hommes traversèrent d'un bon pas la foule frénétique amassée autour de Devon Barnes. L'un d'eux était Biggs, l'autre, Billy Buck. Les flashes se succédaient. L'équipe de vidéo qui observait en vautour le service funèbre, se précipita dans la porte ouverte pour tourner un gros plan.

— Par ici, Devon, lui criaient-ils.

La journaliste plongea son micro à l'aveuglette, atteignant Devon sans le vouloir, déterminée qu'elle était d'obtenir l'exclusivité d'une première interview.

Un grand bruit sec pareil à un coup de fusil, amplifié par le micro de la journaliste, retentit dans la chapelle alors que quelqu'un arrachait à Devon le fabuleux collier de Gilda Greenway. Des perles aussi grosses que des raisins se répandirent par terre jusque dans les rangées. Les gens se penchaient sous les bancs de bois sculpté afin de les ramasser entre leurs chaussures Gucci.

Quelqu'un d'autre arracha son chapeau à Devon. Sa chevelure noir jais se répandit en cascade sur ses épaules. Son regard, empreint de frayeur et d'inquiétude, rencontra celui de May. Comme King venait de le faire, May tendit la main dans le but de lui prêter secours. Devon trouva plutôt le bras de Billy Buck.

— Billy, sors-moi d'ici, l'implora-t-elle.

— C'est pour ça que je suis là, ma beauté.

Il l'enveloppa de ses bras et ouvrit d'un grand coup de pied la porte latérale de la chapelle, se frayant ensuite un chemin dans la foule de pies qui attendaient dehors sous un soleil aveuglant.

— Après deux ans d'exil, t'as bien choisi ton moment, ma vieille!

— Oh, Billy! dit-elle en courant à la XKE du journaliste. Dis-moi que je fais un cauchemar.

Dans la voiture, ils s'empressèrent de verrouiller les portières et Billy démarra. Les paparazzi grimpaient sur le capot, caméra en main et les reporters frappaient les vitres avec leur micro. Chacun criait. Billy écrasa l'accélérateur au plancher.

— Charmant accueil! Et ça ne va pas s'améliorer.

A l'intérieur de la chapelle, Inez Godwin avait le visage blême et perlé de sueur. Elle avait la bouche ouverte, les lèvres sèches, et la sensation d'avoir une gomme à effacer en guise de langue. Elle avait de plus les mains moites. Ayant saisi le bras musclé de Mitch Misyak, elle y enfonçait comme un aigle des ongles pointus au vernis écarlate.

— Sors-moi d'ici, réusssit-elle à lui dire d'une voix rauque. J'étouffe. Mitch, allons nous-en au plus vite avant que je me mette à crier.

May Fischoff se laissa tomber sur son banc. King était parti, comme Inez, blême d'angoisse et pris de nausée. Devon avait disparu au bras de Billy Buck. Tous les kilos que May avait perdus depuis deux ans semblaient soudain lui peser sur le cœur. Elle avait trente-neuf ans. C'était trop jeune pour se sentir aussi fatiguée. Trop jeune pour éprouver tant de remords, non seulement à l'égard de Gilda qui trouvait encore moyen de resplendir par le truchement de l'urne d'albâtre, mais aussi, pour eux tous.

La chapelle se vidait lentement.

Ainsi, les fameux quatre fans s'étaient donc retrouvés. C'étaient quatre jeunes gens que Gilda avait d'abord choisis, puis tour à tour adoptés, cajolés, maudits parfois, et enfin conduits en cette ville damnée loin de leur foyer. Or, elle n'était plus. Cette fois, elle ne pourrait pas les sortir du pétrin. S'ils souhaitaient rentrer, ils devraient le faire de leur propre chef.

PREMIERE PARTIE

1

Le 12 février 1956

Depuis bientôt huit ans, le pensionnat Westbridge pour jeunes filles servait de domicile à May Fischoff. Du dortoir qu'elle avait d'abord occupé au premier étage de Hinton Hall, en tant que nouvelle pensionnaire à l'âge de huit ans, elle avait vu la vigne pousser sur la façade gothique et atteindre les lucarnes des chambres où logeaient les aînées au troisième. Elle avait vu pousser l'arbre le plus décharné du square, à présent grand et fourni au point de lui obstruer la vue de la bibliothèque et de la chapelle situées de l'autre côté.

Même aujourd'hui, en plein hiver, le jeune érable tendait ses branches vers le firmament. De ses bras dénudés, il implorait le ciel gris de se faire plus clément, de s'éclaircir, il invitait le soleil à se montrer car c'était jour de fête.

C'était le seizième anniversaire de May Fischoff.

Ce jour-là aurait dû être pour elle une journée de rêve; il avait pourtant fallu qu'une de ses trois compagnes de chambre gâche les choses avant même que le jour ne se lève.

Et comme si cela ne suffisait pas que Harriet ait choisi de s'enfuir avec Ezra Tennich la veille, voilà qu'Inez Hollister décidait maintenant de piquer une crise de nerfs.

— Je la déteste! Si vous saviez comme je la *déteste*!

Inez frappait à grands coups de poing l'oreiller de Harriet.

May venait de passer une bonne partie de la matinée en compagnie d'Inez et de Devon dans le bureau de la directrice à tenter de convaincre la douairière qu'aucune d'elles n'était au courant des projets de Harriet. Elles avaient été tout aussi étonnées que la directrice de la disparition de leur compagne qui avait épinglé à son oreiller un mot au sujet de monsieur Tennich, le professeur d'anglais. C'était ce même oreiller qu'Inez essayait en ce moment de pulvériser.

— Mais qu'est-ce qui te prend, Inez? May ne comprenait pas la soudaine hystérie de son amie. Elle ajouta :

— Après tout, elle ne t'a rien fait à toi.

— Elle savait que j'étais amoureuse de lui! dit Inez en criant.
C'était *mon* professeur d'anglais. Harriet n'était même pas dans
son cours ce semestre.

Devon Barnes sortit de la salle de bains, une serviette
dégoulinante à la main.

— Oh! Pour l'amour du ciel, Inez. Il était fou de Harriet depuis
le début de l'année, tu le sais bien.

May adorait l'accent de Devon, originaire du Texas.

— Tu les as même surpris à faire *la chose*, tu t'en souviens?
Tiens, essuie-toi le visage et habille-toi. Nous avons moins d'une
heure avant de prendre le train.

— Oui, fais vite! dit May, surprise de son propre ton. Jamais
elle n'osait donner d'ordres à Inez.

Cette dernière était une boursière de Brooklyn dans l'Etat de
New York, et la fille la plus furieuse que May ait jamais connue.
Elle disait des choses qui vous faisaient rougir de honte. Les
membres de sa famille étaient des rats, disait-elle. Des illettrés
de basse classe. Sa mère était une nouille qui laissait son père
n'en faire qu'à sa tête. Son père était un vrai dingue. Non
seulement était-il un ivrogne, mais un de ceux qui d'abord vous
cajolent et finissent par vous ficher une volée. D'une manière ou
d'une autre, ses mains se retrouvaient toujours là où il ne le fallait
pas.

May n'avait jamais connu personne qui détestait ses parents.
Encore aurait-il fallu qu'elle connaisse un père qui retroussait les
jupes de sa fille! Elle refusait même d'y penser. Cependant, Inez
était poète, et tout poète qui se respecte se doit d'avoir eu une
enfance tragique et malheureuse. D'après la mère de May qui
encourageait toujours sa fille à voir le bon côté des choses, Inez
n'aurait jamais gagné de bourse pour Westbridge si elle n'avait pas
eu de talent pour l'écriture. Et elle ne serait sans doute pas aussi
bon écrivain si son père n'avait pas été aussi odieux avec elle. En
présentant la chose de cette façon, il lui avait rendu service, en
quelque sorte.

Au début, May pensait qu'Inez exagérait. Or, un soir, elle avait
entendu Inez et Harriet se parler dans le noir.

— Ton propre père? Il t'a vraiment touchée *là*?

Il n'y avait ni étonnement ni dégoût dans la voix de Harriet.
Elle avait plutôt une espèce de rire étouffé. Harriet et Inez
avaient beaucoup en commun : elles étaient intelligentes, juraient
chacune comme un charretier, et leurs parents ne leur rendaient
jamais visite au pensionnat du Connecticut.

Ce soir-là, elles fumaient dans le noir, assises l'une à côté de
l'autre sur le lit de Harriet. Lorsque l'une des deux tirait une

bouffée, May voyait s'intensifier la lueur rouge de la Pall Mall qu'elles partageaient.

Inez paraissait s'amuser elle aussi.

— Là, en bas, et... mon Dieu, oui, juste là. Oui, comme ça. Et plus haut, aussi.

— Mmmm. Je comprends pourquoi. Tu as une de ces poitrines!

— Mmmm, fit Inez à son tour. Grand Dieu, Harriet!

Celle-ci riait de son rire guttural.

— Fan-tas-tique!

May entendit d'autres grognements tandis que la cigarette maintenant inerte gardait une lueur stable. Quelques instants plus tard, May supposa que c'était Harriet qui avait repris la cigarette et tirait une bouffée, car elle entendit Inez laisser échapper un soupir et dire :

— Crois-tu que je suis trop forte? Tu comprends, je ne tiens pas à ce qu'ils me pendent jusqu'aux genoux à trente ans.

— Je pense, répondit Harriet avant d'expirer un grand soupir de fumée, je pense que ton père était un beau salaud et un pervers, mais il s'y connaissait en nichons!

May ne comprenait pas quel rôle la mère d'Inez avait joué dans cette histoire. Elle ignorait donc ce qui se passait? Ou alors, est-ce possible qu'elle s'en moquait? Jamais la mère de May n'aurait toléré qu'on fasse ça à sa fille. Non pas qu'un homme aurait désiré retrousser les jupes d'une fille comme elle. En tout cas, certainement pas son père qui ne regardait même pas une autre femme que son épouse.

Tout le monde savait que Norma et Frankie Fischoff s'adoraient. Aussi loin que May pouvait s'en souvenir, à chacun de leurs anniversaires ainsi qu'à Noël et au Nouvel An, Frankie embauchait un chanteur célèbre ou un orchestre qui exécutait en sérénade pour Norma une mélodie intitulée *I Only Have Eyes For You*.

Enfant, elle détestait cette coutume. Aujourd'hui, cet air évoquait pour elle ce que Gilda lui avait dit un jour au beau milieu de la mélodie :

— Tu auras tout ce que tu voudras dans la vie, ma chérie.

Il y avait longtemps de ça. C'était à l'occasion de la Saint-Sylvestre au grand appartement que ses parents habitaient dans West End Avenue. Il devait être minuit car son père embrassait sa mère. Est-ce que May avait voulu se joindre à eux? Avait-elle espéré recevoir elle aussi un baiser? Elle ne se souvenait plus aujourd'hui pourquoi elle pleurait tant. Elle se souvenait seulement des larmes salées qui lui couvraient le visage. Et la main de Gilda, aussi blanche que du lait, avait essuyé ces larmes avec un mouchoir parfumé, après quoi May s'était mouchée dans le nuage de toile fine.

En ce jour anniversaire, la jeune fille n'avait pas vu sa célèbre marraine depuis environ un an. Or, il se trouva que Gilda était à New York cette semaine-là. Son amant, Patrick Wainwright, était en effet la vedette d'une pièce à Broadway. May s'imaginait difficilement l'étoile des westerns donnant sur scène la réplique à quelqu'un d'autre que son cheval! En apprenant que son père comptait lui faire la surprise de l'emmener voir la pièce pour son anniversaire, la jeune fille avait d'abord cru qu'il s'agissait d'une sorte de rodéo comme celui de *Madison Square Garden*. Elle voyait déjà Patrick sous les projecteurs, faisant des tours de lasso au centre d'un carrousel de chevaux au trot. Mais non, lui avait dit sa mère. Il s'agissait d'une pièce sérieuse écrite par Avery Calder, l'un des plus célèbres dramaturges au pays. May se faisait une joie d'y aller, bien qu'elle pouvait difficilement imaginer Patrick Wainwright sans sa monture. Elle n'avait jamais eu l'occasion de rencontrer l'acteur; il ne fallait surtout pas qu'on sache qu'il était l'amant de Gilda.

Comme elle serait heureuse de revoir Gilda! Cette seule pensée lui donna courage.

— Allez, Inez. Habille-toi. C'est mon anniversaire. Tu ne veux donc pas rencontrer Gilda? Ça alors! Tu ne préfères pas déjeuner en compagnie d'une véritable étoile de cinéma plutôt que de te morfondre pour un vieux débauché?

— Je le voulais pour moi! Ah, la vache! cria sauvagement Inez en lançant à May l'oreiller de Harriet.

— Holà! intervint Devon. Ce n'est pas juste.

Elle lança à son tour sa serviette mouillée au visage renfrogné d'Inez. Après quoi, se tordant de rire, elle courut s'abriter derrière la table de toilette de May.

Inez saisit la serviette au vol et se leva subitement. Les poings sur les hanches, elle dit d'une voix sifflante :

— Va donc au diable, Devon Barnes. Tu te crois bien maligne. Eh bien, il n'était peut-être qu'un vieux débauché à tes yeux, mais c'était *mon* vieux débauché!

Elle porta une main à sa bouche.

— C'est pas vrai! Qu'est-ce que je dis? J'ai bien dit...

— Il n'était peut-être qu'un vieux débauché pour toi...

— ... mais c'était mon vieux débauché, poursuivaient en chœur les trois filles.

— Oui, ma chère, ajouta Devon. C'est bien ce que tu as dit.

— C'est vrai, Inez, confirma May, heureuse d'entendre ses amies rire aussi joyeusement. Tout à coup, Inez fit encore la moue.

— Je ne peux pas y aller. Même si je ne me sentais pas si moche, je ne suis pas présentable. Non, mais vous avez vu la mine que j'ai? Sans compter que je n'ai rien à me mettre sur le dos. Elle s'examinait le visage devant la glace à la table de toilette de Harriet, essuyant ses yeux enflés à l'aide de la serviette humide. Elle lança la serviette sur le lit de Harriet et s'assit, l'air piteux.

— Voyons, Inez, lui dit May gentiment. Tu peux porter ce que tu voudras, je t'assure. Pas besoin de te mettre sur ton trente et un. Ce n'est qu'un déjeuner en fin de compte.

— Tu parles! Un simple déjeuner avec Gilda Greenway au « 21 », rien de plus!

Le regard d'Inez se posa d'abord sur May dont le tour de taille faisait sans doute deux fois le sien, puis sur Devon, aussi élancée qu'un garçon et sans plus de poitrine. Elle poursuivit :

— Ah, ce que j'en veux à Harriet de m'avoir abandonnée. Au moins, elle m'aurait prêté quelque chose de convenable à porter.

Le visage de Devon Barnes s'éclaira.

— Comme quoi, par exemple? demanda-t-elle en ouvrant tout grand le placard de Harriet. Il était plein à craquer. C'était un véritable arc-en-ciel de jupes et de chemisiers entassés pêle-mêle entre des sacs à vêtements. Le sol était jonché de souliers et, sur la tablette, des pulls en cachemire, en laine irlandaise et en angora étaient empilés de la même manière que dans les magasins de la Septième avenue. Il y avait, accrochés à la porte, une cascade de rubans, des ceintures, des foulards et les cravates de différents collèges de garçons.

Devon dégagea un pull en cachemire bleu marine qu'elle lança à Inez.

— Quelque chose de foncé serait de mise, je crois. C'est sophistiqué sans être, comment dirais-je...

— Trop sévère, proposa Inez en souriant. Elle sauta du lit et ouvrit le premier tiroir de la commode de Harriet. Les bas, les slips et les jupons volèrent par-dessus son épaule jusqu'au moment où elle trouva enfin le porte-jarretelles bleu clair qu'elle cherchait.

— Ciel! gémit-elle en portant à sa joue le sous-vêtement de satin. Comment Harriet a-t-elle pu oublier quelque chose d'aussi beau et d'aussi sexy. Quelle parfaite imbécile. Ce n'est certes pas Tennich qui va lui acheter des dessous pareils. Pas avec son petit salaire de crève-la-faim. Et lui qui adore la voir se pavaner en porte-jarretelles et soutien-gorge de dentelle.

— Ah oui?

— Tu le sais bien, je t'ai tout raconté.

Devon endossait la robe-fourreau noire que sa mère lui avait fait parvenir de chez Neiman-Marcus à Noël. Elle l'ajusta sur son corps élancé. Dieu merci, elle n'avait pas trop grandi et la robe n'était pas encore trop courte. Par contre, pensa-t-elle en apercevant Inez qui enfilait un des soutiens-gorge en dentelle de Harriet, quand aurait-elle les rondeurs voulues pour que sa robe tombe bien?

— Harriet savait que tu les observais, n'est-ce pas?

— Chut! fit May d'une voix agacée. Laisse-la nous raconter l'histoire elle-même. Elle était en jupon, pieds nus, les pinces encore dans les cheveux.

— Tu ferais mieux de t'habiller, toi aussi. Sinon, nous manquerons le train pour la ville.

May glissa la jambe dans un bas de soie qu'elle avait au préalable secoué avec délicatesse. Inez avait toute son attention.

— Alors, continue. Que s'est-il passé après que Harriet ait retiré sa jupe?

Inez faisait semblant de mourir d'ennui. Comme elle bâillait, sa voluptueuse poitrine se gonfla dans le soutien-gorge trop juste pour elle. Son épaisse chevelure noire, son nez délicat, sa généreuse bouche sensuelle, et surtout ce soutien-gorge, lui donnaient l'allure de Jane Russell dans *The Outlaw*.

— Ah, je t'ai déjà tout raconté. Tu n'es pas fatiguée de l'entendre, cette histoire?

— Non, se récria May sans honte. Cesse de nous taquiner, Inez. Raconte-nous simplement ce qui s'est passé, veux-tu?

— Je n'ai jamais rien vu d'aussi gros ni d'aussi rouge de ma vie. Vous comprenez, il a déboutonné sa braguette et cette chose grosse comme le bras en est sortie, droite comme un salut nazi!

May se leva du lit et s'empressa de se rendre devant la glace tout en retirant les pinces de ses cheveux.

— Fais vite! Nous sommes déjà en retard.

— Elle n'aime pas cette partie du récit, précisa Devon.

— Ce n'est pas vrai, je t'assure. Mais nous avons un train à prendre, tu l'as dit toi-même. Et il nous reste si peu de temps.

— Et tu ne supportes pas l'idée que Harriet ait pu mettre cette chose-là dans sa bouche, pas vrai?

May se retourna vivement.

— Eh ben, oui. Voilà! Vous êtes contentes, maintenant? Je trouve ça tout à fait dégoûtant. Je ne comprends pas comment on peut se mettre dans la bouche une chose avec laquelle on fait pipi.

— A vrai dire, ajouta Devon, je ne le comprends pas non plus. Ce que je trouve vraiment étrange, c'est qu'il l'ait embrassée *là*, vous savez où je veux dire!

— Ça, je n'en crois pas un mot, lança May avec défi.

Inez haussa les épaules.

— Tu me prêtes ton bâton de rouge à lèvres, May?

Inez était assez satisfaite de son allure dans le doux pull de Harriet et la superbe jupe dont la ceinture portait l'étiquette de Saks Fifth Avenue. Trop satisfaite pour relever le défi de May ou expliquer à Devon les mystères de la vie. Car elle savait déjà ce que font les femmes pour plaire aux hommes. Parbleu, dès l'âge de sept ou huit ans, elle et Bianca Ferra, sa meilleure amie, avaient trouvé des petits livres de bandes dessinées dans la commode du père de Bianca. On y voyait Olive Oyl qui avait dans la bouche l'énorme concombre de Popeye. Il y avait aussi un dessin du chien Pluto, ou c'était peut-être Goofy, Inez ne s'en souvenait trop au juste; en tout cas, la souris Minnie faisait la même chose à l'un d'eux. Sapristi! Jusqu'à la petite Lulu qui se mêlait de le faire!

Inez respira profondément, posa les mains autour de sa taille et serra fort. La volumineuse jupe de Harriet lui faisait paraître la taille très fine. Elle se demanda si elle parviendrait à se toucher les doigts. Ayant réussi, elle se mit à pirouetter devant la glace. Sa jupe ondulait gracieusement et laissait entrevoir, sous son jupon, le même porte-jarretelles en satin bleu clair qu'elle avait vu Ezra Tennich tripoter sur Harriet. Elle avait vu le prof s'agenouiller devant son amie; on aurait dit qu'il la prenait pour Rita Hayworth dans *Miss Sadie Thompson*. Il lui avait saisi les cuisses de ses grosses mains et avait glissé les pouces sous les rubans de satin qui cachaient les jarretelles.

Harriet s'était renversée sur le canapé en cuir et avait fermé les yeux pendant que Tennich plaçait les cuisses de la fille sur ses épaules et se penchait la tête en avant. Harriet s'était alors cambrée à un point tel qu'Inez pensait entendre craquer son dos comme la fourchette d'une volaille. Harriet avait le menton tendu, les bras en croix, et grattait de ses doigts le cuir usé des coussins dans une crucifixion d'extase.

Inez avait soudain eu un frisson. *Ils partagent une chose dont je suis exclue!* C'est ce qu'elle pensait aussi lorsqu'elle était plus jeune et couchait dans la même pièce que ses frères et ses parents dans une cave. Elle avait peur et se sentait délaissée dans son petit lit le long du mur. Ses frères lui disaient qu'elle avait de la veine car eux devaient se partager un lit pas plus grand que le sien. Or, le lit d'Inez se trouvait le long du mur où seule une mince couche de peinture et de plâtre recouvrait des pierres aussi froides que celles d'une caverne. Elle entendait constamment gratter les petits rongeurs. Le plancher sous son lit, sous ses pieds si jamais elle osait se lever la nuit, était revêtu d'une mince couche de linoléum sur de la terre battue.

Les seuls bruits humains qu'elle entendait la nuit étaient ceux qui provenaient du lit de ses parents. Sa mère riait ou geignait, invoquant les saints du ciel alors que son père haletait d'une manière qui lui rappelait le bruit d'une scie. La fillette s'étirait le cou dans le noir afin d'observer ces fantômes ondulants, et trouvait injuste qu'ils se réconfortent ainsi l'un et l'autre tandis qu'elle était toute seule. Elle avait sept ans lorsque son père lui avait permis un soir de dormir avec lui dans le grand lit tandis que sa mère était hospitalisée, souffrant d'une pneumonie.

— Vite, Inez! Approche-toi. Viens voir, Devon.

May attendait leur taxi à la fenêtre. Elle vit s'arrêter devant la grille une moto chevauchée par un dieu blond en blouson de cuir noir.

Inez regarda la grille à travers les hautes branches dénudées.

— Dieu qu'il est beau. Qui est-ce?

Le garçon avait une jambe pliée sur sa moto et attendait quelque chose ou quelqu'un. Il se passa les doigts dans ses longs cheveux couleur de safran, ébouriffés par le vent comme de la mousse de pissenlit. Les épaules courbées contre le froid, il se souffla dans les mains avant de lever les yeux.

Devon s'éloigna de la fenêtre. Elle avait l'impression d'avoir vu la face du soleil. Le garçon à la moto n'était pas beaucoup plus vieux que les trois filles. Il avait les traits angulaires et irréguliers. Il semblait affamé. Seuls ses yeux paraissaient jeunes. Il avait les yeux clairs et bleus et, d'après Devon, remplis d'espoir.

Lorsqu'il sourit, elle pensa que non, ce n'était pas l'espoir qu'elle lisait dans ses yeux, c'était la certitude. Le visage basané du jeune homme s'éclaira soudain. Après s'être encore une fois passé la main dans les cheveux, il désenfourcha sa moto et s'avança vers Hinton Hall. Devon entendait ses pas avec une clarté surprenante; le bruit scandait ses battements de cœur. Il arriva enfin sous leur fenêtre et leva les yeux en souriant.

— Hé! Est-ce que Harriet Brinkley est là-haut? C'est de la part de King. Kingston Godwin.

King n'avait de cesse de la regarder, cette grande fille en noir; elle portait un manteau noir, une robe noire, avait d'épais cils noirs, et en contraste, de téméraires yeux violets.

Devon Barnes. C'est comme ça qu'elle avait dit se nommer.

Il avait souri en lui-même à la façon dont elle avait prononcé son nom en l'étirant comme le voulait son accent du Texas. C'était un grand brin de fille mince au teint de porcelaine et dont la crinière épaisse semblait n'en faire qu'à sa tête.

Devon Barnes.

Comme elle était belle. Quel visage et quelle silhouette! Il était bandé rien qu'à à la regarder.

Appuyé sur sa Harley-Davidson à la porte du lycée, il les avait attendues comme elles le lui avaient suggéré.

— Vous êtes de quel endroit? demanda-t-il à Devon en s'efforçant de cacher son accent. Car il surveillait sa diction et s'appliquait de son mieux à parler en acteur, de cet accent à toutes les sauces, accent de nulle part à la Rock Hudson, qui le ferait un jour entrer à l'Atelier des acteurs. C'était presque fait d'ailleurs.

— Du Texas, répondit-elle en haussant les épaules, histoire de laisser comprendre qu'elle n'y était pour rien.

Elle regarda ses amies. Elle regarda le sol. Elle avait sur les joues deux taches rouges comme des fraises dans un bol de crème. Sa peau était douce et ferme et elle avait de délicates pommettes. Ayant jeté un dernier regard à King, elle lui sourit et tourna les talons. Il constata qu'elle cherchait un endroit où poser les yeux, où se dérober au regard du jeune homme.

Oui, décidément, il la désirait cette Devon Barnes. Il la rendait nerveuse. Et les deux autres qui ne cessaient pas de jacasser comme des pies en lui racontant la défection de Harriet!

— Je suis vraiment navrée, lui dit la grassouillette. Enfin, vous devez être déçu...

— Ne le serais-tu pas, toi? d'interrompre la fille au pull sans le quitter des yeux. Venir de si loin à moto pour apprendre que ta petite amie s'est enfuie avec un autre!

— Elle n'était pas ma petite amie, précisa King, sachant que c'était tout ce que la pie souhaitait entendre, mais voulant néanmoins que la Texane l'apprenne. Il poursuivit :

— Je l'ai rencontrée dans un bistro à Greenwich Village il y a quelques semaines. Elle m'avait invité à lui rendre visite. Alors, comme il fait beau et que je n'avais rien d'autre à faire...

— Ah, ça alors, c'est bien elle, dit la grosse d'une voix irritée. Elle avait pris rendez-vous pour le jour même de mon anniversaire.

La beauté texane se mit à rire.

— Pour ensuite s'enfuir avec le vieux Tennich. Elle avait un rire sonore pour une fille si délicate. Un beau rire retentissant et un corps superbe.

— Je t'en prie, Devon!

Inez, la fille au pull, était scandalisée. Elle rougissait même. Ce n'était pourtant pas son genre. Il la jugeait plutôt agressive. Car il faisait à peine quatre degrés dehors, et elle était là à fumer, son manteau sur le bras afin que personne ne manque de remarquer sa silhouette incroyable tout de cachemire et de laine enveloppée. Elle avait de ces nichons qui feraient pâlir Marilyn Monroe; elle avait la taille fine et des jambes de danseuse qui n'en finissaient plus, comme celles de Cyd Charisse, tiens. Aucun doute; des trois, c'était Inez la plus frappante. Il fallait être imbécile pour ne pas remarquer qu'elle s'offrait à lui avec chaque battement des paupières, chaque haussement des épaules, ou chaque fois qu'elle gonflait la poitrine ou qu'elle se penchait pour redresser la couture de ses bas, l'invitant ainsi à suivre du regard ses jambes impressionnantes. L'invitant à remarquer son petit derrière bien haut incliné en direction du jeune homme. Quelle sensation il aurait si elle s'ouvrait à lui! Penchée comme ça, elle n'avait plus qu'à reculer de quelques pas. Juste sur lui. Il aurait à peine besoin de bouger.

Oui, il aurait tort de ne pas accepter, compte tenu de la douloureuse protubérance dans son jean.

— May a seize ans aujourd'hui, lui annonça la Texane.

— Joyeux anniversaire!

Seize ans? Peut-être, peut-être pas. Harriet avait prétendu en avoir dix-huit. Il l'avait cru. Elle, par contre, n'avait pas cru qu'il avait vingt ans; il en paraissait au moins vingt-cinq, lui avait-elle dit. Merci du compliment, Harriet. Il lui avait affirmé ne jamais mentir, ce qu'elle n'avait pas cru non plus.

— Merci. Nous devons y aller, maintenant. Désolée pour Harriet. Çà alors, je me demande bien ce que je vais dire à mes parents. Elle devait être de la fête.

— Nous allons déjeuner au « 21 », vous savez, lui dit Inez d'une voix chatoyante. Elle faisait encore danser sa poitrine pour lui.

— Nous allons déjeuner avec Gilda Greenway, ajouta Devon. C'est mon idole.

King ne croyait pas qu'elle disait la vérité à propos du déjeuner mais comprenait pourquoi la Greenway était son idole. Si on lui avait demandé à qui la Texane lui faisait penser, il aurait immédiatement répondu que c'était à Gilda Greenway. Pourtant, Devon n'était pas aussi sexy que l'actrice.

Il aurait voulu regarder Devon mais savait qu'elle se mettrait à rougir et détournerait encore la tête. Pas sexy? Qu'allait-il chercher là! La protubérance qu'il s'efforçait de cacher sursautait à chaque fois qu'il posait son regard sur cette fille. Même son rire le fascinait. Elle avait de la classe cette grande perche du Texas. Il aurait parié qu'elle sentait bon le savon et non les draps défraîchis.

— Elle fait presque partie de la famille, n'est-ce pas, May? affirma Inez.

— Gilda Greenway? Il ne savait toujours pas s'il devait les croire. Mais, c'est très bien, ça.

Il lança un regard à May, cherchant la ressemblance. Même avec douze ou quinze kilos en moins, il n'y avait aucune Gilda cachée là-dessous. Pas avec ce nez de Pinocchio. Rien n'empêche qu'il était intéressant ce nez. La fille avait de beaux yeux, une jolie bouche et de belles dents. Son nez lui donnait du caractère.

— Je suis sincère. C'est-à-dire que d'être parente avec une star de cinéma, je trouve ça très bien. J'étudie l'art dramatique moi-même, ajouta-t-il en baissant les yeux.

Il voulait que Devon Barnes sache qui il était et à quoi elle pouvait s'attendre. Il y tenait beaucoup. Il avait vingt ans mais se débrouillait seul depuis déjà longtemps; il trimait dur depuis cinq ans. Autant dire cinquante! Il avait vu des choses qu'elle ne croirait jamais; il avait fait des choses qu'il aurait cru ne jamais pouvoir faire. Un jour, peut-être, il lui raconterait tout. Non pas dans le but de la scandaliser. Simplement pour qu'elle ne puisse jamais l'accuser de ne pas lui avoir dit la vérité dès le début.

La plupart des gens ne comprennent rien au théâtre, pensa-t-il. Ils ne comprennent pas qu'il s'agit de vérité et non de prétention. Il se demandait si Gilda Greenway était du même avis. Sans doute, pensa-t-il, car elle était bonne actrice. Oh, pas ce qu'il appellerait une grande actrice; encore faudrait-il que les stars de cinéma aient plus souvent l'occasion de jouer pour de vrai. Il dit en s'adressant à May :

— Je l'admire.

— Nous ne sommes pas vraiment parents. Gilda est ma marraine. Devon veut devenir actrice elle aussi, n'est-ce pas?

Devon Barnes eut un sourire narquois.

— Tu veux plutôt dire « un acteur ». Les seuls rôles que j'ai obtenus jusqu'à présent étaient des rôles masculins. Pas vrai, Inez?

La fille au pull ne fit aucun cas d'elle. Elle dit plutôt, d'une voix qui se faisait insistante :

— T'as entendu ce qu'il vient de dire? Il étudie l'art dramatique à New York. Je te parie qu'il serait fou de joie de rencontrer Gilda.

May parut contrariée.

— Mais oui! J'allais le lui demander, Inez. Ecoutez, mes parents donnent une petite fête en mon honneur. Une partie, quoi! ajouta-t-elle un peu gênée, constatant qu'elle en avait déjà trop dit. C'est pour mon anniversaire. Ce n'est qu'un déjeuner, en réalité. Ça vous plairait... de vous joindre à nous? Vous pourriez prendre la place de Harriet. Elle devait nous accompagner.

Les oreilles lui chauffaient d'embarras. Elle avait soudain plus conscience de son poids que jamais et se massait les bras; on aurait dit qu'elle souhaitait les voir fondre.

King lança un regard à Devon.

— On me dit qu'elle est très sympa, ajouta la Texane. Enfin, on lit dans tous les journaux qu'elle aime bien donner un coup de pouce aux jeunes. C'est vrai, n'est-ce pas, May?

Les deux taches roses réapparaissaient sur ses joues. Elle pouvait à peine soutenir le regard de King.

— Ça me paraît assez chouette, répondit-il d'une voix hésitante à la James Dean. L'une de vous trois pourrait peut-être monter derrière moi...

— Bonne idée, répondit Inez. Je cours chercher un foulard. Je reviens tout de suite.

Elle lança son manteau et traversa le square en courant.

«Je cours chercher un foulard?» Merde! De quoi se mêlait-elle, celle-là. Tu parles d'une sale enquiquineuse.

King cherchait à attirer le regard de Devon; cependant, elle refusait de le regarder. May prit la main de son amie.

— Allez, viens, Devon. Le taxi nous attend. Nous allons sur la Cinquante-deuxième, entre la Cinquième et la Sixième, annonça-t-elle à King par-dessus l'épaule. Soyez sages. Et faute d'être sages, ajouta-t-elle en riant, soyez prudents!

2

Le 26 décembre 1979, onze heures

Après les funérailles de Gilda Greenway, le détective Biggs
retourna à son quartier général de l'avenue Butler. Là, il prit
l'ascenseur jusqu'au deuxième où se trouvait son bureau. Après
avoir dégagé son fauteuil de la paperasse qui l'encombrait, il
détacha sa cravate. Charmant Noël, pensa-t-il.

Son supérieur, Harry Monahan, était encore à l'hôpital Cedars
où il se remettait d'une blessure reçue au cours d'une enquête
la semaine précédente. C'était donc à Biggs qu'on avait passé
l'affaire Greenway, genre d'affaire pour laquelle un flic aurait
volontiers sacrifié une couille!

La veille de Noël, peu avant minuit, on avait appelé le
lieutenant à la résidence de mademoiselle Greenway. En
réponse à un appel anonyme, des policiers s'étaient rendus sur
place et avaient trouvé Gilda Greenway sans vie, abattue dans son
propre salon à côté de son arbre de Noël. King Godwin, super
star et mauvais garnement de Hollywood, se trouvait auprès
d'elle.

Les journalistes étaient avides et il y avait là matière à faire les
manchettes.

A l'arrivée de Biggs, le médecin légiste venait de constater
la mort de l'actrice que l'on embarquait justement dans une
ambulance. Le photographe du bureau des homicides était déjà
au boulot.

Biggs n'avait jamais rencontré Gilda Greenway. Il l'avait bien
aperçue à quelques reprises lors de réceptions auxquelles il avait
été convié grâce à ses petits rôles d'occasion dans des films
policiers. Mais il avait entendu dire que la Greenway vivait en
véritable ermite ces dernières années.

Par contre, il connaissait King Godwin. En fait, il avait autrefois
eu l'occasion de le sortir d'une situation plutôt embarrassante.
Biggs n'aurait jamais pensé qu'il interrogerait un jour le célèbre
acteur pour une histoire de meurtre. C'était pourtant précisément
ce qu'il avait fait aux petites heures du matin le jour de Noël.

* * *

— A quelle heure êtes-vous arrivé aux Perles? avait demandé Biggs.

Ils se trouvaient dans le bureau de ce dernier au quartier-général. Il était une heure du matin, à peine une heure et demie après la découverte du cadavre. Plusieurs policiers circulaient devant le bureau de Biggs, espérant sans doute apercevoir la star.

King Godwin n'avait même pas demandé à communiquer avec son avocat. Il paraissait renversé.

— Je pense qu'il devait être peu après onze heures trente. Je venais d'entendre le début du radiojournal dans ma voiture.

— Que faisiez-vous là-bas? C'est la veille de Noël, dit Biggs en jetant un coup d'œil à sa montre. Enfin, c'est le jour de Noël à présent.

— Mon ex-épouse donnait une soirée. Il était tard et Gilda n'était toujours pas arrivée. J'ai téléphoné chez elle à quelques reprises mais il n'y avait pas de réponse. Alors, je me suis inquiété et j'ai décidé d'aller voir ce qui se passait. Je pensais qu'elle n'entendait peut-être pas la sonnerie du téléphone.

King se demandait s'il devait lui révéler l'autre raison pour laquelle il s'était rendu aux Perles. Et puis, non, après tout. A quoi bon compliquer les choses?

— Et qu'avez-vous trouvé à votre arrivée chez mademoiselle Greenway?

— Eh bien, voici. Il faisait très noir. Je n'entendais rien sauf les chiens qui jappaient dans leur chenil. A mon arrivée devant l'entrée, la grille s'est ouverte automatiquement. Une fois en haut de l'allée, j'ai remarqué que la porte de l'entrée principale était ouverte. J'aurais dû me douter qu'il y avait quelque chose de louche car Gilda était très prudente en matière de sécurité; son intimité, c'était pour elle une obsession. Elle avait eu beaucoup d'admirateurs trop attentifs, vous comprenez.

— Que s'est-il passé par la suite?

— J'ai stoppé la voiture et je suis entré. J'ai crié son nom. Pour toute réponse, j'ai entendu les chiens qui jappaient de plus belle. En jetant un coup d'œil dans le salon j'ai remarqué que les lumières de l'arbre de Noël étaient allumées. C'était très bizarre. La seule lueur qui éclairait la pièce était un scintillement rouge et vert qui s'allumait et s'éteignait tour à tour. C'était assez étrange. Ensuite...

Biggs remarqua que les yeux de King Godwin roulaient dans l'eau. Embarrassé, l'acteur leva les yeux au plafond puis les baissa au plancher. Ce dur à cuire du cinéma se mordait les lèvres pour cacher son émotion. Il se fit craquer les jointures.

— Poursuivez, je vous en prie.

— Ensuite, je l'ai aperçue. Elle était étendue dans sa chaise longue à côté de l'arbre. En fait, pas vraiment étendue; je dirais plutôt... renversée, comme si on l'avait poussée. Evidemment, maintenant que je sais... A première vue, je me suis dit qu'elle avait encore bu. Si je me souviens bien, elle tenait quelque chose à la main. Et... on aurait dit qu'elle souriait. C'était ce genre de sourire qu'elle nous avait encouragés à imiter dans le temps.

— Qui ça, *nous*?

Biggs alluma une Camel sans filtre et envoyant au plafond un nuage de fumée.

— Ah! répondit King à voix basse. Les quatre fans. Mon ex-épouse Inez et moi, May Fischoff et Devon Barnes. Jadis, à New York, on nous avait baptisés « les quatre fans de la Dame aux perles » à la suite d'une photo prise le jour où nous nous sommes tous rencontrés. Gilda était notre idole et elle nous a donné un coup de pouce à nos débuts.

Biggs hocha la tête. Cela expliquait la photo, pensa-t-il.

King Godwin laissa échapper un soupir et passa la main sur ses fameux cheveux blonds décolorés par le soleil. Puis, il se frotta les yeux, ces yeux bleus qu'il avait fait assurer à la Lloyd's de Londres. Il se frotta aussi le pont du nez.

— Alors, poursuivit-il, j'ai prononcé son nom une seconde fois mais elle ne m'a pas répondu. Elle ne bougeait pas, elle ne semblait même pas respirer. Je me suis approché doucement, pensant qu'elle était assoupie, qu'elle dormait, tout simplement. J'ai ensuite vu de plus près le fauteuil sur lequel Gilda était étendue. Il était maculé de sang. Et ses yeux! Tout grand ouverts. J'ai dû me trouver sous l'effet du choc ou je ne sais quoi, car je me suis senti faible, comme jamais auparavant. Je venais de constater qu'elle était morte. J'allais lui fermer les yeux quand un policier est entré en criant : « Haut les mains! Police. Ne bougez plus! » J'ai fait volte-face et j'ai aperçu ce maudit revolver braqué sur moi. On aurait dit le scénario d'un mauvais film. Puis, le flic a dit : « Merde! Vous êtes King Godwin, n'est-ce pas? » Et j'ai répondu : « Oui. Et voici Gilda Greenway. » Voilà!

— Et, qu'avez-vous fait du revolver?

— Quel revolver?

— Allons, King. Vous et moi, on se connaît depuis longtemps. Alors, ne jouez pas ce jeu avec moi. Quand une femme se fait descendre, vous ne demandez pas : « Quel revolver? » Vous dites : « Oh, ce revolver-là! »

King Godwin se raidit sur sa chaise.

— Ecoutez-moi bien, Lionel. Je ne sais pas de quoi vous parlez. Je n'ai jamais vu de revolver. Je n'ai même pas entendu un coup de feu. Tout ce que je sais, je viens de vous le raconter.

— Et vous prétendez ne rien savoir au sujet d'un revolver? Ne pas avoir entendu de coup de feu, n'avoir vu personne quitter les lieux?

— C'est exact.

— Hmmm!

L'interrogatoire s'était prolongé d'une dizaine de minutes, après quoi King était relâché.

— Ne faites pas de projet de voyage, ajouta Biggs au moment où King prenait l'ascenseur.

De retour à son bureau, le détective relut les notes qu'il avait prises pendant l'interrogatoire. Il connaissait peut-être King Godwin, mais pas à fond. Il l'aimait bien. Or, la seule chose sur laquelle un flic peut compter, en fait la seule chose qui souvent lui permet de résoudre une affaire, c'est son instinct. Sentiment intangible, indéfinissable, mais toujours présent comme une odeur persistante. Et l'instinct de Lionel Biggs lui disait définitivement quelque chose au sujet de King Godwin.

Sept heures plus tard, sans avoir dormi du tout, Biggs se rendait au Centre des sciences médico-légales afin d'examiner le cadavre.

Belle façon d'entamer le jour de Noël. Alors, quoi? Osait-il se plaindre?

Jamais de la vie. Cette visite n'était pas absolument nécessaire; néanmoins, comme c'était à lui qu'on avait confié cette affaire, eh bien, il ferait les choses à sa façon. Après tout, ce n'était pas tous les jours qu'une personnalité légendaire de Hollywood se faisait zigouiller. C'était le genre de crime dont rêvait tout policier, parfois pendant une vie entière. Si Biggs parvenait à le résoudre, cela lui vaudrait sans doute de l'avancement. Il se pourrait qu'il soit promu au même rang que cet idiot de Monahan. Ou qu'il écrive un livre. Peut-être un film? Et pourquoi pas entreprendre une nouvelle carrière comme Joseph Wambaugh l'avait fait? Il haussa les épaules. Si ce médecin légiste de Los Angeles avait réussi à faire l'émission télévisée *Quincy*, qui sait ce que Biggs pourrait décrocher.

Il descendit à l'étage de la sécurité et des services. Il y avait là trois pièces : la salle « A », la principale salle d'autopsie; la salle « B », connue des habitués comme la salle des V.I.P. car elle était réservée aux cas qui présentaient certaines difficultés d'aspect médical ou pour les personnages importants; et la salle « C », plus grande que les deux autres, réservée aux cas de maladies infectieuses ou alors pour les corps dans un état de décomposition avancée.

Gilda Greenway se trouvait dans la salle « A ».

Elle aurait été offensée de n'avoir pas été placée dans la salle « B », pensa Biggs. Celle des V.I.P. Les étoiles de cinéma étaient toutes les mêmes!

A son arrivée la nuit précédente, le corps de Gilda avait d'abord été transporté dans la grande salle d'accueil avant d'être transféré à la salle « A ». C'était là qu'on l'avait placé sur une civière et pesé au moyen d'une énorme balance.

Elle aurait probablement détesté cela aussi. Quelle femme tenait à révéler son poids? A plus forte raison, une étoile de cinéma.

Aux Perles, le médecin légiste avait procédé à un inventaire des effets personnels de la victime. L'agent qui avait répondu à l'appel ce soir-là et s'était trouvé en présence de King Godwin, avait lui aussi signé le reçu.

Biggs en examina la liste :

1. Une vieille photo. Victime en compagnie de quatre jeunes gens, 3 filles, 1 garçon.
2. Une montre en or pour dame (Piaget).
3. Une bague en or sertie d'un diamant d'environ six carats et de huit rubis d'environ 0,5 carats chacun.
4. Une paire de boucles d'oreilles en diamants, d'environ un carat chacune.
5. Un étroit bracelet de diamants totalisant 25.5 carats avec fermoir en or.

Voilà. Le mobile du crime n'était certes pas le vol!

Le bureau des homicides avait pu retirer plusieurs balles de la chaise longue où l'on avait trouvé la victime. On les avait déposées dans un petit sac de plastique portant la mention « Attention. Pièces à conviction. Ne pas toucher. » Le service de la balistique en ferait l'analyse, de se dire Biggs, laquelle figurerait au rapport de l'autopsie.

Le photographe du médecin légiste avait pris des photos, d'abord de la victime tout habillée, et ensuite, à mesure qu'on lui retirait ses vêtements.

On avait pris les empreintes digitales de Gilda.

On l'avait ensuite placée sur une table de métal et on avait rangé ses effets personnels en lieu sûr.

Biggs remarqua que même à la grande lumière peu flatteuse de la salle « A », Gilda Greenway était belle. Elle n'était sans doute plus aussi frappante que dans sa jeunesse; par contre, il y avait encore un je-ne-sais-quoi qui la distinguait d'une actrice ordinaire. Quelque chose qui lui donnait l'allure d'une star. Des pommettes parfaitement dessinées, de beaux yeux félins, et une bouche qui fait la moue.

Quelques instants plus tard, le fameux médecin légiste de Los Angeles County faisait son apparition en enfilant une paire de gants de caoutchouc. Après les salutations d'usage, il fit un examen préliminaire du cadavre avec détachement et habileté.

— J'aperçois la blessure par où la balle a pénétré. Il semble que le projectile ait été tiré d'assez près et soit entré, comme vous pouvez le constater, en haut du sein gauche. Il est ressorti, dit-il en levant Gilda comme une poupée de guenille, par le dos, à l'omoplate gauche. Et quelle sortie! Il semblerait qu'il s'agissait d'une balle à pointe creuse.

Il montra à Biggs la façon dont les chairs s'étaient dispersées.

— Nous ferons l'analyse d'un échantillon de chair au microscope électronique. C'est un fameux appareil. Il peut en révéler long sur les tissus cutanés, particulièrement la trajectoire précise qu'une balle a suivie en traversant le corps.

— La brigade des homicides a récupéré quelques balles, souligna Biggs.

— Je sais, répondit vivement le coroner. Vous aurez mon rapport préliminaire demain matin. Avant le déjeuner, j'espère; peut-être bien juste après.

— Pourquoi seulement demain?

— Parce qu'aujourd'hui, c'est Noël. Je travaille avec un personnel réduit. Nous ferons aussi les analyses de sang demain et vous aurez les résultats dans l'après-midi, O.K.?

Biggs savait que le médecin souhaitait le voir sortir. En partant, il entendit le crissement d'une scie électrique.

Biggs consulta sa montre. Il était onze heures quinze. Les funérailles de Gilda Greenway venaient tout juste de prendre fin. Ciel! Quelle cohue! Tous ces fans qui pleuraient. La moitié d'entre eux étaient des gens du métier et les autres, des pédés. Evidemment, l'un n'excluait pas l'autre. Biggs n'avait jamais vu une foule aussi nombreuse depuis l'enterrement de Marilyn. Il y avait des reporters partout et plus de mélodrame que dans ce roman télévisé que son épouse regardait assidûment après avoir décroché le téléphone.

Il se redressa dans son fauteuil et appuya les coudes sur le buvard de son bureau, les mains jointes devant lui. A le voir, on aurait pensé qu'il priait. En fait, c'était justement ce qu'il avait envie de faire car il lui fallait résoudre un meurtre. Un des plus importants depuis des années. Certes le plus important de sa carrière. Et il ne disposait pas de beaucoup de temps.

Tout bon enquêteur sait que les premières vingt-quatre heures d'une enquête judiciaire sont les plus importantes. Or, Biggs n'avait pas arrêté un instant depuis que l'on avait déposé Gilda Greenway dans l'ambulance. Il avait d'abord interrogé King. Ensuite, avant de se rendre à la morgue, il avait sorti le journaliste Billy Buck de son sommeil matinal de Noël.

Malgré tout, il avait l'impression de n'avoir toujours rien accompli. On avait descendu cette femme et il ne restait que peu de temps pour trouver l'auteur du crime.

Il se leva, endossa son veston et sortit. Sa hernie le faisait terriblement souffrir; mais ce n'était pas le moment de prendre un congé de maladie.

C'était le moment d'aller examiner les Perles une seconde fois.

3

Le 12 février 1956

Dans le train qui filait en direction de New York, May et Devon étaient assises l'une en face de l'autre, les pieds appuyés sur la banquette opposée. Le wagon était presque vide. Seul un homme qui lisait le magazine *Variety* se trouvait de l'autre côté de l'allée. May regardait d'un œil distrait les mauvaises herbes qui poussaient le long des voies, sur un vague arrière-plan d'arbres dénudés et de sapins, de champs en friche et de fonds de cours où gisaient des camionnettes rouillées ou des voitures hissées sur des blocs. Plongée dans la rêverie, Devon ne voyait rien.

Agée de seize ans, Devon Barnes était amoureuse.

Or, voilà qu'elle avait fait des bévues et notamment, elle avait ri trop fort. Quelle catastrophe! Sa grand-mère, Maybelle Barnes qui habitait à Mullin au Texas, avait raison. Devon riait comme un âne qui brait. Elle n'avait pas pu s'empêcher de dévisager King Godwin, la bouche grand ouverte. Belle impression! Elle l'avait regardé d'un air hébété, avait rougi comme une betterave et détourné la tête en ressentant un chatouillement à l'entrejambe, une chaleur qu'elle ne comprenait pas mais qu'elle trouvait agréable. Il était très attirant ce type. Très sympa.

Devon aurait voulu partager ses sentiments avec May, si seulement elle n'avait pas craint de lui paraître ridicule. Comment pouvait-elle être amoureuse d'un garçon qu'elle connaissait depuis quelques minutes à peine? Pourtant, il était vraiment chouette. Il conduisait une motocyclette. Elle n'avait jamais connu personne qui possédait une moto. Il avait les yeux les plus bleus qu'elle ait jamais vus. C'était à la fois un fonceur et un être réservé.

Et voilà qu'il lui avait préféré Inez Hollister.

Bercée par le clic-clac rythmique du train, Devon ferma les yeux pour refouler ses larmes et poussa un soupir en pensant à son amie Inez sur la moto de King. Elle s'imaginait la voir s'accrocher à lui avec ses cuisses, appuyer la joue sur son blouson de cuir et tenir le garçon à bras-le-corps. Avec plus de force qu'il ne le fallait, Devon en était certaine. Inez appuierait ses cuisses sur celles du jeune homme, plaquerait sa volumineuse poitrine au dos de King et se frotterait contre lui. Et Inez portait aujourd'hui le porte-jarretelles bleu clair de Harriet Brinkley.

Devon ressentit le même chatouillement.

Là.

Merveilleux.

— May, demanda-t-elle soudain. Est-ce que j'ai du sex-appeal d'après toi? Je sais bien que je ne suis pas taillée comme Inez, tu vois ce que je veux dire. Je n'ai pas plus de rondeurs qu'il faut. Quand même, me trouves-tu assez attirante? Ne serait-ce que juste un peu?

May la dévisagea.

— Tu veux rire!

Devon secoua lentement la tête.

— Oh, je ne sais trop, répondit May en se donnant un air blasé. Tu n'es pas très attirante. Tu es seulement parfaite!

Cependant, Devon avait déjà l'esprit ailleurs, envolé par la fenêtre du train; il planait sous un ciel gris à la recherche d'un Adonis blond à motocyclette.

Elle en avait le cœur brisé à s'imaginer King et Inez chevauchant le vent ensemble; il lui semblait les voir se faire de plus en plus petits dans son esprit, comme une réflexion dans le rétroviseur. Ils formaient un beau couple cet attrayant jeune homme et cette belle fille, tous deux au seuil d'une grande aventure. Tous deux seuls ensemble.

Sans elle.

Combien de fois avait-elle éprouvé ce même sentiment déjà?

— Ah! Ce que tu peux leur ressembler, Devon Barnes! lui disait sa grand-mère Maybelle. Tu n'es qu'une rêveuse, comme ton père. T'as plus de cran que de bon sens. Et tu es aussi têtue et obstinée que ta mère.

La grand-mère de Devon était très riche. Ses quatre fils aussi. Ils avaient converti la terre ancestrale en de vastes ranchs à laine et à mohair. Ils l'avaient même agrandie en achetant les environs de sorte qu'ils possédaient aujourd'hui « tout ce dont les écureuils ne veulent pas ou que les vaches ne boivent pas dans Mills County. »

Devon avait grandi à Mullin, un petit patelin entre Goldthwaite et Brownwood qui ressemblait justement à cette petite ville poussiéreuse du film *The Last Picture Show*. Il n'y avait pas de cinéma à Mullin. Pourtant, lorsque Devon avait regardé le film à la télé des années plus tard, elle aurait juré que Peter Bogdanovich l'avait tourné précisément là où elle avait grandi.

Le père de Devon était le fils cadet de Maybelle, et celui qui lui donnait le plus de fil à retordre. Tom, Bridges et Rodney passaient tout leur temps à cheval ou au volant d'un tracteur. Ils avaient fait leurs études à l'école d'agriculture du Texas et épousé des filles de Dallas. Ils avaient contribué comme il se devait à l'installation d'une enseigne à la gare d'autobus de Mullin qui se voulait un avertissement aux voyageurs noirs de passage. On y lisait : « Sale nègre, ne laisse pas la nuit tomber sur toi à Mills County! »

Harris Barnes était différent de ses trois frères. Ceux-ci avaient en effet les yeux bruns et le teint aussi foncé qu'un vieux chapeau Stetson, portaient la moustache et ressemblaient aux gars des pubs de cigarettes Marlboro. Harris, lui, avait le teint clair et des taches de son, la tignasse noire et les yeux bleu ciel. Il paraissait jeune et vulnérable, à l'instar de Robert Walker. Il avait passé quatre ans au collège Baylor à écrire des éditoriaux enflammés pour le journal étudiant dans lequel il accusait le corps législatif de trop dépenser pour l'équipe de foot plutôt que pour une nouvelle bibliothèque et un orchestre collégial. Un jour, au cours d'un rodéo d'étudiants, toute la faculté d'agriculture avait brûlé Harris en effigie; ses frères, qui se trouvaient dans les gradins, n'avaient pas protesté le moins du monde.

— A cause de cet imbécile, on va croire que toute la famille Barnes n'est qu'une bande de crétins, avaient-ils confié à Maybelle.

Cette dernière avait tenté en vain de panser leur orgueil blessé.

— Voyons, les garçons. Votre frère est en avant de son temps d'une vingtaine d'années, c'est tout.

Personne n'osait contredire Maybelle; les frères Barnes n'en estimaient pas moins que Harris était le mouton noir de la famille. Ils n'avaient encore rien vu!

Trop faible pour assister à la collation des grades, car il était en pleine crise d'hépatite particulièrement débilitante. « Une de ces maladies de communiste yankee, » avait dit Tom avec dégoût Harris avait tenté de s'enrôler dans l'armée. Il avait un pressentiment de ce qui allait arriver à mesure que la nouvelle se répandait au pays qu'un orage pointait à l'horizon en Europe. Il voulait être prêt à l'action en temps et lieu. Or, l'armée l'avait refusé en raison d'une faiblesse cardiaque; en effet, il avait au cœur un trou aussi gros qu'une graine de pastèque. Enfin, avait pensé Maybelle, voici l'occasion rêvée! Harris allait maintenant regagner l'entreprise familiale et devenir un homme respectable.

Le jeune homme avait toutefois autre chose en tête. A sa rentrée du collège, il ouvrait un journal dans le vieux drugstore de Mullin. Il avait déblayé le local des branchages de prosopis que le vent y avait entassés car les carreaux étaient depuis longtemps fracassés. Il y installa une presse et consacra le peu de santé qu'il lui restait à « réveiller les consciences engourdies des montagnards sans cervelle assez idiots pour vivre à Mills County. »

Cette affaire rongea son capital aussi vite qu'un alligator affamé. Car, si les cultivateurs d'arachides de Rising Star et de Priddy aimaient se pavaner à la porte de son journal en bottes de cowboy et chemise à la Roy Rodgers, s'ils aimaient jouer aux dominos et boire des colas, ils ne s'intéressaient guère à ses articles au sujet d'un fou nommé Hitler ou de l'invasion de la Tchécoslovaquie par les Nazis. Ce qui les intéressait, c'était plutôt le prix de vente du porc et les indiscrétions de Millie Daws, la serveuse au café situé sur la route 84. Le journal ne comptait que vingt-cinq abonnés et se trouvait endetté de cinquante mille dollars lorsque Maybelle en ordonna la fermeture. Harris ne lui pardonnerait jamais cette intervention et ce serait désormais la guerre entre eux.

Après cette aventure, le père de Devon se rendit à Shreveport, encouragé à ce faire par des Juifs de ses amis qui souhaitaient le voir organiser un syndicat des cueilleurs de coton et des coupeurs de canne en Louisiane du nord. Ils s'étaient installés dans la cave de l'unique synagogue de Shreveport. Pour autant que Harris le sache, c'était là la seule synagogue de tous les Etats du sud.

Harris ignorait tout des Juifs.

— Il n'y a que deux Juifs au Texas, lui avait dit Maybelle. Monsieur Neiman et monsieur Marcus.

Or, les Juifs dont il était question étaient pauvres et se dévouaient pour les minorités opprimées; c'était tout ce qui comptait pour Harris.

Un jour, il avait cherché à les apprivoiser.

— Vous connaissez la différence entre le karaté et le judo? Le karaté sert à l'auto-défense et le judo sert à fabriquer vos brioches!

La blague n'avait pas eu l'effet souhaité. Une autre fois, il avait laissé un sandwich au jambon et au fromage dans le petit réfrigérateur du bureau et ils avaient dû faire venir le rabbin pour bénir le frigo!

Toutefois, les travailleurs l'aimaient bien. Harris se promenait à pied dans la glaise rouge, ses mocassins de yankee couverts de boue. Il distribuait ses dépliants aux coupeurs éberlués. Dans des champs de canne à sucre, il s'adressait à ces travailleurs au visage de papier parchemin et leur faisait part de leurs droits. Certains l'insultaient, lui lançaient des menaces, se moquaient de lui. On avait entaillé les pneus de sa Ford, et une fois, alors qu'il se rendait à une réunion de vendeurs d'égreneuses de coton à Alexandria, le Ku Klux Klan avait tiré sur sa voiture et en avait fracassé le pare-brise avant de s'enfuir à toute vitesse par la route de Dixie.

— Tant pis pour lui si cet imbécile se fait flamber la cervelle, avait dit son frère Tom en apprenant les déboires de Harris au café.

Maybelle endurait en silence chacune de ces indignations.

Un jour qu'il se trouvait sur la rive de la Cane River à Natchitoches, Harris vantait les avantages d'un syndicat avec son zèle coutumier de prêcheur baptiste un dimanche matin. Il aperçut une petite jeune fille maigre en robe de jute qui levait la main bien haut par-dessus sa tête couleur de sorbet à l'orange.

— Ce syndicat, dit-elle d'une voix mi-figue, mi-raisin, est-ce qu'il empêchera ces gars-là de me traiter comme un ballot de coton?

Harris était tombé amoureux.

Elle s'appelait Mavis Toomey, lui avait-elle dit devant un cola au café de la place. Elle travaillait à une usine de textiles où on transformait en fil le coton brut qu'on tissait et teignait ensuite pour enfin le vendre à un fabricant de vêtements de sport à Baltimore. De ce tissu à rayures, il confectionnait des costumes et des blousons à l'allure de vêtements de cirque.

Mavis gagnait un demi-cent la couture, et quatre cents de plus pour chaque boutonnière. Elle avait économisé cent dollars en quatre ans, ce qui, à son avis, faisait d'elle la fille à peu près la plus riche de Natchitoches.

— T'as pas une chance sur mille d'introduire un syndicat ici, mon vieux. Y'en a jamais eu, y'en aura jamais. Ces mecs savent où tu veux en venir et si tu ne retournes pas au Texas, ils auront ta peau.

Harris n'avait jamais rencontré une fille qui avait autant de cran. Elle lui montra comment décortiquer des écrevisses et préparer un gombo et du riz sauvage. Les jours où elle choisissait de ne pas aller travailler, ils s'étendaient sous les grands pins et buvaient de la bière en parlant d'avenir. Harris lui confia qu'il aspirait à rendre le monde meilleur, et Mavis lui dit qu'une nouvelle voiture Nash avec de vrais marchepieds sur lesquels on pouvait se tenir debout saurait la rendre heureuse. Il promit de lui en acheter une si elle rentrait au Texas avec lui.

Ils se marièrent le jeudi suivant.

Hélas, la vie ne se déroulait pas toujours aussi bien que dans les films de Lana Turner. Maybelle avait détesté sa nouvelle bru sur-le-champ et coupé les vivres à Harris. Le couple habitait une roulotte sur la petite route 183, à douze kilomètres de Mullin, où Devon naquit en 1940. On lui avait donné le nom d'une petite ville en Angleterre que Harris avait vue sur une affiche au bureau de poste, une affiche qui encourageait les Américains à envoyer des vivres en Grande-Bretagne. Cet endroit aux collines verdoyantes et vallées fertiles constituait un paisible contraste en regard des tristes nouvelles de la guerre approchant à grands pas.

L'ironie du sort avait voulu que ce soit précisément de cette ville que Rodney, le frère de Harris, poste sa dernière missive quatre ans plus tard, avant d'être tué dans un raid aérien à Londres alors qu'il était dans la neuvième division d'infanterie. Le nom de Devon fut depuis lors un pénible souvenir pour la famille Barnes, un rappel que quelque chose avait cloché au paradis. Même après la guerre, après que Maybelle eût oublié ce que c'était, elle ne parvenait pas à oublier que ce nom avait une consonance qu'elle n'aimait pas. Le mot « Devon » lui écorchait la gorge autant qu'un os de poulet. Elle avait fini par appeler la fillette « Dee », même si elle ne lui adressait pas très souvent la parole.

Ses deux frères à la guerre aux antipodes, c'est-à-dire à Dunkerque et Guam, l'aîné administrait les ranchs tandis que Harris, le cadet, continuait à déshonorer davantage la famille en organisant des protestations contre les camps militaires ségrégationnistes au Texas. Il se dévoua ensuite à une cause humanitaire qui consistait à récolter bénévolement des couvertures, des médicaments et des vivres que l'on expédiait aux forces alliées outre-mer; il faisait la collecte de porte en porte.

Après la guerre, Mavis avait vu ses rêves de prospérité pour elle et sa fille se transformer en cauchemars. Harris était toujours parti et dilapidait sa part de l'héritage de son frère qu'il avait reçue en vertu des lois du Texas. Il investissait dans des combines destinées à l'enrichir rapidement mais qui se soldaient toujours par un fiasco. Pour arriver, Mavis vendait des hamburgers après avoir laissé Devon à celle de ses tantes qui voulait bien la prendre. En de rares occasions, Maybelle venait chercher la fillette à la roulotte le samedi matin dans sa Cadillac rouge, et disparaissait en vitesse sur la nationale avant que Mavis n'ait pu lui adresser le bonjour.

A la maison, la petite vivait de crème d'arachides et de croustilles; au ranch de Maybelle, il y avait toujours du poulet et des biscuits, de même que des glaces de fabrication domestique. C'était en ces occasions que sa grand-mère, aux yeux féroces gros comme le poing, lui donnait d'un air dédaigneux les plus récentes nouvelles de son père.

Le premier désastre financier qu'avait essuyé Harris était l'achat d'un terrain en Floride, au beau milieu de ce qui n'était qu'un marécage. L'Office américain de l'environnement avait déclaré l'eau insalubre et la vente du terrain illégale. Harris ne toucha que cinq pour-cent du montant qu'il avait investi.

Il s'était ensuite occupé de déménager un centre d'amusement en Arizona et devait constater trop tard qu'aucun homme d'affaires ne s'intéressait à son projet. Harris s'était retrouvé avec dix mille collants-réclame sur les bras.

Il avait plus tard acheté une teinturerie dans un coin de pays où l'humidité était si forte qu'un pantalon bien pressé avait l'apparence d'un tuyau de poêle dès l'instant où on mettait le pied dehors. Pour une autre affaire, Maybelle elle-même aurait pu lui dire qu'on ne va pas aménager un terrain de golf à Fargo dans le nord du Dakota, là où il neige sept mois par année!

Harris investit jusqu'à son dernier centime dans une station touristique près du désert de Mojave en Californie. Après la signature du contrat, il découvrit qu'il n'y avait aucun moyen de pomper l'eau jusqu'à son terrain; personne ne voulait donc y construire. Harris était pourtant imperturbable. Plutôt que de se rapprocher des centres urbains comme le faisaient les autres, il voulait à tout prix inciter la population à retourner s'installer à la campagne, à ses sources. Comment prévoir qu'il y aurait une crise du pétrole? Comment prédire que la crise économique forcerait les vétérans à une migration vers les centres urbains?

Des années plus tard, quand elle fut assez raisonnable pour lire et comprendre les caprices de l'économie, sa grand-mère avait montré un livre à Devon. L'auteur dont elle avait oublié le nom avait dressé une liste des six plus importantes fraudes immobilières de l'histoire américaine. Harris Barnes avait trempé dans cinq d'entre elles!

Elevée dans la misère et la poussière d'un Texas d'après-guerre, Devon savait seulement que son père n'était jamais là pour lui prodiguer son amour. Les rares fois où elle le voyait, elle trouvait pourtant que c'était un bon diable qui aimait tout le monde et souriait toujours à belles dents. Il l'emmena pour la première fois au cinéma à Austin quand elle eut sept ans. Le film était intitulé *Rich Girls Don't Cry*, et mettait en vedette Gilda Greenway.

Sur le chemin du retour, son papa adoré lui avait acheté chez Woolworth's une poupée de papier représentant Gilda Greenway. Devon gardait une collection de ces poupées dans une boîte à chaussures sous son lit. Les jours de pluie, elle s'amusait à habiller son étoile de cinéma préférée. C'étaient les maillots de bain, le manteau de vison, les robes du soir; elle faisait semblant d'aller avec elle en visite chez son père en Californie, d'où il avait adressé sa dernière lettre.

Aux dernières nouvelles, il avait suivi les cueilleurs de fruits jusqu'à Bakersfield, quelque part dans la vallée de San Joachin, où il était mort de la fièvre. Devon ne lui pardonna jamais, pas plus que Mavis d'ailleurs. Car si la fillette connaissait parfois les tourments de la solitude, sa mère était aux prises avec eux jour et nuit. Même dans un bled tel que Mullin, les manières gauches de Mavis se remarquaient. Elle parlait d'une voix rauque et dure qui évoquait la terre rocailleuse de sa Louisiane du nord. Ses vêtements étaient mal foutus et tombaient comme des poches. Mal préparée aux responsabilités de la maternité, elle négligeait Devon, laissant aux parents de Harris le soin de la nourrir et de la vêtir. Elle servait des hamburgers pendant de longues heures le jour, et confectionnait le soir des tartes aux pacanes qu'elle vendait à la boulangerie de Mullin.

Après la mort de Harris, ayant enfin compris qu'elle ne toucherait jamais un sou de la fortune des Barnes, Mavis entreprit de vendre des produits d'entretien ménager. Les bras chargés de savon, de vadrouilles et de brosses, elle passait des journées entières sur les routes poussiéreuses de Mills County dans sa Nash. Elle frappait aux portes, entrait chez les fermières prendre un café avec elles et leur vendait ses produits. Elle avait débuté comme représentante commerciale, mais en 1950, alors que Devon était âgée de dix ans, elle avait embauché cinq autres vendeuses de qui elle touchait un pourcentage des ventes. D'arrache-pied, elle était parvenue au poste de chef régional des ventes. C'est alors qu'elle avait vendu la remorque et s'en était allée à Austin dans un motel où il y avait une piscine. Cela n'avait pas eu l'heur de plaire à Maybelle.

— J'laisserai pas ma petite-fille vivre dans un motel, avait-elle crié à Mavis. Elle risque de demeurer tout aussi ignorante que toi.

Devon était certaine que sa mère ferait une colère.

— Eh bien! Qu'as-tu à dire pour ta défense? devait hurler Maybelle encore plus fort.

— Attention à la porte en sortant.

Ce fut la seule réponse de Mavis. Maybelle sortit, en effet, traînant sa petite-fille derrière elle. Dès lors, Devon avait vécu au ranch en convive forcée. Elle y menait une vie monotone et les jours se ressemblaient tous : l'école, les tâches, les règlements, l'obéissance et la discipline.

Une fois par mois, coiffée d'un panama qui la protégeait du soleil, Maybelle revêtait son plus beau chemisier à carreaux et ses plus belles bottes confectionnées sur mesure à El Paso, jetait un manteau de vison sur ses épaules et partait pour San Angelo au volant de sa Cadillac rouge. Elle allait commander des graines et autres fournitures chez M.L. Leddy & Sons. En ces rares occasions, Devon l'accompagnait et, à sa plus grande joie, l'attendait dans un cinéma climatisé.

55

— Tu vas attraper la polio dans ces endroits frigorifiés.

Au fond, cependant, Maybelle était soulagée de se débarrasser de la fillette. Dans le noir, un sac de jujubes dans les mains, Devon suivait Van Johnson à la guerre, Rosalyn Russell à ses réunions du conseil, pleurait toutes les larmes de son corps avec Margaret O'Brien, et tombait amoureuse en même temps que Gilda Greenway. Il n'y avait qu'au cinéma où l'enfant avait une vie bien à elle.

Devon était de nature gaie. C'était une fillette au visage franc éclairé d'un large sourire. Ses yeux, de couleur violette, étaient une version plus dramatique des yeux bleus et rieurs de son père. A l'âge de treize ans, toutefois, elle était devenue réservée. A force de pincer les lèvres, sa bouche généreuse avait adopté une expression d'amertume. Ce père qu'elle adorait n'était plus là désormais pour la protéger, ne pourrait plus jamais tenir sa promesse de traverser le Texas avec elle en train la nuit et de l'emmener au pays des palmiers et des étoiles de cinéma. Depuis longtemps, elle ne voyait plus sa mère que très rarement.

Parfois, en se rendant à une réunion, Mavis s'arrêtait au ranch et cassait les oreilles de sa fille avec les slogans de sa compagnie.

— La vitesse du chef sera celle du groupe.

La fillette l'entendit si souvent que cette rengaine devint pour elle une norme de conduite.

Devon savait pourtant qu'elle n'était pas, que jamais elle ne serait un chef. Non. Elle, c'était une suiveuse, une rêveuse comme son élégant et romantique papa. Elle trouvait donc refuge au cinéma. Elle s'amusait à faire venir par la poste des photographies autographiées, ou encore collectionnait celles qu'on trouvait dans certains emballages de produits. Dans son imagination, elle se voyait nager comme Esther Williams, patiner comme Sonja Hennie, danser comme Betty Grable et souffrir comme Gilda Greenway.

Gilda était sa préférée. Devon n'oublierait jamais le jour où, après avoir vu *Rich Girls Don't Cry*, son père lui avait dit qu'elle était aussi belle que Gilda. Il avait même ajouté que plus tard, elle lui ressemblerait. Les filles riches ne pleuraient peut-être pas, mais les pauvres, si.

Maybelle n'approuvait pas le cinéma, pas plus que le reste d'ailleurs. Voyant que sa petite-fille commençait à lui échapper, elle décida d'envoyer Devon au collège Westbridge, dans l'est. Elle avait pour toute recommandation le fait que K.C. Carstairs, le plus gros brasseur d'affaires à Brownwood, y avait envoyé sa fille Vicki pendant deux ans. Cette dernière était rentrée fiancée à un homme immensément riche. C'était là une recommandation suffisante.

Au départ de Devon pour Westbridge, Maybelle lui avait donné un de ses vieux sacs à main. Or, dans la pochette intérieure, parmi les miettes de tabac et la poussière, Devon y avait trouvé une lettre que son père avait envoyée de Californie un mois avant sa mort. Il y parlait des vignobles et des rêves qu'il n'avait jamais oubliés. Il ne mangeait pas bien et se disait heureux que Devon se trouve dans un bon foyer au sein de gens qui l'aimaient, et qu'elle mange à sa faim.

Il disait surtout, et c'était là le plus important : « Le vrai bonheur consiste à vivre une vie bien remplie, à se rendre utile et ne faire de tort à personne. » Devon avait apporté la lettre avec elle, l'ayant rangée avec soin à côté des poupées de papier de Gilda Greenway, aujourd'hui souillées par le temps, que son père lui avait offertes autrefois. Elle quitta donc la maison de sa grand-mère avec au cœur la définition du bonheur selon son père.

Après tout, qu'est-ce que ça changeait qu'elle ne soit pas June Allyson? Et d'ailleurs, qui lui disait que June Allyson était heureuse?

4

Le 12 février 1956

Dans le cendrier, entre un dry Manhattan et un porte-cigarettes en or de chez Cartier, une cigarette portant des traces de rouge à lèvres brûlait encore.

Au « 21 », Gilda Greenway n'était pas à table à l'arrivée de May et de ses invités. Inez et King attendaient à l'entrée, à côté d'un crépitant feu de foyer qui sentait bon le bois d'érable. King rechignait. Le maître d'hôtel l'avait obligé à porter une cravate fournie par la maison et chacun le regardait d'un air méfiant.

— Ils ne sont pas si collet monté chez Downey's, grommela-t-il en se soumettant de mauvaise grâce aux exigences vestimentaires de l'endroit.

Jack Kriendler et Jerry Burns, deux des propriétaires, changèrent complètement de physionomie dès qu'ils aperçurent May Fischoff. Ils escortèrent personnellement le groupe jusqu'à la table que le père de la jeune fille avait réservée dans la salle « 21 » près du bar.

— C'est là où se trouvent les tables du groupe « A », chuchota May à l'oreille d'Inez qui feignait un air d'indifférence.

Il y avait un éclairage flatteur au « 21 »; c'était une des raisons pour lesquelles Gilda préférait ce restaurant, et les bruits en provenance du bar étaient joyeux et sympathiques. Inez était surprise d'y trouver des nappes à carreaux rouges et blancs comme dans les pizzerias de Brooklyn. Toutefois, après avoir remarqué la magnifique vaisselle, si blanche et scintillante qu'on pouvait presque s'y mirer, elle savait qu'elle était loin de Fulton Street.

— Grand Dieu! s'exclama Inez la voix entrecoupée. Voilà Faye Emerson!

— Et Arthur Godfrey, ajouta Devon à voix basse, la main sur la bouche pour n'être pas trop remarquée.

— Il regarde justement de mon côté! dit Inez en retouchant sa coiffure.

King dévisageait le roi des ondes qui arborait une chemise hawaïenne.

— Ils ne l'obligent pas, lui, à porter une cravate usagée!

— C'est l'heure du déjeuner pour eux. La CBS se trouve juste au coin de la rue.

May faisait semblant de n'être pas impressionnée. Elle poursuivit.

— Tous les gens de la télé mangent ici.

Poussé par son épouse, Frankie se leva pour étreindre sa fille et alla même jusqu'à lui souhaiter un bon anniversaire. Alors qu'on présentait King aux parents Fischoff, Frankie échangea un regard rapide avec Devon. May s'en aperçut mais procéda quand même aux présentations.

— Voici un copain de Harriet, père, expliqua-t-elle tout en rongeant le dernier ongle qui lui restait. King est un, euh, un acteur. Ou, du moins, c'est ce qu'il deviendra, pas vrai, Devon? Tu pourrais peut-être devenir son impresario quand il sera célèbre. Euh, voici mon papa. C'est-à-dire, mon père.

Devon s'empressa de venir à la rescousse de sa compagne bégayante en déposant une bise sur la joue basanée de Frankie.

— Bonjour, monsieur Fischoff.

May était toujours aussi nerveuse que Victor Moore en présence de ses parents. De son père surtout.

« Il te préfère », avait-elle une fois reproché à Devon. « Oh, ne t'en fais pas. Il aime tout le monde mieux que moi. » Devon avait tâché de rassurer May qu'il n'en était rien. Or, encore aujourd'hui, l'impatience qu'il avait affichée devant sa fille s'effaçait alors qu'il adressait un chaleureux sourire d'abord à Devon et ensuite à Inez.

— Quel joli brin de fille! dit-il en flirtant avec Inez. Regarde-moi ça, Norma. Une vraie beauté, non? Elle prend soin d'elle, celle-là.

Il regarda May d'un air entendu.

— Et tu aspires à devenir actrice, jeune fille?

— Oh, non, monsieur. Moi, je deviendrai écrivain.

— Papa, tu ne t'en souviens pas? C'est Devon l'actrice.

Devon lui lança un regard désespéré.

— Tu as entendu, Norma? Un écrivain! Il ne manquait plus que ça. Une autre Dorothy Parker pour nous exaspérer. Je vous en prie, mes enfants, asseyez-vous.

— Où est Gilda? demanda May.

— Elle voulait apporter des restes pour Tallulah, alors elle s'est carrément fait inviter à la cuisine où Kriendler doit lui remettre une tranche de bifteck.

Gilda traitait Tallulah comme un enfant et l'emmenait partout. De sang mêlé, moitié épagneul, moitié dachsund, la chienne était baptisée Tallulah en raison de son grognement qui rappelait celui de la Bankhead. Pendant que Gilda mangeait, Tallulah agitait la queue d'impatience en l'attendant dans la limousine avec le chauffeur.

— Certains prétendent qu'elle ressemble à une carpette en laine crochetée; pourtant, elle est bougrement plus fidèle que la plupart de ceux qui se disent mes amis.

C'était ce que Gilda répondait à quiconque se plaignait de la chienne qui, à l'occasion, oubliait qu'elle était dressée.

May badigeonna de beurre un gressin qu'elle avala en quelques bouchées. Elle avait croqué trois tablettes de chocolat aux amandes avant même de quitter la gare et elle mourait encore de faim.

— Si tu peux te priver de manger quelques instants, May, j'aimerais porter un toast, à toi et à ta superbe mère.

May était profondément humiliée. Sa mère se mit cependant à lui caresser les cheveux et bientôt la jeune fille ronronnait presque sous l'effet de cette tendre attention de Norma.

Frankie ouvrit la bouteille de Moët et Chandon qui se trouvait à côté de lui dans un seau à glace en argent.

— Voyons, chéri! Ce n'est pas mon anniversaire, précisa gentiment Norma Fischoff en même temps que son époux versait du champagne à chacun de ses invités. Et puis, nous devrions attendre Gilda!

Frankie déposa son verre et prit la main de son épouse, celle avec laquelle elle caressait la tête de sa fille. Il prit ensuite le visage de Norma entre ses mains et lui donna une bise sur le nez.

— Voilà seize ans aujourd'hui, j'ai failli te perdre. Tout le champagne de France ne saurait exprimer mon amour pour toi.

Devon adorait les observer. Ils se comportaient toujours de la même manière, que ce soit à l'école quand ils rendaient visite à May ou à l'occasion des réceptions qu'ils donnaient à New York pour Noël. Les observer, c'était regarder un film de William Powell et Myrna Loy. Quoique parfois Devon se surprenait à souhaiter, pour le bien de May, qu'ils se conduisent en *véritables* parents. Non pas qu'elle savait comment se comportaient de véritables parents; cependant, ceux de May étaient, si on veut, un peu trop mielleux!

En tout cas, Norma était plus belle que ces mères qu'on voyait dans les pubs de savon. Elle était grande et mince et avait les cheveux d'une blondeur qui ne sortait pas d'une bouteille, comme Frankie ne manquait jamais de le faire remarquer avec fierté. Frankie aimait aussi le fait qu'elle était plus grande que lui même en talons plats, genre de souliers qu'elle portait fréquemment. Devon trouvait qu'elle ressemblait à Dorothy McGuire. Et Frankie, avec ses épais cheveux ondulés, son perpétuel teint basané et ses grands yeux bruns dont May avait hérité, ressemblait à un Glenn Ford juif malade d'amour. Frankie et Norma Fischoff formaient un couple parfait. May avait même les coupures de presse à l'appui.

King Godwin changea de position à côté de Devon. Il posa un bras sur le dos de la banquette et Devon se trouva tout à coup à moitié dans ses bras.

— Est-ce qu'ils sont vraiment mariés? lui murmura-t-il.

Elle ne pouvait même pas le regarder. Elle était quasi paralysée de plaisir qu'il ait même mentionné le mot « mariés » et qu'elle puisse sentir l'haleine du garçon sur sa joue. Elle aurait voulu se tourner vers King Godwin, prendre son visage entre ses mains et l'embrasser aussi tendrement que Frankie venait de le faire avec Norma.

— Comment t'y prends-tu, belle enfant? demanda Frankie à Norma. Ma foi, tu es de plus en plus belle, d'année en année. Vous savez, poursuivit-il en s'adressant à toute la table, cette fille aurait pu devenir une plus grande star que Gilda si seulement elle n'avait pas eu la mauvaise idée de m'épouser.

— Oh, tais-toi, Frankie. Je n'ai jamais eu de talent. Une seule fois j'ai eu la chance...

— C'est plutôt moi qui ai eu la chance que tu te donnes la peine de me regarder. La meilleure chance de ma vie.

— Ça, alors! Qu'on m'apporte un seau d'eau froide. Les Fischoff sont encore en chaleur.

— Gilda! s'écria May en bondissant au devant de sa marraine.

Ce faisant, elle renversa un verre de champagne sur la nouvelle Dior en soie de sa mère.

Devon avait tout vu du même coup. Norma avait sursauté. Frankie s'était levé, le visage rouge de colère. Inez ricanait nerveusement.

— Merde! dit King Godwin entre les dents.

May courba les épaules. Et Gilda Greenway, les bras tout grand ouverts pour embrasser sa filleule, affichait un sourire radieux.

Devon s'était préparée à être déçue. Elle n'ignorait pas que Gilda Greenway serait différente en personne, qu'elle ne porterait ni costume ni maquillage de cinéma. On ne viendrait pas retoucher sa coiffure à chaque fois qu'elle tournait la tête comme on le faisait sur le plateau. Elle ne mesurerait pas deux mètres. Devon était donc prête à la déception. Pourtant, elle eut le souffle coupé à l'arrivée de Gilda.

Elle s'approchait, bras ouverts, mains gantées de chevreau blanc, un bracelet de diamants scintillant à son bras; elle était

61

spectaculairement drapée de soie. Il n'était pas possible d'être aussi belle. Devon reconnut la robe que Helen Rose avait dessinée pour *Fools Rush In*.

Ses yeux, des yeux de chat gris-verts qui avaient tour à tour contemplé avec séduction la musculature de Gable, réduit Cary Grant à un bégaiement comique et soutenu de manière insolente le regard de Patrick Wainwright, dévoraient maintenant la rondelette May. Devon était émerveillée de voir la magnifique chevelure de Gilda, dont des milliers de soldats connaissaient chaque boucle pour les avoir admirées en photo autant que son fameux collier.

Elle se sentait troublée à la vue de ce fabuleux long collier de perles parfaitement blanches et d'une valeur incalculable. Elle mangeait son idole des yeux. Le regard de Gilda, bordé de longs cils foncés, se tourna soudain en direction de la jeune fille. En apercevant cette enfant pâle et ébahie qui la dévisageait, Gilda lui fit un clin d'œil.

Si May n'avait au même moment couru se jeter dans les bras de Gilda, dissimulant par le fait même la déesse et ses perles hyptonisantes, Devon serait morte sur-le-champ, foudroyée d'excitation. Elle serait morte de plaisir sur cette banquette au « 21 », à côté de King Godwin, en admirant Gilda Greenway.

— Bon anniversaire, petite, dit Gilda la voix réjouie, sans tenir compte du fait que May était au bord des larmes. Ma foi, te voilà devenue une vraie jeune fille, ajouta-t-elle en caressant le dos de May d'une manière rassurante. Elle est magnifique, n'est-ce pas, Norma? Pas vrai, Frankie? Tout simplement magnifique, ma petite. Je suis vachement heureuse de te voir.

— Oui, elle est magnifique, répondit Norma. Je t'en prie, Frankie. Ne t'occupe pas de ma robe; ce n'est que du champagne, après tout.

— Que du champagne? Qu'est-ce que tu cherchais à faire, petite? Baptiser le Normandie?

Gilda se mit à rire et May esquissa enfin un sourire. Frankie Fischoff lui-même étouffa un rire.

Le garçon apporta une nouvelle bouteille de champagne à la table.

— Avec les hommages de monsieur Kriendler, dit-il en la débouchant avec soin.

May se glissa sur la banquette à côté de son élégante marraine à qui elle présenta ses amis.

— Gilda, voici Kingston Godwin.

— Il passera bientôt une audition pour entrer à l'Atelier des acteurs! déclara Inez. Il compte devenir une étoile du cinéma.

King Godwin toussota.

— Un acteur! la reprit-il. Pas une étoile de cinéma. J'y songe, en tout cas.

— Assez pour en connaître la différence, je suppose.

En souriant, Gilda le salua avec son verre et avala une gorgée. Il rougit.

— Je voulais dire...

— Oublie ça. Je sais ce que tu voulais dire, ajouta-t-elle de bonne grâce en éclatant de rire. Dommage quand même. Avec ces yeux-là!

— Il a déjà tourné deux films, souligna Inez avec fierté.

King fit la grimace.

— Je t'en prie, Inez!

Frankie Fischoff lança un regard étonné à Gilda qui étudiait King en silence par-dessus le verre qu'elle avait porté à sa bouche. Elle aimait bien l'allure qu'il avait. Il était bougrement sexy ce garçon. Si seulement elle avait quelques années de moins...

— Devon aussi veut devenir étoile de cinéma, affirma la fidèle May. N'est-ce pas, Devon?

Devon ferma les yeux et pensa *Oh, mon Dieu! Pourquoi se mêle-t-elle de ça?* Lorsqu'elle les rouvrit, May la regardait avec tant d'affection et de fierté que Devon acquiesça d'un signe de tête.

— Oui, en effet. Qui ne le voudrait pas? Enfin, il faudrait être imbécile...

— Eh ben, ma vieille! grommela King avec dédain avant de renverser la tête.

— Moi, je ne le voudrais pas, déclara Inez de manière arrogante.

— Inez est écrivain, confia May à Gilda. Tu devrais voir les poèmes qu'elle a écrits! Elle a même gagné une bourse d'études à Westbridge en raison de son talent.

— Mais, c'est formidable!

— J'adore les écrivains. Lorsque j'ai fait mes débuts à Hollywood, ce sont les écrivains qui m'ont sauvé la vie. C'est toutefois la pire bande d'alcooliques mal fichus qu'on ait jamais vue.

Gilda était radieuse.

King effleura du bras la nuque de Devon. Il laissa tomber la main de façon naturelle sur l'épaule de la jeune fille, les doigts pendant sur le haut de sa poitrine où ils projetaient une ombre inquiétante. Elle se raidit, craignant qu'il n'entende son cœur battre la chamade plutôt que le fait qu'il pouvait lui toucher un sein. Elle respira profondément et chercha à faire la conversation.

— Alors, c'est donc vrai? Tu as vraiment joué dans deux films?

— Ouais, c'est vrai. Quoique je ne pourrais pas vraiment dire que j'ai joué. Pourquoi me demandes-tu si c'est vrai ? lui dit-il après s'être soudain rendu compte qu'elle mettait sa parole en doute.

— Eh bien...

— Il n'y a que la vérité qui compte, affirma King. Si tu connaissais l'art le moindrement, si tu avais un peu l'expérience de la vie, tu saurais ça.

— Je suis désolée de t'avoir blessé.

Elle pouvait à peine respirer.

— Oh ! Ça va, dit-il d'un ton maussade. Si tu savais de quoi tu parles, peut-être que j'en serais blessé.

Elle eut le sentiment qu'il venait de la gifler.

— Merci bien ! fit-elle avant de détourner la tête tout en avalant un sanglot.

Gilda bavardait avec les autres.

— Bon ! Assez parlé de moi. Nous sommes ici pour célébrer l'anniversaire de May. Je crois que nous devrions commander sans plus tarder.

— Je ne sais trop que prendre.

Devon s'évertuait à masquer son accent.

— Moi non plus je ne le savais pas, ma chérie, la première fois que je suis venue ici, avoua Gilda sans tenir compte du garçon qui venait soudain de faire son apparition. J'arrivais tout droit des montagnes d'Oklahoma et j'étais venue à New York avec ma sœur Vy. La MGM défrayait les dépenses et leur agent nous avait emmenées au Stork Club où j'avais commandé un lait chocolaté ! J'eus vite fait de comprendre, ne craignez rien ! Après, je mangeais tout ce qu'on me servait, à condition que ce soit cher et flambé !

Ce n'était pas la première fois que May allait au « 21 ». Elle avait aussi accompagné sa mère en des endroits tels que le Colony et le Quo Vadis. Devon et Inez, elles, n'avaient jamais mis les pieds dans un restaurant plus chic que chez Walgreen's ! La moitié du menu était du chinois pour elles.

— Je crois que je vais prendre les beignets de cervelle sauce tomate.

Inez avait pris cette décision en sachant seulement qu'il s'agissait d'un mets aux tomates. Devon était curieuse.

— Qu'est-ce que c'est ?

Gilda se mit à rire et pencha la tête en plissant le nez.

— De la cervelle de vache frite enrobée de ketchup !

Ils éclatèrent tous de rire tandis qu'Inez pâlissait.

— Ne t'en fais pas, ma belle. La première fois que je suis venue au « 21 », j'ai essayé de manger un artichaut entier au couteau et à la fourchette. Pourquoi ne prends-tu pas un spaghetti ?

Après avoir commandé (Devon ayant poliment choisi le poulet, King s'étant contenté d'un hamburger), Gilda demanda qu'on apporte les cadeaux.

— Je ne peux plus attendre, Frankie. Je veux voir ce que la petite a récolté!

— Nous ne pouvons plus attendre, renchérit Norma.

Il y avait sous la table un sac de chez Bergdorf-Goodman. Elle le sortit et le présenta à son mari.

— Chéri, à toi l'honneur!

— Tout ce que tu voudras, ma beauté.

Il lui fit un clin d'œil. Il se couvrit les yeux et fit mine de chercher aveuglément quelque chose dans le sac.

— Eh bien, qu'avons-nous là? demanda-t-il en retirant lentement une petite boîte bleu clair enrubannée de blanc. Est-ce le présent de Norma?

Il tournait la boîte d'un côté et de l'autre.

— Non, je ne crois pas que ce soit pour Norma. Alors, ce doit être celui de...

— C'est le mien! s'écria May.

— Non, c'est celui de Gilda!

Frankie se mit à rire.

— Espèce d'idiot, lui dit Gilda.

— Une peccadille, un petit rien du tout. Pour toi, ma star chérie. Pour marquer notre enrichissante relation qui dure depuis seize ans.

Gilda arracha la petite boîte des mains de Frankie et la rangea résolument dans son sac.

— Quel amour! dit-elle en lui envoyant un baiser de la main.

Abasourdi, Frankie s'adressa à Norma.

— Elle ne va même pas l'ouvrir!

— Chéri, lui répondit-elle. C'est l'anniversaire de May.

— Tu penses que je l'ai oublié?

Frankie plongea la main dans le sac et en sortit une autre boîte bleue, plus petite celle-là, qu'il offrit à May.

— Heureux anniversaire. Non, mais c'est pas croyable. Ta mère et ta superbe marraine un peu cinglée parfois, croyaient que j'avais oublié ton anniversaire. En seize ans, l'ai-je jamais oublié? Qu'est-ce que tu as? On dirait que tu vas pleurer. Mais, que se passe-t-il ici? Est-ce que tout le monde devient un peu dingue?

— Je suis tout simplement heureuse, papa. Je t'assure!

— Ben, alors! Ouvre-le.

En reniflant, May détacha le délicat ruban blanc.

— Oh, la la! Regardez! Ça vient de chez Tiffany. N'est-ce pas merveilleux? Merci papa et maman.

Elle ouvrit la boîte et en retira soigneusement une breloque en or. Dans un cercle d'or se trouvait un minuscule gâteau d'anniversaire surmonté d'une bougie flanquée des chiffres 1 et 6. Le feu de la bougie était représenté par un diamant.

— Je sais, ma chérie, que le diamant n'est pas ta pierre de naissance. Je tenais quand même à te l'offrir. Il provient de l'anneau de mariage de ta grand-mère Alyce.

Frankie était renversé.

— Norma. Tu as retiré une des pierres de l'anneau de ta mère? Pourquoi as-tu fait une chose pareille?

Puis, il s'adressa à May :

— J'espère que tu en es contente au moins!

— Oh, si! J'adore mon cadeau.

Gilda se leva afin de laisser May se glisser sur la banquette et courir donner une bise à sa mère.

— N'oublie pas ton père, lui chuchota Norma. C'est lui qui a choisi ton cadeau.

— Oh, c'est toi qui l'a choisi!

May se précipita sur son père qui lui présenta la joue. Tout en l'embrassant, elle lui jeta les bras autour du cou.

— C'est un très joli cadeau, papa. Je l'adore. Je...

— Pour l'amour du ciel, May. Ne fais pas tant d'histoires. Je suis heureux qu'il te plaise. Dis-moi simplement merci et retourne t'asseoir.

Il rajusta son col et se passa la main dans les cheveux.

— Je te demande pardon, lui dit May l'air contrit.

— Frankie, je t'en prie! commença à dire Norma, mais il avait déjà baissé les yeux. Vous comprenez, il est de mauvais poil parce qu'il se cherche un autre chaudronnier. Pas vrai, chéri? Allez, May. Assieds-toi. Nous avons le temps de prendre un autre verre avant de manger.

Norma fit signe au garçon. Soudain, Inez poussa un cri.

— Grand Dieu! C'est Humphrey Bogart! Et il se dirige de ce côté. Je crois que je vais m'évanouir.

— Bogey! s'écria Gilda.

— Ça va, beauté?

Humphrey Bogart et Gilda Greenway s'enlaçaient au beau milieu de la place. Les quatre fans n'en croyaient pas leurs yeux. Frankie lui-même était impressionné. On fit les présentations. Inez s'examinait la main, celle que Bogart venait juste de serrer. Elle se trouvait mal.

— Que fais-tu dans les parages? demanda Gilda à l'acteur.

— Je fais de mon mieux. Earl Wilson est là-bas, dans le coin. Il attend les dernières nouvelles au sujet de ma santé.

— Et, comment te sens-tu? lui demanda Gilda l'air inquiet.

— Bien, bien, dit-il en toussant. J'entreprends un nouveau film pour Harry Cohn le mois prochain. C'est une histoire de John P. Marquand. Tu comprends, Betty a besoin d'une nouvelle paire de chaussures!

— Fais-lui mes amitiés. Et bonne chance!

Humphrey Bogart prit congé en disant qu'il était heureux de les avoir rencontrés tous. Inez savait que c'était elle qu'il regardait en disant cela.

— Je ne me laverai plus jamais la main.

— Il n'a pas très bonne mine, dit Gilda à Frankie. Il a beaucoup maigri. Il y a des rumeurs qui circulent.

— Moi, je l'ai trouvé sensass, dit Inez, rouge de fascination. Au fait, qui est-ce Betty?

Gilda se mit à rire.

— C'est le véritable nom de Lauren Bacall, ma jolie.

— Attention! annonça Frankie pour rappeler ses invités à l'ordre. Il me reste encore une chose à faire.

Il sortit un dernier cadeau du grand sac. C'était une boîte de chez Tiffany, légèrement plus grosse que celles qui contenaient les cadeaux de Gilda et de May. Il offrit cette dernière boîte à Norma.

— Il y a seize ans, j'ai failli te perdre, lui dit-il d'une voix solennelle. Je n'aurais pas souhaité continuer de vivre, Dieu me pardonne, si tu n'avais pas survécu. Elle a failli mourir pour toi, mignonne, dit-il à May.

— Je sais, papa, répondit May à voix basse, rouge de honte. Je suis désolée, maman.

— Ne sois pas ridicule, ma chérie.

Norma commença une phrase mais Frankie l'interrompit tout de suite.

— Ce sont mes remerciements, Norma. A toi et à Dieu.

May était debout derrière sa mère, tête baissée, le visage couvert de larmes. Ayant ouvert la boîte, Norma en retira un poudrier en or massif, rond et délicat, à peine plus gros qu'une montre de poche.

— Ouvre-le, l'exhorta Frankie. Allez, ma chérie.

Elle souleva le couvercle et huma le doux arôme de sa poudre préférée de Schiaparelli en même temps qu'elle entendit la mélodie de *I Only Have Eyes For You*.

May sanglotait.

— Si la distribution des cadeaux Fischoff est terminée, dit Gilda, permettez que l'humble marraine offre son petit témoignage.

— Pas trop petit, j'espère, ajouta Frankie pour rire.

— May, ma chérie. J'ai deux billets dans la première rangée pour la plus sensationnelle première à Broadway. Tu veux bien m'accompagner ce soir?

May fit signe que non. A quoi bon même essayer! Il était temps de voir les choses en face.

— Je t'en prie, insistait Gilda. Tu te souviens de mon ami Avery Calder, n'est-ce pas?

— Celui qui a écrit *The Way Back Home*? s'écria King. Vous avez des billets pour la nouvelle pièce de Calder? Çà, alors! C'est fantastique! C'est incroyable!

— C'est sa meilleure pièce depuis des années, lui affirma Gilda. Elle met en vedette nul autre que Patrick Wainwright dans sa rentrée triomphale à Broadway.

— Je ne peux pas, Gilda, répondit May à voix basse. Je ne me sens pas très bien. Vraiment, je t'en remercie.

Frankie secouait la tête.

— Allons, bon. Qu'est-ce que tu as, maintenant? C'est ton anniversaire. Nous avons organisé ce déjeuner au « 21 » en ton honneur. Gilda est là, venue tout spécialement de Californie. Tes amis sont là aussi. Et tu pleurniches comme un bébé. Qu'est-ce qu'il te faut de plus pour faire ton bonheur?

— Sans blague, May, lui dit King. Tu devrais y aller. Enfin, Avery Calder... c'est le bon Dieu, ma vieille. C'est le meilleur dramaturge en Amérique, peut-être au monde, même. Sans compter que Patrick Wainwright est à peu près la plus grande vedette à Hollywood.

— Il n'est rien de plus que l'amant de Gilda, lâcha May.

Surprise, elle retint son souffle et porta la main à sa bouche.

— Zut, Gilda, je suis désolée. Crois-moi, ça m'a échappé.

Après avoir lancé un regard terrifié à Frankie, elle s'enfuit. Devon la suivit jusqu'aux W.-C.

— Ne sois pas ridicule, May, lui dit-elle d'une voix rassurante. Gilda ne t'en veut pas. Personne ne t'en veut.

— Il me déteste, il me déteste! criait May d'une voix hystérique. Pourquoi, Devon? Je ne lui ai jamais rien fait de mal. C'est mon père. Et sais-tu ce qui est pire encore? Il refuse de me laisser m'approcher de ma mère! Il ne supporte pas qu'elle regarde quiconque d'autre que lui, même sa propre fille. On dirait qu'il est fou d'elle. Ce n'est pas juste une façon de parler, il est vraiment absolument fou d'elle. Et ne me dis pas que je m'imagine des choses!

Une centaine de mensonges réconfortants venaient à l'esprit de Devon alors qu'elle prenait May dans ses bras. C'est alors qu'elle se rappela la voix profonde et forte de King Godwin. « Il n'y a que la vérité qui compte. Si tu avais un peu l'expérience de la vie, tu saurais ça. »

— Non, tu ne t'imagines rien, May.

A son grand étonnement, Devon constata avec soulagement que May cessait peu à peu de sangloter.

— Crois-tu que c'est parce que ma mère a failli mourir à ma naissance?

Le hoquet entrecoupait ses dernières paroles alors qu'elle essayait de retenir ses larmes.

— Je crois qu'il pense que j'étais responsable de l'état de ma mère. Ce n'est pas juste. Je ne la connaissais même pas. On dirait qu'il me tient responsable de tout, de chaque petite chose qui tourne mal, comme si j'étais une meurtrière ou je ne sais quoi. Et tu sais, c'est comme ça que je me sens quand je suis près de lui.

— C'est donc pour ça que tu renverses tout, que les choses te glissent des mains et que tu te comportes en parfaite andouille en présence de tes parents?

May haussa tristement les épaules.

— Je n'y peux rien. Tu me prends pour une espèce de névrosée, n'est-ce pas?

— Pas du tout!

— Je voulais m'en assurer. J'espère que Gilda ne m'en veut pas.

— Jamais de la vie! l'assura Devon. Qu'est-ce que tu vas chercher là?

Bien sûr, Gilda ne lui en voulait pas. En fait, à leur retour à table, elles constatèrent que Gilda avait confessé à King et Inez ébahis que, en effet, monsieur Wainwright était bien l'homme qu'elle aimait. Comme on le savait, il était déjà marié; leur amour devrait donc demeurer une grande et loyale amitié, rien de plus.

CHAPITRE 5

1940

Un jour d'hiver qu'il neigeait, le grand Ted Kearny, magnat de Wall Street, emmena Gilda à l'agence Fischoff-Donovan pour la première fois. Elle s'était assurée de s'habiller correctement pour l'occasion et portait une robe marine à pois blancs, un grand sac carré, et faisait de son mieux pour paraître aussi calme que Ginger Rogers dans *Fifth Avenue Girl*.

L'agence partageait le quatrième étage d'un édifice sur Times Square, à l'angle de Broadway et de la Quarante-sixième, avec une entreprise de location de costumes et un vendeur d'articles pour les magiciens. Il y avait au mur du salon d'accueil des photos représentant divers clients de l'agence. Tandis que Ted Kearny s'entretenait en secret avec Frankie Fischoff, Gilda examinait fébrilement ces photos de personnages ethniques, de méchants, d'enfants et de gonzesses aux cheveux décolorés au peroxyde, bref, tous ces acteurs de composition qui constituaient le gagne-pain de l'agence. Elle s'attarda sur le portrait d'un jeune homme au visage couvert de taches de rousseur et au nez retroussé. Il affichait un sourire attachant sous sa casquette de baseball dont il portait la palette sur le côté.

Gilda ne voyait aucun nom sur la photo; elle crut cependant reconnaître celui qui avait joué avec elle dans deux films où elle avait de petits rôles : *Babes in the Woods* et *Judy Falls in Love*. Dans le premier, elle tenait le rôle d'un lutin des bois, alors que dans le second, celui d'une serveuse. Il lui semblait que le jeune Irlandais avait joué dans l'un des deux films. Il s'appelait Danny ou Donny ou quelque chose comme ça.

C'est alors que la mémoire lui revint. Elle avait dansé avec lui un numéro de jitterbug dans un café. Entre les prises, il lui avait confié qu'il travaillait tous les jours, qu'il avait joué dans trois films de Andy Hardy en Californie, et qu'il était « très copain » avec Mickey et Judy.

Il avait été le premier à se lier d'amitié avec elle. En fait, c'était le seul sur tout le plateau, sauf le réalisateur, qui lui avait adressé la parole.

70

Elle l'aimait bien. Il était sympathique et la traitait en camarade. A la fin d'une journée de tournage, il avait vu Gilda se diriger vers la grosse décapotable blanche de Kearny dont le chauffeur en livrée blanche tenait la portière. Il avait regardé l'actrice monter à l'arrière où Ted Kearny l'attendait. Elle présumait que le garçon les avait aussi vus s'embrasser.

Le lendemain, alors qu'ils reprenaient le numéro de jitterbug, il avait glissé une main sous la jupe de Gilda. Pour rire, pour taquiner le grand Ted, elle lui en avait fait part. Le garçon avait disparu comme par magie.

— Tiens-toi loin des garçons sur le plateau, lui avait dit Kearny quelques jours plus tard. Ce ne sont que des gamins. Tu les excites et ils ne savent pas comment réagir.

Elle avait dix-sept ans à ce moment-là, et le garçon en avait dix-neuf. Kearny avait raison. Ce jeune homme était encore un enfant alors qu'elle ne l'était plus. Diable, elle avait déjà subi un avortement! Elle aurait pu se retrouver avec un petit braillard sur les bras, lui avait rappelé Ted, si Larry Malnish ne l'avait convaincue de s'en débarrasser.

C'était l'enfant de Ted Kearny. Elle souhaitait ne jamais avoir laissé Malnish la conduire chez ce misérable médecin à Washington Heights. Elle avait été si effrayée qu'elle avait failli s'évanouir sur la table d'examen souillée. Elle avait gardé les yeux bien fermés mais n'en avait pas moins senti tout : les forts battements de son cœur, les mains froides qui la pénétraient, et la douleur! On aurait dit une centaine d'aiguilles! Après, le médecin lui fait ses recommandations.

— Maintenant, fillette, tâche de ne pas te foutre dans le même pétrin la prochaine fois.

Comme elle avait eu mal! Il ne lui avait donné qu'un seul cachet d'aspirine.

Trois heures plus tard, Vy, la sœur de Gilda venue avec elle de l'Oklahoma à titre de compagne, préparait le thé. C'est alors que Gilda avait fait une hémorragie. Terrifiée, elle avait demandé à Vy de téléphoner à Larry Malnish.

— J'arrive tout de suite. Dites-lui de ne pas bouger et de ne pas s'inquiéter.

Elle s'était réveillée dans un beau lit propre à l'hôpital de Lenox Hill. Larry Malnish lui souriait comme un salaud.

— Tout est arrangé, Gilda. Dès que tu sortiras d'ici et que ce joli minois aura retrouvé ses couleurs, nous avons rendez-vous avec Sam Durand pour un essai à la Metro!

Voilà que le grand Ted sortait maintenant du bureau de Frankie, un bras sur les épaules de l'impresario. On aurait dit Mutt et Jeff.

Frankie avait l'allure d'un nain à côté de Ted Kearny, ce qui n'était pas si rare car peu d'hommes avaient la taille de Ted.

— Monsieur Fischoff me disait justement qu'il avait vu tes deux films, chérie.

— Tu es un talent naturel, Gilda, et tu es deux fois plus splendide en personne qu'à l'écran. J'aimerais bavarder un peu avec vous, mais je dois me rendre à l'hôpital.

Sans laisser le temps à Gilda de remercier monsieur Fischoff de ses compliments, le grand Ted aida la jeune fille à endosser son manteau de vison.

— Ecoute, Frankie, monte avec nous, mon chauffeur nous attend. Tu sais, Gilda, l'épouse de Frankie vient d'avoir un bébé.

Fischoff fronça les sourcils.

— Elle était dans un état critique pendant quelques heures. Ma Norma a bien failli mourir. Si j'avais su, je ne lui aurais jamais permis de subir cette grossesse. Enfin, les médecins me jurent qu'elle s'en sortira. C'est bien beau, les enfants. Seulement, Norma et moi, eh ben, c'est quelque chose de très spécial et...

La voix de Frankie fut étouffée par un sanglot.

— Allons, il vaut mieux partir. Tes femmes t'attendent, lui dit Kearny chaleureusement. Hé, Gilda! Je parie que tu aimerais voir la fille de Frankie, pas vrai? Gilda adore les bébés, disait-il en fermant derrière lui la porte du bureau.

— Moi aussi, je les aime bien. Ouais, c'est une journée mémorable, Fischoff. Tu acquiers en même temps une toute nouvelle fille et une toute nouvelle star.

A leur arrivée à l'hôpital, Frankie courut au chevet de son épouse, laissant Ted et Gilda à la pouponnière.

— Laquelle est la fille de Frankie, crois-tu? lui demanda Gilda, le regard fixé sur les poupons enveloppés de langes roses ou bleus.

Elle leva les yeux et s'aperçut qu'il examinait attentivement les bébés derrière la glace. Elle eut un frisson et il lui vint à l'esprit ce que Vy disait à chaque fois que quelqu'un avait un tel frisson. « On a marché sur ta tombe. »

Le médecin à Lenox Hill lui avait dit qu'elle ne pourrait jamais avoir d'enfant.

— Comment peut-il le savoir? avait-elle hurlé à Larry Malnish. Il se trompe. Je ne peux pas le croire!

Elle en était devenue folle. Elle maudissait le médecin et l'avorteur, les affublant de toutes les abjectes obscénités qu'elle avait entendues dans son patelin, en Oklahoma. Elle avait maudit Larry, lui aussi, lorsqu'il avait essayé de la calmer et l'avait frappé avec toute la force de sa fureur hystérique.

Larry l'avait saisie aux poignets.

— Hé, calme-toi, petite. Ce n'est pas à moi qu'il faut en vouloir. J't'aurais épousée si l'enfant avait été de moi. Tu veux t'en prendre à quelqu'un? Va voir le grand Ted.

En voyant le visage de Ted Kearny se refléter dans la glace de la pouponnière, Gilda se dit en elle-même : *Que Dieu me vienne en aide.*

— Oh, Teddy. Si seulement... J'espère que tu ne veux pas...

Elle éclata en sanglots et se cacha le visage dans la chaude fourrure qui garnissait le revers de manteau du colosse.

— Non, répondit Kearny en sortant un mouchoir propre pour essuyer les larmes de Gilda. Ne sois pas ridicule. Je ne veux rien du tout. Gilda, ma chérie, j'ai tout ce qu'un homme puisse désirer pour l'instant. J'ai la plus belle fille au monde. Ça me suffit.

— Tu le jures? Teddy, tu es vraiment sincère?

— Chut! fit-il en lui tapotant le dos.

Gilda jeta un autre regard à la pouponnière en se demandant si son bébé avait été une fille ou un garçon. Elle ferma les yeux et décida que le premier bébé qu'elle verrait en les ouvrant serait le sien.

Elle ouvrit les yeux et May Fischoff se trouvait devant elle.

Une infirmière tenait gentiment dans les bras un poupon endormi. Il portait au poignet un minuscule bracelet qui l'identifiait comme étant le bébé Fischoff. On avait dû prévenir l'infirmière que le père venait voir l'enfant car elle leva le bras du bébé avec lequel elle adressa un salut à Kearny.

Un peu plus tard, Frankie Fischoff les rejoignait devant la pouponnière mais n'y jeta même pas un seul regard.

— Allons nous-en. Norma s'est endormie. Ils doivent me téléphoner lorsqu'elle se réveillera.

— Vous avez une fille superbe, lui annonça Gilda alors qu'ils quittaient l'hôpital.

— C'est terrible, déclara Frankie tout blême. Vous auriez dû la voir, ma chère Norma.

Il était pâle; il avait le teint couleur d'amiante. Il laissa échapper un soupir et secoua la tête.

— Elle a failli mourir, d'après le docteur. Quand je pense que je lui ai imposé une telle agonie. Jamais plus. Que Dieu m'en soit témoin, elle n'aura jamais plus à souffrir de la sorte.

Le même jour où Frankie Fischoff devenait l'impresario de Gilda, celle-ci devenait la marraine de May. Elle offrit à l'enfant un pendentif en or et une cuillère en argent de chez Tiffany, et Frankie offrit à Gilda son premier rôle parlant dans un film. Elle n'y donnait qu'une seule réplique à Norma Shearer, mais le public l'avait pourtant remarquée. Ensuite, après quelques autres petits rôles, il y eut le film, et surtout la célèbre réplique, qui devaient la lancer.

Il s'agissait d'un film d'amour dont l'action se situait pendant la guerre et qui s'intitulait *Night Anthem*. Comme le proclamaient les affiches publicitaires, c'était « l'histoire des filles qui attendent le retour des soldats ». Gilda jouait le rôle d'une danseuse vertueuse (qui comptait parmi ses copines deux starlettes prometteuses, c'est-à-dire Janet Blair et Marilyn Maxwell). Peter Lorre tenait le rôle du propriétaire de cabaret et sympathisant nazi qui cherchait à la séduire tandis que le fiancé de la fidèle Gilda était au front. Dans la fameuse séquence, Lorre l'attrapait au moment où elle sortait de scène et l'acculait au mur.

« Je te donnerai tout ce que tu voudras, lui disait-il d'une voix âpre. Il ne rentrera pas. En outre, il est complètement fauché... Complètement! »

Gilda se dégageait de l'emprise du méchant homme en sueur, se retournait vivement, et jetait par-dessus l'épaule le long collier de perles qui complétait son léger costume de scène.

« Pourtant, je lui appartiens! » disait-elle à la caméra.

Les hommes dans l'auditoire, surtout les soldats, raffolaient d'elle. Les femmes aussi l'aimaient bien. Gilda était leur porte-parole face aux riches séducteurs, à ceux qui évitaient le service militaire, et aux sympathisants nazis. Que possédaient donc ces braves soldats qu'aucune somme d'argent ne pouvait acheter? L'amour et la fidélité des filles qui les attendaient.

« Je lui appartiens » devint une phrase qui courait sur toutes les lèvres, le titre d'une chanson, un graffiti écrit avec un bâton de rouge à lèvres sur les miroirs des W.-C.

C'était un rang de perles que demandaient en cadeau la plupart des fiancées de soldats partant au front. Deux semaines avant Noël, on rapportait qu'il ne restait plus un seul collier de perles dans tout le magasin Winston. Aux actualités, on avait vu des femmes qui se battaient devant un étalage de ces colliers chez Macy's.

L'affiche publicitaire de l'heure montrait l'aguichante jeune Gilda, tête tournée par-dessus l'épaule, une cascade de perles tombant sur un dos presque nu. Quelles perles et quelle surprenante chevelure brun roux! Cet automne-là, on avait volé une quantité innombrable d'affiches sur les devantures des cinémas.

Frankie fit distribuer des centaines d'exemplaires de la photo en question. Deux filles travaillaient pour lui à plein temps, affairées à signer le nom de Gilda sur des imprimés de vingt par vingt-cinq centimètres sous la dédicace suivante : « Je t'appartiens! » De son côté, la Metro en distribuait des milliers d'autres.

Gilda devint leur « Dame aux perles ». Des photos d'elle publiées dans *Movietone News* la montraient en train de servir des beignets à la Hollywood Stagedoor Canteen et d'autographier ses photos pour une cohue de militaires à Times Square.

On l'aimait.

Elle était lancée.

On la voyait à des réceptions, à des premières et à des promotions pour les bons de la victoire. Elle fut interviewée au programme radiophonique de Bob Hope ainsi qu'à *Hollywood Calling*. Louella Parsons diffusa une entrevue « exclusive » entre les pubs. On publia des photos d'elle tenant par la main chacun des jeunes étalons du studio et retroussant sa jupe aux côtés de Lana, Ava et Rita. *Photoplay* la croqua en compagnie de Peter Lawford lors d'une randonnée à la campagne. D'après Sidney Skolsky, c'était elle qui avait les meilleures chances d'épouser Howard Hughes, le jeune célibataire futé. *Modern Screen* invitait ses lecteurs à suivre le couple « le jour où Van Johnson tomba amoureux de la Dame aux perles ».

Ted Kearny, anonyme, puissant et toujours vigilant, orchestrait la métamorphose de sa maîtresse-enfant en étoile de cinéma. Il embaucha un agent de presse qui verrait à garder son nom *hors* des chroniques à potins et à y faire paraître celui de Gilda le plus souvent possible. On trouva même moyen, par une savante manœuvre, de publier des rumeurs associant Gilda à d'autres hommes plus jeunes que Ted.

Ce dernier avait en effet demandé à Larry Malnish de fournir les hommes, des jeunes gars séduisants et enjoués qui cherchaient la publicité et de quoi payer le loyer plutôt que l'amour. Il retint les services de détectives privés afin de s'assurer que les compagnons de Gilda observaient les règles du jeu. Ses gorilles avaient pour mission de rappeler à ceux qui se montraient entreprenants qu'ils avaient beaucoup à perdre en recherchant de fait comme d'apparence la compagnie de Gilda. Ted Kearny téléphonait quotidiennement à l'actrice depuis New York. Au moins une fois par mois, il prenait l'avion pour Hollywood afin d'aller constater les progrès de construction d'un domaine à Beverly Hills qu'il avait l'intention de lui offrir. Le château aurait la splendeur de San Simeon et le chic de Pickfair.

Le jour de ses vingt ans, le studio organisa une soirée en l'honneur de Gilda sur le plateau de *Gone Wrong*, le film qu'elle venait de terminer. Un journaliste prit une photo alors qu'elle donnait à la fourchette un morceau de gâteau d'anniversaire à

Herman Gehrig, joueur de soccer norvégien qui avait un petit rôle dans le film.

La photo parut donc dans le *New York Daily Mirror*. Gilda se préparait à une scène de jalousie. Or, elle reçut plutôt un télégramme disant qu'ils faisaient un beau couple.

— As-tu songé à épouser ce type? lui demanda Ted au téléphone ce soir-là.

— Oh, non, Teddy, répondit-elle horrifiée. C'est *toi* que j'aime.

— Epouse-le. Fais ça pour moi.

— Ce n'était qu'un béguin sans importance, Teddy. Ne sois pas fâché.

Gilda lui jura qu'elle ne reverrait jamais ce garçon; néanmoins, Kearny était soudain sérieux au sujet du mariage.

— Marie-toi pour quelque temps seulement. Juste pour confondre les journalistes, pour leur donner matière à réflexion. Ils s'en régaleraient. La Dame aux perles et l'étoile de soccer!

Il ne serait pas fâché de se débarrasser d'elle pour quelque temps, confia-t-il à Malnish.

Il fit comprendre à Gilda qu'un grand mariage immédiatement après la première de *Gone Wrong* avantagerait sensiblement sa carrière. Car elle jouait dans ce film le rôle d'une fille facile qui avait beaucoup vécu. Un joli mariage en robe blanche aurait pour effet de neutraliser l'image de la fille dure qu'elle projetait dans le film. Sam Durand était du même avis. Son coiffeur aussi, de même que le responsable des relations publiques du studio. Jusqu'à Larry Malnish qui était d'accord.

Seul Frankie était d'avis qu'elle devrait attendre et réfléchir.

— Le mariage, c'est sacré, lui conseilla solennellement l'impresario. Il ne s'agit pas d'un rôle que tu joues et qui prend fin au moment où le réalisateur crie : «Coupez!»

Elle n'osait pas lui avouer que c'était Kearny qui la poussait à se marier. Elle n'osait pas admettre que c'était sa façon à lui de la punir pour son innocent flirt avec Gehrig. Le mariage de Gilda avec le séduisant jeune joueur de soccer fit donc la une des journaux. Le soir de ses noces, elle téléphona à Ted Kearny.

— Qu'est-ce que je dois faire, à présent? demanda-t-elle à l'homme qu'elle aimait plus que tout au monde et en qui elle avait mis toute sa confiance. Comment dois-je m'y prendre, Teddy, espèce de salaud! dit-elle en pleurant, un peu ivre. Est-ce que je dois lui dire que je l'ai perdue à la guerre?

Kearny s'esclaffa.

— Je t'adore, mignonne. Amuse-toi bien. Tu n'as qu'à t'imaginer que c'est mon cadeau d'anniversaire.

Le mariage se solda par une rupture une semaine avant que *Photoplay* ne publie un reportage de quatre pages intitulé : « Le couple idéal de Hollywood ». Le studio promit de donner en échange au magazine l'exclusivité d'un reportage sur une Gilda au cœur brisé. Le magazine accorda deux pages à cette rupture et sauva ainsi quelques-unes des photos entourant l'histoire du malheureux couple.

Ils expliquèrent à leurs lecteurs que Gehrig était un patriote norvégien obligé de rentrer dans son pays déchiré par la guerre. En raison du grand amour que Gilda avait pour lui, elle était bouleversée d'apprendre que leur mariage en serait un de nom seulement jusqu'à la libération de la Norvège. C'était un mariage d'amour anéanti par la guerre.

Herman Gehrig ne se donna jamais la peine de lire la version officielle publiée par le studio, c'est-à-dire « La vérité au sujet de Gilda et Gehrig ». Avant de rentrer chez lui, il fit un détour par l'Amérique-latine. Il y faisait la grande vie après avoir reçu une forte somme de Kearny, et fut la vedette de la communauté sportive et de la haute société jusqu'au jour de la victoire en Europe.

Ne voulant pas s'aliéner les rivaux de *Photoplay*, la Metro offrit à *Modern Screen* l'exclusivité d'un reportage intitulé : « Celui qui lança une étoile ». C'était l'histoire de la découverte de Gilda par Larry Malnish. Elle donnait espoir à des milliers de jeunes actrices en puissance et fut à l'origine d'un regain d'activité chez les photographes de quartier depuis le Montana jusqu'au Maine.

C'était Larry Malnish qui avait eu l'idée du Norvégien patriote pour *Photoplay*. En récompense, Kearny le nomma officiellement chercheur de futures vedettes et il cessa d'être le maquereau de l'homme d'affaires. Ce fut aussi Malnish qui tenta de prévenir Gilda au sujet de Kearny. Il avait le sentiment de lui devoir quelque chose, quelque chose d'important, après l'avoir traînée chez l'avorteur à Washington Heights. Une fois, à la cafétéria du studio, il avait abordé le sujet de l'avortement et essayé de faire des excuses à Gilda. Elle s'était levée de table.

— Ne me parle plus jamais de cette histoire, espèce de vaurien, lui avait-elle lancé avant de tourner les talons pour sortir.

Le lendemain, elle l'avait accueilli avec joie, comme si rien ne s'était jamais passé.

— Si tu es si amoureuse de Ted, épouse-le donc, lui disait souvent Malnish.

— Fais pas l'idiot, Larry, lui répondait-elle toujours, en souriant tristement de son sourire à fossettes. Elle était presque toujours éméchée à présent. Herman Gehrig l'avait initiée à l'aquavit, une eau-de-vie scandinave assez forte, et Gilda avait pris l'habitude de l'avaler suivie d'une bière. Elle appelait ça un volcan norvégien.

— Tu sais ce qui arriverait à ma carrière si j'épousais un homme plus âgé que mon père? lui dit-elle un soir chez Ciro's. Elle plissait les yeux, ses yeux de chat gris-vert, et lui faisait un sourire parfait mais dépourvu de joie.

— Mayer me laisserait tomber comme une roche. Mes fans aussi. Diable, ils me crucifieraient. Du jour au lendemain, de star que je suis, je deviendrais une vieille croûte. Je suis amoureuse de Ted mais je ne suis pas encore folle, mon pote.

— Tu as signé un contrat, lui rappela Larry. Ils ne peuvent pas l'annuler parce que tu te maries. C'est Frankie Fischoff qui t'a prévenue que le studio te laisserait tomber?

— Non, mais Sam Durand y a fait allusion. Il a dit que si une fille ternissait son image en s'accrochant à quelqu'un que le public n'approuverait pas, quelqu'un de trop jeune ou trop vieux par exemple, le studio pourrait alors invoquer la clause de la moralité dans le but de résilier son contrat.

Malnish savait que les dirigeants de la Metro jouaient avec Gilda le même jeu qu'ils avaient joué avec Hedy et Lana et les autres. Durand était un ami et associé de Kearny. Si le grand Ted souhaitait vraiment épouser Gilda, Sam monterait l'allée en fredonnant la marche nuptiale! Toutefois, elle refusait de se rendre à l'évidence.

— Oublie ça, disait-elle en chassant cette idée du revers de la main. Tout finira bien par s'arranger.

Parfois, chez Chasen's ou au Derby, ou encore au Screenwriters Club ou à son cabaret préféré, le Mocambo, après s'être encore rincé le dalot d'une lampée d'aquavit suivie d'une gorgée de bière, elle se débarrassait de ses chaussures.

— Amusons-nous. Viens danser avec moi, disait-elle alors.

Ted Kearny l'encourageait à se lier d'amitié avec les scénaristes du studio et à les fréquenter. C'étaient des types intelligents et cyniques, ni assez riches ni assez influents pour constituer une menace. En outre, Kearny était d'avis que tous les écrivains menaient une vie sexuelle plutôt sage. Ils étaient tous fous de Gilda, de sa voix sensuelle, de son rire facile, de sa candeur, de son tempérament irlandais. Ils adoraient sa générosité d'esprit, lui confiaient leurs secrets d'amour et lui avouaient leurs plus profondes angoisses. Après qu'elle eût commencé à boire autant qu'eux, ils échangeaient leurs recettes pour guérir le mal aux cheveux.

Un de ses préférés était un jeune dramaturge nommé Avery Calder. Il était mince et rachitique, et sous le soleil de Californie, sa pâleur fantomatique lui conférait l'apparence d'un visiteur de l'au-delà. Tout comme Gilda, il était originaire du sud, ce qui le rendait vulnérable; comme elle, il proférait des obscénités et se trouvait presque toujours entre deux vins. Le studio l'avait fait venir en Californie en vue d'écrire un scénario pour la jeune Margaret O'Brien; mauvais tour du hasard qui le rendait malheureux et frustré. Bien que près de dix ans l'aîné de Gilda, c'était un nouveau venu à Hollywood et il était très naïf.

Calder crevait d'ennui. Par conséquent, il s'amenait sur le plateau et se calait dans un fauteuil pour regarder Gilda travailler. Il se rendait parfois à l'immeuble Thalberg où on l'avait relégué dans un minuscule bureau agrémenté d'un fauteuil à bascule et d'une machine à écrire. Le plus souvent, on le trouvait figé devant une feuille vierge; on pouvait compter sur le fait qu'il gardait toujours une bouteille dans son tiroir. Avery fut le premier ami véritable de Gilda dans ce pays de la noix de coco et des artifices.

Par une douce fin de journée en 1943, ils se rendirent à la plage dans la nouvelle Ford décapotable d'Avery; à la faiblissante clarté du soleil couchant, ils écoutaient à la radio des chansons populaires de Jo Stafford et des Andrews Sisters en buvant des volcans norvégiens.

— On a annulé le film de la petite, dit-il dans un soupir. Tout ce que j'ai produit en douze semaines c'était une scène où, à bord du Queen Mary, on jetait les cendres de Margaret O'Brien à la mer au beau milieu d'un concours de rhumba. Je leur ai dit : « J'peux pas écrire un texte pour une gosse en bas courts qui cherche la clé de ses patins à roulettes. J'me débrouille beaucoup mieux avec des putains. » Alors, ils m'ont donné une putain comme personnage.

Gilda avait lu le nouveau scénario de *Murder in Manhattan*. Toutes les actrices du studio auraient voulu jouer le rôle de Margo, la prostituée qui assassine un gros bonnet de la pègre pour venger la mort de sa jeune sœur, après quoi elle dénonce ses complices afin d'envoyer toute la bande en prison à Sing Sing. A la dernière scène, héroïne sans ami, elle se suicide dans la baignoire d'une minable chambre d'hôtel.

— Le studio veut donner le rôle à cette nouvelle actrice, la blonde de Pasadena à qui Mayer a fait signer un contrat, annonça Avery en laissant échapper un soupir. Je la trouve trop froide et réservée; c'est une statue de glace à la vanille. Margo est au contraire une femme absolument fulgurante que seul un soupçon de raison retient. Tu serais parfaite en Margo.

— Ah, la blonde de Pasadena. Le nouveau joujou du studio.
Elle doit être meilleure qu'elle ne le paraît car j'ai entendu dire
qu'elle est parrainée par un des actionnaires.

— Un des leaders de l'industrie, la reprit Avery.

— Sans blague! Tu sais de qui il s'agit? J'ai essayé de l'apprendre
mais tout le monde a la bouche cousue.

— Mignonne, répondit Avery l'air malin, tout le monde en
parle. C'est Ted Kearny, le corsaire priapique de Wall Street.

Il lui donna le flacon.

— Qu'y a-t-il, Gilda? Tu ne te sens pas bien?

Elle ferma les yeux et avala une lampée d'aquavit.

— Qu'est-ce que ça veut dire, *priapique*?

— Oh, ça veut seulement dire qu'il en a toujours envie, chérie.
Tu le connais?

— Avery, dit-elle en vidant le flacon qu'elle lança à la mer de
toutes ses forces. Je pense que tu as parfaitement raison. Je suis
justement la Margo qu'il te faut.

Avery Calder et Gilda devinrent les meilleurs des amis; il
ne sut jamais, toutefois, comment elle avait réussi à convaincre
Sam Durand de lui donner ce rôle. Il lui servit de soutien
moral pendant l'aventure de Kearny avec la reine des glaces. Il
l'emmenait au Coconut Grove et la faisait rire; par contre, il n'eut
jamais vent de la scène qui s'était déroulée dans le bureau de
Durand une des meilleures performances de Gilda alors qu'elle
avait menacé de se suicider si elle n'obtenait pas ce rôle, ou
de révéler aux journalistes certaines vérités qui ne paraissaient
pas dans sa biographie officielle. Lorsque la blonde de Pasadena
laissa tomber Kearny pour un acteur déjà marié, Avery célébra
l'événement avec Gilda mais disparut quand le grand Ted
réintégra la vie de son amie.

Gilda habitait un appartement de la rue Comstock. Une fois la
crise passée, cependant, elle déménagea aux Perles, la somptueuse
demeure que Kearny lui avait fait construire en gage de
réconciliation et d'amour éternel. C'est là qu'elle posait quotidiennement pour le service de publicité du studio : Gilda en short
et corsage bain-de-soleil offrait une pastèque à Alan Ladd et à
Roddy McDowall; Gilda accueillait sa « meilleure amie » Esther
Williams dans la salle de jeux en forme de grotte où une cascade
d'eau alimentait la piscine chauffée dans un décor naturaliste;
Gilda dans la salle de projection, en pantalon et chemisier tailleur,
à l'occasion de la présentation de *Murder in Manhattan* devant
un auditoire composé exclusivement de vedettes; Gilda faisait
manger des pommes aux chevaux dans l'écurie située derrière
la maison; Gilda et Jane Powell, dans l'immense cuisine de

campagne, goûtaient avec une cuillère leur pâte à gâteau; Gilda, portant un ensemble différent dans chacune des chambres d'amis décorées selon le thème de certains de ses films, depuis les chaises rustiques de *Babes in the Woods* jusqu'au cuir et peaux de léopard de *Dark Safari*.

Un séduisant Adonis blond se tenait derrière elle, les mains autour de sa taille. En tailleur beige, Gilda posait pour une photo de mariage devant la balustrade du balcon. Ils étaient jeunes et beaux tous les deux avec leur sourire de pub éclatant de bonheur. Pas moyen de se tromper; ils étaient amoureux.

— Lance ton bouquet, à présent, lui cria le photographe. Et toi, Chunk, serre-la bien fort dans tes bras. Elle t'appartient, mon vieux. Tu ne peux plus te retenir, tu comprends?

C'était un acteur, un ami d'Avery Calder. Une heure après le départ du photographe, le jeune homme partait lui aussi. Il se faisait un devoir d'être là pour les soirs de première, les réceptions et les séances de photographie, et il accompagnait Avery lorsque l'écrivain rendait visite aux Perles. C'était pourtant un jeune homme implacable. Le studio avait beaucoup investi dans le but de camoufler un scandale dans lequel il avait été impliqué au Fantasy Club. La direction du studio aurait souhaité qu'il passe plus de temps sous la surveillance de Gilda et moins dans les rues du centre-ville à Hollywood.

Leur mariage de raison était loin de leur convenir. En public, ils formaient le couple idéal adulé des adolescents, dorloté par les pantins du studio. En privé, ils n'avaient rien à se dire.

Gilda arpentait sa chambre à la manière d'un lion en cage tandis que Chunk regardait de vieux films dans la salle de projection et se masturbait dans son pyjama de soie. Avery le laissa tomber. Le studio ne tenait pas compte de lui et donnait tous les rôles qu'il convoitait à Robert Walker ou à Van Johnson. Il était tout de même assez gentil et Gilda fit son possible pour lui venir en aide mais le studio estimait avoir réglé ses dettes envers Chunk Williams.

Une nuit, Gilda fut réveillée par un grand bruit. Elle enfila un peignoir et se dirigea prudemment vers le jardin. Le jardinier, un Mexicain qui faisait le signe de la croix avant d'enterrer la moindre graine de semence, vint à sa rencontre. Il était couvert de sang.

— Retournez à la maison, mademoiselle Gilda. Il y a eu un accident. Appelez tout de suite la police.

L'homme faisait des signes de croix en invoquant tous les saints, et essuyait en même temps le sang de son pyjama blanc.

Gilda ne comprit jamais tout à fait ce qui se passa ensuite. Elle se rappelait avoir téléphoné à Avery.

— C'est toi qui m'a foutue dans ce maudit pétrin, alors tu ferais mieux d'arriver au plus vite pour m'en sortir.

Elle était hystérique, encore à moitié endormie en raison des somnifères qu'elle avait avalés avant de se mettre au lit, et complètement déconcertée.

Sam Durand la fit conduire en limousine jusque chez un administrateur de la Metro qui habitait à Palm Springs. Elle avait reconstitué le drame en lisant les journaux.

Chunk avait ingurgité de la lessive et de l'herbicide et avait ensuite avalé de la mie de pain pour s'empêcher de vomir. Lorsque la douleur avait commencé à lui déchirer les entrailles, il s'était jeté à travers une des vitres de la serre. Son corps comptait cent vingt-sept entailles et il s'était coupé deux artères. Gilda Greenway, l'épouse de l'acteur et célèbre déesse du cinéma, était à l'extérieur de la ville au moment de l'accident et on n'avait pu obtenir d'elle aucun commentaire.

Ted Kearny et Avery Calder s'occupèrent des funérailles, et puisque personne ne pouvait leur fournir de plus amples détails, les journalistes portèrent leur attention sur autre chose. Ce fut un vilain scandale dont on sut épargner Gilda.

— Mon second mari était un charmant garçon romantique qui fut prématurément victime de Hollywood, disait-elle en public. Il me manque beaucoup et j'aurai toujours pour lui la plus grande affection.

L'expérience l'avait toutefois profondément troublée. Elle avait de fréquents cauchemars dans lesquels elle voyait des corps flotter dans la piscine, tomber de ses nombreux placards ou encore, elle les trouvait étendus sur le parquet de marbre de son hall d'entrée. Elle comptait de plus en plus sur les barbituriques et les tranquillisants et s'en voulait d'avoir été aussi sotte et naïve. Elle ne reprit pas le travail avant six mois. Ensuite, elle tourna un film après l'autre, allant même jusqu'à en tourner deux à la fois.

Kearny l'implorait de ralentir.

— Tu possèdes tout ce qu'une femme peut désirer, lui dit-il un soir qu'elle était épuisée au point de ne pas avoir envie de son plat favori chez Chasen's. Tu habites la plus belle demeure de Hollywood, ta carrière est florissante et je suis là pour m'assurer que rien ni personne ne te fasse de mal. Alors, que dirais-tu si nous allions en vacances à Acapulco pour six mois?

Gilda se contenta de secouer la tête, se servant du menu comme éventail.

— Rentrons à la maison, Teddy. Une année entière à Acapulco ne saurait guérir mon mal. N'oublie pas que j'ai rendez-vous avec le maquilleur à sept heures demain matin!

6

1944

En 1944, Gilda avait déjà tourné dix films, sans compter ceux dans lesquels elle ne faisait qu'une courte apparition, telles ces comédies musicales renommées comme *A Song for the Boys* et *Victory Canteen* pour lesquelles Louis B. Mayer avait prêté les services de l'artiste à dix fois le salaire stipulé à son contrat. A l'occasion de l'un de ces films, Gilda se retrouva à la Fox où elle jouait avec Betty Grable et son mari, le chef d'orchestre Harry James. Le rôle de Gilda consistait à danser un court jitterbug lors d'une soirée pour les militaires. D'un soldat à l'autre, elle pirouettait, pivotait, virevoltait alors que Harry James jouait de la trompette pendant que son orchestre émergeait du plateau sur une partie mobile de la scène.

Un de ses partenaires de danse était un ancien cascadeur du nom de Patrick Wainwright. On ne lui avait jamais présenté cette idole de l'écran, bien que Gilda avait vu Wainwright au cinéma en cowboy, en boxeur professionnel et en détective privé grand et élancé. Elle fut tout à fait étonnée d'apprendre qu'il avait déjà joué à Broadway et avait consacré plusieurs années à l'étude de la danse. Ces dernières années, il était champion des recettes en salle avec ses bottes de cowboy et ses chapeaux Stetson, et sa présence dans ce film de Grable constituait une des surprises cinématographiques de 1944. Elle savait qu'il pouvait se montrer viril en selle, et dans son uniforme de l'armée frais pressé, il avait encore meilleure apparence.

Lorsque cet homme de grande taille la prit dans ses bras avec la désinvolture et l'aisance d'un coureur de grands chemins, elle fut surprise et troublée de constater la réaction qu'elle avait. Elle oubliait ses répliques. Elle trébuchait et tombait à tout propos. Elle tourbillonna devant lui et Patrick, grâce à son sens du rythme et à ses grands bras, l'empêcha de foncer droit sur la caméra.

Il l'attrapa au passage et l'attira à lui. Au moment de la soulever pour la balancer sur sa hanche, il lui donna un de ces baisers dévastateurs à bouche ouverte.

Gilda dut faire un effort de concentration pour s'empêcher de crier « Aïe ». Elle acheva son numéro en automate. A la fin de la prise, elle porta une main à sa bouche et lança un regard furibond à Wainwright.

— Mais pourquoi as-tu fait ça?

— Ne t'offusque pas, ma belle, dit-il en lui faisant un clin d'œil. Je voulais savoir si tu buvais toujours. Ça dérange ton tempo.

— Espèce de salaud!

Elle fit un pas pour s'en aller.

Wainwright lui saisit le bras et s'approcha d'elle. Il la garda captive un instant, collée à lui, tête renversée et le menton contre sa clavicule.

— Je n'ai pas détesté ça, lui avoua-t-il avec le sourire.

— Teddy, épouse-moi, supplia-t-elle Kearny lorsqu'il lui téléphona de New York ce soir-là.

— Gilda, ça fait plus de cent fois qu'on en parle. C'est ton histoire avec Wainwright qui t'énerve, pas vrai?

— Çà, alors! Voilà moins de trois heures que c'est arrivé. Comment se fait-il que tu sois déjà au courant? Il m'a presque traitée de soûlarde. J'avais envie de l'étrangler. Je suis si déprimée, Teddy. Je me sens tellement seule.

— Tu n'as pas recommencé à boire, j'espère?

— La barbe! Puisque tu sais tout, pourquoi me le demandes-tu? Non, je n'ai pas recommencé à boire. Pourquoi?

As-tu recommencé à baiser, toi?

Kearny se mit à rire.

— Je t'aime, lui dit-il.

Plus tard, alors qu'elle faisait les cent pas devant le bar en se tordant les mains pour s'empêcher d'avaler une bouteille d'aquavit, elle se rendit compte qu'il ne lui avait pas répondu.

Le jour précédant le vingt-deuxième anniversaire de Gilda, Avery aperçut Ted Kearny sortant de chez Sam Durand en compagnie d'une jolie fille qui avait l'air d'une couventine. Avery pensa que la demoiselle, âgée d'à peine quatorze ans, était peut-être la petite-fille de Kearny, le fruit d'une aventure depuis longtemps oubliée. C'était un mignon petit bout de femme aux yeux aussi grands que de grosses olives noires; elle avait les pommettes saillantes et des fossettes, comme celles de Gilda.

Lorsque Avery téléphona à Gilda le jour suivant pour lui souhaiter un bon anniversaire, il lui fit part du fait qu'il avait vu le grand Ted quitter le bureau de Durand. Nul doute que Ted y avait discuté de quelque fabuleux présent pour elle, lui dit-il pour badiner. Il ne fit aucune mention de la fille. Gilda était quand même stupéfaite, car elle ignorait que Kearny était de retour. La secrétaire de ce dernier lui avait téléphoné en disant qu'il arriverait peut-être en retard mais qu'il ferait son possible afin d'être à temps au dîner d'anniversaire au Mocambo.

— Merde!, fit Avery. Je parie qu'il avait l'intention de te faire la surprise, et voilà que j'ai vendu la mèche. Pardonne-moi, mon ange. Ne lui dis pas que je t'en ai parlé. Fais semblant d'être surprise.

Avery arriva au Mocambo plus tard ce soir-là, après s'être arrêté ailleurs avec quelques amis. Gilda était à sa table habituelle à l'arrière du restaurant, où il était moins risqué que les journalistes l'aperçoivent en compagnie de Kearny.

Il y avait autour d'elle le grand Ted, Frankie Fischoff et sa belle épouse Norma, et Larry Malnish flanqué de deux starlettes souriantes. Comme Avery se frayait un chemin parmi la foule resplendissante, à pas lents de peur qu'un personnage important n'entende comme lui le balottement de l'alcool dans son estomac creux, il remarqua la présence de la fillette qu'il avait aperçue avec Kearny.

Il prit appui au dos d'une chaise pour se donner de l'aplomb et remarqua qu'elle le regardait en ricanant. C'était une charmeuse, un beau brin de fille tout en douceur et sur le point d'éclore, portant une jolie petite robe qui moulait bien ses jolies rondeurs. Sous l'impulsion du moment, Avery se pencha et lui baisa la joue.

Il se redressa, assez fier de lui. Ce geste impulsif redorerait son blason, embrouillerait les mauvaises langues qui lui donnaient la réputation d'être un efféminé. La fillette n'avait ni crié ni bronché. Elle s'était contentée de jeter un regard à l'arrière du restaurant, en riant et haussant les épaules d'un air qui voulait dire « J'ai donné mon cœur à papa. »

Avery suivit son regard et constata que c'était à grand-papa Teddy que la fillette adressait des excuses. Dans un éclair de sobriété, il comprit que la demoiselle, la fillette, était la maîtresse de Kearny.

Le grand Ted se leva et tira une chaise pour Avery. Ce dernier lui tourna le dos et, se penchant pour embrasser Gilda, présenta son postérieur au grand salaud.

— Bon Dieu, Avery. Il faudrait t'embouteiller!

Elle l'embrassa encore une fois, en plein sur la bouche.

— Voilà! C'est tout l'alcool que je vais me permettre de prendre ce soir.

— Tu es vraiment très galant avec les dames aujourd'hui, constata Kearny en riant.

— Ou vice versa! lui répondit Avery.

Norma Fischoff ouvrit grand les bras.

— Bonsoir, mon cœur. Viens que je sente ton haleine. Je préfère ton odeur de whisky à celle de tout le Dom Pérignon ici ce soir!

Kearny secouait la tête.

— Je ne dois pas savoir m'y prendre.

Avery lui adressa un sourire glacial.

— Ne viens pas me raconter des histoires.

* * *

Trois mois plus tard, Frankie Fischoff téléphonait à Larry Malnish à Los Angeles. Il était huit heures du matin à New York, donc seulement cinq heures sur la côte ouest.

— Il nous arrive un sérieux pépin, annonça Frankie après avoir entendu la voix endormie de Malnish.

— Tu peux le dire! Je dors depuis à peine trois heures et j'ai à côté de moi une gonzesse qui a besoin de sommeil elle aussi. J'espère que ce que tu as à me dire est important.

— Je viens d'apprendre en lisant le *New York Times* que Morgan Edward Kearny est marié.

— Fischoff! Pourquoi diable me téléphoner en pleine nuit pour m'annoncer un mariage.

— Tu ne comprends pas, Malnish. Le grand Ted est marié.

— Çà, par exemple! Avec Gilda?

— Mais non, imbécile. Avec une débutante de la haute société. Elle s'appelle Brenda McCormack.

— C'est une adulte? Je n'arrive pas à le croire.

— Ouais. A dix-huit ans, c'est une véritable petite vieille! Ecoute, Malnish, je prends l'avion de dix heures, mais toi et Avery Calder feriez mieux d'être aux Perles avant le réveil de Gilda. Il va y avoir du grabuge et il est préférable que vous lui appreniez la nouvelle avant qui que ce soit.

— Et qu'est-ce que je fais de Rita?

— Quelle Rita?

— La fille à qui Durand a fait signer un contrat pour le film sur les chevaux. Elle aussi, c'était la petite amie de Ted.

— Eh bien, que son impresario s'en occupe. C'est Gilda qui m'inquiète. Je vais communiquer avec le docteur Habib afin qu'il lui prescrive un calmant. Vous lui donnerez une bonne tasse de thé. D'ici à ce qu'elle comprenne vraiment ce qui arrive, je serai sur place, avec un peu de chance.

Il était trop tard. A leur arrivée aux Perles à sept heures et demie, ils furent accueillis par la bonne effrayée qui s'était rongé les ongles jusqu'au sang.

— Dieu merci, c'est vous. J'allais justement téléphoner aux policiers, mais je savais que je ne devrais peut-être pas à cause du scandale, vous comprenez.

— Où est mademoiselle?

— Seigneur Dieu! dit la jeune fille. Je voudrais bien le savoir. Un idiot de reporter lui a téléphoné de New York hier soir et lui a demandé si elle savait que monsieur Kearny venait de se marier. Comme de raison, elle ne l'a pas cru, et il lui a répondu de lire le *New York Times* aujourd'hui. Ensuite, la pauvre, elle m'a demandé si je voulais bien téléphoner chez monsieur Kearny car elle se sentait trop nerveuse pour parler à la téléphoniste. Oh, doux Jésus! On a répondu que non, monsieur Kearny n'était pas là parce qu'il était en lune de miel!

— Avez-vous une idée où elle pourrait se trouver? lui demanda Malnish.

La bonne pleurait très fort et elle leur raconta avec difficulté que Gilda avait enfilé un manteau de fourrure par-dessus son pyjama et s'était enfuie au volant de sa voiture.

— Elle m'a fait promettre de n'appeler personne, même pas vous, monsieur Calder. Elle m'a dit de ne pas l'attendre.

Larry téléphona à Sam Durand qui se trouvait déjà au studio.

— Ma foi, mais c'est une épidémie! déclara le petit homme en tempêtant. Rita Marshall a disparu elle aussi. On essaye de tourner sans elle aujourd'hui. J'ai ici pour un million de dollars en acteurs et techniciens, et ils n'ont rien d'autre à faire que de jouer à la belote parce que deux enfants gâtées se sont fait plaquer par leur amoureux et ont décidé de se payer des vacances.

Durand fut immédiatement d'accord qu'il n'était pas question d'avertir la police de ces disparitions avant que le studio n'ait décidé ce qu'il fallait faire.

— Quel con ce Kearny, remarqua Durand en furie. De quel droit ose-t-il me faire ça! Gilda est en plein tournage d'un film sensationnel. Enfin, faites-moi signe si vous avez des nouvelles.

A l'arrivée de Frankie le même soir, Larry et Avery avaient déjà fait le tour des bars et cafés que fréquentait Gilda. Ils avertirent son coiffeur et quelques-uns de ses amis avec qui elle aimait boire. Ils songeaient à communiquer avec les hôpitaux lorsque Larry eut l'idée de retrouver la mère de Rita Marshall, cette jeune starlette que Kearny avait découverte.

— Oui. Gilda Greenway est venue chercher Rita hier soir. Ma fille vient de me téléphoner de San Diego pour que je ne m'inquiète pas et elle m'a dit qu'elle ignorait quand elle serait de retour.

Malnish et Avery se relayèrent pour communiquer avec chacun des hôtels et motels dans cette ville de marins. A présent, Frankie ne pouvait rien faire d'autre que branler la tête de temps en temps, un antiacide dans la main.

— Dieu du ciel! Je ne lui pardonnerai jamais à ce saligaud.

Un commis du Sunburst les mit enfin sur la piste.

— Ouais, y'a bien une rouquine et une petite brune qui sont là depuis hier soir. Vous pouvez pas imaginer à combien s'élève la note pour ce qu'elles ont commandé au bar. Et, mon pote, y'a tellement de marins en petite tenue dans leur chambre qu'on se croirait au bureau de conscription.

Larry et Avery se mirent immédiatement en route pour San Diego où ils arrivèrent au milieu de la nuit. Le concierge échangea la clé de la chambre contre deux billets de cinquante dollars.

— Je voulais vous demander, ajouta-t-il en se frottant les yeux. J'ai dit à la rouquine qu'elle ressemblait à Gilda Greenway, la vedette de cinéma. Elle m'a répondu oui comme si elle avait gagné un concours de sosie. Mais pourquoi une fille assez belle pour gagner un concours de sosie vient-elle faire la bombe au Sunburst? Alors, je me suis dit qu'elle essayait de m'avoir. Non, mais j'ai raison ou pas?

Avery avait le cœur qui battait fort au moment de tourner la clé dans la serrure. A la lueur d'une lumière provenant de la salle de bains, il aperçut Gilda couchée en travers du grand lit, nue comme un ver. Rita était recroquevillée à côté d'elle, une jambe par-dessus la cuisse de Gilda, ses longs cheveux bruns sur le sein de la rouquine. Par terre, au pied du lit, un garçon en slip ronflait.

Avery se pencha sur lui et forma un cornet de ses mains.

— Le commandant à l'équipage! Les fusiliers marins ont débarqué!

Gilda émit un grognement et se tourna pour apercevoir Avery et Malnish à côté du lit.

— Qui diable vous a invités à notre petite fête?

Elle se cacha ensuite le visage et se mit à sangloter.

— Avery, dit-elle en pleurant. Tu sais ce qu'il a fait ce mufle?

— Oui, ma jolie, je le sais, répondit Avery en la prenant dans ses bras comme une enfant. Mais, tu sais quoi? Il paraît qu'elle a la chaude-pisse!

Rita Marshall retourna sur le plateau de *Kentucky Yearling*. Elle y jouait le rôle d'une campagnarde typiquement américaine dont la confiance inébranlable en son piètre cheval juste bon pour l'abattoir les conduit tous deux à la victoire du Derby.

De son côté, à l'aide de stimulants et de gin alcoolisé à cent pour-cent, Gilda acheva de tourner sa première comédie, assez ironiquement intitulée *Nice Girl*.

Elle était déprimée et avait souvent la larme à l'œil, mais Avery et Larry se relayaient auprès d'elle. Frankie téléphonait tous les soirs à vingt et une heures pour s'assurer qu'elle s'était bien rendue sur le plateau ce jour-là et qu'elle avait mangé. Un bon soir, une voix sèche qu'il ne reconnaissait pas lui répondit.

— Résidence de mademoiselle Greenway, annonça sèchement la femme.

— Dites à Gilda que c'est Frankie à l'appareil.

— Mademoiselle n'est pas disponible pour l'instant.

— C'est ce qu'on va voir! hurla Fischoff qui perdait rarement patience. Dites-lui que c'est son bougre d'impresario.

Gilda riait en décrochant dans sa chambre.

— C'est une idée de Larry, précisa-t-elle. Tu connais maintenant madame Denby, ma nouvelle gouvernante et gardienne. Larry l'a dénichée dans les collines de Hollywood où elle domptait des chiens sauvages. Il s'est dit que si elle savait comment s'y prendre avec les animaux sauvages, elle était justement ce qu'il fallait dans cette maison, étant donné que je garde des tarentules, des singes, des chiens et un zèbre. Sans oublier que je suis là, en plus!

Au retour de sa lune de miel aux Bermudes, Ted Kearny téléphona à Gilda pour lui faire ses excuses et l'assura qu'il lui avait cédé les Perles, y compris la ménagerie. Il avait même déposé à la banque une somme qui faisait d'elle une femme riche. Il croyait qu'elle comprendrait et se réjouirait pour lui en apprenant que Brenda était enceinte. Brenda était jeune et assez forte pour lui donner ce qu'il désirait le plus au monde, c'est-à-dire un enfant.

Gilda appela Larry Malnish au téléphone. Il était évident qu'elle avait bu, bien qu'elle parlait posément et très clairement.

— Larry. Je veux l'adresse de ce maudit boucher d'avorteur.

— Ciel, Gilda, pour quelle raison? Si une de tes amies se trouve en difficulté, il y a de bien meilleurs médecins ici même à Los Angeles. Je sais en outre qu'il s'est fait arrêter le lendemain de notre visite à ce nid de vipères.

Il téléphona le lendemain, après s'être réveillé à trois heures de la nuit en se demandant si l'impossible s'était produit, si Gilda était enceinte. Si c'était le cas, jamais elle ne songerait à se faire avorter, s'était-il dit.

Ce fut madame Denby qui répondit.

— Mademoiselle n'est pas ici. Une affaire urgente l'a appelée à New York.

Malnish communiqua immédiatement avec Frankie Fischoff.

— Gilda est à New York. C'est une longue histoire. Elle est sans doute en train de se promener quelque part dans Washington Heights, à la recherche d'un certain docteur Lawrence. Il faut que tu la trouves, Frankie. Je crois qu'elle frise la folie, cette fois.

Gilda donna le nom de Frankie Fischoff comme « parent le plus proche » au moment de son admission à l'hôpital Bellevue où l'avaient emmenée les policiers qui l'avaient trouvée sur Fort Washington Avenue.

A l'arrivée de Frankie à l'hôpital, il fut accueilli par l'interne.

— Je sais qu'elle est bien qui elle prétend être; cependant, je l'inscris au dossier comme souffrant d'hallucinations. Elle est dans un état pitoyable. Faites-lui voir un médecin là-bas, et tenez-la à l'écart des bébés pour quelque temps. Si parfois elle se met à avoir des aventures, montrez-vous compréhensif. Elle cherche à combler le vide en son sein.

Frankie n'était pas au courant de l'avortement. Il ne comprenait rien à ce que le jeune médecin lui avait raconté; avait-il parlé de sein ou de rein? De toute manière, c'était un jeune homme intelligent car, effectivement, les deux années qui suivirent furent un cauchemar de débauche et d'alcool. Même l'intimidante madame Denby ne réussissait pas à garder Gilda sobre chez elle. Toutes les deux semaines environ, Larry Malnish ou Avery Calder recevait un appel de la gouvernante.

« Elle a démoli sa voiture à Laurel Canyon. »

« Elle s'en est tiré, mais un des quatre jeunes gens qui l'accompagnaient a subi une commotion cérébrale. »

« Elle vient de téléphoner de l'Arizona. Elle prenait un verre en compagnie d'un cowboy; elle s'est vite dégrisée en se trouvant devant le juge de paix. »

Lors d'un séjour à New York, elle perdit ses souliers au club de jazz d'Eddie Condon et jusqu'au lendemain matin, elle se laissa porter par un batteur ayant la réputation d'être un tombeur et un drogué. Une autre fois, elle s'échappa d'un compagnon ennuyeux par la fenêtre des W.-C. et se retrouva sur la corniche au neuvième étage d'un édifice à Chicago. Pour remercier les deux sapeurs-pompiers qui l'avaient secourue, elle les reçut dans sa chambre d'hôtel où elle les garda pendant deux jours.

C'était un parfait mystère pour Frankie que Gilda ne s'était jamais retrouvée le ventre plein de bébés. Il s'agissait d'un miracle en matière de prévention des naissances.

— Dieu doit veiller sur elle, dit-il à Norma. Car aucune femme aussi ivre qu'elle ne peut se rappeler de prendre des précautions. J'étais même soulagé de la trouver au lit avec deux filles. Au moins, comme ça, elle ne peut pas devenir enceinte!

A la fin, son travail sauva la vie à Gilda. Il fallut beaucoup d'adresse et de patience de la part de Frankie pour faire annuler la suspension dont elle faisait l'objet et la ramener sur le plateau, mais il ne devait pas le regretter. Si elle buvait au travail, rien n'y paraissait et personne ne la surprit jamais à le faire. Première arrivée pour se faire maquiller, elle savait ses répliques et était d'une patience inouïe avec ses réalisateurs et ses collègues. Entre les prises de vues, elle jouait au rami avec les techniciens dans sa loge-roulotte.

Elle avoua ceci à Sheilah Graham lors d'une interview.

— J'ai beaucoup d'égards pour les équipes techniques, voilà le secret de ma réussite. C'est bien de s'entendre avec Gable, c'est un type épatant. Par contre, c'est l'éclairagiste qui vous met en valeur pour la postérité. Si vous gagnez l'estime des perchistes, des électriciens, de l'ingénieur du son et des messagers, votre succès est assuré.

Au déjeuner, elle évitait d'habitude la cafétéria, où la salade de fruits Gilda Greenway était un choix populaire, et prenait un verre en guise de sandwich dans sa roulotte. Elle omit d'avouer ça à Sheilah Graham.

Louis B. Mayer ne pouvait pas la sentir. Elle n'était jamais invitée à ses soirées d'anniversaire où Kay Thompson et Roger Edens dirigeaient les autres vedettes de la MGM dans des sketchs de comédie et de chanson, au grand plaisir du vieil homme. Lena Horne, qui savait ce que c'était de se débrouiller avec sa beauté et son talent sans être acceptée de la société, devint son amie. Judy Garland, qui avait assez d'influence au studio malgré ses propres querelles avec le vieux, arrivait parfois à la roulotte de Gilda après une journée de travail.

— Allez, ma vieille! On se paye une cuite.

Bien que Gilda avait ses amis buveurs, elle n'en demeurait pas moins une solitaire, une mystérieuse au sein d'une industrie qui n'avait aucun secret. Même Hedda et Louella, les imposantes jumelles terrorisantes, la protégeaient. Au temps de Noël, lorsque les camions de livraison s'arrêtaient devant leur porte remplis de pots-de-vin de toutes sortes, les généreux cadeaux de Gilda y avaient la part du lion. Une fois, lorsque Hedda Hopper avait déclaré la guerre à Mary Astor, l'actrice aguerrie qui avait joué la mère de Gilda dans deux films lui avait demandé conseil.

— Comment t'y prends-tu avec la vieille vipère? lui avait demandé Mary.

— A Noël, je lui ai fait parvenir une statue en marbre de Vérone pour sa piscine où j'ai aussi fait installer un nouveau sauna.

— Je comprends maintenant, conclut Mary. Tout ce que je lui ai donné, c'est un chapeau Irene.

Si Gilda était populaire auprès des journalistes, ses fans l'adoraient encore plus. Elle tourna quinze autres films pour MGM entre 1945 et 1950 et, sauf pour quelques déconfitures telles que *Daughter of the Nile* et *The Pumpkin Coach*, ils avaient tous rapporté beaucoup d'argent. Le studio avait constaté par le silence des guichets que Gilda n'était nullement appréciée en princesse égyptienne capricieuse ni en Cendrillon. En 1946, ils lui donnèrent l'ancienne loge de Greta Garbo, abandonnée à la poussière depuis que la Suédoise taciturne s'était majestueusement exilée pour de bon cinq ans plus tôt. On n'eut même pas à changer les initiales sur la brosse à cheveux en argent et en écaille de tortue.

Mayer était un fanatique des gants et des chapeaux, de même que des femmes qui savaient garder leurs souliers et les jambes croisées. Avec Greer Garson, il rayonnait. Avec Gilda, il bougonnait en se remplissant les poches. Les rumeurs allaient bon train au studio lorsque le vieux avait importé Deborah Kerr d'Angleterre pour partager la vedette avec la Dame aux perles dans un feuilleton d'après-guerre; c'était Gilda qui avait reçu des lettres d'admiration. Furieux, Mayer avait, en représailles, donné l'ordre à Sam Durand de la prêter à Paramount pour trois comédies de suite, pour un montant qui ne s'était encore jamais vu.

Gilda cessa de coucher avec n'importe qui quand elle épousa Artie Bender, un chanteur de charme. C'était toutefois un lamentable échange.

Bender était un ivrogne colérique, terriblement macho, qui s'attendait à ce que les femmes le vénèrent, et les frappait si elles ne le faisaient pas. Avant la guerre, jeune chanteur dans les boîtes de nuit à Brooklyn et à Hoboken, il avait l'habitude d'avoir, selon son expression, « des sucettes avant le spectacle et des lunchs après ». Pendant la guerre, il était devenu toréador au Mexique, où il se pavanait dans l'arène à Mexico, le bras levé pour saluer la foule adoratrice.

Il aimait se vanter que, tandis que l'odeur du sang était encore fraîche, les vedettes de cinéma et les fanatiques de corrida faisaient la queue pour lui ronger son os.

Gilda se plaisait à dire qu'elle préférait plutôt ronger l'os de Rin Tin Tin que celui d'Artie. Il était certain d'être plus en chair, pour commencer. Un soir à Tahoe, après une querelle de soûlards qui avait duré deux heures, elle l'avait épousé.

— Elle aurait mieux fait, pardonne-moi l'expression, avait dit Frankie à Norma, de baiser avec toute la quatre-vingt-deuxième division de l'armée de l'air plutôt que de se laisser malmener par ce vaurien sans manières.

— C'est lui qui a pris la relève, avait fait remarquer Malnish à Calder. Elle n'a plus à se taper dessus maintenant; ce salaud se charge de le faire à sa place.

En 1950, Gilda partageait la vedette avec Patrick Wainwright, numéro un des étoiles masculines à Hollywood, dans une comédie hilarante intitulée *O'Connor's Wife*. Elle y tenait le rôle d'une infirmière de la marine appelée O'Connor et lui, celui du commandant bourru qui devient amoureux d'elle. Ils désirent se marier mais à cause d'une bévue administrative et bureaucratique leurs papiers identifient l'infirmière comme étant le marié, et le commandant, la mariée!

Au cours des six ans écoulés depuis le film de Grable à la Fox, ils avaient tous deux survécu à une douloureuse perte. L'épouse de Patrick, Marie, était paralysée à la suite d'un accident de voiture dans lequel leur enfant unique avait trouvé la mort. Wainwright était au volant et s'en était tiré indemne. Quant à Gilda, l'abandon de Kearny avait éveillé en elle une absence plus profonde, plus déchirante, l'absence d'un enfant.

Ils portaient tous deux des cicatrices aujourd'hui, et ils étaient plus vieux et plus sages, plus méfiants devant la vie. Depuis le tout premier jour du tournage, le plateau baignait dans une atmosphère d'excitation et de magnétisme sexuel. Le fait que la première scène qu'ils devaient tourner était celle d'une querelle n'arrangeait pas les choses.

D'après le scénario, ils devaient se disputer, après quoi l'infirmière tournait les talons et s'éloignait du commandant alité. Ce dernier devait alors l'arrêter, déchirant accidentellement sa jupe. Elle se retournait vivement pour le réprimander, sur quoi il se levait et l'embrassait avant qu'elle n'ait pu se rendre compte de ce qui lui arrivait.

— Wainwright, si vous me touchez encore une fois comme de la chair à saucisses, je vous transforme en soprano chauve, lança-t-elle d'un ton furibond.

— Dame, si vous vous conduisiez comme une femme plutôt qu'un morceau de viande, on trouverait mieux à faire avec mes couilles.

— Coupez!

— Vous êtes un homme sommeil, commandant Morrison. Vous avez besoin de malade. Merde! J'ai encore manqué ma réplique, lâcha Gilda en se frappant le front.

— Tiens, ne manque pas ça, répliqua Wainwright, la main sur l'entrejambe de son pyjama. On en est à quelle prise, Eddy? Quatre mille un?

— Silence! On tourne.

— Vous êtes un homme malade, commandant Morrison. Vous avez besoin de repos.

— *De sommeil.* La réplique, c'est *Vous avez besoin de sommeil.*

— La réplique est *Vous êtes un homme malade!* C'est bien ce que j'ai dit, non? D'autant plus que c'est bougrement vrai!

— Coupez! On s'arrête cinq minutes, les enfants.

Au cours de la seconde semaine de tournage, Wainwright s'aperçut que l'haleine de Gilda sentait l'alcool. A la première pause, il la saisit par le bras et l'éloigna de la fille qui retouchait son fard à joues.

— Hé quoi! protesta-t-elle.

— Laisse tomber la bouteille, grogna-t-il entre les dents.

La mâchoire lui tremblait de colère.

Gilda regardait partout sauf dans les yeux de Patrick.

— De quoi diable veux-tu parler?

Il ne disait rien. Il lui serra simplement le bras jusqu'à ce qu'elle lève enfin les yeux vers lui. Elle vit ce qu'il souhaitait qu'elle y voie. Il ne badinait pas et ses conditions n'étaient pas négociables.

Gilda hocha la tête.

— C'est bon! fit-elle à voix basse. Tu peux me lâcher.

Ce qu'il fit. Plus tard le même jour, elle trébucha devant la caméra et il lui saisit le bras encore une fois de manière à lui faire face.

— Bon sang! Tu ne trouves pas la vie assez difficile comme ça? lui cria-t-il devant toute l'équipe.

Gilda se dégagea de l'emprise de Wainwright et s'enfuit en courant.

— Merde alors! grommela-t-il en la suivant.

A l'arrivée de Patrick Wainwright dans la loge de Garbo, les joueurs de cartes faisaient des paris. Les techniciens misaient sur Gilda, prétendant qu'elle ne ferait qu'une bouchée de Pat. En revanche, les scénaristes disaient que c'était Wainwright qui passerait tout un savon à Gilda.

— Qu'est-ce que t'as à pleurnicher? cria-t-il à tue-tête. Je t'avais pourtant prévenue que ça bouzille la cadence de lever le coude.

Elle était à quatre pattes à terre et fouillait dans la corbeille à papier qui se trouvait sous sa table de toilette.

— Mais que fais-tu là-dessous?

— Oui, tu m'avais prévenue. Et je me souviens d'être sortie en pleurant ce jour-là. Je ne buvais déjà plus à cette époque. J'avais laissé tomber, espèce de saligaud. Tiens! lui cria-t-elle d'un air victorieux en brandissant la bouteille qu'elle avait jetée plus tôt. Tu vois, je m'en étais débarrassée. Tu m'as dit de m'en défaire, c'est ce que j'ai fait.

Elle se releva.

— Et voilà! Je m'en débarrasse encore une fois! acheva-t-elle en lui lançant la bouteille à la tête.

Wainwright se pencha au moment où la bouteille éclatait en morceaux. Il s'élança sur Gilda qu'il plaqua contre le mur afin de la protéger des éclats de verre.

— Imbécile! T'es folle ou quoi? dit-il en passant la main là où la bouteille lui avait effleuré le visage.

— Moi? Je me rappelle de ce baiser que tu m'avais donné, tu te souviens?

— Ouais. Je m'en souviens, déclara-t-il en souriant.

Il passa un bras autour de sa taille et s'approcha d'elle. Elle baissa la main et lui serra les couilles.

— Nous sommes quittes, commandant.

Il lui toucha le menton.

— Tu es encore plus belle aujourd'hui que tu ne l'étais alors, dit-il en lui ouvrant la bouche avec le pouce. Tu as le visage plus mince. Et regarde-moi ces lèvres, ajouta-t-il en lui passant lentement le pouce sur la bouche. Je me souviens de ces lèvres, poursuivit-il en glissant le pouce dans la bouche de Gilda.

Elle ferma la main sur le sexe de Pat et le sentit frémir et grossir sous cette étreinte. L'audace de Pat la faisait rire.

Il riait lui aussi. Il attira alors à lui le visage de Gilda et pencha la tête.

— J'ai beaucoup pensé à toi, déclara-t-il en lui mordillant la lèvre.

Ensuite, il l'embrassa, doucement d'abord, avec les lèvres, puis avec les dents et la langue, comme la première fois.

Elle sentait bouger dans sa main les couilles de Pat dont le sexe se gonflait. Gilda resserra son étreinte et il plaqua sa bouche contre la sienne encore plus fort. Elle voulait qu'il la touche, qu'il sente combien elle le désirait.

On frappa à la porte.

— Gilda, euh, mademoiselle Greenway, ça va?

C'était un des perchistes, un de ses potes joueurs de cartes.

Wainwright lâcha prise. Elle se laissa doucement glisser au plancher.

— Ça va, George. J'arrive tout de suite.

Wainwright la surplomblait, les jambes écartées, et la regardait en riant tranquillement. Il y avait une protubérance à l'entrejambe de son pyjama d'hôpital. Il lui tendit le bras. Elle leva les deux mains pour le caresser, glissant les paumes sur toute la longueur de sa protubérance.

— Au revoir, commandant! murmura-t-elle.

Il saisit la main de Gilda et la referma sur son sexe.

— George, lança-t-il. Dis-leur qu'on s'arrête là. Il est près de seize heures et il nous faut travailler cette scène!

— Euh, certainement, monsieur Wainwright, répondit l'homme d'une voix hésitante.

Il y eut ensuite un chuchotement suivi d'autres voix.

— Allez, George, demande-lui.

— De quoi s'agit-il, George? demanda Gilda en levant les yeux sur un Patrick Wainwright qui souriait à belles dents. Elle se frottait la joue contre la jambe de l'acteur.

— Nous voulons savoir qui a gagné!

On entendait des rires à l'extérieur.

— C'est match nul, leur annonça Wainwright. J'ai trouvé chaussure à mon pied.

Ils se rendirent à Azuma Beach ce soir-là et se promenèrent sur la plage, bras dessus, bras dessous, après quoi il étendit son pull de mohair sur le sable et fit asseoir Gilda à côté de lui.

Ils restèrent main dans la main en silence, s'enivrant de la mer, des étoiles et de la pleine lune.

— Je suis marié, Gilda, dit Patrick au bout d'un moment. Je n'ai pas l'intention de divorcer d'avec elle. Jamais.

— C'est ce que je pensais.

— Elle n'est presque jamais là. Ou bien elle est en clinique, ou bien elle est au ranch. Je veux que tu saches la vérité. Et toi, où en es-tu avec Bender?

— Ce couillon? C'est bien fini. Il y a longtemps que je l'ai foutu à la porte. Je crois qu'il est en route pour l'Espagne.

— J'étais sérieux cet après-midi quand je t'ai dit que j'avais beaucoup pensé à toi. Je me suis même procuré cette horreur de film afin de me voir en train de t'embrasser.

— Personne ne m'a jamais embrassée de cette manière-là, affirma Gilda d'une voix sensuelle.

— Comme ceci? Patrick l'enveloppa de ses bras et d'une manière douce mais insistante explora les profondeurs de sa bouche. Ils se renversèrent en même temps sur le sable, bouche à bouche, les yeux fermés.

Gilda se retira la première.

— J'ai un sérieux problème, Gilda.

— Ça, tu peux le dire, mon grand.

Il déboutonna le chemisier de soie de Gilda et dégraffa son soutien-gorge. En même temps qu'elle détachait la grosse boucle de sa ceinture de cowboy il releva sa large jupe jusqu'à la taille et la lune éclaira ses blancs dessous de dentelle comme un projecteur.

— Il y a belle lurette que je n'ai fait l'amour sur autre chose que des draps de soie! gémit-elle.

— Ça t'apprendra à fréquenter un vieux cowboy, dit Patrick en retirant ses bottes de cuir et son blue-jean.

Il pencha la bouche sur les seins de Gilda, chatouillant d'abord le mamelon droit, puis le gauche, avec les dents, les lèvres et la langue.

De petits grains de sable frais se décollèrent des jambes de Gilda au moment où elle se soulevait pour recevoir Patrick.

— T'as bien une chambre pour moi aux Perles? lui demanda-t-il en se perdant en elle.

— Bien sûr, cowboy, répondit-elle en le regardant, se disant en elle-même qu'elle *aimait* cet homme.

Il n'y avait plus de nuit ni de plage, plus rien que Patrick explorant le besoin profond de Gilda avec la même ardeur qu'elle.

7

Le 12 février 1956

King parcourut à pied la distance depuis son appartement dans Hell's Kitchen jusqu'au théâtre Morosco pour la première de Patrick Wainwright. Autant dire qu'il traversait la Manche et se trouvait dans un tout autre monde.

Il n'en revenait pas. Il s'était trouvé au « 21 » pour la première fois de sa vie, entre Devon Barnes et Gilda Greenway, la plus grande et plus belle vedette au monde. Et voici qu'à présent, il accompagnait Gilda un soir de première à Broadway! C'était incroyable!

Gilda avait offert de le prendre en voiture mais il lui avait répondu que ça n'en valait pas la peine. Il habitait juste à côté, dans le même trois pièces sans eau chaude qu'il avait eu la chance de trouver trois ans plus tôt à son arrivée à New York. Il s'était promené pendant près de trois ans devant les théâtres aux alentours de Times Square avant de se décider à y mettre le pied. Une vieille dame qui habitait le même immeuble que lui, ouvreuse au Helen Hayes, avait offert de le laisser entrer en douce un soir après le lever du rideau. Dès lors, il avait vu pratiquement tous les spectacles de Broadway à partir du deuxième acte. Il connaissait maintenant la plupart des placeurs et ouvreuses, plusieurs techniciens, certains directeurs et même quelques gitanes, comme se faisaient appeler les danseuses.

Elles ressemblaient vraiment aux gitanes, pensait King. Les jours d'audition, où elles se ruaient comme des bêtes, elles faisaient la queue devant l'entrée des artistes et on les voyait faire des étirements, lire ou bavarder en chandails aux couleurs vives, en pantalons serrés ou en jupes circulaires, et en collants et socquettes de toutes teintes et textures. Les filles s'attachaient les cheveux avec des foulards ukrainiens aux tons vifs ou des serre-tête. Quant aux garçons, ils imitaient leurs idoles; certains étaient des James Dean, sourire mystérieux derrière un col remonté, d'autres portaient des verres fumés, des favoris et les cheveux lisses à la Brando. D'autres encore avaient la beauté triste et l'allure gamine de Montgomery Clift.

Une semaine après l'autre, King revoyait les mêmes gosses faire la queue dans l'espoir d'être appelés à lire, chanter ou danser. Il acceptait parfois leur invitation à prendre un café car il aimait leur bavardage et les grands espoirs qu'ils cultivaient. Par contre, il n'aimait pas le fait qu'ils devaient attendre dehors, à la chaleur suffocante ou sous une pluie glaciale, qu'un individu muni d'une liste et d'un sifflet les appelle.

L'un d'entre eux se distinguait particulièrement. C'était un grand Noir, vétéran de la guerre de Corée, qui portait l'uniforme de combat et un veston d'aviateur en soie, avait le menton autoritaire, le regard sérieux et un sourire désarmant. Les filles tournaient autour de lui, lui faisaient les yeux doux, et riaient trop fort en sa présence. Il s'appelait Deauville Tolin. Il étudiait l'art dramatique à l'Atelier aux frais de l'oncle Sam. Il gagnait lui-même l'argent du loyer en faisant des travaux de menuiserie et autres dans Greenwich et servait aux tables quand il le pouvait.

C'était la première fois que King rencontrait un Noir qui parlait comme un blanc. Et ce dont il parlait, c'était l'art dramatique, la vérité, l'Atelier et la baise.

— Hé, toi. Va me chercher un café, veux-tu?

C'était pourtant de cette manière qu'il s'était adressé à King la première fois.

Aujourd'hui, Deauville avait à peine bronché en apprenant que Gilda Greenway avait invité King à la première de la nouvelle pièce d'Avery Calder. Il avait prêté à King son smoking blanc avec pantalon noir.

— Ecoute, Cendrillon. Assure-toi de me le rapporter d'ici seize heures demain, t'as compris? Sinon, il se transforme en uniforme de garçon de café. Tu te retrouveras un plateau à la main au beau milieu de chez Sardi's à t'écrier : « A qui le bleu? »

Chez Sardi's après le spectacle, entre Gilda Greenway et Avery Calder, King souriait en pensant aux paroles de Deauville. Les gens s'étaient levés à leur arrivée au restaurant et Vincent Sardi les avait personnellement accompagnés à leur table. Gilda lui avait serré le bras alors que Patrick et Avery recueillaient leurs lauriers. Ils saluaient, souriaient de bonne grâce et levaient les bras au ciel comme le font les boxeurs victorieux.

Gilda était l'image même de la grande vedette de Hollywood, resplendissante dans une création de chiffon bleu nuit de Cecil Chapman, et arborait des diamants aussi gros que des boutons de portes. Patrick Wainwright, le héros de l'heure, était occupé à signer un autographe sur le collier orthopédique d'une femme en un long manteau de zibeline signé Maximilian. Quant à Avery

Calder, qui avait survécu à d'innombrables soirées de ce genre, il était de plus en plus ivre.

Calder était infiniment grand et cadavérique, avait le visage hideux, furibond et mal rasé, et de tristes yeux éloquents qui paraissaient changer constamment de couleur dans leurs profondes orbites. Si on prêtait la voix à un opossum des marais, elle sonnerait sans doute comme celle d'Avery. On aurait dit qu'il avait la langue enduite de rhum et de mélasse alors que, comme un lézard rose, il la sortait vivement de sa bouche pour se lécher la moustache.

Il avait une voix tremblante comme la fumée grise d'un cigare dans une pièce mal aérée, et le ton de sa voix grimpait parfois au point de ressembler à un perroquet blessé avant de se situer enfin entre celui de Tallulah Bankhead et d'Everett Dirksen. Il avait de délicates mains évocatrices d'un oiseau blessé et une allure flamboyante qui dissimulait une sensibilité tourmentée. Agé de quarante-quatre ans, le plus célèbre dramaturge au monde se trouvait en équilibre précaire sur le bord d'un abîme. King craignait qu'un verre de plus suffirait à l'y faire tomber.

— A quoi penses-tu d'un air si amusé? demanda l'écrivain en jouant avec sa fourchette.

King haussa les épaules.

— A quoi je pense? Mais, regardez-nous. Regardez-*les*! On les admirait des quatre coins du restaurant.

La nouvelle se répandit à Broadway. *The Way Back Home* était un succès. C'était la plus poignante création d'Avery Calder. C'était aussi le triomphal retour tant souhaité de Patrick Wainwright à Broadway où il avait débuté en tant que danseur, comme gitan quoi, des décennies plus tôt.

C'était au temps où par veine, disons plutôt par déveine, Patrick Wainwright était parti dans l'ouest tenter sa chance au cinéma. Or, il y avait là des danseurs à la douzaine et dans ce Hollywood symétrique de Busby Berkeley, un danseur qui dépassait d'une tête le chapeau haut de forme de Fred Astaire n'avait pas sa place. Quand il s'agissait d'exécuter en groupe des pas cadencés, personne ne voulait d'un danseur dont les bras surplombaient les autres. Wainwright s'était donc fait embaucher comme cascadeur. Il avait réussi des trucs que même les plus désespérés n'osaient entreprendre. Il s'était aussi tapé la margoulette à quelques reprises!

Son courage avait porté fruit.

Le studio avait commencé à recevoir des lettres d'admiration pour le grand et séduisant cowboy qui tombait de cheval ou traversait des précipices ou encore, sauvait la jeune héroïne dans un fleuve en furie. On décida de ne plus mentionner New York dans sa biographie et de le lancer comme véritable cowboy en provenance du Wyoming. On vendait au public l'image d'une sorte de héros pour qui la danse à claquettes était la façon dont on se précipitait aux W.-C. après avoir trop bu de téquila. Or, les fidèles habitués de Broadway connaissaient mieux Patrick. Ils connaissaient ses origines et se voyaient ravis de le retrouver. Il s'avançait comme un dieu parmi eux et son sourire engageant les incitait à s'approcher. C'était pourtant le même acteur qui avait plongé d'un radeau et traversé la rivière à la nage dans bon nombre de sagas à grand déploiement, mais il était ce soir accessible et ouvert.

Lorsqu'il passait à leur table, les femmes poussaient des soupirs et cherchaient à le toucher; elles lui envoyaient des baisers et lui glissaient leur serviette après y avoir griffonné leur numéro de téléphone.

— Absolument fantastique, *paesano*, affirma Ezio Pinza qui connaissait un grand succès cette année-là dans *Fanny*.

Burl Ives lui donna une tape dans le dos.

— Sensationnel, mon vieux! déclara Ruth Gordon en s'approchant de lui, une main sur la hanche. Elle portait un petit chapeau rond et des souliers Mary Jane. Cette femme avait la démarche d'une anguille.

La file de ceux qui venaient offrir leurs vœux à Patrick était longue et impressionnante. Plusieurs de ses amis avaient fait avant lui le saut périlleux mais combien satisfaisant de Hollywood à Broadway; ils lui donnaient ce soir une chaleureuse accolade.

— Bon travail, jeune homme, dit Edward G. Robinson, lui-même la coqueluche de la ville dans *Middle of the Night*.

Shelley Winters lui recommanda un bon psychanaliste tout en se servant à même l'assiette de Patrick. Parmi la foule de célébrités, King reconnut Gwen Verdon, Ben Gazzara et les nénés super-grosseur de Jayne Mansfield.

Ce soir-là, Gilda restait dans l'ombre, sublime et le cœur rempli d'adoration. Patrick fumait la pipe qu'elle lui avait achetée chez Dunhill et King avait compris que leur adoration était réciproque.

Gilda posa le bras autour du jeune homme.

— N'est-ce pas qu'il est beau mon amant? lui demanda-t-elle d'une voix chaleureuse et un peu ivre.

— Gilda! Avery se permit de la réprimander. Tu n'as pas honte? Tu fais rougir le pauvre garçon.

— Si! répondit-elle en renversant la tête, les bras levés afin de s'étirer comme un chat. J'ai honte, mais ça me va si bien!

101

Patrick lui releva le menton et s'approcha de son visage. Gilda renversa la tête et ferma les yeux, les lèvres entrouvertes pour lui. Il souleva plutôt le long rang de perles qu'elle portait et le déposa sur ses lèvres. Il l'embrassa après qu'elle eût la bouche remplie de perles.

On se croirait au cinéma, de penser King assis sous une caricature de Carol Channing.

Et King Godwin faisait partie de la distribution.

Pour quelle autre raison se trouvait-il avec eux? Que diable faisait le fils d'un pauvre routier blanc du Bayou chez Sardi's en compagnie de trois des plus célèbres personnages de toute cette planète?

King se souvenait encore de cette bicoque à deux pièces dans Bayou Lafourche où habitait sa famille jusqu'à ce que sa mère fiche son père à la porte parce qu'il buvait du tord-boyau qu'il cachait dans un pot de confiture. Peu après, prise de remords qu'il puisse aboutir dans les marécages avec une cruche en guise de compagnie, elle avait mis dans une valise les deux chemises de King et l'édredon piqué qu'elle lui avait confectionné, et l'avait envoyé s'occuper de son père à Kenner dans le nord de l'Etat. Agée d'à peine vingt-huit ans, elle avait six autres enfants à nourrir.

— Oui, m'man. Je m'occuperai de lui.

Et il avait essayé. Il suivait comme une ombre cet homme doux. Affamé et à moitié endormi, il prenait place sur une caisse de fraises dans le camion de son père à qui il tenait compagnie durant toute la nuit noire. Les nuits se ressemblaient toutes. Il était toujours fatigué, toujours affamé. Ils transportaient toujours du whisky de contrebande entre Covington et Kenner.

Un soir comme les autres, tenant la promesse faite à sa mère, King veillait sur son père. La faim le tenaillait. Tout ce qui l'intéressait lorsqu'ils s'arrêtèrent pour siphonner de l'essence à un poste fermé, c'étaient les barres de chocolat rassis dans un distributeur à côté des chiottes. Il en avait l'eau à la bouche devant les « Baby Ruth », tandis que son père luttait avec une pompe en maugréant contre l'obscurité; il cherchait son bon vieux Zippo avec lequel s'éclairer.

King se mit à secouer le distributeur, comme le lui avait montré son frère Denzil. Au bruit de l'explosion, il pensa d'abord que Dieu le punissait d'avoir voulu voler une « Baby Ruth ». Pris d'effroi et de culpabilité, il regarda derrière lui. De grandes langues de flammes crépitantes s'élançaient dans le ciel sombre de la nuit.

King crut apercevoir son père voler dans les airs tel un épouvantail cuit à la broche. Il crut voir un million d'étoiles scintillantes porter son papa au ciel alors qu'une solide masse d'air chaud le plaquait contre la vitrine éclatée du distributeur comme un enfant crucifié.

Avant que les sirènes accourues en vitesse ne se soient fait entendre, King avait songé à sa mère. Elle n'avait pas les moyens de nourrir une autre bouche. Il n'avait pas tenu parole. Seul dans le noir, il était aussi figé qu'un lièvre surpris par un faisceau lumineux. Il déguerpit.

Il décida de se rendre à la Nouvelle-Orléans en faisant de l'auto-stop. Ceux qui le laissaient monter ne se doutaient même pas que c'était un voleur. Il était bien bâti pour son âge et dissimulait sa crainte profonde sous un air assuré. A neuf ans, il avait fait une chute du camion de son père et s'était ouvert le genou. Les médecins ayant observé qu'il ne restait plus que la peau pour tenir le genou en place avaient dû procéder à la greffe d'un muscle du mollet. La constatation de ses nouvelles limites physiques avait été traumatisante pour le garçon qui résolut de prouver que les médecins s'étaient trompés. Un jour, une bande de Cajuns l'avait attaqué à l'école et lui avait fracturé la mâchoire et plusieurs côtes. Prenant le taureau par les cornes, il avait convaincu le prof de culture physique de le laisser combattre ces brutes face à face dans une arène de boxe. Il avait gagné. Du jour au lendemain, c'était devenu un dur et tout le monde voulait l'affronter.

Son entraîneur l'avait enrôlé à un cours d'arts martiaux où ses aptitudes et sa détermination à prouver qu'il n'était pas une femmelette avaient fait de lui un athlète de premier ordre. Le foot, la piste, le plongeon, il les pratiquait tous également bien. Cependant, chaque fois qu'il atteignait un certain niveau de compétence dans un sport, il cessait de s'y intéresser. Des années plus tard, il avouait ceci à un reporter du *New York Times* : « Toute ma vie j'ai été à la recherche d'une activité qui me garderait intéressé jusqu'à la fin de mes jours. Les sports n'ont pas su le faire. Il me fallait combler des besoins tant spirituels que physiques. » L'auto-stoppeur aux cuisses musclées, aux bras en poteaux de clôture, ne connaissait rien encore de ses besoins.

Il devait en découvrir la signification dans le quartier français de la Nouvelle-Orléans.

La musique dixie s'échappait des bars à ciel ouvert dans Bourbon Street telle une joyeuse bulle de plaisir hédoniste. King se paya une consommation rose appelée ouragan. Il était minuit et l'ouragan lui avait fait du bien. Il erra dans Decatur Street, traversa le chemin de fer et tomba endormi sur le banc d'une jetée sur le Mississipi près de la brasserie Jax. Un bateau-mouche, resplendissant de ses feux carnavalesques, déchargeait ses touristes nocturnes qui riaient et chantaient d'une voix aiguë comme des marins enivrés. King ne s'était jamais senti aussi seul et se rappelait avec une tristesse nostalgique le linoléum craqué de la cuisine chez sa mère.

A son réveil, un homme était à ses côtés et lui massait la nuque. Le banc était froid sous cette lune de givre et la main de l'homme était chaude.

— Ça te gêne? lui demanda-t-il d'une voix aussi douce que la mousse du pissenlit.

— Non monsieur.

La main vint se poser sur sa cuisse. King était assez surpris du peu de répugnance qu'il éprouvait devant ce geste. Il se rappela ce que son père lui avait dit autrefois. « Fiston, y'a pas d'mal à rien pour autant que ça sent bon, que c'est bon au goût, ou que ça fait du bien. » Or, un chaud gonflement à l'aine lui faisait du bien.

L'homme, qui s'appelait Michael Browning, invita King au Café du Monde dans le quartier du vieux marché français. Le jeune homme prit un café chaud, épais et amer de chicorée, et des beignets chauds et renflés, fraîchement frits et couverts de sucre en poudre. Browning habitait un petit appartement dans Elysian Fields, aux limites du quartier français. Les murs étaient tapissés de livres et des portes françaises donnaient sur une cour intérieure regorgeant de bougainvilliers en pots.

King aima cet endroit. Et il savait qu'après avoir dévoilé son pouvoir secret, l'homme souhaiterait qu'il reste. Il avait raison, comme d'habitude.

— Quel âge as-tu, mon garçon?

— Dix-huit ans, lui mentit King.

Après que ce dernier eût ouvert son pantalon, l'homme le crut. Ou alors, il s'en fichait. De ses yeux incrédules, Browning aperçut ce que le père de King appelait « le plus gros rouleau à pâte de tout le delta ». Enfant, King avait honte de sa grosseur invraisemblable. Quand il n'était pas sage, sa mère menaçait de le lui couper et de le donner en pâture aux poules. Plus tard, ayant constaté que ses frères exigeaient cinq cents de leurs amis pour y jeter un regard, King comprit l'avantage d'être si abondamment doté. Il avait déjà quelques poils aux couilles à neuf ans et dès l'âge de dix ans se branlait derrière l'école sous les yeux de ses compagnons. A cette époque, le prix avait grimpé à dix cents et King était en affaires!

Au cours de l'hiver qui suivit, il ne fut jamais le moindrement question de culpabilité, de remords, ni même de l'école. Il y avait certes quelque part un travailleur social qui le cherchait, mais King s'en moquait. Il s'inquiétait pourtant de sa mère et se demandait comment elle se remettait de la mort de son père; il revoyait ses mains usées au sang à force d'avoir écaillé des poissons et changé des couches. Or, sa famille était trop pauvre pour avoir le téléphone et *jamais* King ne rentrerait à Bayou Lafourche.

Browning le traitait comme son fils. Rédacteur sportif au *Times-Picayune*, il faisait le reportage des matchs de lutte alors que la violence lui répugnait. C'était un bouddhiste et un homosexuel. Il était aussi doux qu'un poulain au lit bien que capable de grands accès de colère démoniaque si King rentrait tard des bars de Bourbon Street. Il avait un épagneul nommé Daisy que King emmenait en promenade le jour à Jackson Square. L'après-midi, King mangeait des « po-boys » et jouait au billard chinois dans Rampart Street. Certains soirs, l'homme l'emmenait au cinéma ou aux combats.

Les jours de pluie, King s'étendait sur le grand lit de laiton de Michael et lisait des livres de Hemingway, Faulkner et Fitzgerald en écoutant la pluie monotone dégoutter bruyamment de la pervenche grimpante dans les gouttières et caniveaux. Ces jours-là, il était content d'être seul, perdu dans un monde fantaisiste. L'épagneul venait se coucher à côté de lui, ronflait de manière absurde et faisait des soubresauts en rêvant sans doute à quelque chat de gouttière, victime qui lui aurait échappé dans Pirate's Alley.

King avait un sentiment d'appartenance. Il ne savait pas ce que c'était au juste et n'était pas certain qu'il voulait l'apprendre, mais sa vie avait maintenant un sens et il était plus satisfait que jamais auparavant. Tout ce que son bienfaiteur exigeait en retour, c'était le privilège de lécher son gros rouleau à pâte tant que ce dernier ne lui avait pas craché jusque sous l'aisselle. King estimait que c'était un échange équitable. Et il n'avait nulle part ailleurs où aller.

Par l'entremise du journal, Browning avait pu procurer à King un laisser-passer pour le gymnase du quartier. Le garçon y jouait du punching-bag, levait des haltères et se faisait les biceps au point d'en être en nage. Il devenait assez gaillard et lorsqu'il se promenait dans Royal Street le samedi après-midi, cheveux blonds au soleil d'hiver, musclé sous son T-shirt blanc, les yeux aussi clairs que des lagons, il attirait tous les regards. Une femme en manteau de vison lui avait offert cinquante dollars pour passer la nuit avec elle au Pontchartrain. Il l'avait regardée sans comprendre.

— Alors, quoi! T'es prostitué, non?

Il s'était éloigné en pleurant de honte. La femme l'avait traité de ce qu'il n'était pas.

Parfois, il s'asseyait avec les pédés au bar chez Tony Bacino's où il avait vu un affreux travesti nommé Kitty Litter arroser d'eau gazeuse le poster d'un culturiste nu. On l'avait surnommé « petites fesses », mais il ne s'identifiait pas à ce sobriquet. Il détestait les qualificatifs, surtout qu'aucun d'eux n'était juste.

King savait qu'il avait quelque chose de singulier. On le lui avait assez répété. Comment donc, se demandait-il, quelqu'un peut-il être spécial et pourtant n'avoir aucune identité, aucun sentiment?

Un soir en entrant à Elysian Fields, il trouva son ami dans un grand état d'émotivité qu'il ne pouvait attribuer à l'alcool. Browning avait une chose à lui avouer. Il avait une épouse. Elle habitait une autre ville et voulait lui extorquer de l'argent. Ayant appris qu'il avait un amant assez jeune pour être son fils, elle cherchait à lui causer des ennuis. Cette histoire pourrait lui coûter son poste au journal.

King était perplexe. Le mot *amant* lui était aussi étrange que le mot *prostitué*. Il prétendit tomber de fatigue et s'endormir tandis que l'épagneul lui mordillait les orteils. Il entendit alors l'homme sangloter en s'agenouillant à côté de son corps immobile.

— Je t'aime, Pour la première fois depuis qu'il avait vu son père rôtir comme un poulet, il était terrifié. Cet homme lui plaisait bien mais King ne l'aimait pas.

King n'aimait *personne*.

En pleine nuit, alors que le clair de lune éclairait la chambre d'une lumière blafarde, il se glissa hors du lit sans bruit, enfila ses espadrilles, son blue-jean et son blouson rouge, et fourra ses vêtements dans un havresac. Il sortit ensuite deux cents dollars du portefeuille de Browning. Voilà, cela faisait peut-être de lui un prostitué après tout. L'épagneul émit un gémissement angoissé lorsque King referma la porte derrière lui. Il avait un pincement au cœur, une légère douleur qui lui montait dans la gorge. Il était donc capable d'éprouver un sentiment! Peut-être était-il pédé aussi? Il s'en voulut d'avoir même pensé une chose pareille. Il alla à pied jusqu'à la gare d'autobus Greyhound dans Canal Street et monta à bord du premier car en partance pour le nord.

New-York fondait sous une vague de chaleur de quarante degrés, mais dans les cinémas il faisait aussi frais qu'un matin de printemps. Après dix-huit représentations de *Treasure Island*, il récitait tout haut les répliques de Bobby Driscoll, ce dont on s'était plaint et le directeur l'avait évincé.

Il avait émergé sur Times Square sous un soleil torride et aveuglant. Les journaux parlaient des Américains qui partaient à la guerre dans un pays appelé la Corée. King n'avait jamais entendu parler de la Corée. Toutefois, il faisait trop chaud à New York et King savait que les soldats touchaient un salaire. Il alla en vitesse au centre de recrutement de l'autre côté de la rue, et s'empressa d'offrir ses services pour la défense de sa patrie. Il ne fut pas accepté. On était en 1951 et King Godwin n'avait que quinze ans.

Avery Calder demanda à King s'il voulait un autre verre. Le garçon hocha la tête, ayant cessé de les compter. Le dramaturge commanda une autre tournée, après quoi il se leva de table.

— Je vais aux cabinets, annonça-t-il en chancelant. Tu m'accompagnes, Godwin?

— Je crois que ça vaut mieux, en effet, dit Gilda gentiment. Avery est bourré, il pourrait s'assommer sur le parquet. A condition qu'il se rende jusqu'aux W.-C.!

King se leva pour soutenir l'homme qui chancelait. Traverser la salle avec ou sans l'écrivain serait une corvée. Il était rond lui-même.

— Merde! dit-il alors qu'ils se déplaçaient avec précaution entre les tables.

En fait, il avait plutôt dit : « Merdeux! »

— Jeune homme! déclara Avery en se redressant soudain pour se donner un air digne. Bel et jeune Adonis aux yeux bleus. Je ne suis pas en état de porter atteinte à ta vertu ni à ta réputation. Il s'agit d'une simple nécessité.

— M'sieur Calder, lui dit King à la façon des gens de son pays. C'est un honneur de vous accompagner. Je vous admire beaucoup, m'sieur.

Il entendait la mousse des marécages du Bayou s'accrocher à son accent. Avery Calder battait des paupières.

— Est-ce que tu me disais quelque chose?

— Non, rien, lui répondit King en riant.

Avery Calder riait lui aussi.

Sur leur passage, King entendait les dîneurs dire « bravo » et « mon chou ». Il entendait aussi : Il est encore ivre... Il est bourré de Ritalin... Dépression nerveuse... Vieille pédale...

Cela le rendit furieux.

— La ferme!

— Quoi? lui demanda Avery.

— C'est un honneur, monsieur, je vous assure, énonça-t-il clairement.

Avery Calder hocha la tête et effleura d'une main le visage de King devant toute la salle.

— Pour moi aussi, dit-il. Pour moi aussi.

A l'entrée des toilettes, ils croisèrent une femme aux cheveux mal permanentés qui portait un tailleur-pantalon du même vert blême que l'intérieur des autocars Greyhound. Elle arrêta Avery en lui donnant des coups à la poitrine avec son carnet d'autographes.

— Je vous en prie, monsieur Calder. Charlie, c'est Avery Calder, l'écrivain!

Charlie, son époux, était moins impressionné.

— Ah, oui? Alors, autographiez-moi donc la bitte! L'homme s'approcha assez pour qu'Avery sente son haleine de whisky fermenté. Il descendit la fermeture-éclair de son pantalon et s'exhiba, sous l'œil choqué de son épouse.

Avant que King n'ait eu le temps de venir à la défense de son ami, Avery s'était redressé de toute sa hauteur et avait grimacé avec autant de dégoût que s'il avait avalé une mouche. Il examina l'ivrogne du haut de sa grandeur et lui adressa une de ses fameuses répliques pour lesquelles il était réputé.

— Désolé, monsieur, mais j'ai peur que cela me soit tout à fait impossible. Il fit une pause mesurée. Toutefois, je pourrais peut-être y apposer mes initiales.

Le préposé aux toilettes connaissait Avery et accourut à son aide.

— Ça va, monsieur, dit-il à King. Je m'en occupe. Comment allez-vous, monsieur Calder? Il paraît que vous avez un succès du tonnerre!

Il présenta une serviette froide à King et le fit asseoir dans un fauteuil de chrome et de cuir craquelé pendant qu'il s'occupait d'Avery.

King ferma les yeux et la pièce se mit à tourner. Il alla au lavabo d'un pas ralenti et fut surpris en s'apercevant dans la glace.

Il s'attendait à y voir un petit paysan mal foutu et aperçut à la place un beau jeune homme en smoking blanc, chemise blanche et nœud papillon noir. Il était bien peigné et avait le visage tellement rouge qu'il paraissait aussi basané que les Californiens.

Il avait l'allure d'une star de cinéma. Ma foi, il était aussi séduisant que le vieux Pat Wainwright. Il pourrait même être le copain de Gilda. Il trouvait qu'il était le genre de type avec qui un auteur sophistiqué prendrait un verre.

Il aurait voulu que cette Devon puisse le voir en ce moment. Pourquoi fallait-il qu'elle lui demande si c'était vrai qu'il avait déjà tourné deux films? Pourquoi diable en avait-il d'abord parlé? Parce qu'il voulait impressionner Inez Hollister, c'est tout. Elle prenait de tels airs de supériorité, il voulait lui faire comprendre qu'il en avait vu d'autres. Il n'était pas qu'un jeune vaurien du Bayou. Il avait joué dans deux films.

King émit un grognement, s'aspergea le visage d'eau froide et regagna son fauteuil en titubant. Un jour, il lui faudrait tout dire à cette fille au sujet de ces sacrés films. Il lui téléphonerait demain, peut-être, à cette Devon Barnes. Il aimait son nom. Il aimait sa façon de rire. Après lui avoir enfin révélé le *genre* de film dont il s'agissait, il tenterait de lui en faire comprendre le côté comique.

Et s'il réussissait à faire ça, il n'avait aucune raison d'étudier à l'Atelier. Il serait déjà le meilleur acteur au monde. Il se couvrit le visage avec la serviette et appuya les jambes contre le cendrier sur pied pour attendre Avery.

— Ma chère, rappelle-moi de téléphoner à Vincent Sardi demain afin de lui suggérer de nouvelles consignes pour son auguste monument à la médiocrité. Il faudrait épargner aux connaisseurs la présence de vulgaires prolétaires.

— Oui, oui, mon ami. Dès la première heure.

Devant chez Sardi's, Gilda avait relevé le collet de son vison, se protégeant ainsi du froid mordant. Le vent lui fouettait les cheveux.

— Ça t'ennuierait de raccompagner monsieur Calder? Pat et moi devons rentrer au Sherry-Netherland. Pauvre Tallulah, elle doit être dans tous ses états.

Avery Calder s'appuyait sur Pat Wainwright comme si le grand homme n'était qu'un simple lampadaire.

Cela ennuyait-il King de faire quoi que ce soit pour Gilda Greenway? Oh, que non!

— Avec plaisir, madame.

Amusée, elle renversa la tête.

— Madame?

King sourit d'un air penaud, heureux d'être le fou de la reine.

— Mademoiselle Greenway!

Il allait lui faire la révérence mais Gilda lui posa une main sur l'épaule et, en riant, l'obligea à se redresser.

Elle l'embrassa tandis que Wainwright faisait monter Avery dans un taxi. Elle avait voulu l'embrasser sur la joue au moment où King avait tourné la tête et leurs lèvres s'étaient rencontrées. Il savait qu'elle souriait, même pendant qu'il l'embrassait. Grand Dieu, il se sentait durcir.

Pat Wainwright lui tapa sur l'épaule.

— Pour la course, dit-il en glissant une poignée de dollars dans la main de King.

— Oh, non, c'est pas la peine.

— Si, si, crois-moi. Il se pourrait que ce soit le meilleur coup que j'aie fait de t'éloigner d'elle.

King se laissa tomber sur le siège du taxi, absolument enchanté malgré sa douloureuse érection.

— Veille sur lui, veux-tu? lui cria Gilda au moment où le taxi s'éloignait du trottoir.

Avery donna son adresse au chauffeur et s'endormit sur l'épaule de King.

Ils se réveillèrent en même temps au moment où le taxi s'arrêtait devant l'appartement de la Cinquième avenue où Calder habitait.

— Ah, Duke! dit le dramaturge tandis que King bâillait et s'étirait à côté de lui. Quelle bonne action me vaut le plaisir de ta compagnie?

— Je m'appelle King, lui rappela Godwin. Mademoiselle Greenway m'a demandé de vous raccompagner.

— Alors, entrons! dit Avery qui descendait du taxi en trébuchant. Me raccompagner, tu vois, c'est comme le chômage. Pas plaisant, mais il y a toujours quelqu'un qui en écope. Maintenant je me rappelle! C'est Kingston Godwin, n'est-ce pas? Tu viens du sud, non? D'Alabama?

— De la Louisiane, précisa King en emboîtant le pas à l'écrivain chancelant.

— La Louisiane!

Avery eut un soupir révérencieux.

— De Bayou Lafourche.

Avery leva les yeux au ciel.

— Tu étais sans doute très jeune. Je te pardonne.

Dans l'ascenseur, Calder fouillait ses poches. King pensait qu'il cherchait ses clés. Il sortit plutôt une petite boîte à pilules dans laquelle il farfouilla d'un doigt. Il finit par en choisir une qu'il porta à sa bouche.

— Vous vous sentez mal?

Calder secoua la tête et avala la capsule.

— Je ne me sens jamais mal. Je ne me sens jamais bien non plus. Sauf quand j'écris. Je tâche de sentir le moins de choses possibles.

Il lança un regard oblique à King.

— Ben, quoi? Mes répliques ne peuvent pas toutes être des perles, pas vrai? Je suppose que tu es régulo?

— En effet. Enfin, je ne sais pas. Je pense que je suis surtout un peu soûl.

Il sourit à Avery et fut pris d'une soudaine affection pour cet aimable écrivain un peu cinglé.

Calder leva les yeux au ciel.

— Mais, entre, voyons!

Il ouvrit grand la porte de son appartement. Les murs brun Xérès et les moulures couleur crème témoignaient d'une ancienne élégance, quoique toute revendication au chic était aujourd'hui camouflée par un désordre général. Les fauteuils club en chintz étaient jonchés de cravates et de slips. Des souliers éraflés et dépareillés montraient le nez sous les fauteuils à oreillettes. Une grande table antique pliait sous le poids de dossiers et de coupures de journaux jaunies. Une machine à écrire portative Smith-Corona rouge avait apparemment servi de cendrier.

King n'avait jamais vu autant de livres. Il y avait belle lurette que les nombreux rayons d'acajou étaient combles. Le trop-plein encombrait donc les tapis orientaux, et le parquet du séjour s'en voyait bordé en une folle prodigalité littéraire. En effet, Carson McCullers reposait inconfortablement à côté de Sigmund Freud, Hawthorne soutenait une pauvre Bible au dos endommagé et Platon côtoyait Mickey Spillane dans une boîte à chaussures.

— Je te prie d'excuser le désordre. Je n'arrive pas à trouver de bonne. Elles cherchent toutes à obtenir des billets de théâtre et refusent de faire les carreaux des fenêtres. Alors, je me contente de replacer les coussins une fois la semaine et je m'en remets à Dieu pour le reste. Détends-toi. Je suis trop fatigué pour corrompre qui que ce soit ce soir. Je veux juste prendre un verre. Tu me sers un whisky sec, s'il te plaît?

Il arracha son nœud papillon.

— Il faut que je retire ce costume. Je t'en prie, sers-toi.

Il fit une pirouette à la Loretta Young en direction du couloir de sa chambre. C'est alors que les jambes lui manquèrent et qu'il s'écrasa lourdement.

King arriva en vitesse.

— Quelle saloperie! marmonna l'auteur en se tâtant délicatement le visage pour voir s'il saignait. Tu vois, à minuit, le cygne redevient dindon.

Saisissant la main de King, il tenta de se relever et se tordit la cheville.

— Ah, merde! Donne-moi un coup de main, mon cœur.

Il tendit le bras. King se pencha afin de lui prêter assistance et le souleva comme un enfant. Le dramaturge tenait King par le cou et se laissa transporter jusqu'à sa chambre.

— Entre, crétin! Entre, crétin!

King resta stupéfait.

— T'occupe pas, mon chou, dit Avery en montrant d'un geste une cage d'oiseau en rotin blanc qui renfermait un perroquet trop gras aux plumes hérissées. Il fait partie de la ménagerie qui voyage avec Gilda. On ne voulait pas de lui au Sherry-Netherland, elle l'a donc parqué chez moi. C'est la seule chose qu'il sait dire, mais il a mal choisi son moment.

— Entre, crétin! cria derechef l'oiseau agacé.

— Tu es très aimable, lui dit Avery au moment où King le déposait doucement sur le lit.

La chambre était un peu moins encombrée du seul fait qu'elle était plus petite. D'autres livres gisaient à l'abandon sur toutes les surfaces possibles. Une chaise en rotin aux coussins d'un rose fané semblait sortie d'un décor de *Baby Doll*. Une chaîne stéréo et des disques comblaient les tablettes d'une ancienne étagère. Il y avait dans la chambre une désagréable odeur de médicament, combinaison de relents de whisky et de roses mortes. Sur la table de nuit, à côté du lit défait de Calder, se trouvait une casserole pleine à ras bord d'un assortiment de produits pharmaceutiques, de médicaments d'ordonnance, sirops contre la toux, gouttes pour le nez et purgatifs.

Une table à desservir faisait office de bar près du cabinet de toilette.

— Vous voulez toujours un verre? lui demanda King en regardant l'homme étendu mollement comme un ours en peluche sur le lit.

— Tu es vraiment très gentil.

— Pas toujours. Vous savez, j'ai lu vos œuvres. Vos pièces. Vous savez comment je peux dire qu'elles sont bien? Parce que je désire les jouer. Quand je lis ce que vous avez écrit, je veux jouer tous les personnages. Vous comprenez?

Il déboucha le whisky, trouva un grand verre en baccarat et y déversa le liquide.

— C'est tellement... Je ne sais pas... plein de choses.

Il apporta le verre jusqu'au lit où Calder ronflait doucement.

— Vous me trouvez sans doute un peu cinglé, non?

Il secoua la tête.

King avala son whisky, s'en servit un autre et s'effondra dans un fauteuil surchargé au pied du lit. Dehors, le vent hurlait et faisait vibrer les carreaux des portes françaises donnant sur la terrasse. Cela lui rappelait le quartier français de la Nouvelle-Orléans. Autre lieu, autre situation, non sans quelque ressemblance.

Le jeune homme éprouvait un réconfort quasi maternel dans ce luxueux fauteuil couleur de potiron. Il aimait écouter le vent. Il aimait la chaleur des tons pastel et la douce lumière de la chambre, le riche dessin du tapis Dhurrie et le grain du bois des parquets vernis et des panneaux muraux.

Il retira ses chaussures d'un coup de pied et appuya les jambes sur le bord du lit d'Avery Calder. Devon Barnes lui revint encore à l'esprit. Il aurait beaucoup de choses à lui raconter demain. Au sujet de ses films, peut-être. Au sujet de cette soirée, assurément. Au sujet de la pièce et du restaurant et du fait qu'il avait aidé Avery Calder à rentrer et l'avait veillé comme une sentinelle toute la nuit parce que Gilda Greenway le lui avait demandé.

« Veille sur lui », avait-elle dit. Et King avait promis de le faire. Comme il avait jadis promis à sa mère. Seulement, cette fois, il allait tenir promesse.

Peu importe combien il était fatigué.

Il avala une dernière gorgée de whisky, déposa le verre de cristal et ferma les yeux. Les portes laissaient passer un courant d'air. Il croisa les bras et se laissa tomber la tête en avant. Il aurait aimé qu'il fasse plus chaud dans l'appartement d'Avery Calder.

Il se rappela la vague de chaleur qui sévissait à son arrivée à New York.

Il avait alors quinze ans et le sergent lui avait dit de déguerpir.

A la porte du centre de recrutement, un homme aux cheveux courts et raides et qui portait des verres fumés lui avait souri.

— Ne sois pas si triste. C'est ton jour de chance.

Ce n'était pas un sourire amical. C'était le genre de sourire que ferait un type qui se prépare à cracher avant de vous mettre au défi.

— De quel endroit en Louisiane, as-tu dit?

Le reflet de ses lunettes frappait King dans les yeux et le faisait grimacer.

— Je ne l'ai pas dit, répondit-il en se protégeant la vue. Ça vous regarde?

Comme prévu, l'homme cracha.

— Tu n'y es pas du tout. Je t'ai entendu parler au sergent. Je voulais t'aider, c'est tout.

Il prononçait ça « téder ».

King se raidit, s'attendant plus ou moins à ce que le gars le frappe. Ce dernier haussa plutôt les épaules, fourra ses grosses mains dans ses poches et poursuivit nonchalamment son chemin.

La chaleur montait du pavé ramolli. Des hommes au visage rouge s'essuyaient le cou avec leur mouchoir, des femmes s'éventaient avec leur chapeau. Pas la moindre brise. Une bouteille de cola à cinq cents et un paquet de Camels écrasé se trouvaient côte à côte dans le caniveau, enlisés dans l'asphalte ramolli.

King jeta un regard d'envie au cinéma d'en face. Un panneau bleu décoré de glaçons blancs et d'un pingouin était suspendu à la marquise. « Air climatisé ».

— Hé, attendez! cria King en rattrapant l'homme aux verres fumés. Je suis de Bayou Lafourche et des environs de Kenner. D'où êtes-vous?

L'homme n'était qu'un garçon lui-même et avait à peine vingt et un ans. Il se nommait Alvin Beamer bien qu'on l'appelait Lucky, confia-t-il à King. Il avait un trois pièces dans la Quarante-sixième ouest, et un chien nommé Lucky lui aussi, qui gagnait de l'argent à faire des tours.

Deux ans auparavant, Beamer était venu à New York de Bogalusa, en Louisiane. Il voulait faire du show-business. Il aurait aimé devenir étoile de cinéma, mais jusqu'à présent son chien réussissait mieux que lui.

Il avait été surpris d'apprendre que King n'avait que quinze ans. Il lui en aurait donné près de dix-huit. Il est vrai que les garçons de leur pays poussent vite.

Beamer venait tout juste de s'enrôler dans les fusiliers marins; c'était ce à quoi il pensait en disant à King que c'était son jour de chance. Celui-ci cherchait un endroit où loger tandis que Lucky cherchait quelqu'un qui s'occuperait de son appartement et de son chien savant pendant qu'il allait se battre à Panmunjom. Il ne savait pas au juste quand il serait appelé mais le sergent de recrutement l'avait informé qu'il partirait bientôt au camp d'entraînement.

L'appartement de Beamer était plus petit et son chien beaucoup plus gros que King ne l'avait imaginé. Berger moitié écossais, moitié allemand, l'animal était particulièrement beau et étonnamment doux, quoique King s'en méfiait quand même. L'appartement se trouvait au quatrième et comprenait trois petites pièces rectangulaires, des toilettes sans aération et une baignoire dans la cuisine.

Beamer couchait dans la chambre qui donnait sur la Dixième avenue. Dans la pièce centrale, où deux fenêtres nues donnaient sur un puits d'aérage, King dormait sur un lit de camp inconfortable trouvé à l'Armée du salut. Le chien geignait et soupirait toute la nuit, collé contre le zinc frais de la baignoire.

A trois reprises au cours du mois précédant son départ, Beamer fut appelé au téléphone de l'entrée d'où il revenait en souriant timidement.

— C'était Dame chance au bout du fil, disait-il en mettant son chien en laisse avant de partir avec lui. Deux fois, il revint les poches remplies d'argent. La dernière fois, il rentra en colère.

— Le chèque est à la poste! grommela-t-il. Croirais-tu qu'on essaie de me faire avaler ça? Ouais, que j'leur ai dit, et la bitte de mon chien aussi. Et vous ne le reverrez pas avant que ce chèque soit encaissé et que j'aie le pognon dans les mains. Tu sais quels sont les trois plus gros mensonges, mon vieux? « Je ne jouirai pas dans ta bouche », « Je t'aime » et « Le chèque est à la poste ». Ça, par exemple!

Beamer laissa vingt-cinq dollars à King pour le loyer de septembre, le numéro de téléphone de trois personnes qui lui devaient de l'argent, et un approvisionnement d'un mois de nourriture canine.

— Assure-toi de te faire payer comptant d'avance si quelqu'un veut faire jouer Lucky dans un film, devait-il prévenir King. Surtout si c'est la Hongroise.

Or, aucune des personnes qui devaient de l'argent à Beamer ne connaissait King. Et comme par hasard, elles n'avaient jamais même entendu parler d'un gars nommé Beamer! Avant longtemps, King avait consommé tout ce qui s'appelait nourriture dans l'appartement. Il en était à se demander s'il devait partager la nourriture en conserves du chien quand la Hongroise téléphona.

— Ça va, ça va, amène-moi Lucky Stiff. Je te donne vingt-cinq dollars, oui?

King trouva la laisse du chien et adressa un clin d'œil au miroir.

— En scène, mon vieux.

C'était une véritable souricière dans la Quarante-deuxième rue, à l'étage d'un immeuble construit si près de la rivière Hudson qu'il baignait presque dans l'eau. Des feuilles d'étain bouchaient les fenêtres donnant sur la voie élevée d'East Side. A la place de la Hongroise, un gros homme, cigare à la bouche, l'interpela du haut de l'escalier.

— Qui es-tu? Où est le paysan? Comment as-tu mis la main sur ce chien?

Une porte s'ouvrit derrière l'homme. Une femme en kimono transparent apparut dans la lumière blanche qui jaillissait dans le couloir malodorant.

— Elle avait pourtant dit que c'était le paysan qui amenait le chien. C'est un coup monté? demanda le gros homme bourru à la fille. Qui a envoyé ce gosse?

Elle était pâle et très blonde, et la lumière dans son dos conférait à son kimono un effet de transparence. Après avoir reluqué King un instant, elle dit quelque chose à l'oreille du gros homme qui se mit à rire aux éclats. Elle pencha la tête de côté, après quoi elle écarta son kimono d'une main qu'elle posa sur sa hanche. L'épaisse touffe de son pubis était plus foncée que les boucles platines qui entouraient son visage. Sa poitrine nue était généreuse de sorte qu'en se penchant, ses seins se balançaient lourdement.

King eut un serrement de gorge. Le gros chien geignit, s'éloignant de l'escalier à reculons.

— Ecoutez. On m'a téléphoné en me demandant d'emmener ce chien ici. On a dit que ça valait vingt-cinq dollars. Comptant, payés d'avance.

— Elle voulait dire dix.

Sans quitter King des yeux, le gros homme donna un coup de coude à la fille. Elle eut un soupir. Ensuite, les yeux au plafond, elle écarta les jambes.

King voulait l'arrêter, lui épargner cette humiliation. Il voulait grimper l'escalier en courant et écrabouiller son maudit cigare dans le visage de cet homme.

— Allez au diable! dit-il plutôt, et il tourna les talons.

— Bon sang, George, dit enfin la blonde. Donne-lui ses foutus vingt-cinq dollars, nettoie la bitte du chien, et mettons-nous au boulot, veux-tu?

King suivit Lucky et la blonde dans un studio trop éclairé où personne n'avait apparemment fait de ménage depuis longtemps. Dans un coin où il occupait presque toute la place se trouvait un grand matelas recouvert d'un drap blanc sale. King remarqua un tas de chaînes et de fouets à proximité.

— Tu peux t'asseoir là-bas, dit l'homme en lui montrant une chaise pliante cachée dans un coin sombre. Tu seras le réalisateur.

Il s'appelait George Oppotachevsky, et se trouvait drôle et spirituel.

— Allons, George. Laisse le gosse tranquille, dit la fille qui retirait son kimono et attachait ses bas à un porte-jarretelles noir. J'te parie que t'as jamais rien vu de pareil!

Elle avait raison. A la fois dégoûté et stimulé, King vit la fille nommée Margie s'étendre sur le matelas, se lever sur ses coudes et appeler le chien.

De la main droite, elle tenait un biscuit. Le chien aboya et trotta jusqu'à elle. Margie lui donna le biscuit à sentir, après quoi elle écarta grand les jambes.

— Allez-y, monsieur De Mille. On tourne.

Alors que George s'approchait avec sa caméra, elle sourit à Lucky et inséra lentement le biscuit entre ses jambes de telle sorte que King pouvait à peine l'apercevoir dans l'enchevêtrement de ses poils pubiens.

— Cherche le biscuit, Lucky.

Le chien jappa et lui flaira l'abdomen et les cuisses.

— Lève les jambes, Marge. J'ai comme l'impression qu'il cherche plus qu'un biscuit aujourd'hui.

— Sans blague! T'as trouvé ça tout seul?

Elle leva les deux jambes avec soumission. Son visage disparut et tout ce que King pouvait apercevoir était la grande langue rose de Lucky qui léchait avidement le petit bouton de rose de Margie. Ensuite, elle baissa lentement les jambes en s'assurant encore une fois de les écarter autant que possible.

Elle lança un regard à King qui respirait à peine, lui fit un clin d'œil et entreprit de se caresser lentement les seins, en frottant et pinçant ses mamelons rose foncé.

— Cherche la touffe, Lucky, dit-elle à voix basse au chien qui lui léchait le ventre.

D'une main, elle dirigea lentement la tête de l'animal jusqu'à ce qu'il trouve ce qu'il cherchait et enfouisse le museau de plus en plus loin en elle. De son côté, Margie poussait à grands coups rapides des hanches et tout à coup, le chien se retira en se léchant la gueule de satisfaction.

— Maintenant, mon beau chien, c'est le temps d'une petite érection, lui dit Margie. Pense à Lassie.

Lucky la monta par l'arrière. King avait joui avant le chien.

La quatrième fois qu'on appela King au studio de fortune de la Quarante-deuxième rue, il devait faire la connaissance de Hannah Rugoff, la Hongroise. Comme d'habitude, Margie l'attendait dans l'embrasure de la porte, son kimono ouvert, les mains sur ses hanches nues, les seins en auvent de chair au-dessus de lui. Il grimpa l'escalier. En passant, il ne put s'empêcher de lui effleurer les seins, des seins si pâles qu'on pouvait voir les veines bleues courir sous sa peau jusqu'aux mamelons qui s'écrasèrent sous son bras au passage.

— Excusez-moi, mademoiselle.

Un rire sonore retentit dans le studio.

— Elle s'appelle Margie. Et moi, c'est Hannah.

King reconnut l'accent de celle qui riait. C'était elle qui lui avait téléphoné.

Hannah Rugoff avait l'allure la plus extraordinaire que King ait jamais vue chez une femme. Elle avait des cheveux noir jais qu'elle portait à la garçonne. Ses yeux, énormes et de forme ovale semblables à des olives noires, constituaient la seule touche de douceur sur un visage aux traits durs et sévères. Elle portait un pantalon kaki, un chemisier Hathaway et un mince nœud papillon, et fumait un fin cigare noir. Elle riait beaucoup, cependant, ce qui la rendait alors presque belle. Hannah partageait l'appartement de Margie et, de toute évidence, beaucoup plus.

Lorsque Margie prit place sur le matelas avec Lucky, Hannah traversa le studio et vint s'adosser au mur à côté de King, les bras résolument croisés sur la poitrine.

— Tu lui plais, annonça Hannah à l'improviste.

King avala sa salive en réflexe nerveux.

— Vous croyez?

Elle rit de son rire vulgaire et lui donna une tape sur l'épaule.

— C'est pour ça que je suis là. Je veux te voir. Elle dit que peut-être elle baise avec toi. Je dis attends que je voie ce beau garçon, oui? dit-elle en lui faisant un clin d'œil. Maintenant, je vois. Je dis oui.

— Non, répondit-il en secouant la tête. Voyons, que dites-vous là!

Il était à la fois embarrassé et ravi.

Il était loin de s'attendre à la scène qui devait suivre.

Hannah commença à se dévêtir. Debout à côté de lui, elle retira son nœud papillon et détacha son chemisier. Elle resta là un instant, en tricot de corps et culotte de coton. King avait quinze ans, pensait avoir tout vu, mais il pourrait à présent aller rejoindre son créateur le sourire aux lèvres.

Hannah lui prit la main et le conduisit au matelas où Lucky et Margie étaient en train de payer le loyer. Trempé de sueur et tremblant de tous ses membres, King se sentait comme un gosse chez le directeur d'école. Son érection disparut soudain.

— Allez, ouste! cria Hannah en frappant des mains. Lucky se désengagea en geignant et Margie leva les yeux. Un sourire éclairait son visage.

— Oh, Hannah! A présent, on va bien s'amuser.

— Qu'est-ce que c'est que cette histoire? hurla George. N'oubliez pas qu'on tourne un film ici.

— Je te dis de te taire, monsieur Cecil B. De Mille, lui lança Hannah. Va donc faire boire le chien. Et quand tu reviens, on fait vrai bon cinéma. Non, petit?

Ce dernier était trop étonné pour faire rien d'autre que hocher la tête.

Hannah embrassait Margie doucement et avidement, de la même manière qu'une amante, constata King. Comme un garçon embrasserait une fille. Il était renversé. Il n'avait jamais rien vu d'aussi étrange et excitant. Il regardait deux personnes faire l'amour dans un lit, et c'étaient toutes deux des femmes!

King ne remarqua pas le retour de George. Tout à coup, celui-ci était là, derrière sa caméra. Lorsque leurs regards se croisèrent, il fit un clin d'œil à King et lui adressa un signe de la main qui signifiait que tout se déroulait bien. Lorsque King posa à nouveau les yeux sur le lit, Hannah était sur le ventre et avait la tête entre les jambes ouvertes de Margie qui poussait de petits gémissements alors que la langue de Hannah courait sur elle en la caressant. Elle attira à elle la femme aux cheveux noirs jusqu'à ce que la généreuse poitrine se trouve au niveau de sa bouche; elle leva alors la tête et embrassa lentement un mamelon et ensuite, l'autre.

King n'en pouvait plus d'attendre pour retirer son pantalon et libérer son sexe prisonnier, pour s'enfoncer loin dans Hannah, plonger dans la bouche ouverte de Margie et sentir ses lèvres se refermer sur lui. Il voulait saisir les larges poires de Hannah, y enfouir son visage et mordre les mamelons comme Margie le faisait en ce moment. Il émit un grognement et souhaita vivement sentir le contact de ces deux femmes sur sa peau nue.

Hannah s'agenouilla.

— Tu ne veux pas t'amuser, petit? Elle fit lentement pénétrer deux doigts de plus en plus profondément en elle et les retira tout aussi lentement, enduits de ses excrétions collantes, et les enfonça délicatement dans la bouche accueillante de Margie.

— Je te prends d'abord, petit, et après, c'est le tour de Margie, non?

Les grosses mains de la femme, aussi solides que celles d'un bûcheron, lui arrachaient ses vêtements.

Dans la pièce silencieuse, une tête noire se déplaçait lentement le long de son énorme et très dure queue. Des mains le caressaient. Le chien vint se joindre à eux. Ce n'était plus qu'un mélange de bouches, de cuisses et d'orifices palpitants devant la caméra qui tournait.

Une tête noire bougeait entre ses cuisses. Une bouche étrangère le tenait. Il comprit soudain que ce n'était ni Hannah, ni Margie. Il n'était pas à genoux sur un matelas sale. Il était dans un fauteuil dans la chambre d'Avery Calder et c'était la bouche de cet homme qui le caressait avec autant de tendresse et d'habileté. Le plus célèbre dramaturge de Broadway lui faisait une sucette!

King tourna la tête. Le vent secouait les carreaux des portes de la terrasse. Il aperçut la lune par la fenêtre, une pleine lune pâle, grosse et jaune comme une tarte au citron, et qui les observait de manière impassible derrière quelques nuages discrets. Sous cette même lune, Devon Barnes était bien au chaud dans son lit. Il ferma les yeux et se donna à elle. Au moment de sa jouissance, c'étaient ses cheveux à elle qui se mêlaient à ses doigts.

Au matin, il était seul dans la chambre de Calder à son réveil. Le lit était vide et défait. King était toujours étendu dans son fauteuil. On avait jeté sur lui un édredon bleu clair et placé derrière sa tête un oreiller de duvet. L'air qui s'échappait des portes le glaçait. Il s'enveloppa dans l'édredon et se dirigea vers la salle de bains.

Avery entendit couler l'eau de la douche et s'en vint dans sa chambre. Il portait une robe de chambre, un pantalon de flanelle grise et des mules de velours brodé. Lorsque King réapparut, tout habillé, séchant ses cheveux mouillés avec une serviette, Avery faisait nerveusement les cent pas.

La veille, en raison du fard à joues et du collagène, l'écrivain paraissait être un contemporain de Gilda Greenway, à peine plus âgé que les très jeunes trente-quatre ans de l'actrice. Ce matin, il paraissait plus près des quarante-sept ans de Wainwright, et encore, pas en aussi bonne forme. Il avait vieilli de dix ans en une nuit.

Evitant le regard de King, il donna au jeune homme un verre de jus d'orange qu'il avait apporté sur un plateau.

— Merci, dit King d'une voix douce.

Calder lui fit un bref signe de tête et se remit à arpenter la pièce.

— Ah, c'est délicieux! ajouta King avec un enthousiasme forcé, posant son verre vide sur le plateau. Justement ce qu'il me fallait.

Avery Calder eut un soupir.

— Un bon gin me ferait du bien. J'aimerais...

King lança sa serviette sur son épaule.

— Ecoutez, monsieur Calder...

L'écrivain leva une main.

— Laisse-moi continuer, je t'en prie. Je désire te faire mes excuses pour ce que...

King se sentit rougir.

— Non, n'allez pas plus loin, dit-il avec tant de vigueur qu'il imposa silence à Calder. Ecoutez-moi, voulez-vous?

Il ignorait ce qu'il allait dire; il savait seulement qu'il lui fallait faire vite. Il ne voulait pas humilier Avery Calder. Il ne souhaitait pas voir le grand homme angoissé. Il ne supportait pas d'en être la cause.

— Vous savez, j'étais réveillé, déclara-t-il enfin. Je faisais semblant de ne pas l'être. Mais j'essayais de vous dire quelque chose hier soir avant que vous ne tombiez endormi. Je vous servais un verre, vous vous en souvenez? Et je vous disais que j'avais lu vos pièces. Alors, j'aimerais que vous m'écoutiez

120

maintenant. Je vous disais que je vous trouvais épatant. Peut-être même le plus brillant auteur de notre époque!

Avery Calder était assis sur le bord du lit. Il se cacha le visage dans les mains. Ses épaules tombantes étaient secouées de sanglots.

King tourna les talons.

— Ça va. Je m'en vais à présent. Je suis désolé, croyez-moi.

— Mais il fait froid dehors et tu n'as rien mangé, lui dit Calder les mains toujours au visage.

Puis, il respira à fond, secoua la tête et se mit à rire.

Pour la première fois ce matin-là, il regarda King droit dans les yeux.

— Grand Dieu, on croirait entendre ta mère.

— Ce n'est pas ce que je pense, lui répondit King en prenant un toast qu'il enduisit de confiture. On dirait plutôt mon père, quand il était assez sobre pour remarquer ma présence.

8

Le 13 février 1956

King avait la gueule de bois; il marchait en direction sud sur la Cinquième avenue, les cheveux ébouriffés, le smoking froissé, et réfléchissait aux événements de la veille. Il était à New York, se disait-il en pressant le pas, là où la vie d'un homme peut changer radicalement du jour au lendemain. Ayant tourné vers l'ouest à Rockefeller Center, il s'arrêta au drugstore de la NBC en face du Radio City Music Hall, acheta les journaux, et appela Devon Barnes au Connecticut d'une cabine téléphonique.

La fille qui répondit lui demanda d'attendre pendant qu'elle s'enquérait si Devon était dans sa chambre. Dans la cabine téléphonique, King feuilletait le *Daily News*. Il se demandait s'il y verrait une critique de la nouvelle pièce d'Avery ou encore une photo de Pat Wainwright. La fille revint au bout du fil au moment où il apercevait leur photo dans la chronique d'Ed Sullivan.

— Devon est sortie, dit-elle.

Or, c'était justement Devon qu'il regardait. King n'en revenait pas. C'était bien elle, avec *lui* et Gilda, et celle aussi dont c'était l'anniversaire, et l'autre, Inez, qui lui souriait plutôt qu'à la caméra.

— Inez est-elle là?

Il n'en croyait pas ses yeux. Sur la photo, Devon était fantastique. Encore plus qu'il ne s'en rappelait. Il se souvint alors d'avoir entendu Gilda Greenway dire quelque chose au sujet de Devon juste avant qu'on prenne cette photo. « Superbe visage! » Elle avait dit ça à l'impresario, le père de May. Bougre de beau visage. Les filles avaient-elles déjà vu les journaux? Si Inez était sortie, May était peut-être là. Il fallait qu'il prévienne au moins l'une d'entre elles de se procurer le *News*. La légende sous la photo disait : « La Dame aux perles et ses quatre fans ».

— Il n'y a personne dans leur chambre, lui dit alors la fille qui paraissait contrariée. Elles sont toutes à la chapelle sauf moi, et j'ai trente-huit de fièvre. Je devrais être à l'infirmerie mais on m'a dit que je pouvais rester dans ma chambre si je ne quittais pas le lit.

122

— Je suis navré, dit King. C'est très important. Dites-lui que King Godwin a téléphoné. Prenez note de mon numéro et demandez-lui de me rappeler, je vous prie. C'est *très* important.

Il resta en ligne le temps qu'elle trouve un crayon, après quoi il lui donna le numéro du téléphone public dans l'entrée de son immeuble et rentra attendre que Devon le rappelle.

Il faisait les cent pas dans l'appartement de la Quarante-sixième rue, arpentant d'une à l'autre les trois pièces aussi étroites que des wagons. Il s'arrêta à une fenêtre et d'un doigt y écrivit son nom dans la buée d'un carreau, nonchalamment d'abord, puis en y ajoutant des enjolivures de la même manière dont Gilda avait la veille autographié des programmes et des carnets.

Il revint d'un bon pas dans la chambre où il avait disposé les journaux sur un tas de vêtements. Il regarda cette photo de lui au « 21 » à côté de Gilda Greenway et de la svelte Texane et secoua la tête. Il revint en courant à la cuisine, à la porte d'entrée, écouter si le téléphone sonnait.

Il lui fallait rendre les vêtements qu'il avait empruntés et se promettait de le faire aussitôt qu'elle aurait téléphoné. A deux reprises, il était sur le point de téléphoner à Deauville Tolin pour lui dire de ne pas s'inquiéter, qu'il serait là avant seize heures, et au fait, avait-il vu le *News* aujourd'hui? Mais il ne voulait pas accaparer la ligne.

Il constata que l'appartement n'était qu'un fouillis de désordre. Un ménage s'imposait. D'un coup de pied, il expédia sous le lit les chaussures et les bas sales; il débarrassa le vieux fauteuil usé et fit disparaître les magazines érotiques derrière le rideau du placard. Il retira du réfrigérateur les vieux contenants de mets chinois à moitié entamés, un demi-litre de lait sur et une pointe de pizza moisie. Dans ce désordre, il trouva les formulaires d'assurance que lui avait données à remplir la compagnie de taxi où il avait demandé un emploi, de même qu'un tablier de la boulangerie où il travaillait de dix-sept heures à cinq heures du matin, trois nuits par semaine. Il trouva même une balle mâchouillée qui devait avoir au moins trois ans. Alvin Beamer n'était jamais rentré; King avait donc vendu le chien à Hannah qui partait pour Las Vegas avec Margie et quelques-unes des filles.

Après avoir donné un coup de balai, il regarda avec dégoût autour de lui, l'air frustré. Il remarqua pour la première fois la peinture qui s'écaillait et le parquet défraîchi. L'appartement était certes propre, mais n'était pas le sien, pas plus que le mobilier, et n'était pas assez convenable pour une fille de la trempe de Devon Barnes. C'était une planque, un trou où il logeait temporairement en attendant de commencer sa vie. Un frisson lui donna la chair de poule et il eut soudain la folle impression que c'était Devon Barnes qu'il attendait depuis toujours.

Il était surpris de penser de la sorte. Après tout, c'était un as, un gars qui avait tout vu et tout fait, n'est-ce pas? Pourtant... il savait que c'était vrai. Devon Barnes occuperait une place importante dans sa vie pendant très longtemps.

C'était réussi!

Inez pouvait à peine le croire.

A la chapelle ce matin-là, elle avait prié comme elle avait appris à le faire à l'école de Brooklyn. C'était la première fois que ses prières étaient exaucées.

Elle arriva la première à leur chambre. Ayant aperçu la note fixée à la porte au moyen d'un ruban gommé, elle fit un signe de croix et se baisa le pouce en mémoire du Christ. Elle s'empara de la note et courut au téléphone.

Il répondit au huitième coup, juste au moment où elle commençait à croire qu'il n'était pas chez lui. Il manquait de souffle. Il avait dû courir pour répondre.

— Allô et bonjour! dit-il.

— Bonjour à toi.

Elle le dit de la façon dont Harriet lui avait montré, d'une voix lente et sensuelle, comme celle de Gloria Grahame dans *The Big Heat*.

— J'ai eu ton message, poursuivit-elle.

Silence. Il se ressaisit.

— Mon message? dit-il, visiblement déçu. Ah oui, mon message. Alors, euh, comment ça va, Inez?

On aurait dit qu'elle avait reçu un coup de massue. Elle se mordit la lèvre. Ses prières n'avaient rien de magique et la voix sensuelle de Gloria n'avait pas plu à King. Elle détestait Harriet.

— Ça va, dit-elle, trop blessée pour prétendre être ni sexy, ni gentille.

— Puis-je parler à Devon? demanda King.

— Elle est sortie, répondit-elle d'un ton maussade.

C'est à Devon qu'il souhaite parler. Quelle idiote je suis. Une vraie gourde!

— Bon, euh, quand l'attends-tu? Enfin, elle a quitté le pensionnat? Elle est allée quelque part?

— Oui.

En fait, Devon faisait une promenade avec May qui avait d'ailleurs invité Inez à les accompagner, mais cette dernière avait senti que Devon souhaitait être seule avec May. Inez avait compris que les deux filles voulaient commérer et se confier des secrets. Elles étaient de grandes amies, de la même manière que Harriet et Inez l'étaient avant que Harriet s'enfuie sans même dire adieu.

— Tu sais où elle est?

— Non.

Mon Dieu, elle geignait presque. Il la prendrait pour une dinde, une vulgaire pleurnicheuse.

— Etait-elle... enfin, est-elle sortie seule?

Pourquoi la tourmentait-il ainsi? Pourquoi lui posait-il tant de questions au sujet de Devon? Il la provoquait.

— Non, répondit-elle sèchement. Elle n'était pas seule. Que veux-tu savoir d'autre?

— Holà, petite! Toutes mes excuses. Ça, alors! Mais, quelle mouche te pique?

— Il faut que je te voie, lui dit Inez à brûle-pourpoint. J'ai à te parler.

— A moi?

Il ne pouvait cacher son étonnement.

— Je n'ai personne d'autre. Personne à qui parler vraiment. Harriet était ma meilleure amie et maintenant elle est partie. J'ai besoin de parler à quelqu'un. Je me sens tellement...

Elle aperçut par la fenêtre au bout du couloir des arbres dénudés et des nuages bas et gris qui lui servirent d'inspiration.

— Déprimée, dit-elle enfin, constatant en même temps que c'était vrai. Oui, je me sens vachement déprimée. Il faut que je sorte d'ici pour quelque temps et que je parle à quelqu'un qui ne porte pas la jupe. Je t'en prie, King. Est-ce que je peux venir te voir? Je m'arrangerai pour obtenir un laissez-passer. Je t'en prie, juste une petite visite?

— Eh ben, d'accord, si tu veux. Tu devrais peut-être...

— Oh, merci, King. Merci!

Elle courut à sa chambre chercher un crayon, prit note de l'adresse, et, après avoir consulté l'horaire des trains, fit part à King de celui qu'elle comptait prendre. Il lui expliqua comment se rendre chez lui depuis la gare Grand Central. Avant qu'il n'ait pu lui annoncer que leur photo paraissait dans la chronique d'Ed Sullivan, elle avait raccroché.

Sur sa requête de sortie, elle inscrivit le nom de ses parents, Maureen et James Hollister. Destination : Brooklyn.

Ça, jamais!

Destination : n'importe laquelle sauf Brooklyn.

Pendant un fol instant, Inez pensa qu'elle devrait téléphoner à ses parents chez tante Mary, où ils recevaient leurs appels, pour leur raconter une histoire de manière à éviter qu'ils appellent au pensionnat pendant son absence. Après y avoir réfléchi, elle se demanda si elle perdait la tête. Sa mère n'avait téléphoné qu'à trois reprises depuis l'arrivée d'Inez à Westbridge il y avait de cela trois ans et demi.

La première fois, c'était pour lui annoncer qu'on avait arrêté son frère Terry pour avoir blessé un garçon au cours d'une bataille; elle cherchait à savoir si Inez avait des amies riches de qui elle pourrait emprunter. La deuxième fois, des mois plus tard, elle lui avait fait part que Terry s'était enfui et que son frère Jimmy l'avait suivi. La troisième et dernière fois, entre cris et sanglots, elle lui avait dit que son père s'était enivré et avait raconté de terribles mensonges, des histoires qu'il inventait juste pour lui faire de la peine. Des histoires sales de péchés mortels. C'étaient bien des *mensonges* n'est-ce pas?

Peu après, son père avait téléphoné lui-même. Il était ivre et prétendait qu'elle lui manquait. Il passait des nuits blanches à ne penser qu'à elle, disait-il, à ses nichons et son petit con juteux. Il était son père, disait-il soudain indigné, et il exigeait qu'elle rentre à la maison sur-le-champ. Ou alors, il la battrait encore; elle n'était pas si grande qu'il ne puisse lui donner une bonne volée!

Ce soir-là, Inez avait tout raconté à Harriet, même l'appel de son père. Le lendemain, devant une Inez terrifiée, Harriet téléphonait à tante Mary en lui laissant croire qu'elle était la directrice. Elle lui dit qu'elle ferait émettre un mandat d'arrestation contre monsieur Hollister s'il faisait encore usage de langage obscène sur le réseau téléphonique du pensionnat. Tous les appels faisaient l'objet d'une surveillance par le FBI pour les obscénités et les menaces, devait-elle expliquer à la pauvre tante Mary tout éberluée. Inez se l'imaginait en train de faire des signes de croix et serrant dans la main un crucifix plaqué or qu'elle avait toujours épinglé à son tablier. Si monsieur James Hollister devait encore téléphoner, il serait arrêté séance tenante.

Inez n'en avait plus entendu parler.

Par la fenêtre du train, elle regardait la neige qui commençait à tomber en gros flocons légers pareils à du savon blanc, au contraire de Brooklyn, où la neige était aussi souillée que des retombées atomiques, avant même d'avoir touché le sol.

Et voilà qu'elle, Inez Hollister, avait rendez-vous avec un type formidable à New York. Elle pensa que c'était de Brooklyn que ce train l'éloignait, et non du Connecticut. Ce voyage la menait à son véritable destin. Elle le savait.

Dès l'âge de onze ans, Inez connaissait déjà la solitude et les difficultés à se tailler une place au soleil. Son père était un vaurien d'ivrogne irlandais qui avait séduit sa mère par de vaines promesses et des rêves irréalisables d'un soi-disant bel avenir dans la restauration. Or, il ne pouvait même pas inscrire ses trois enfants à des écoles convenables avec le salaire qu'il gagnait comme garçon de table. Il travaillait chez Gage & Tollner, un élégant restaurant à l'ancienne dans Fulton Street où l'on trouvait de véritables lampes à gaz; on y servait de gigantesques côtelettes et les employés apportaient chez eux les restes de table pour les chiens. Sauf que chez Jim Hollister, les chiens étaient sa maigre épouse et ses enfants affamés. Certains soirs qu'il ne rentrait pas du tout, Inez allait chez les Bénévoles qui lui remettaient des petits cornets de papier contenant des haricots froids pour quatre bouches voraces. C'était toujours la fête après la messe du dimanche car on offrait des rafraîchissements aux enfants.

Exténuée après de longues journées à la blanchisserie située au-dessus de l'appartement qu'ils occupaient au sous-sol, la mère d'Inez n'avait pas de temps à consacrer à son unique fille. Les garçons, eux, pouvaient toujours se débrouiller avec leurs études, et s'ils devaient ne pas y parvenir, ils s'adresseraient aux centres d'éducation surveillée. Mais Inez avait besoin de surveillance. Elle ne réussissait pas bien. Elle avait dit un jour à sa mère, de manière plutôt arrogante d'ailleurs :

— Pourquoi apprendre l'espagnol? Il n'y a pas un seul Espagnol dans le métro à qui je voudrais adresser la parole!

Laissée à elle-même, elle passait son temps au cinéma ou à la bibliothèque publique où elle dévorait les livres comme si c'étaient des biftecks et qu'elle n'avait pas mangé depuis une semaine.

C'était son père, Jim Hollister, un hypocrite invétéré, qui avait suggéré d'envoyer Inez au couvent de Saint-Ignatius. Derrière les murs de pierre, elle s'était retrouvée parmi cinquante autres fillettes en veston bleu et jupe blanche à plis. C'est elle qui avait défrayé le coût de son uniforme avec ce qu'elle gagnait à laver la vaisselle à la cuisine du couvent.

La vie de couvent ne ressemblait en rien à la vie domestique remplie de larmes et de cris. En comparaison avec sa mère toujours fatiguée et les changements d'humeur psychotiques de son père, les religieuses lui paraissaient froides et distantes. Pourtant, à mesure que le temps passait, Inez apprit que la plupart des fillettes, issues elles aussi de familles pauvres, étaient tout aussi effrayées qu'elle; l'austérité des religieuses dissimulait leur véritable inquiétude face à leurs jeunes ouailles. Après avoir supporté ses deux frères, après avoir joué au chat et à la souris avec un père neurotique, Inez aurait pu être diplômée en tactiques de survie dès l'âge de treize ans.

En peu de temps, c'était donc elle qui menait à l'école et qui décidait de la hiérarchie chez ses condisciples. Ayant contraint certaines de ses camarades à faire ses devoirs, les notes d'Inez s'amélioraient cependant qu'elle disposait de plus de temps pour lire et écrire les histoires et les romances qui peuplaient son imagination.

Une des religieuses lui démontrait un intérêt particulier. Sœur Marcus avait elle-même aspiré à une carrière d'écrivain dans sa jeunesse, avant de prendre le voile. Elle voyait en la personnalité agressive d'Inez des bribes de ses propres ambitions perdues et était résolue à l'aider. Sœur Marcus encourageait Inez à coucher sur papier toutes ses pensées. Elle la nomma rédactrice du journal étudiant, lui prodigua ses louanges et lui accorda son amitié. Pour le cours d'anglais, Inez écrivait les histoires les plus extraordinaires et prétentieuses à propos de riches jeunes filles qui s'enlevaient la vie dans les toilettes chez Schrafft's. Sœur Marcus se contentait de sourire affectueusement et disait qu'Inez était peut-être la prochaine Dorothy Parker.

— Es-tu seulement déjà entrée chez Schrafft's? lui avait demandé sœur Marcus.

— Non, ma sœur, mais tous les personnages de J.D. Salinger mangent là, avait répondu Inez. C'est certainement un endroit très bien.

Or, un jour, sœur Marcus l'emmena à Manhattan dans le but de lui faire visiter le fameux restaurant. Inez ne jeta qu'un seul regard aux vieilles dames aux cheveux bleutés qui mangeaient des sandwiches. A partir de ce jour, elle faisait dîner tous ses personnages au Stork Club!

Un week-end, elle retourna au sale appartement de sa famille, et trouva sa pauvre mère fatiguée et en larmes. Jim Hollister était parti pour de bon; les frères d'Inez devraient donc se trouver du boulot et le maigre salaire que sa mère gagnait à la blanchisserie ne suffirait pas pour garder Inez au couvent.

La jeune fille fut prise de panique.

Au lieu de dormir dans le paisible dortoir aux murs gris, il lui faudrait partager une chambre malpropre avec ses frères. Au lieu d'y avoir sœur Marcus qui l'encourageait à devenir la prochaine Dorothy Parker, il y aurait sa mère qui l'obligerait à une vie éreintante à la blanchisserie.

— Je ne peux pas quitter le couvent! se lamentait Inez.

— Nous n'avons pas un sou, ma chérie!

— Dans ce cas, je convaincrai les religieuses de me laisser travailler à plein temps!

Sœur Marcus, accourue à sa défense, obtint de la mère supérieure l'assurance qu'Inez serait nourrie et éduquée gratuitement. En retour, la fillette dresserait les tables pour les trois repas au réfectoire, aiderait à la cuisine, et servirait aux tables. Inez s'en moquait. Elle était prête à tout plutôt que de retourner à la maison, avec ou sans son père, où elle étouffait des odeurs de lessive, de détersif et d'amidon. Elle détestait cet appartement avec ses crucifix, ses lampions et ses Vierges Marie. On aurait dit un film d'Anna Magnani.

Inez détestait l'allure morne de sa mère et son incapacité d'utiliser les hommes comme le faisaient les femmes au cinéma. Lorsqu'elle rentrait à la maison pour un week-end, elle se réfugiait dans de longs silences hostiles. Elle avait pourtant déjà tenté de se confier à sa mère, de lui avouer ses aspirations.

— Ce ne sont que de folles ambitions, ma fille, se faisait-elle répondre à chaque fois. Tu ferais mieux de revenir sur terre avant de tomber.

Plus tard, son père était réapparu et la situation s'était détériorée. Il allait parfois rencontrer sa fille au couvent et l'invitait à prendre une glace. Il saisissait l'occasion de lui prendre le genou sous la table, et sa main glissait sur la cuisse de sa fille jusqu'à cet endroit défendu dont les sœurs la mettaient toujours en garde. Inez le détestait pour ce qu'il faisait, mais c'était la seule chaleur physique qu'elle recevait. Elle appréhendait ces rencontres en même temps qu'elle les recherchait.

La première fois avait été la plus effrayante. Il y avait une soirée à l'école et quelques compagnes d'Inez avaient acheté pour elle une robe de lainage rose en solde. C'était sa première soirée dansante, sa première robe de jeune fille, et pour la première fois, elle portait du rouge à lèvres couleur de sorbet à l'orange.

Sa mère était chez tante Mary à réciter un rosaire pour un voisin écrasé par un taxi dans Delancey Street. Ses frères étaient au parc d'amusement à Coney Island. Et Jim Hollister en était déjà à sa deuxième bouteille de whisky lorsque sa fille sortit de la salle de bains, prête à partir.

Peut-être la voyait-il vraiment pour la première fois. La grenouille s'était changée en princesse! Elle avait de bonnes épaules et la taille fine. Déjà à treize ans elle avait de petits seins. La robe rose laissait paraître des rondeurs aux bons endroits. Inez portait un bracelet vert et un gardénia dans ses cheveux, comme Dorothy Lamour dans *Road to Rio*.

— Où vas-tu habillée en pute chinoise?

Son haleine était infecte. Il la surplombait telle une grotesque araignée velue.

Elle s'écarta mais il était trop rapide.

— Tu ne veux pas donner une bise à ton paternel?

Il plongea sur elle. Tout se passa vite, bien que les minutes qui suivirent lui parurent durer une éternité.

Elle avait l'impression que son cœur allait éclater de frayeur. Elle se défendait, mais il lui tenait les mains derrière le dos en lui déchirant son slip. Elle ressentait une brûlure aux cuisses où les gros doigts de son père lui blessaient la peau. Elle sentit ensuite une douleur aiguë entre les jambes alors qu'une grosse masse rude lui déchirait les entrailles à tel point qu'elle avait envie de vomir.

Il respirait fort et toussait de sa toux sèche de fumeur comme il plongeait avec encore plus de vitesse et de violence, sa poitrine velue effleurant la bouche d'Inez. Elle n'avait jamais éprouvé une douleur aussi vive.

C'était la douleur dont elle se souviendrait toujours, même après que seraient oubliées l'humiliation et les odeurs. Elle ferma les yeux et fit semblant que la chose arrivait à quelqu'un d'autre dans un film ou dans un livre, et en dépit de sa douloureuse terreur, elle comprit qu'elle y survivrait.

Soudain, tout était terminé. Jim Hollister émit un grognement, se roula sur le côté, et poussa de petits gémissements.

— Espèce de salaud! cria-t-elle à son père qui n'entendait rien.

Elle avait mal aux jambes mais constata qu'elles étaient toujours en place. Elle avait aussi ses deux bras. Elle était la même, bien qu'elle se sentait honteuse et souillée. La même glace dans laquelle elle s'était regardée avec tant de satisfaction en s'habillant semblait à présent lui faire des reproches en lui renvoyant une image brouillée. Son maquillage était défait. Elle avait une bosse sur le front et une vilaine ecchymose brune sur le bras. Ses cheveux étaient en broussaille et le gardénia gisait par terre.

Elle enveloppa sa robe et son slip tachés de sang dans un journal et enfouit le paquet dans une boîte à ordures dans la ruelle. Son père ronflait maintenant, impénitent. L'espace d'un bref instant, elle eut envie de plonger le couteau à dépecer de sa mère dans ce corps endormi, nu de la taille aux pieds, et de lui arracher le cœur.

Elle songea pourtant à des choses plus importantes, telles que les films qu'elle ne verrait jamais, les livres qu'elle ne lirait jamais, et la gloire qu'elle ne connaîtrait jamais. Elle sauta dans son blue-jean, endossa une chemise de coton bleu qui appartenait à un de ses frères, et sortit de la maison.

Un policier la vit errer à une heure du matin aux environs de Prospect Park et lui demanda où elle habitait. Il la conduisit au couvent en voiture de patrouille et elle entra sans bruit au dortoir. Elle ne put s'endormir qu'à l'aube.

La scène se répéta plusieurs fois. C'était toujours pendant le week-end, parfois même alors que sa mère dormait à quelques pas. Inez apprit à endurer en silence, sans pleurer. Elle détestait son père. Elle détestait tous les hommes. Après chaque soumission, cependant, il y avait une récompense. Ce fut d'abord un sac à main, et ensuite, un parasol. Elle garnissait sa garde-robe et son père avait cessé d'être cet homme lâche et abjecte au visage cramoisi. Il paraissait heureux et satisfait. La mère d'Inez en avait fait la remarque.

— Tu dois faire quelque chose qui lui plaît, dit-elle un jour entre deux lavages. Il n'a certes pas changé parce qu'il a trouvé Dieu! Je ne peux toujours pas l'emmener à la messe pour tout l'or au monde.

Inez fit la grimace, mais elle souriait à moitié. Elle avait appris comment toucher et le cœur et le portefeuille des hommes. Et ils devaient tous y passer. Elle avait beaucoup d'invitations à présent et s'échappait souvent du couvent pour accompagner les garçons à des soirées.

— Inez, vous faites trop d'efforts pour vous amuser, lui dit un jour sœur Marcus. Je comprends pourquoi. Vous êtes jeune et belle, et les garçons sont flattés de vous accompagner. Pourtant, ne cherchez pas à gagner toutes les pièces d'or à la fois, sinon, elles perdront leur valeur et vous ne vous intéresserez plus au jeu.

Les recommandations de son père se faisaient encore plus sévères. « Ne mets pas autant de fard à joues. Ne ris pas aussi fort. Ne parle pas autant! » Une de ses préférées était la suivante : « Ne dis pas des mots de quarante dollars si tu n'as que quarante cents dans les poches. » Elle n'en tenait pas compte. Les choses allaient rondement. Elle ne savait pas au juste ce qu'elle voulait mais elle savait qu'elle pourrait l'obtenir. Peu importe ce que c'était, à condition que cela la mène aussi loin que possible de Brooklyn sur ses belles grandes jambes. Bien sûr, parfois elle avait peur et se sentait démunie. Elle se sentait seule. Toutefois, elle prenait de l'expérience.

Une fois son cours primaire terminé, on l'avisa qu'elle était arrivée au terme de ses études à Saint-Ignatius. Le lycée paraissait hors de question et l'université encore plus.

Sœur Marcus intervint à nouveau. Elle assembla un recueil d'histoires et d'éditoriaux qu'Inez avait rédigés et les fit parvenir en secret à Nicholas Pryor, un de ses anciens professeurs d'anglais au Stephens College, aujourd'hui secrétaire à Westbridge.

Monsieur Pryor lui répondit. Selon lui, tout se présentait bien pour l'obtention d'une bourse d'études.

Inez était en supplication devant sa mère dont l'argument était qu'il faudrait compter encore quatre ans de dépenses, et les temps étaient difficiles. Inez lui répondait que, sachant servir aux tables, elle pourrait gagner son argent de poche. Jim Hollister fit une colère terrible. Pour qui se prenait-elle de croire qu'il lui fallait absolument fréquenter ce pensionnat huppé. Ils ne pouvaient se passer d'elle à la maison, hurla-t-il, alors qu'Inez savait pertinemment que c'était *lui* qui ne pouvait se passer d'elle.

Elle tint bon et sut se défendre.

— Ecoute, papa. Ou bien tu me laisses partir, ou bien je dis *tout*. A maman, aux religieuses, aux filles du couvent, à toute cette satanée ville de Brooklyn. Je me demande ce qu'on dirait de toi chez Gage & Tollner. En fait, je me demande ce qu'on dirait au commissariat.

Jim Hollister était bouche bée. Il faisait de petits mouvements des lèvres, comme un poisson.

— Si tu parles, tu ne vivras pas assez longtemps pour t'y rendre à ton pensionnat.

— Parfait!

Elle l'affrontait maintenant et n'avait plus aucune crainte. Elle avait déjà l'avantage sur lui et décida de se mesurer.

— En plus du viol et de l'inceste, si on ajoutait voies de fait et tentative de meurtre? Voyons voir. D'après mes calculs, on ne te reverrait plus à Brooklyn avant au moins quatre-vingt-cinq ans!

Sur le quai au départ du train, sœur Marcus lui fit ses recommandations d'usage au sujet des hommes qui abusent des adolescentes, sa mère lui remit un missel et un chapelet, et son père ne se donna pas la peine de se montrer. L'aventure l'attendait. Une fois arrivée à Westbridge, elle se permettait de fumer, de blasphémer, et de consommer de l'alcool à la dérobée. Il lui fallut environ trois semaines pour apprendre comment faire accomplir ses tâches par les autres en les terrorisant.

Elle se débrouillait bien. Elle écrivit trois pièces pour les étudiantes, devint rédactrice du journal étudiant et du cahier annuel de l'école, et les professeurs masculins lui mangeaient dans la main comme de stupides pigeons.

Elle ne retournerait *jamais* à Brooklyn.

Si seulement elles la voyaient, ces filles qui portaient le même uniforme qu'elle à Saint-Ignatius mais qui la croyaient inférieure parce qu'elle lavait leur vaisselle et faisait leurs courses. Ces religieuses qui se trémoussaient comme une bande de pingouins affolés, incapables de trouver laquelle des filles avait mélangé les listes de blanchisserie ou laissé un condom à la chapelle, ou encore, commandé trois cents pizzas pour la mère supérieure! Ce père qui ne se faisait aucun scrupule de lui retrousser la jupe lorsqu'il en avait envie mais qui riait de ses ambitions. Et tous ces imbéciles qui s'esclaffaient lorsqu'elle leur disait que sa vie ferait un jour l'objet d'un film qui mettrait peut-être en vedette Ava Gardner ou Gilda Greenway à côté de Patrick Wainwright ou Cary Grant.

Si vous habitez Brooklyn, vous êtes censé n'avoir aucune ambition, sauf peut-être celle de déménager à Queens, le paradis aux yeux de la mère d'Inez. Eh bien, adieu à tout ça, comme l'avait écrit Robert Graves, et adieu aux puanteurs de savon et des cigares bon marché de son père. Et bonjour... à quoi? Elle ne le savait toujours pas, ni à qui, et pourtant, d'après les battements de son cœur et la moiteur entre ses jambes, c'était aujourd'hui le temps où jamais de le découvrir.

La neige s'était changée en grésil lorsque le train s'engouffra à grand bruit dans le tunnel de la gare Grand Central, mais Inez se sentait fébrile à la seule pensée de tout ce qu'elle souhaitait faire à King Goodwin.

A son arrivée chez King, Inez ressemblait à un parfait à la vanille. Son fard à joues et son rouge à lèvres couleur cerise s'étaient transformés en une croûte de givre rose sur son visage, et le reste de son corps était couvert d'une couche de neige fondante à moitié solidifiée.

Elle ignorait qu'il y avait une grande distance entre la gare et la Dixième avenue, et ses légers vêtements n'offraient guère de protection contre la tempête hivernale. Sous un béret de glace elle avait les cheveux mouillés. Son manteau était complètement trempé. Les jolis gants blancs qu'elle portait étaient maintenant des glaçons translucides sur ses doigts. Elle faisait penser à Lillian Gish dans un film muet.

— Tu dois être complètement transie, dit-il en ouvrant la porte.

Elle hocha la tête, mais les dents lui claquaient trop fort pour lui permettre de sourire. Inez attendait sur le seuil dans une mare de neige fondue, et la teinture de ses élégants souliers à talons hauts déteignait sur ses bas.

— Mais entre, je t'en prie.

King ne savait pas s'il devait rire ou avoir pitié d'elle.

— Qu'est-ce qui t'arrive? Tu t'es égarée?

Elle bégaya et ne put lui répondre. Tout à coup, bien qu'il ne pouvait l'imaginer plus trempée qu'elle ne l'était déjà, les larmes lui coulèrent sur les joues.

King la serra contre lui. A chaque sanglot, il sentait les seins d'Inez sur sa chemise de flanelle à carreaux.

— Tu ne connais pas la ville? J'aurais dû aller à ta rencontre. Pardonne-moi, pauvre petite.

Inez leva le visage. La neige sur ses cils épais et brillants avait fondu. Elle avait des yeux pétillants et regardait King avec une gratitude pitoyable. Elle avait les lèvres tremblantes, rouges et enflées. King se demanda si elles étaient encore froides.

Il fut étonné de l'intensité avec laquelle elle lui rendit son baiser et de la douceur de ses lèvres, maintenant brûlantes. Il eut un frémissement. Il sentait contre lui la fraîcheur glaciale du manteau trempé et il se rapprocha d'Inez, de la chaleur de son corps sous ses vêtements. Elle n'était pas celle qu'il souhaitait, mais les contours de son corps épousaient le sien à merveille.

Le visage de la fille se réchauffait et pourtant ses mains sur la nuque de King le glaçaient. Il lui retira ses gants givrés, plaça les mains d'Inez sous sa chemise, et se colla encore contre elle de sorte qu'elle avait le nez dans le cou du jeune homme.

— Je t'aime, dit-elle en enfouissant le visage dans la chaleur de son col de chemise.

Il avait la gorge serrée. Pardieu, c'était l'amie de Devon!

— Vraiment? demanda-t-il à voix basse tout en poussant la main d'Inez vers sa ceinture. Il sentit qu'elle voulait se retirer. Vraiment?, dit-il encore, et il lui serra le poignet jusqu'à ce qu'elle cesse de résister.

Il dirigea ensuite la main de la fille sur la protubérance qui jaillissait de son pantalon. Elle ouvrit grand les yeux en le touchant. Elle n'avait jamais imaginé rien d'aussi... *surprenant*.

— Tu me prêtes ta robe de chambre pendant que je fais sécher mes vêtements? Elle fut prise d'un violent frisson.

— Tiens, fit-elle en lui présentant un sac de papier qu'elle avait tenu caché sous son manteau. J'ai apporté un pique-nique de la campagne. Je reviens tout de suite. Il faut que je retire ma robe et mes bas.

Lorsqu'elle réapparut, elle se séchait les cheveux à l'aide d'une serviette; elle avait revêtu un T-shirt de Marlon Brando, cadeau d'une fille que King avait connue en servant aux tables dans Greenwich.

— Comment me trouves-tu?

Elle fit des pirouettes; le T-shirt lui arrivait à mi-cuisse. Elle se frotta les bras.

— Il fait plus chaud dans ta chambre, dit-elle d'une voix rauque. Apporte le sac, nous mangerons là.

King suivit Inez dans sa chambre et la regarda s'installer sur son lit, les jambes croisées. Elle avait dit avoir besoin de parler à quelqu'un, et voici qu'elle était devant lui, nue sous un T-shirt, incroyablement attrayante et sexy. Ce n'est qu'une innocente écolière, se disait King. Elle ne se rend même pas compte de ce qu'elle fait.

— J'ai encore froid, King, dit-elle d'une voix câline, les yeux mi-clos. Viens me réchauffer.

Il s'assit à côté d'elle, l'enveloppa de ses bras et la serra contre lui. Elle appuya la tête sur la poitrine du jeune homme. Au bout d'une minute, il lui leva le menton et lui donna un doux baiser. Inez eut un faible gémissement et elle glissa lentement la langue sur les lèvres et dans la bouche de King. Il avait peine à croire ce qui lui arrivait; il sentait la langue d'Inez se tordre sur la sienne, entrer et sortir de sa bouche, après quoi elle lui mordillait la lèvre inférieure à petits coups rapides.

— Inez, dit-il dans un murmure qui se voulait un avertissement. Elle devait l'empêcher de déchirer son T-shirt pour exposer ses seins, de retirer son pantalon et de s'enfouir en elle.

— Je t'en prie, King, fais-moi l'amour.

Elle porta les mains de King à sa bouche, en mordit la paume, après quoi elle le dirigea sous le T-shirt jusqu'à la hauteur de ses seins.

Depuis ses aventures pornographiques avec Hannah et Margie, King avait couché avec d'autres filles, surtout de jeunes actrices en puissance qu'il avait remarquées devant les théâtres où elles attendaient de passer une audition. L'expertise de Margie de même que les explorations imaginatives de Hannah lui manquaient parfois, mais les gitanes étaient jolies, douces et chaleureuses, et elles n'exigeaient rien de lui. Son énergie et son enthousiasme paraissaient leur plaire.

Or, Inez était un étrange mélange de fillette innocente et de chatte en chaleur. Alors qu'elle s'étendait sur le lit, les jambes légèrement écartées, elle avait l'allure d'une élève obéissante et attirante. Pourtant, il ne pouvait s'empêcher de penser qu'elle savait exactement ce qu'elle voulait, qu'elle avait un contrôle absolu sur ce qui allait arriver.

King retira son pantalon d'un seul geste, un peu embarrassé de la grosseur de son rouleau qui bondissait à l'attention et se gonflait à une taille respectable. Inez l'attira à elle d'une main et lui caressa les couilles de l'autre.

— Touche-moi partout, dit-elle. Je veux sentir ton âme.

Il glissa une main sous son slip mais elle la repoussa.

— Non, pas maintenant.

King comprit. Elle se sentait nerveuse et souhaitait attendre d'être prête. Il lui lécha les mamelons, déjà dressés d'excitation, et se rappela la langue d'Inez dans sa bouche en lui mordant le sein gauche assez fort pour y laisser une marque rouge.

— Oh oui, King.

Inez poussa son autre sein dans la bouche ouverte de King; son corps frémissant lui accordait la permission de les prendre tous les deux. Elle le repoussa ensuite afin d'écarter grand les jambes et elle se toucha par-dessus son slip.

— Regarde comme je suis bien lubrifiée, lui murmura-t-elle.

Il posa la main là où elle avait la sienne et sentit la chaleur à travers la soie mouillée. Elle le dirigea sous la bande élastique où, haletant tous deux, ils explorèrent ensemble la touffe humide et collante.

Lorsqu'elle retira ses doigts enduits de son propre liquide sirupeux et qu'elle les porta à sa bouche, il revit soudain Hannah qui avait fait la même chose ce fameux après-midi au studio. King arracha le slip d'Inez et s'apprêtait à la pénétrer quand, avant qu'il n'ait la chance de s'enfouir en elle, elle se déroba.

— Inez, je t'en prie, je te promets de ne pas te faire mal, gémit-il. Il était à genoux, les mains sur les hanches d'Inez, et il la suppliait de satisfaire son désir. Tout à coup, elle se trouvait là sous lui et approchait la bouche de manière à laper les gouttes argentées au bout de son sexe.

Elle lui sourit.

— Je sais que je te fais attendre, mais je veux que ce soit mémorable. Je t'en prie, l'implora-t-elle en l'attirant encore plus profondément dans sa gorge.

La pression lancinante de son sexe se faisait trop intense.

— Maintenant, Inez, *maintenant*!

Il la pénétra sans effort et sentit autour de lui ses muscles se contracter et se relâcher tour à tour à l'approche de son explosion, qui avait monté progressivement pour éclater avec une fureur à nulle autre comparable. C'était différent des scénarios de films érotiques qu'il avait tournés avec Margie et Hannah, de même que de ses amitiés sexuelles avec les danseuses. Il comprenait enfin ce que les copains entendaient par la vraie baise. Il baisait avec Inez, et s'il devait mourir à l'instant même où il jouissait au plus profond d'elle, il lui était bien égal de ne pas monter au paradis car il s'y trouvait déjà.

Plus tard, toujours allongé sur elle, il se demandait si elle raconterait à Devon ce qu'elle avait fait en cet après-midi neigeux et il espérait qu'elle revienne le faire encore. Il se demandait aussi comment diable une gosse de seize ans, pensionnaire à Westbridge, avait appris tout ce qu'Inez Hollister savait.

— Tu ne me prends pas pour une traînée, dis? Tu me respecte toujours, n'est-ce pas, King?

Te respecter? Tu es une véritable déesse du sexe, voulait-il lui répondre.

— Bien sûr que si. Je ne t'ai pas fait mal, au moins?

Elle s'approcha de lui et lui caressa les cuisses.

— Oh, non. C'était vraiment bien, dit-elle en enfouissant son visage dans la poitrine de King. J'aime bien quand tu le mets dans ma bouche. Tu es tellement... *énorme!*

Devon! Bon Dieu, il ne voulait pas penser à elle, mais il ne pouvait s'en empêcher. Il avait souhaité voir Devon, lui parler de théâtre. Or, c'était Inez qui se trouvait dans ses bras, et il aimait ce qu'elle lui disait.

Il faisait soudain très froid et le creux dans son estomac lui rappela qu'il n'avait pas mangé de la journée.

— Allez, sous les couvertures. On va manger notre pique-nique.

Il sortit un des sandwiches au fromage qu'elle avait préparés à la cuisine de Westbridge et lui en présenta la moitié.

Inez regardait droit devant elle sans s'occuper de lui.

— Il faut d'abord que je te dise pourquoi je ne suis plus vierge.

Il ne voulait pas le savoir. Il sortit du lit en essayant d'avaler le fromage en crème qui lui collait au palais, et ramassa sa chemise de flanelle sur le sol où il l'avait lancée.

— Au sujet de ce qui est arrivé avec mon père...

Elle parlait toujours. Ciel, pensa King, cette fille est une vraie pie. Le journal se trouvait sous sa chemise. Il voulait montrer la photo à Inez. *Hé regarde! Nous sommes célèbres*, voulait-il lui dire.

Cependant, il prêta attention à ce qu'elle disait alors. Quelque chose à propos de son père, et de sa peur, et du sang. Il laissa le journal où il se trouvait et grimpa dans son lit.

— Pauvre gosse.

C'était tout ce qu'il trouvait à dire.

Elle lui raconta presque tout, omettant le fait qu'elle avait eu un étrange contrôle sur ce père qui l'avait violée. Son récit terminé, elle appuya la tête sur ses genoux et se mit à sangloter.

— J'aurais dû être plus délicat avec toi, murmura King, ne sachant trop quoi dire d'autre.

— Oh, non. *Cette fois*, c'était différent. Tu me comprends? Nous nous aimons. Ce n'était pas comme avec *lui*, qui me prenait juste parce que j'étais là. Ce n'était pas comme ça du tout.

Mais si, justement.

Elle croqua à belles dents dans son sandwich.

— Je suis affamée. T'as du cola?

Sapristi, pensa King, cette fille est incroyable. Elle vient de me raconter une histoire tellement déprimante qu'en comparaison, on pourrait dire que *Stella Dallas* est une comédie. Et voilà qu'elle avait faim à présent.

On frappa à la porte.

— Merde. J'espère que c'est pas les flics. Quel âge as-tu, Inez?

— Dix-sept ans. Bientôt dix-huit.

Elle mentait. Il lui donna une bise sur le front.

— Allez, dépêche-toi, dit-il en sautant dans son pantalon. Je reviens tout de suite. Tu devrais voir si tes vêtements sont secs.

C'était le vieil homme à la toux tuberculeuse qui habitait l'appartement à l'avant.

— C'est pour toi.

Il montrait du pouce le téléphone dans l'entrée.

— J'en ai pour une minute, cria King.

Il savait qui c'était avant même de décrocher.

Devon venait de recevoir son message. Elle tortillait le fil du téléphone, tout à fait réjouie.

— Allô? dit-il.

— King, ici Devon. On vient tout juste de me remettre ton message. Je... je suis ravie d'avoir de tes nouvelles.

Il imaginait la voir sourire. Il sautillait sur place pour se réchauffer, souriant jusqu'aux oreilles comme Harpo Marx à la poursuite d'une blonde.

— C'est vrai? demanda-t-il.

— Oh oui! Je suis désolée de ne pas t'avoir rappelé plus tôt.

Il adorait son accent. Elle poursuivit :

— Je viens de rencontrer Roberta Stevens, celle à qui tu as parlé. Elle m'a dit qu'elle avait laissé une note à ma porte. Elle a dit aussi que c'était un garçon avec un drôle de nom qui m'avait téléphoné. Pourtant, lorsque je suis arrivée à ma chambre, la note avait disparu.

Elle riait.

— Tu trouves que j'ai un drôle de nom?

Encore ce magnifique rire saccadé.

— Oui. Ecoute, je suis navrée de t'avoir posé cette question idiote.

— Quelle question?

— Tu sais bien, je t'ai demandé si tu disais la vérité. Oh la la, ce que tu m'as répondu! Enfin, je le méritais. J'en parlais justement à May aujourd'hui...

— Ah, oui?

Elle avait parlé de lui! A May Fischoff. Il en était ravi. Il était ravi que c'était à May qu'elle avait parlé, que c'était avec May qu'elle était sortie aujourd'hui. Et il était ravi qu'au moment même où il lui téléphonait, elle était en train de parler de lui.

— Kismet! dit-il.

Cela veut dire le destin, lui avait dit Deauville. *Kismet* était un film que Deauville l'avait emmené voir de force et pendant lequel ce dernier n'avait cessé de bougonner parce qu'on s'était efforcé de donner à Howard Keel l'apparence d'un Noir. « Merde, avait dit Deauville, à chaque fois qu'il se présente un beau rôle pour un Noir, Hollywood le donne à un blanc tel que Howard Keel et le barbouille avec du maquillage couleur « égyptienne » de Max Factor. Sauf Paul Robeson. Ah, c'était loin d'être un ménestrel barbouillé celui-là. C'était un vrai de vrai, c'était la vérité qui vous prend à la gorge comme une arête de poisson. »

King ne connaissait pas Paul Robeson, mais la fille qu'il avait invitée au cinéma le connaissait, et c'était avec Deauville qu'elle était rentrée. King ayant rencontré Deauville le lendemain, ce dernier sourit à belles dents et dit que la fille faisait honneur à sa race.

— Que dis-tu?, lui demanda Devon.

— Oh, rien. Je disais *Kismet*. Tu sais, le destin. Qu'as-tu dit à May?

— Ce que tu m'as dit au sujet de la vérité; qu'il n'existe rien d'autre pour un acteur. Je suis d'accord avec toi. Je n'y avais jamais réfléchi auparavant.

— Tu connais l'Atelier?

— Oui, évidemment. Si j'avais du culot, je leur demanderais une entrevue.

— On dit passer une audition, la corrigea King. Je pourrais peut-être t'aider. Nous pourrions répéter ensemble si tu veux. Je dois moi-même passer une audition sous peu. Tu connais Avery Calder?

— L'écrivain?

— Le dramaturge. Je l'ai rencontré hier soir. Il veut me faire auditionner. Il dit que si j'ai le talent que je prétends avoir, il me facilitera l'entrée à l'Atelier. Il m'a dit que Gilda pourrait me recommander, elle aussi.

— Mince, alors!

— Ah oui! J'oubliais. Tu as vu le *News* aujourd'hui? Notre photo y paraît. C'est pour ça que je t'ai appelée.

— Sans blague! Ah, il faudra que je dise ça à May et à Inez. Elles en seront complètement ébahies! Je me demande si Inez est au courant.

— Devon, attends...

Je ne sais pas où diable elle est passée. Je ne l'ai pas vue depuis le matin. J'espère qu'il ne lui est rien arrivé.

— Elle va bien.

Il n'avait pas le choix. Il ne lui mentirait pas.

— Oh, j'en suis convaincue. Elle est sans doute à la bibliothèque.

— Devon, Inez est chez moi.

Silence.

Pour ce qui parut une éternité.

King l'entendait respirer.

— Je suis désolée, dit-elle en raccrochant.

King replaça le récepteur et appuya la tête sur la boîte métallique du téléphone. Il regarda la porte de son appartement et aperçut Inez debout dans l'embrasure, une couverture sur les épaules. Merde! Il aurait dû savoir qu'il se fourrait dans un pétrin. Quel imbécile!

— Salut, dit-elle. Tu me manquais. Tu ne m'en veux pas, dis?

— Tu n'as pas froid?

Elle fit signe que oui.

— Je craignais que tu m'aies laissée.

— Mais non, dit-il, soudain las et déprimé. Je ne ferais pas une chose pareille.

C'était son premier mensonge. Car, bien que King n'avait pas laissé Inez, il aurait voulu le faire. Il voulait la rhabiller, la conduire à la gare, et la renvoyer au Connecticut. Il ne croyait pas la revoir. Pas à ce moment-là, pas dix minutes après avoir commis la plus magistrale erreur de sa vie en avouant la pure vérité à la Texane.

Il suivit Inez dans le minable trou qui lui servait de demeure et ce qui arriva ensuite, sa réaction surtout, resta pour lui un mystère. Elle se retourna, les bras ouverts, et l'attira au lit sous la couverture. Il rendit les armes. Par colère ou par déception, il l'ignorait. Mais c'était Devon, la belle Devon qui était au fond de toute cette histoire. Il étreignit Inez et la serra si fort qu'il lui meurtrissait les côtes. Elle protesta et tenta de se dégager pour reprendre son souffle; King refusa de lâcher prise. Parbleu, c'était en partie à cause d'elle qu'il était dans ce pétrin, elle allait devoir l'accepter. Il la traîna par terre, sortit son sexe bandé de son pantalon, leva brusquement les jambes d'Inez sur ses épaules et la pénétra sans plus de préambule. Inez poussa quelques gémissements et lorsqu'elle fut sur le point de crier, King braqua sa bouche contre la sienne, dents contre dents; il trouva brutalement son plaisir.

140

Cette fois, King ne se donna pas la peine de lui faire des excuses. Il ne cherchait pas d'excuse lui-même. En route pour la gare, il se trouvait dans un état de torpeur préférable à la colère. Il gardait les mains plongées dans les poches de son blouson de cuir et les épaules courbées contre le froid. Il regardait ses grosses bottes fouler résolument la neige fondante et grisâtre.

A côté de lui, Inez grelottait en silence et lui lançait des regards obliques; l'inquiétude aussi bien que le vent remplissait ses yeux de larmes. Elle lui tenait le bras à deux mains, comme le ferait une orpheline à Noël de peur qu'on ne lui retire son présent pour l'offrir à un autre enfant. Après qu'elle eût acheté son billet, il l'accompagna jusqu'au tourniquet.

— Bon, eh ben, salut, lui dit-il.

— Quand vais-je te revoir? Je peux revenir la semaine prochaine?

Il haussa les épaules et secoua la tête, étonné de tant de ténacité. Cette garce avait du culot.

— Je te téléphonerai, lui mentit King.

Le week-end suivant, après avoir parlé à Deauville de cette fille qui ne se rassasiait pas de son gros rouleau à pâte, après lui avoir dit : « Il faut voir ça, Deau; elle ne ferait qu'une bouchée de toi, mon vieux », King téléphona à Westbridge. Il demanda à celle qui avait décroché de laisser un message à Inez Hollister disant que King l'attendait le dimanche.

Etait-il raisonnable de penser que Devon Barnes aurait pu répondre? Lui aurait-il avoué qu'il avait baisé avec sa copine mais que c'était d'elle dont il était amoureux?

Des années plus tard, King devait constater qu'il s'était servi d'Inez pour se rapprocher de Devon. Il savait que Devon ne fréquenterait jamais un type qui avait couché avec sa copine. Or, si Inez devenait sa petite amie, il pourrait dire à Devon Barnes : « Hé, tu te souviens, je t'ai promis de t'aider à préparer ton audition pour l'Atelier. Viens à New York, je te ferai répéter quelques scènes. »

Plus il songeait à la façon dont Inez l'avait embrassé et touché, plus il se demandait ce qu'ils pourraient faire d'autre ensemble. C'était donc pour Inez qu'il avait laissé un message.

Evidemment, elle était venue ce dimanche-là, et le suivant. Par la suite, elle arrivait en fin d'après-midi le samedi et passait la nuit. Plus tard, elle arrivait parfois après son dernier cours du vendredi. A l'occasion, il ne pouvait pas la voir. Ou bien Avery l'avait invité au théâtre, ou bien Gilda voulait se faire accompagner à une soirée. Inez ne demandait jamais à le suivre et King ne lui en faisait jamais la suggestion, pas même lorsque Patrick Wainwright lui demanda s'il connaissait une belle fille discrète qui pourrait se joindre à eux, question d'équilibrer les choses.

— Ne t'en fais pas, disait Inez. Je t'attendrai chez toi. Je serai là à ton retour.

Elle devint une habitude. Il aimait bien, après tout, savoir qu'elle l'attendait. C'était agréable de lui raconter ce qu'Avery venait de lui apprendre sur la structure d'une pièce, ou comment il se sentait après que Dorothy Kilgallen l'eût confondu pour le petit ami de Gilda. Il lui racontait comment les fans criaient : « Oh, le voilà, c'est King Godwin! Oh, King, King! » Inez était bonne confidente. Il trouvait réconfortant de savoir que lorsqu'il rentrait, encore imprégné de la présence de Gilda et de la sexualité entre elle et Patrick, Inez l'attendait. Elle lisait, les genoux pliés afin de lui faire constater qu'elle ne portait rien d'autre que le T-shirt de Brando, lequel d'ailleurs était sur elle plus sexy que toute autre chemise de nuit en dentelle.

Il bandait avant même d'avoir franchi la porte. Parfois, il lui disait simplement bonsoir, et se perdait en elle après lui avoir retiré ses vêtements et l'avoir renversée sur le lit. Le plus souvent, il attendait de voir quel nouveau jeu, quelle nouvelle position Inez avait inventés. Après quelques mois, il se décida enfin à lui demander où elle avait appris à faire l'amour par l'arrière, à croquer des glaçons avant de le prendre dans sa bouche, ou à lui attacher les poignets comme un prisonnier afin de le tourmenter jusqu'à ce qu'il demande grâce.

— Je suis écrivain, King, lui répondit-elle d'un ton qui laissait comprendre que cela aurait dû être évident. Il suffit d'avoir de l'imagination.

— Embrasse-moi *là*, avait-elle dit à sa troisième visite. Car elle ne parvenait à l'orgasme que s'il lui tenait d'abord les jambes écartées et jouait de la langue jusqu'à ce qu'elle soit lubrifiée et grogne de plaisir. Il avait cessé de raconter à Deau quelle fantastique baiseuse elle était. Il estimait en effet que maintenant qu'ils formaient un couple, il serait déloyal de tenir ce genre de discussions.

Un certain dimanche, ils venaient de prendre un petit déjeuner tardif et ne s'étaient pas encore habillés. Inez était assise sur la table de la cuisine, les jambes pendantes.

— Tu veux un dessert? lui demanda-t-elle.

Elle saisit une banane laissée à mûrir dans un bol.

— Mange-la, toi, dit King. Je n'ai plus faim.

Inez se mit à rire.

— Regarde-moi.

Après avoir coupé la banane en deux, elle en fit une purée dans une assiette qu'elle approcha ensuite du bord de la table.

— Viens t'amuser, dit-elle en prenant la purée avec ses doigts pour l'enfouir en elle, laissant King glisser les doigts sur son orifice ainsi enduit. Tu vois? C'est une surprise à la banane!

King était complètement fou. Avant de la pénétrer, il lécha toute la purée dont ils avaient tous deux enduit la vulve d'Inez. Au moment où il glissait en elle, lubrifiée tant de son jus que de la pulpe de banane, et avant de s'enfoncer avec une violence qui la soulevait de la table, il ne put s'empêcher de songer qu'il devait raconter ça à Deau.

Un soir, il se décida enfin à présenter Inez à Deauville, et ils firent tous trois la tournée des grands-ducs. Deauville connaissait les petits bars de Greenwich, ces sous-sols aux murs de brique où certains des plus talentueux musiciens au monde jouaient du jazz après la fermeture. Ils burent du whisky d'un flacon dissimulé dans le sac d'Inez, car ils ne pouvaient se payer le luxe des consommations diluées qu'on servait au Half Note ou au Vanguard. Ils s'arrêtèrent à un bar de pédés appelé Lenny's Hideway et montèrent avec deux d'entre eux à l'arrière d'un camion de lait pour rentrer. A cinq heures du matin, ils fumèrent un joint en compagnie d'un maigre saxophoniste du groupe de Count Basie qu'ils avaient rencontré à la porte du Birdland.

Alors que le soleil commençait à s'infiltrer par les volets brisés, ils s'endormirent ensemble, étendus pêle-mêle sur le lit de Deauville, comme des poupées abandonnées. Les disques de Lee Wiley tournaient encore sur le nouvel appareil stéréo de Deauville. Epuisés, ils s'étaient affaissés tous trois tandis que Lee Wiley chantait de sa voix usée *Livin' for you is easy livin'*. En se réveillant plus tard, King surprit la main noire de Deauville qui caressait le derrière rose d'Inez. Il s'efforça de sourire.

— Holà! dit-il à voix basse.

— Ça t'ennuie, mon vieux? fit Deau en retirant sa grosse main qu'il laissa un instant grand ouverte dans les airs. Bon, j'ai compris. Je ne savais pas que tu tenais à elle.

Ce n'était pas le cas. Cependant, King était maintenant tellement certain des sentiments d'Inez qu'il lui disait d'appeler Deauville s'il devait sortir en compagnie d'Avery ou de Gilda, afin qu'elle se sente moins seule. C'est ainsi qu'elle fit la connaissance des acteurs de Broadway qui se réunissaient chez Downey's. Deau l'invitait dans les cafés préférés des musiciens dans Bleecker Street, et c'est au Birdland qu'il initia la jeune fille au jazz. Une fois, il lui avait demandé pourquoi elle ne rendait jamais visite à ses parents à Brooklyn. D'après lui, ce n'était pas si loin.

— Le pont de Brooklyn pourrait aussi bien être celui de San Luis Rey, lui répondit-elle. Ce sont deux mondes différents. Et j'ai trouvé celui où je veux vivre.

Un week-end, King conduisit Avery Calder à Philadelphie pour une représentation de la nouvelle pièce de Bill Inge. Inez en profita pour inviter May et Devon en ville et elle les présenta à Deauville. Au retour de King tard le samedi, Inez lui annonça que son meilleur ami avait eu le béguin pour Devon.

— Deauville l'a invitée à l'Atelier pour voir la pièce que vous répétez tous les deux. Elle sera là la semaine prochaine. C'est super, non? Nous pourrons sortir à quatre.

King resta muet.

— Qu'est-ce qui t'arrive? Tu n'as pas l'air dans ton assiette!

— Je me sens mal, répondit-il. C'est le mal de voiture. Le voyage a été long.

Il alla en titubant jusqu'à la cuisine où il arriva de justesse à la cuve.

La situation avait tout pour être parfaite. Avery avait écrit pour lui une flatteuse lettre de recommandation.

— Tennessee disait qu'il se fiait toujours à la bonté des étrangers, avait dit Avery de sa voix traînante. Mais dans ce métier, mon garçon, il n'y a aucun mal à se fier à la bonté de ses amis.

King et Avery étaient effectivement de très bons amis à présent. Avery lui avait appris à jouer au bridge, à décortiquer un homard en trente secondes, et à préparer le meilleur des martinis. Il lui avait proposé des auteurs à lire : Genet, Beckett, Tchekhov. Il l'avait initié aux géants de Broadway, ceux dont King avait seulement entendu parler : Elia Kazan, William Inge, Josh Logan.

Avery entretenait des jeunes garçons dans dix Etats, mais King n'était pas un de ceux-là. Depuis la première nuit, il n'y avait eu entre eux aucun contact physique. Chez Sardi's, lorsque les friands de racontars et de scandales leur lançaient des regards sceptiques en échangeant des sourires entendus, Avery disait simplement : « Les charognards sont nombreux ce soir. Voilà maintenant des années qu'ils me dévorent le cœur. Souris, mon petit. Donnons-leur de quoi se régaler. »

Il s'était aussi présenté une autre chose assez formidable. King était en effet candidat pour un rôle dans une des nouvelles pièces d'Avery Calder; il aurait ainsi la chance de la présenter à l'Atelier. Gilda, qui n'avait jamais vu King jouer, téléphona donc à Serge Malinkov et à Denise Auerbach, les directeurs de l'Atelier qui avaient assisté aux débuts des Brando, Clift et Jimmy Dean. Elle les informa que King Godwin possédait un talent naturel remarquable.

King était étonné que Gilda Greenway se fût donné la peine de faire ça.

— Ça sert à quoi, des amis, alors? lui demanda-t-elle. Tu sauras toujours assez tôt qui sont tes ennemis, va!

King se préparait d'arrache-pied pour l'audition. Il répétait une scène d'une nouvelle pièce qu'Avery n'avait encore montrée à personne et qui s'intitulait *A Day in the Quarter*. C'était l'histoire d'un vétéran manchot qui gagnait sa vie comme pickpocket dans le Vieux Carré. Au moment où la pièce était présentée pour la première fois en super-production, au printemps de 1957, le titre avait été modifié. C'était devenu *Barracks Street Blues* et la pièce faisait de King Godwin une vedette. Avery insistait toujours gentiment que ce n'était pas son texte qui en assurait le succès, mais le fait qu'on avait choisi le bon comédien pour un rôle qui lui convenait.

Avant que ne débutent les répétitions de *Barracks Street Blues*, le rôle que Deauville avait répété avec King à l'Atelier, c'est-à-dire celui d'un marin noir qui rencontre le héros dans un bar de la Nouvelle-Orléans, avait été remplacé par celui d'une putain blanche. Avery avait supplié King de faire comprendre à Deauville Tolin que les amis du dramaturge, son agent, et même les producteurs avaient insisté pour que soit retirée toute allusion homosexuelle.

— J'ai déjà assez de problèmes, s'était lamenté Avery. Le dramaturge avait longuement examiné King et ses solides muscles sous l'uniforme de l'armée qu'il portait pour ce rôle, et il avait admiré son rouleau bandé contre sa braguette kaki.

Avery avait décidé de présenter la pièce off-Broadway dans un théâtre de Sheridan Square. Le soir de la première, Devon Barnes avait pris place à côté de Deauville; elle entendit son soupir de résignation comme l'actrice qui jouait la putain faisait son entrée en scène. Elle vit Deauville baisser la tête et se couvrir les yeux. Plus tard, il se levait pour applaudir chaleureusement avec les autres spectateurs le jeu électrisant de King Godwin. Il poussa Devon du coude et lui fit remarquer le sourire de Walter Kerr.

— L'avenir de King est assuré, dit-il à voix basse.

Bien que la chance lui avait échappé, il applaudissait quand même avec un sourire radieux cette émouvante pièce et le succès de son ami. Devon aperçut des larmes sur le visage de Deauville et en éprouva un trouble profond, un doux frémissement semblable à celui d'un lapin se retournant dans sa garenne.

Après la représentation, Gilda donna une réception en l'honneur de King et d'Avery, et les critiques élogieuses justifiaient qu'on sable le champagne. Après leur entrée en trombe chez Sardi's, premières éditions en main, Inez trouva sans tarder la critique du *Times*.

— Ecoutez ce qu'on écrit, annonça-t-elle. « Hier soir, monsieur Avery Calder nous présentait sa nouvelle pièce. Il se peut que l'on joue le blues ce matin dans Barracks Street, mais la seule musique que j'entends d'ici, c'est le clairon de la victoire! » Monsieur Calder, est-ce là un commentaire typique de la part du *Times*?

— Jamais de la vie, s'exclama Avery en ouvrant une autre bouteille de Dom Pérignon.

— Ecoutez ce qu'en dit Walter Kerr, ajouta May en brandissant le *Herald Tribune*. Il écrit : « Si *Barracks Street Blues* ne consacre pas Kingston Godwin vedette de plein droit, il n'y a pas de justice. »

— Je veux bien lever mon verre à ça, affirma King qui l'avait d'ailleurs déjà fait.

Tandis que la foule élégante couronnait le nouveau membre de la royauté théâtrale, Devon Barnes se trouvait dans Jones Street, au lit avec Deauville Tolin. Si elle l'apprenait, sa grand-mère au Texas en mourrait. Elle disait souvent, au sujet des fréquentations entre blancs et nègres : « Je me moque de ce qu'on en dit ailleurs, ma petite-fille, mais ici, on dit que c'est *mal*. » N'empêche que cette nuit-là, Devon offrait à un autre ce que King avait tant souhaité, c'est-à-dire son innocence et son amour.

Elle savait que quelque part dans la vallée de San Joachin, dans le sol brûlé par le soleil de Californie, son père la comprenait.

9

Le 26 décembre 1979

— Ça me rappelle le bon vieux temps, dit Billy Buck.
— Vraiment?

Il jeta un regard oblique à Devon. Son visage se profilait dans la lumière éclatante du soleil. Ils filaient sur le Pacific Coast Highway dans la XKE de Billy.

— Tu es très belle, dit-il, les yeux dans le rétroviseur. Je ne sais pas à quoi je m'attendais. A Margo, de Shangri-la, je crois bien. Tu connais? C'est le syndrome des « Horizons perdus ». Une fois que tu quittes le pays du lotus, tu es censé te transformer en vieux pruneau, devenir un second Sam Jaffe.

Il espérait la faire rire. Il souhaitait entendre son rire ridicule, bien qu'il se contenterait d'un simple sourire.

— Je pensais que tu aurais changé. Enfin, j'espérais que tu avais changé. Mais, chère dame, tu as près de quarante ans et tu es plus belle que jamais.

Devon était peu loquace et fixait des yeux l'océan Pacifique au-delà du quai de Santa Monica. Elle n'avait pas dit grand-chose depuis qu'il l'avait sauvée de la chapelle.

— Je n'ai rien au programme cet après-midi. Tu pourras tout me raconter en prenant le temps qu'il faudra.

— Non, je ne peux pas, répondit Devon. On m'attend. Et il faut que je parle à King.

— Ne me dis pas que tu es toujours amoureuse de lui!

Devon paraissait foudroyée.

— Hé! Je te taquine, précisa Billy.

Il tendit le bras et posa la main sur celle de Devon. Il ne s'attendait pas à ce qu'elle la porte à son cœur.

Billy Buck était ému de ce geste, car c'était justement ce que Gilda aurait fait.

— Diable, tu me fais penser à elle, dit-il. A ce qu'elle était avant de tourner *Cobra*, quand elle avait encore besoin des gens.

Devon se raidit. Relâchant la main de Billy, elle reporta à nouveau son regard sur l'océan.

— Elle a toujours eu besoin des gens, jusqu'à la fin.

— Je sais. Ce n'est pas facile pour toi. Je sais combien tu l'aimais...

Elle lui coupa la parole.

— Savais-tu qu'Inez a déjà habité par ici? lui dit-elle comme ils approchaient de Venice. A son arrivée en Californie, autrefois, elle habitait quelque part près d'ici.

Billy remarqua une fille aux pieds nus perchée sur une moto. La gosse venait d'aspirer de la coke.

Voilà où en sont les choses, pensa-t-il en regardant la jeune droguée; il songeait à la bataille perdue d'avance qu'Inez livrait à l'alcool et à la drogue. C'est toujours la même histoire.

— Pauvre Inez, dit Devon.

— On peut dire bien des choses d'Inez Godwin, mais peut-on la traiter de pauvre?

— Tu te souviens de Deauville, Billy?

Il lui fallut un moment. Il essayait de se rappeler si Devon avait vécu à Deauville, ou alors si elle avait tourné un film là-bas lors de son premier exil lorsqu'elle s'était enfuie en France. Finalement, il reconnut le nom.

— Deauville Tolin? C'est avec lui que tu étais depuis deux ans?

— C'est ce que tu penses?

— Je ne pense jamais ici. C'est pour cette raison que j'ai un pied-à-terre à New York.

— Je pensais justement à lui, à ce temps-là, dit-elle de son accent aujourd'hui célèbre. L'année après le lycée, Inez est venue ici et May est allée à l'université de Chicago. Moi, j'habitais à Greenwich avec Deauville et nous étions à l'Atelier ensemble.

— Et King?

— Il y était lui aussi. Je connais des gens qui croient encore aujourd'hui que c'est de là que lui vient son nom. Parce qu'il était une sorte de roi, pour ainsi dire. On n'avait jamais vu personne qui lui ressemblait. Il avait une allure qui lui était propre, et des cheveux blonds toujours défaits, et des manières discrètes. Il était embarrassé d'avoir encore un peu l'accent du sud, alors il avait pris l'habitude de marmonner et penchait la tête en parlant. On aurait dit qu'il avait la bouche pleine. En peu de temps, il y avait eu à l'Atelier une épidémie de jeunes marmonneurs aux cheveux défaits et en blouson de cuir. Billy, il était tellement doué. Tout le monde croyait que c'était Avery qui lui avait ouvert les portes et que King abusait de lui...

— Ils avaient tort? lui demanda Billy d'une voix cynique.

— Evidemment. King adorait Avery. Il le vénérait. Et il travaillait sans relâche. Partout là où il allait, il observait les gens, imitait leurs gestes, leur voix, leur démarche. Il arrivait parfois chez Deauville à l'heure du dîner avec un nouveau scénario arraché de la machine à écrire d'Avery. C'était avant que Deauville et moi ne vivions ensemble. Avant qu'Avery n'écrive le rôle de Deauville dans *Barracks Street Blues*. Je me souviens que King forçait Deauville à se lever de table pour lire le scénario avec lui. Peu importe si nous étions chez Deauville ou au Café Figaro ou à l'Automat. Ou encore, il téléphonait à l'aube depuis un de ces cinémas ouverts toute la nuit où il venait de voir pour la première fois un certain film qui l'avait impressionné. Nous devions alors faire un effort pour ne pas nous rendormir tandis qu'il nous faisait l'analyse de l'intrigue.

— Au printemps de cette année-là, après que *Barracks* eût pris l'affiche en ville, Deauville et moi vivions ensemble et c'est à cette époque qu'Inez a commencé à nous téléphoner au milieu de la nuit. Dans le temps, elle étudiait à Bennington où elle avait gagné une bourse. May était déjà à Chicago. Et moi, j'étais fauchée à Greenwich, et j'apprenais à faire de l'expresso et à porter quatre assiettes à la fois tout en marchant d'un pas funeste.

— Toi, funeste? Je n'en crois rien.

Elle lui adressa un faible sourire.

— C'était en 1957, à l'époque des beatniks et des bongos. Or, j'étais actrice. Avoir l'air lugubre faisait partie du jeu. Je me donnais donc un air lugubre et je déambulais d'une table à l'autre, tout de noir vêtue. Occupée comme je l'étais à suivre les cours de l'Atelier, à servir l'expresso au Figaro, à courir les séances de poésie ou les jams de jazz avec Deauville, j'arrivais à peine à dormir trois heures par nuit. Et c'était toujours lorsque j'étais le plus crevée qu'Inez téléphonait. Elle appelait d'abord chez King, et s'il n'y était pas, elle téléphonait chez nous. Si je lui disais ne pas savoir où se trouvait King, elle descendait parfois du Vermont en train et frappait à notre porte au moment même où nous sortions. Elle avait les yeux rouges d'épuisement et d'inquiétude.

— Ou de vodka et de Ritalin.

— Non, pas à cette époque. Elle fumait parfois un joint avec King et Deau, mais elle s'en tenait à ça. J'ai mis quelque temps à comprendre pourquoi c'était à moi qu'elle téléphonait toujours comme ça. Pourquoi c'était toujours chez nous qu'elle rappliquait, exténuée et les yeux hagards.

— Elle voulait s'assurer que King n'était pas dans ton lit.

— Les journalistes sont si perspicaces!

— Ça fait partie du jeu.

— Deauville s'en était rendu compte avant moi.

Venice était loin derrière eux, maintenant.

— Comment se fait-il qu'Inez soit venue ici, à Venice, plutôt qu'ailleurs?

— Gilda lui avait demandé de venir en Californie. Tu comprends, Avery se préparait à transférer *Barracks* à Broadway. C'était l'été, et sans études pour l'occuper, Inez était dans les jambes de tout le monde. Elle traînait au théâtre ou à l'Atelier. Elle téléphonait à King vingt fois par jour. Il la plaquait, alors elle chantait à tout le monde qu'elle était désemparée, qu'ils ne comprenaient pas à quel point elle était amoureuse de lui. Elle faisait peur aux gens. Serge Malinkov était arrivé en trombe chez nous un soir qu'Inez s'y trouvait. Elle venait de lui téléphoner pour lui annoncer qu'elle avait avalé une overdose! Il avait dû menacer de renvoyer King de l'Atelier.

— Ils se raccordaient toujours, pourtant. Leurs retrouvailles étaient toujours dramatiques, après quoi ils se promenaient dans Bleeker Street, main dans la main, et les passants les applaudissaient presque. Mais toutes ces histoires rendaient la vie difficile à King. Finalement, Avery avait obtenu que Gilda fasse venir Inez ici.

— Et elle est partie? Comme ça?

— Il était question qu'elle retouche un scénario pour Gilda, ou qu'elle en écrive un, je ne me rappelle plus au juste.

Devon resta songeuse un instant. Elle détourna la tête encore une fois.

— Pouvait-on refuser quoi que ce soit à Gilda?

Billy fut surpris de constater chez elle tant d'amertume. C'était peut-être sa façon d'exprimer son chagrin face à la perte d'un être cher. La réapparition soudaine de Devon aux funérailles, après une absence de deux ans, était sans contredit la preuve de son incontestable dévouement à l'égard de Gilda.

Billy n'arrivait pourtant pas à effacer de son esprit ces troublantes questions. Où était-elle depuis deux ans? Qu'avait-elle fait? Comment avait-elle appris le décès de Gilda?

10

Au volant de sa voiture, le détective Biggs quittait le quartier général de la police de West Los Angeles, avenue Butler, en direction de Coldwater Canyon où il emprunta la petite rue qui menait aux Perles, le fabuleux domaine de Gilda Greenway.

A l'entrée, il regarda s'ouvrir la grille commandée par un œil électronique. Quel mauvais système de protection, se dit-il en lui-même. Si mademoiselle Greenway tenait tant à sa sécurité, où donc se trouvait le gardien? Biggs se souvint alors qu'on était le lendemain de Noël. L'actrice avait dû lui accorder quelques jours de congé. La Plymouth grimpa la tortueuse entrée que plongeait dans l'ombre une voûte de magnolias.

Il arrêta la voiture devant la demeure et examina le domaine pour la première fois à la lumière du jour.

C'était un fameux repaire de star!

La demeure, complètement entourée de haies soigneusement entretenues, le surplombait de ses trois étages. Ciel! pensa-t-il, on se croirait dans un film de Selznick.

Sous les colonnes, dans une entrée en retrait, deux portes blanches en bois magnifiquement sculpté arboraient chacune un marteau de porte en laiton formant les initiales « G.G. » Une lanterne de verre taillé se balançait doucement au vent, au bout d'une solide chaîne de laiton.

Biggs porta son regard dans la direction opposée.

Par-delà sa voiture, l'entrée en forme de fer à cheval longeait les deux côtés d'une longue colline qui rejoignait la rue plus bas. Depuis le haut de l'entrée devant la maison, le lieutenant ne pouvait apercevoir ni la grille d'accès, ni celle de sortie. Si King Godwin était arrivé immédiatement après le meurtre, il était possible que le meurtrier ait entendu sa voiture ou aperçu ses phares dans l'allée et se soit enfui. Le meurtrier pouvait facilement descendre l'allée de sortie sans que King ne le voie ni ne l'entende.

Ce n'était qu'une supposition. Biggs attendrait le rapport du médecin légiste pour connaître l'heure exacte du décès.

Il revint à la demeure. L'entrée était scellée au moyen d'un ruban gommé qui couvrait la fente entre les deux portes. On pouvait y lire ceci : « Scellés des services judiciaires, Commissariat de Los Angeles. Défense d'ouvrir. Accès interdit. »

Biggs sortit de sa poche le porte-clés Gucci trouvé dans le sac de Gilda Greenway la nuit du crime.

Après en avoir choisi une qui paraissait être la bonne, il l'introduisit dans la serrure et entendit quelques petits bruits secs à l'intérieur du tambour. Un instant plus tard, il sentait tourner la clé. Il ouvrit la porte et s'avança. Il ne voyait aucun fil. Pour une femme qui craignait les intrus, Gilda avait chez elle un dispositif d'alarme conçu dans les années quarante. Cette femme était cousue d'argent, et pourtant, sa résidence était encore munie d'un système archaïque probablement installé lors de la construction de la maison.

Le silence était imposant et aurait pu en effrayer un autre. Mais pas Biggs. Il était ravi d'avoir l'occasion de circuler librement sans être observé, de pouvoir chercher un indice que les autres n'avaient peut-être pas remarqué. Comme, par exemple, une marque, un ongle, *n'importe quoi*.

Il examina attentivement le hall d'entrée qui n'était pas loin d'avoir les mêmes dimensions que son propre appartement. Il était vraiment impressionné. De chaque côté de l'entrée se trouvaient deux escaliers aussi élaborés et grandioses que ceux qu'il avait vus dans *Autant en emporte le vent*. Il s'attendait qu'à tout moment, Butterfly McQueen descendrait en s'écriant : « Mam'zelle Scarlett, j'sais pas du tout comment mettre un bébé au monde, moi! »

Vivre dans un château pareil requiérait une immense fortune. Au centre du plafond, un magnifique lustre en cristal à sept étages répandait une mer de couleurs prismatiques provenant du rayon de lumière que laissait pénétrer une petite fenêtre haut sur le mur au-dessus de la porte. Le lustre était sans doute conçu précisément pour capter ainsi la lumière, se dit Biggs. Etonnant comme ces anciennes vedettes pensaient à tout!

L'autre nuit, lors de sa première visite, Biggs était préoccupé par le crime et n'avait pas porté attention à l'endroit où il se trouvait. Aujourd'hui, il en était renversé. Depuis des années, c'était un admirateur de Gilda Greenway. Il avait vu presque tous ses films dès leur sortie, et il les revoyait aussi souvent que possible au cinéma de fin de soirée à la télé. Comme bien des hommes, il avait aimé cette femme en rêves par la magie de l'écran géant.

Or, voilà qu'il était à présent chez elle. Il se retrouvait seul avec le fantôme de Gilda qui l'enveloppait de silence. Il avait l'impression de se trouver à la place de Martin Balsam dans *Psycho*; un homme prudent mais déterminé. Il s'avança jusqu'à la salle de séjour attenant au hall d'entrée. Ici, un ruban de plastique rouge était attaché aux deux côtés de l'arche d'accès et portait un avis où se répétaient les mêmes mots qu'à la porte principale. Biggs enjamba le ruban et se retrouva sur le lieu du crime.

Il sortit un paquet de Camels. Malgré les avertissements répétés de son épouse, il en fumait quatre paquets par jour. Il avait tout essayé : l'hypnose, l'acuponcture et les carottes crues. Depuis quelque temps, il avait toujours de la gomme à mâcher dans ses poches. Au grand désagrément de son épouse et de ses collègues, il avait en effet pris la mauvaise habitude de mâcher en même temps qu'il fumait.

De chaque côté du foyer, deux identiques chaises longues blanches se faisaient face. Un canapé de velours de soie bleu violet était disposé devant la cheminée. Une table à café en ronce de noyer complétait l'arrangement. La chaise longue où on avait trouvé Gilda Greenway était tachée de brun foncé; on aurait dit du chocolat. C'était une tache d'environ vingt centimètres de diamètre, au milieu de laquelle il y avait un trou minuscule à peine perceptible.

Biggs examina les environs immédiats de l'endroit où on avait trouvé le corps. Une fine poudre noire ayant servi à relever les empreintes digitales recouvrait les meubles et conférait à la pièce un aspect morbide. A côté de la chaise longue, l'arbre de Noël commençait à se dessécher et perdait ses aiguilles sur un amoncellement de présents aux emballages aussi colorés qu'extravagants.

Biggs pensa encore une fois au vol comme mobile du crime. Or, son instinct, seul véritable indice auquel un policier puisse se fier, le contredisait. D'ailleurs, rien n'avait disparu. On n'avait touché à aucun des bijoux que Gilda affichait avec tant de flamboyance le soir de son décès. Il n'y avait aucun signe d'entrée par effraction. Aucun signe de lutte non plus. Non, se disait Biggs en regardant autour de lui. C'était un acte prémédité. Il y avait une raison à ce meurtre, mais laquelle?

Il s'éloigna de la chaise longue et s'approcha de l'imposant Steinway devant les deux grandes fenêtres. De nombreuses photos dans leurs cadres décoratifs étaient disposées l'une à côté de l'autre sur le piano. Biggs reconnut plusieurs personnalités, notamment Elizabeth Taylor, John Wayne, Ronald Reagan, Lucille Ball, Joan Crawford, Lana Turner et Deborah Kerr. La plupart y avaient inscrit quelques mots : « A la reine de Hollywood... » « A Gilda,

153

sans qui je n'aurais jamais réussi... » « Puisse notre amitié durer encore de nombreuses années. Joyeux Noël... »

Biggs remarqua une photo couleur de Billy Buck.

Le célèbre chroniqueur des vedettes.

Il portait un costume blanc, une chemise blanche et une cravate rose clair, et il avait au poignet un bracelet en or de Cartier. Il arborait son fameux sourire à fossettes. On pouvait y lire l'inscription suivante : « A une rose parmi les épines, avec mon éternelle admiration, Billy. »

Le jour de Noël, avant de se rendre à la morgue, Biggs s'était présenté chez Billy à Bel Air, le sortant de son sommeil à sept heures du matin. Billy savait mieux que quiconque ce que Gilda avait fait la veille. Billy et elle étaient aussi proches qu'un journaliste et une vedette peuvent l'être sans éveiller les soupçons.

Encore endormi, Billy Buck était venu lui ouvrir en robe de chambre pied-de-poule.

— Vous ne trouvez pas que c'est un peu tôt pour célébrer, lieutenant?

— Gilda Greenway est morte.

Billy avait ouvert grand les yeux, le cœur palpitant.

— Vous voulez rire! Je n'en crois rien. C'est une mauvaise blague, ou quoi?

Biggs avait hoché la tête, ayant lui-même peine à le croire.

— On l'a assassinée, Billy. Tard hier soir.

Billy avait dû prendre appui sur la porte; il était assommé. Il avait enfin invité Biggs à entrer. Le policier l'avait suivi à l'arrière de la maison.

Un soleil éclatant inondait la cuisine aux carreaux de terre cuite. Billy avait décroché deux tasses aux sigles respectifs de la Twentieth Century Fox et de la Columbia; il avait mis deux cuillerées de café dans la cafetière, et rempli le pot à crème.

Chacun réagit différemment aux nouvelles, avait pensé Biggs. Surtout à de si mauvaises nouvelles. Certains demeurent calmes, comme King Godwin; d'autres se taisent et restent figés, atteignant même parfois un état catatonique; d'autres encore se mettent à bouger, à s'occuper, pour éviter de s'arrêter à la triste et inévitable vérité.

— Billy, avait dit Biggs tandis que l'autre préparait le café. Je dois te poser quelques questions. Il faut que tu nous aides. On a tiré sur elle.

Billy en était abasourdi.

C'était un cauchemar.

C'était le matin de Noël!

Billy savait que Gilda avait cessé toute relation avec un tas de gens depuis un an ou deux, en particulier avec les quatre fans. Oh, comme bien d'autres à Hollywood, elle avait bien sûr un ennemi ici ou là. Mais personne ne la détestait au point de la faire disparaître.

Personne?

Il avait secoué la tête. Décidément, il avait besoin de caféine.

— Pourquoi Gilda?

Sa question ne s'adressait à personne en particulier.

Il avait passé la soirée avec elle encore la veille, avait-il dit à Biggs.

— Qu'est-ce que vous avez fait?

— Eh bien, nous avons dîné chez Chasen's. Elle devait se rendre à une soirée, une réception que donnait Inez Godwin chez elle à Holmby Hills, mais elle avait préféré aller au restaurant.

— Tu l'as raccompagnée chez elle?

— Non, avait répondu Billy Buck en se passant la main sur la tête, les yeux rivés sur sa piscine, encore étourdi d'avoir appris cette nouvelle.

— Elle a reçu un appel pendant le dîner et elle a dû me quitter. Il fallait qu'elle s'occupe de quelque chose.

— Elle t'a dit de quoi il s'agissait?

— Non, et je n'ai pas entendu la conversation. D'habitude, chez Chasen's, on vous apporte le téléphone à votre table. Mais le maître d'hôtel est simplement venu lui dire : « Mademoiselle Greenway, on vous demande au téléphone. »

— Et tu ne sais vraiment pas de qui il pouvait s'agir?

— Non.

Biggs avait inspiré en allumant une cigarette.

— Billy, est-ce que par hasard tu me cacherais-tu quelque chose? Tu sais que ce serait un délit.

— Voyons, Biggs, vous avez regardé trop d'émissions de *Kojak*. Je viens d'apprendre à l'instant qu'on l'a assassinée. Ce qu'il faut pas entendre!

— Alors, comment est-elle rentrée?

— Le maître d'hôtel a demandé un taxi.

— A quelle heure?

— Il devait être environ vingt-deux heures trente.

— A-t-elle fait allusion à quoi que ce soit au dîner qui te laisserait croire qu'elle avait des difficultés avec quelqu'un?

Billy avait immédiatement pensé à May. Car Gilda avait révélé au journaliste que la jeune femme était en furie parce que l'actrice avait décidé de se retirer d'un contrat de télévision pour lequel son impresario avait entrepris beaucoup de démarches. Elles avaient eu la pire querelle de leur vie. May lui avait fait des menaces et l'avait traitée de putain et de garce. Et ce n'était qu'un début!

Or, Billy n'allait certes pas révéler quoi que ce soit à Biggs sans d'abord faire sa propre enquête. Si May avait tué Gilda... Non, c'était franchement trop ridicule. Il demeurait tout de même circonspect.

— Non, pas vraiment. Enfin, rien d'autre que les commentaires habituels. Vous savez ce que je veux dire. Les potins ordinaires, quoi.

— Et elle était de bonne humeur?

— Oui, avait répondu Billy en hochant la tête. Elle semblait l'être.

— As-tu déjà vu ceci? lui avait demandé Biggs en sortant un papier de sa poche.

C'était une photocopie de la photo trouvée dans la main de Gilda.

Billy avait haussé les épaules, écartant d'une main la déplaisante fumée de la cigarette.

— Oh, oui! C'est une photo très célèbre. Je suis surpris que vous ne l'ayez jamais vue auparavant. La Dame aux perles et ses quatre fans.

Billy avait ainsi confirmé la déclaration de King.

Pourquoi, alors, Gilda avait-elle cette photo dans la main au moment de sa mort? Il n'avait pas l'intention de le demander à Billy. Il fallait garder secrets certains renseignements jusqu'au moment voulu.

— Y aurait-il quelqu'un d'autre aux Perles à qui je pourrais parler? Des domestiques? Des invités?

— Non. Elle avait donné une semaine de congé à madame Denby. Aucun autre domestique ne couche à la résidence de Gilda.

— Qui est madame Denby?

Billy avait bâillé.

— C'est sa gouvernante. Elle est avec Gilda depuis des années. Elle dirige la maisonnée comme un régiment. Elle a un peu l'air d'un général, en fait. Gilda m'a dit hier que madame Denby était partie en fin d'après-midi. Je crois bien que les autres domestiques ont dû partir en même temps.

— Tu sais où je pourrais la rejoindre?

— Oui. En Transylvanie.

Dans la salle de séjour chez Gilda Greenway, Lionel Biggs avait toujours en main la photo de Billy Buck. Il la reposa en se disant que ce bonhomme était aussi rusé qu'un chercheur d'or devant un nouveau filon, et aussi dangereux dans ce genre d'enquête.

Biggs fut subitement arraché à sa rêverie. Dans le silence funèbre de la maison déserte, il entendit la porte s'ouvrir derrière lui.

11

L'été de 1957

Le téléphone sonnait. Bien que l'appareil se trouvait à côté de Deauville, c'était toujours Devon qui répondait. Elle se pencha en vitesse sur le corps drapé de Deauville endormi et, appuyée sur la montagne de ses hanches, décrocha le récepteur. La respiration de Deau la berçait doucement, comme une vague sur l'océan. Elle jeta un œil au réveil et comprit que si cet appel n'était ni une urgence, ni un mauvais numéro, c'était Inez.

Au début, lorsqu'elle avait emménagé chez Deau dans Jones Street, les appels nocturnes étaient immanquablement pour lui. Ils provenaient de femmes qui, étonnamment, restaient imperturbables en entendant la voix de Devon. « Bonsoir », disaient-elles. « Je peux parler à Deauville? » Elles avaient des accents différents, allant du provincial à l'exotique; elles avaient la voix rieuse ou désespérée, poliment discrète ou scandaleusement directe.

Devon en avait d'abord été blessée; ensuite, elle s'était résignée, et finalement, elle s'en était offusquée. Deauville adorait raconter à ses amis qu'une nuit, le téléphone avait interrompu leurs ébats amoureux à deux reprises en moins d'une heure. La sonnerie s'étant fait entendre une troisième fois, Devon s'était écartée de lui et avait vigoureusement décroché le récepteur qu'elle avait présenté au sexe de Deauville en disant : « C'est pour toi! »

Elle savait qu'il y avait d'autres filles. Elle en ignorait seulement le nombre. Si elle devait vivre avec Deauville, se disait-elle, le sens de l'humour était obligatoire. Une fois, alors qu'ils regardaient le spectacle de Loretta Young un dimanche soir, Devon répondit au téléphone; elle écouta un instant et, sans dire un mot, raccrocha en vitesse.

— Pour qui c'était?

— Pour le ministère de la voirie.

— Le... quoi?

— Eh bien, oui! C'était une femme qui voulait savoir si la voie était libre.

Ils s'étaient regardés en silence une fraction de seconde, et avaient éclaté de rire au même moment.

Cette nuit, ce n'était qu'Inez. Et toujours la même histoire.

— Devon? Oh, que dois-je faire? J'ai besoin de toi.

— Il est trois heures du matin, Inez. Où es-tu?

— A la maison. Enfin, chez King. Il vient de partir.

— Vous vous êtes encore querellés?

— Mais, pas du tout! dit Inez, insultée de cette insinuation. Il est allé prendre un verre. Ecoute, ce que j'ai à te dire est très sérieux. Gilda Greenway m'a téléphoné aujourd'hui. De Hollywood.

— Et puis?

— Elle veut que je prenne immédiatement l'avion pour la Californie. C'est à *moi* qu'elle a téléphoné, pas à King. Tu te rends compte? Elle m'a dit : « Ma jolie... » Elle m'a vraiment appelée « Ma jolie ». Elle a dit : « Ecoute, ma jolie, j'aimerais que tu songes à venir me rejoindre ici à Hollywood. Et au plus vite. » Cela veut dire immédiatement, en fait! La semaine prochaine, si je peux.

— Pour quoi faire?

— Grand Dieu, Devon, ce que tu peux avoir l'esprit obtus parfois. Inez aimait ce mot. *Obtus*. C'était une expression d'écrivain. *Elle* était écrivain.

— Je ne comprends toujours pas.

Deauville bougea à côté d'elle. Il ouvrit des yeux plissés, consulta le réveil et regarda Devon.

— C'est Inez, lui dit-elle à voix basse. Il lui adressa un sourire endormi, et retourna à son sommeil en laissant son sexe réveillé pour tenir compagnie à Devon.

— Tant pis, ça ne fait rien. Figure-toi qu'elle veut que j'écrive pour elle! Elle a des projets qui, à son avis, pourraient m'intéresser. Tu t'imagines?

— Ça, alors! fit Devon à mi-voix. Mais, c'est formidable.

— Il y a pourtant une chose qui m'ennuie. Il faudrait que je quitte King.

— Ah, oui. Je n'avais pas pensé à ça.

— Mais Gilda y a pensé, elle. Tu vois, King se prépare pour Broadway et Patrick tourne un film en Europe. Elle prétend que nous pourrions nous tenir compagnie là-bas.

— C'est une bonne idée, tu ne trouves pas?

— Oui, sans doute.

Inez paraissait déprimée.

— Dis, Devon, demanda-t-elle après quelques instants. Crois-tu qu'il cherche à se défaire de moi?

— Qui ça? King? Ne sois pas ridicule. Voyons, penses-tu que Gilda t'inviterait à Hollywood si c'était le cas?

— S'il le lui demandait, elle le ferait.

— Voyons, Inez. Tu sais fort bien qu'une actrice comme Gilda Greenway ne fait pas tous les caprices d'un jeune acteur. Elle a certainement besoin de toi.

— Je ne sais pas. Quand même, j'ai bien envie d'y aller. Regardons les choses en face. Il est certain que King fera du cinéma avant longtemps. Si je vais à Hollywood maintenant, plutôt que de rester à New York, je n'aurai qu'à l'attendre là-bas.

Comme une araignée attend un insecte, pensa Devon. Deauville avait commencé à lui caresser le dos et elle frémissait de plaisir, étendue sur son corps chaud, ravie de sentir son sexe ferme contre elle.

— Tu n'es pas forcée de te décider cette nuit, n'est-ce pas, Inez? Je te rappelle plus tard.

— J'ai déjà pris une décision, répondit Inez. J'y vais. Après tout, Gilda me fait parvenir un billet. Je ne peux pas refuser un voyage gratuit. Je pourrai toujours revenir.

— Bonne idée. Ecoute, Inez. Je te rappelle dans quelques heures, ça va?

La main de Deauville avait glissé sur les rondeurs de Devon.

Seigneur, quel été! Il devait faire trente-six dehors. Trente-huit dans la mansarde de Jones Street. Le mince drap de coton sur le lit était déjà trempé. Devon avait l'abdomen mouillé, de même que l'intérieur des cuisses. La grosse main de Deauville était luisante de sueur. Devon essayait de garder ensemble ses cuisses mouillées sachant que s'il les écartait, il y aurait un déluge qu'elle ne pourrait prévenir. Elle se retenait pourtant avec peine. Et lui ne se retenait pas du tout.

— Je voudrais seulement te demander une chose, Devon. Une seule chose, insista Inez. Promets-moi que tu ne toucheras pas à King.

— Je te rappelle plus tard.

— Et tu te prétends mon amie? lui cria Inez au bout du fil.

L'agence de voyage de Waverly Place avait déjà son billet d'avion. Première classe, aller-retour, tel que Gilda l'avait promis.

— Je peux toujours encaisser le billet de retour si je décide de rester, annonça Inez. Devon voyait déjà tourner les roues de cet engrenage qu'était l'esprit d'Inez.

— Alors, pourquoi cet air triste?

— Dev, j'ai peur. Je ne suis jamais sortie de New York, sinon pour aller à Bennington. Toi et May, vous savez déjà comment vous conduire avec des étrangers; moi, j'ai beau essayer de vous imiter, ça ne marche pas toujours! Tu es de celles qui fréquentent

160

le Stork Club; moi, c'est à peine si je me débrouille au restaurant du coin. Tu peux sortir la fille de son Brooklyn natal, mais tu ne peux pas sortir Brooklyn de la fille, conclut-elle en se mordant les lèvres.

Devon laissa échapper un soupir exaspéré. Inez pouvait parfois être une véritable enquiquineuse.

— Tu t'es très bien tirée d'affaire à Bennington, cette année. En tout cas, qu'est-ce qui t'empêche d'essayer?

— Tu as raison! Tu sais ce qu'on dit de Hollywood : tout le monde n'y raconte que des mensonges, mais ça n'a aucune importance, car personne n'écoute jamais rien. Dieu sait si je peux en inventer des histoires!

— Tu as prévu comment tu ferais pour vivre?

— Je vais habiter chez Gilda, répondit Inez d'une voix plus réjouie, ses inquiétudes oubliées maintenant qu'elle avait verbalisé ses craintes. Avant longtemps, je compte me trouver un appartement. A Venice, probablement. On dit que Hollywood est terriblement dépassé. C'est à Venice qu'on trouve aujourd'hui les écrivains à la mode; tu sais, Kerouac, Anger, Lawrence Lipton. Il faut moins d'argent pour y vivre, aussi. Evidemment, je tiens à gagner ma vie.

— Naturellement, dit Devon en souriant.

Après avoir bu un café, elles se rendirent à pied au théâtre de Sheridan Square où King répétait la nouvelle version de *Barracks Street Blues* pour Broadway.

— Eh bien, ma vieille, déclara Inez du ton péremptoire d'un jeune administrateur qui vient de se défaire d'un vieil associé en lui offrant une montre en or. C'est la fin d'une époque.

— Je le crois, en effet, répondit Devon, soudain morose.

— Tu sais, tu vas me manquer.

— Ouais, autant que les crampes menstruelles. En tout cas, ne t'inquiète pas. Je te tiendrai au courant. Je vais t'écrire. Ou plutôt, je vais te téléphoner, tiens! Il y a trois heures de décalage. Si je calcule bien, je pourrai vous surprendre, toi et Deauville. Du moins, j'espère que ce sera Deauville. Je ne voudrais pas te surprendre avec King.

Elle ne rate jamais une occasion, pensa Devon. Elles se firent leurs adieux à l'entrée des artistes. Inez perdit Devon des yeux dans la foule. Elle sourit de son sourire de Joconde, toucha de la main le billet d'avion dans son sac, et chercha la liste des appartements encerclés de rouge qu'elle avait découpée dans le *New York Times*. Elle héla un taxi. On était jeudi, il lui fallait faire vite.

L'appartement, situé dans un luxueux immeuble de la Soixante-quatrième près de la Troisième avenue, était idéal.

— Les anciens occupants ont dû partir en vitesse. Il reste deux mois avant l'expiration de leur bail, lui expliqua le concierge. Je me demande pourquoi les jeunes d'aujourd'hui sont toujours si pressés. Ils ont laissé leur téléviseur et deux chaises en rotin. La compagnie de téléphone coupe le service ce week-end. Si vous prenez l'appartement, je vous laisse la télé. J'en ai déjà deux.

Inez avait le sang à la tête en signant un chèque sans provisions pour régler un mois de loyer et un mois de caution. Elle savait qu'il n'arriverait pas à sa banque avant lundi. Le concierge, aussi innocent qu'une oie de Noël picorant le grain jusqu'à la porte de la cuisine, lui remit immédiatement les clés.

— Je n'emménage pas avant dimanche.

— Comme il vous conviendra. Je devrais sans doute attendre que votre chèque soit passé avant de vous remettre les clés, mais vous avez signé le bail et tout; enfin, vous m'avez l'air du genre honnête.

Ha! Inez riait en elle-même. *Si seulement vous saviez!* Dès qu'il eût fermé la porte derrière lui, Inez téléphonait au *Times* afin d'y placer son annonce. Or, ils exigeaient le paiement d'avance. Zut! Elle n'avait pas prévu ça. Elle sauta dans un taxi, alla payer ce qu'elle leur devait, et fit adressa une prière au ciel. Le journal l'avait prévenue qu'il était trop tard pour faire paraître l'annonce dans le cahier de l'immobilier du dimanche, mais on lui avait promis de la publier dans le journal du samedi.

Tout se passait tel qu'elle l'avait lu dans le *Daily News* :

« Mise en garde pour les locataires. Attention aux affaires louches.

En raison de la pénurie de logements, de plus en plus de locataires éventuels sont victimes d'extorsion; en effet, six personnes en moyenne se présentent pour le même appartement, toutes ayant payé d'avance six mois de loyer. Voici comment fonctionne la combine. L'escroc loue ou prend en sous-location un appartement pour lequel il investit un mois de location et de caution. Il fait ensuite publier une annonce dans un quotidien ou demande à un courtier de trouver des locataires prêts à payer d'avance six mois de location pour ce même appartement.

Un porte-parole de l'escouade des fraudes rapporte que l'escroc avise ensuite les locataires éventuels qu'il s'agit d'une sous-location illégale qui résulterait en une hausse substantielle du loyer si le propriétaire découvrait la transaction. »

Dans son annonce, Inez avait publié le numéro de téléphone de l'appartement vacant. Elle ne voulait pas qu'on appelle chez King. Le samedi matin, elle se pointa au nouvel appartement à sept heures. Le téléphone sonnait déjà alors qu'elle tournait la clé dans la serrure. Elle y passa la journée. A vingt-trois heures, lorsqu'elle courut retrouver King après la représentation de *Barracks*, elle avait déjà pris rendez-vous avec douze candidats sérieux. Ils commencèrent à lui rendre visite à dix heures dimanche.

A la tombée de la nuit, elle avait empoché près de vingt mille dollars en chèques personnels. Deux personnes avaient même payé comptant. Le téléphone sonnait toujours le dimanche soir alors qu'elle verrouillait la porte après avoir jeté un dernier regard dans cet appartement qu'elle ne reverrait jamais.

— Bien le bonjour! dit-elle en imitant de piètre façon l'accent texan de Devon. En riant, elle envoya un baiser au téléviseur silencieux.

— Je t'aime, chéri, dit-elle à King en lui mordant l'oreille alors qu'il essayait de s'endormir. Pas la peine de m'accompagner à l'aérogare demain. Je m'arrangerai bien. Après, à nous deux, Hollywood!

Pour toute réponse, elle entendit un ronflement.

Le lundi matin, avant que King ne se réveille, elle lui laissait un mot avec l'empreinte de sa bouche en rouge à lèvres violet, et se rendait à la banque. A cinq banques, plus précisément. Avec en poche près de vingt-trois mille dollars, elle partit en taxi pour l'aéroport La Guardia où elle prendrait le vol de quinze heures à destination de Los Angeles. Son cœur battait aussi fort qu'un tambour.

En la voyant si nerveuse, le chauffeur lui présenta son *Daily News* à lire.

— Personne ne lit le *Daily News*, lui dit-elle avec un sourire arrogant en se croisant les doigts. Je suis bien placée pour savoir que c'est un *fait*.

Voilà donc comment Inez Hollister était partie pour Hollywood.

Ce fut Deauville qui surprit Devon avec King.

Au cours des premières semaines après le départ d'Inez, King était fort occupé avec Avery à préparer la présentation de *Barracks Street Blues* sur Broadway. En août, il téléphona à Devon et à Deauville pour les inviter à une répétition de la pièce modifiée. Il y avait tant de changements, leur avait-il dit, qu'ils la reconnaîtraient à peine. Il était curieux de voir leur réaction, de connaître leur opinion.

Or, Deauville refusa l'invitation. Il lui était trop pénible de revoir cette pièce et surtout ce rôle qu'il avait créé, aujourd'hui interprété par une autre.

Une semaine plus tard, King téléphonait à nouveau. Devon pensait qu'il cherchait Deauville.

— Salut! Deau n'est pas ici; il travaille ce soir.

— Oui, je le sais, fit-il, s'étant justement assuré que Deauville était bien au Five Oaks. Je ne trouve pas ça très régulier de te téléphoner comme ça, mais il le fallait. Toute la semaine, je voulais t'appeler.

Et comment donc! Depuis qu'Inez avait pris le large, il ne cessait de penser à Devon. Une nuit après l'autre, il rêvait d'elle et il était toujours bandé à son réveil. Il ne pouvait que la chasser de son esprit avec frustration.

— Ecoute, dit-il au bout d'un moment. Jure-moi que tu n'en diras rien à Deau. Il est toujours mon ami.

Devon appuya le dos au mur et se laissa glisser lentement par terre.

— Ce n'est pas correct, remarqua-t-elle d'une voix faible, essayant de reprendre le contrôle de ses esprits qui soudain lui échappaient. Elle avait les mains moites et les joues brûlantes. Elle entendait dans sa tête une voix folle : *Parle-moi, je ne lui dirai rien. Dis-moi ce que je sais être la vérité. Que c'est moi que tu désires, que tu as toujours désirée.* Seigneur! Que ferait-elle s'il disait vraiment cela?

— Tu m'as manqué, avoua King. Et à toi, est-ce que je t'ai manqué?

— Bien sûr. Mais je sais à quel point tu es occupé. Comment ça va? Ça avance, la pièce?

— Devon, j'ai quelque chose à te dire. J'ai parlé de toi à Avery et à Oscar. J'aimerais que tu me rencontres au théâtre dans une heure. Est-ce possible?

— Qui c'est, Oscar?

— Oscar McGrath, le metteur en scène. Viens au théâtre, veux-tu?

Elle voulait dire non, qu'elle était désolée, que c'était impossible.

— C'est important, insista King. Crois-moi. T'ai-je jamais menti?

— Euh, non, devait-elle admettre.

— Alors fais-moi confiance. C'est pour toi que je fais ça. Je te dois bien ça. Ne dis rien à Deauville et arrive en vitesse, ça va?

Elle entra au Longacre Theatre une heure et demie plus tard. Il lui avait fallu tout ce temps pour prendre une douche et essayer une demi-douzaine d'ensembles avant d'arrêter son choix sur le pantalon serré noir qu'elle portait tous les jours, rehaussé d'une chemise blanche à Deauville dont les pans lui flottaient jusqu'aux genoux à la Audrey Hepburn dans *Funny Face*. Elle avait épongé ses cheveux rebelles avec une serviette et les avait passés au fer pour les raidir. Mais il lui avait ensuite fallu les asperger afin qu'ils redeviennent ces boucles d'ébène qu'elle détestait et que Deauville aimait tant. Elle se fit un maquillage si outrancier qu'elle ressemblait à T.C. Jones personnifiant Betty Davis; elle décida de l'enlever et de laisser son visage propre et naturel. Elle mit une heure et demie à comprendre qu'elle ne faisait aucun effort pour paraître particulièrement bien devant King.

— Ah, ce que tu es belle! Je l'oublie d'une fois à l'autre.

Il lui donna une bise sur la joue, posa un bras autour de sa taille, et s'empressa de la conduire près de la scène où l'attendaient Avery et le gros et chauve Oscar McGrath.

Ce dernier mit les poings sur ses volumineuses hanches et se mordilla la lèvre.

— Pas mal, dit-il en examinant Devon. En effet, on n'en voit pas partout, je dois l'admettre. On verra bien.

Avery Calder s'était affalé dans un fauteuil de la première rangée. Bien qu'il faisait une chaleur saisonnière à l'intérieur du théâtre, il portait un veston de cachemire sur les épaules. Le visage pâle et perlé de sueur, il leva sur Devon, par-dessus ses lunettes, des yeux plissés par la fumée du petit cigare qu'il tenait à la bouche. Il avala quelques gorgées de whisky d'un petit gobelet de papier. Après avoir examiné Devon quelques instants en silence, il leva le contenant en guise de salut et porta son regard sur King.

Derrière McGrath, King allait et venait sur la pointe des pieds, à la manière d'un boxeur. Il dit enfin :

— Devon, ça te plairait de nous lire un extrait?

— Un extrait de quoi? demanda-t-elle comme une imbécile.

Tant d'attention la rendait nerveuse. Elle se sentait comme un veau à la foire du canton.

— Mais, de *Barracks*, voyons! Avery a réécrit le dialogue. Il y a un rôle parfait pour toi. Tu veux bien le lire? Comme ça, sans jamais l'avoir vu?

Avery retira le cigare de sa bouche, avala une gorgée de whisky, et se leva. Il paraissait plus court que Devon ne s'en souvenait, et anorexique en plus. Devon l'avait rencontré à deux reprises, d'abord lorsque Deauville avait passé une audition pour le rôle du marin, et ensuite, le soir de la première à Sheridan Square, le soir où elle avait fait l'amour avec Deau pour la première fois.

— Gilda t'envoie ses amitiés. Elle te croit parfaite pour ce rôle, lui annonça Avery.

Il chancelait. Il se trouvait dans la première rangée, son veston sur les épaules, et il manquait à tout moment de renverser le contenu de son verre en papier.

— Gilda?

— Je lui ai lu le texte au téléphone ce matin, expliqua King.

— Ce matin? Tu as parlé à Inez?

— Elle n'est plus là. Gilda pense que tu es idéale pour ce rôle.

— Bien entendu, mademoiselle Greenway n'a pas lu toute la pièce, précisa Oscar McGrath, un coude sur la scène. Pas cette version-là, du moins. C'est important.

— Evidemment, mon illustre neveu ici présent...

Avery fit un geste en direction de King, qui sauta hors d'atteinte d'un éclaboussement du whisky. Eh bien, il prétend que tu es formidable. C'est vrai que tu es une formidable actrice?

Devon se mit à rire. L'éclat de sa voix retentit dans la salle vide et Avery Calder se raidit.

— Ma chère, quel vacarme tu fais, déclara Avery.

Il s'adressa ensuite à King en souriant.

— Là d'où je viens, petit, tous les ouragans commencent par une goutte d'eau.

Ils présentèrent à Devon les pages du texte qu'elle devait réciter, où l'on avait souligné ses répliques en rouge. Elle les récita seule d'abord. Ensuite, King monta sur scène avec elle et lui donna la réplique. Il avait raison, le rôle était sensationnel. La cadence musicale des paroles avait la fougue du sud, ce qui lui rendait l'élocution facile.

King sut très bien comment mettre Devon en valeur, la laissant travailler, se montrer agressive, comme le voulait le rôle. Il se détournait d'elle en marmonnant, la forçant à le rattraper, parlant d'une voix si faible qu'elle devait s'approcher pour l'entendre. Il faisait la souris tremblant de peur devant un oiseau de proie. Le magnétisme entre eux était volatil.

— Fantastique! s'écria King après qu'elle eût terminé. Et il disparut dans la coulisse.

Avery Calder était profondément endormi dans la première rangée, sa chemise maculée de whisky renversé.

McGrath plongea les mains dans ses poches en arpentant l'avant-scène tandis que Devon attendait, son texte à la main, n'osant pas demander : « Alors, comment me trouvez-vous? »

Finalement, McGrath gratta son crâne chauve et leva les yeux vers elle.

— Vous connaissez mademoiselle Greenway depuis long-temps?

— Non. J'ai fait sa connaissance il y a environ un an et demi. Je l'ai revue lors de la première.

— Elle ne vous a jamais vue jouer?

— Non, monsieur.

— Dans ce cas, elle doit avoir des pouvoirs psychiques. Car elle m'avait prévenu que c'était un rôle pour vous!

— Et, elle avait raison?

— Elle ne se trompait pas de beaucoup. J'avais une blonde en tête, mais ça s'arrange toujours. Je dois auditionner quelques autres filles demain; à moins que l'une d'elle ne soit Julie Harris, le rôle est à vous.

— Merci, monsieur, lui dit Devon la gorge serrée, au bord des larmes. Merci beaucoup, monsieur McGrath. Seulement, je ne peux pas accepter. J'ai été très heureuse de passer cette audition, mais... Je... je ne peux pas, tout simplement.

— Vous ne pouvez pas? demanda le metteur en scène, n'en croyant pas ses oreilles.

McGrath se retourna d'un bloc et constata qu'Avery ronflait et que King avait disparu.

— Comment ça, elle ne peut pas?

Autant parler tout seul.

— Je ne peux pas vous expliquer, dit-elle d'un air triste. C'est une longue histoire.

— Vous ne pouvez pas m'expliquer? McGrath était en colère. Savez-vous combien de filles de votre âge pourraient aller jusqu'à commettre un meurtre, un *meurtre*, m'entendez-vous, pour obtenir ce satané rôle?

Devon se massait nerveusement la nuque.

— Je sais, monsieur McGrath, mais... connaissez-vous Deauville Tolin? C'est lui qui a créé le rôle dans la première pièce, avant que le personnage ne soit changé pour celui d'une putain. Je ne peux vraiment pas accepter.

— Tolin? Le nègre? C'est de l'histoire ancienne, beauté. Il n'a qu'à s'acheter une chemise calypso et qu'à se mettre à chanter «Day-oh». Ça n'a rien à voir avec Broadway.

Devon ouvrit la main et, soudain décontractée, laissa tomber le manuscrit sur la scène.

— Adieu, monsieur!

Elle disparut dans la coulisse et emprunta la sortie des artistes.

King l'attendait déjà dans la ruelle sur sa nouvelle Yamaha.

— Tu étais sensationnelle. Ce personnage, c'est toi!

— Ramène-moi à la maison.

Elle devrait le détester. Elle aurait dû passer tout droit dans la ruelle, sans le regarder. Comment avait-il pu lui faire un coup pareil? Lui demander d'auditionner pour le rôle de Deau! Oh, c'était bien un rôle à Broadway, mais ce n'était pas le bon. Ce King, par exemple!

— Qu'est-ce qui se passe? McGrath ne t'a pas donné le rôle?

— C'est celui de Deau. Tu sais très bien que je ne peux pas l'accepter.

King ne se retourna pas pour la regarder.

— Foutaise! lui lança-t-il en faisant démarrer la moto. C'est ce que tu as dit à McGrath? Il s'agit d'un rôle qu'Avery a complètement réécrit et qui te convient à merveille! Tu ne peux pas l'accepter? Est-ce qu'il te l'a bien offert, au moins?

— Oui, répondit-elle alors qu'ils sortaient de la ruelle. Mais c'est le mauvais rôle et tu n'aurais pas dû me téléphoner.

— Et je suis un parfait salaud, hein? Je t'offre une chance inouïe et c'est moi le couillon! Je voulais t'offrir la possibilité de faire un choix. Ça va pas, non? Tu as pris la mauvaise décision, Devon. Tu as fait ton choix d'après ce que tu ressens entre les deux jambes. Mais enfin, tu es une actrice ou un con, à la fin?

— Tais-toi! lui cria-t-elle dans le vacarme de la Yamaha et des rues de la ville. Mais elle ne sauta pas de la moto. Les vibrations qui lui battaient les cuisses la rendaient nerveuse. Elle se sentait furieuse. Furieuse et comblée de joie.

Elle se sentait *sensuelle* aussi.

Quel phénomène étrange et pourtant véridique. Sur cette moto, où elle tenait King à bras-le-corps, humant la merveilleuse odeur de son blouson de cuir, Devon se sentait différente de ce qu'elle était avec Deauville. Avec Deau, elle était toujours une gamine. Or, avec King, elle se sentait forte et sérieuse. Elle avait refusé un important rôle dans une pièce de Broadway, en partie parce que King l'avait rendue furieuse, mais surtout parce qu'elle avait ressenti un regain de vigueur et de maturité. A propos de rien, elle se mit à penser à Inez qui, le jour de son départ pour Hollywood, avait dit : « C'est la fin d'une époque ». Elle n'avait jamais dit si vrai. La première fois, quand Inez avait quitté Westbridge sur la moto de King, perchée justement là où Devon se trouvait en ce moment, cette dernière en avait éprouvé du chagrin et du désarroi.

Elle n'éprouvait aucun désarroi aujourd'hui.

Elle était forte.

Et bourrée de talent.

— J'ai bien fait ça, pas vrai? lui lança-t-elle en dépit du tintamarre, étreignant King encore plus fort. Je suis une véritable actrice, n'est-ce pas?

Il ne répondit rien, mais elle savait que sa réponse était affirmative.

Deauville l'attendait. Il avait entendu la moto et aperçut Devon depuis la fenêtre.

— Qu'est-ce que tu faisais avec King? lui demanda-t-il dès son arrivée.

— Rien.

L'euphorie avait étourdi Devon. Elle ne voulait pas se défaire de cette sensation.

— Comment ça, *rien*.

Elle sentait encore son cœur battre dans la nuit chaude, fort de triomphe et de désir.

— *Rien*, rétorqua-t-elle. Je te le répète, je ne faisais rien avec lui!

Il tressaillit. Elle vit ses beaux yeux noirs se crisper de douleur avant de se voiler. Deauville la bannit d'un dernier regard, tourna les talons et partit en claquant la porte.

Il ne rentra pas de la nuit. A son retour le lendemain après-midi, maussade et ombrageux, elle implora son pardon. Elle avait juste assisté à une répétition, lui dit-elle.

— Oublions ça. N'en parlons plus. N'en parlons *jamais* plus.

— C'est entendu, répondit-elle.

Les choses avaient pourtant changé entre eux. Inez avait raison. C'était la fin d'une époque.

169

12

L'automne et l'hiver de 1957

La première de *Barracks Street Blues* eut lieu la deuxième semaine de septembre. King leur avait fait parvenir des billets, mais Devon les avait déchirés avant que Deauville n'ait dépouillé le courrier. Quand même, elle ne put s'empêcher d'aller acheter les journaux à minuit et de dévorer les critiques. Elles faisaient toutes les éloges de la pièce et couvraient King de gloire. Walter Kerr prétendait que le jeune acteur « apportait sur Broadway un fini raffiné à une excellente pièce off-Broadway. »

— Ton amie Gilda Greenway a téléphoné il y a environ dix minutes, lui annonça Deauville à son retour. Elle et Calder et toute votre bande sont en ville pour la première de la nouvelle pièce. Ils vont célébrer ça. Elle nous invitait à nous joindre à eux.

— Que lui as-tu répondu?

— Que je te ferais le message.

Il endossa son blouson de l'armée et sortit.

Le lendemain de la première, Gilda flânait au lit dans le somptueux appartement du Sherry-Netherland qu'elle et Patrick Wainwright louaient pour leurs séjours à New York. De style Louis XIV, on y trouvait des vases Ming, un Cézanne, un Van Gogh, et même une paire de lampes Jean Michel Frank d'une valeur incalculable, exécutées par Diego Giaccometti. Etant donné que sa maison de Beverly Hills était de style « purement hollywoodien », Gilda avait comme philosophie qu'au moins *une* de ses deux résidences devait avoir une certaine distinction.

— D'autant plus qu'il faut bien que j'investisse mon argent quelque part, disait-elle en badinant. Autant choisir des objets plus vieux que moi.

Patrick ronflait à côté d'elle, après une longue soirée passée à boire. King et Avery s'étaient effondrés dans le salon. Quelle première c'était! Gilda aurait aimé que Devon, May et Inez y soient. Avec King, elles étaient en quelque sorte les enfants qu'elle et Patrick n'auraient jamais. Liz, Janet, Debbie, chacune avait aujourd'hui au moins un enfant déjà. Gilda, elle, n'en avait aucun.

Mais ces quatre jeunes gens étaient intelligents, astucieux et pleins d'ambition, et ils cherchaient désespérément un substitut maternel. Ils avaient besoin d'une mère qui aurait des connaissances et du culot, comme un Samuel Goldwyn, tiens! Elle se consolait d'avoir ça, toujours.

Sous l'impulsion du moment, elle décrocha le téléphone et appela Devon tout en se disant qu'elle commençait à avoir besoin d'eux autant qu'ils avaient besoin d'elle.

— Bonjour, ma jolie.

Elle parlait comme si Devon et elle avaient l'habitude de converser régulièrement.

— Je suis désolée que tu aies manqué la fête hier soir. Les hommes ont plutôt mal aux cheveux, ce matin, et je ne vaux pas grand-chose moi non plus. Quand nous rendras-tu visite en Californie? Inez parle de toi sans arrêt. Elle se débrouille bien, tu sais. Elle a son propre compte à la banque, et tout, et tout. J'aimerais bien te revoir. Tu sais, Oscar McGrath m'a parlé de l'audition qu'il t'a fait passer. Il était très impressionné, même si tu n'as pas accepté le rôle. Qu'est-ce que tu fous à New York, de toute façon? Tu es une actrice, ma chérie. Qu'est-ce qui te retient donc ici?

Devon n'en était pas certaine. Deauville prétendait que Hollywood était le seul endroit au monde où un acteur pouvait mourir d'encouragement. Pourtant, elle commençait à se demander si ce n'était pas là une fin enviable.

Deux semaines plus tard, Gilda téléphonait encore à Devon, de la Californie cette fois. Il était tard à New York. Près de trois heures du matin. La sonnerie du téléphone était perçante, mais pas autant que le cri de terreur dans le rêve de Devon. Deauville n'était toujours pas rentré.

— Devon? Bonjour, ma chérie, lui dit Gilda d'une voix aussi réconfortante qu'un duvet. Devon constata soudain qu'elle venait de rêver à sa mère; c'était cette pensée qui l'avait terrifiée, la laissant avec un sentiment de solitude et d'abandon.

— Je pensais à toi, lui dit Gilda de sa voix moelleuse. Comment vas-tu, ma jolie? Es-tu heureuse?

— Non, répondit Devon à voix basse, fermant les yeux sur les ombres noires et s'enveloppant de la douce voix au bout du fil. Oh, Gilda. Je suis si heureuse d'entendre ta voix.

— Vraiment, ma chérie? Moi aussi. J'ai vu Inez, ce soir. Elle te fait ses amitiés, dit Gilda dans un soupir.

Bien au chaud et en sécurité, Devon attendait maintenant que Gilda vienne, pour ainsi dire, la border dans son lit.

— C'est ce qui m'a fait penser à toi, poursuivait Gilda. En fait, je me revoyais moi-même en voyant cette pauvre Inez, si assoiffée de la vie, si avide d'amour. (Gilda eut un petit rire étouffé.) Seigneur! Qu'est-ce que je dis là? Si j'étais au cinéma, je sortirais. Dis, est-ce que je t'ai déjà raconté comment ma carrière a débuté?

La photo, se rappela Devon, morte de sommeil. En effet, des années auparavant, elle avait lu l'histoire dans un magazine. Ou était-ce May qui lui en avait touché un mot à l'école? Toujours est-il qu'un chercheur de jeunes talents pour la MGM avait aperçu une photo de Gilda dans la vitrine chez un photographe.

— Un agent a vu ta photo?

— Un agent! répéta Gilda d'une voix ironique. Ça, c'est le comble. Il s'agit d'une histoire assez compliquée, ma chérie. Il serait plus juste de dire qu'il était entremetteur, mais de ceux qui sont gentils, si tu me comprends. J'avais dix-sept ans et je n'étais jamais sortie de mon patelin de Hilltop en Oklahoma. Nous étions six orphelins. J'avais dix ans à la mort de mes parents et c'était moi la plus jeune. C'est ma sœur Vy qui m'a élevée; nous n'avions rien d'autre à manger que du chou et du pain de maïs, et encore!

— En ce temps-là, je n'avais aucune autre ambition que de mourir. C'était Vy qui avait des rêves ambitieux. Son mari, Orval Scribner, travaillait à une fabrique et faisait de la photographie pour s'amuser. Il prenait tout en photo : des poules, des trains, jusqu'à une pastèque de quinze kilos qu'il avait présentée à la foire du canton à Norman. Et moi, bien entendu. Il faut croire que j'étais un beau brin de fille déjà à cette époque, avant les miracles de la MGM et de la chirurgie plastique. Toujours est-il qu'Orval avait montré une photo de moi à Larry Malnish.

— Chez le photographe?

— Chez F.X. Ryan. Le seul photographe de métier à Tulsa. Orval l'avait convaincu d'exhiber quelques photos de moi dans sa vitrine. Je me trouvais entre un veau à deux têtes et un bébé chauve édenté qu'on avait trouvé un beau matin sur la banquette arrière de l'autobus de l'école Henryetta. Le pasteur de l'église protestante avait adopté le bébé et Larry Malnish m'avait adoptée.

Devon ne comprenait pas très bien.

— Comment Larry Malnish a-t-il fait pour que tu arrives à Hollywood?

— Malnish était originaire de Tulsa. Il avait fréquenté la même école qu'Orval qui le vénérait. Tu comprends, Malnish, c'était celui qui s'était échappé, celui qui avait quitté les collines de l'Oklahoma et s'était rendu à Hollywood. Orval et ma sœur Vy croyaient que Hollywood, c'était mieux que le paradis. Tout le monde allait au paradis mais seul Larry Malnish était allé à Hollywood. Un jour, Malnish était en route pour New York. Il avait eu affaire à Culver City pour la MGM et s'était arrêté à Tulsa

172

voir sa mère qui se mourait d'un cancer. Orval et Vy allèrent le rencontrer et il leur paya un bon bifteck au restaurant; ils lui montrèrent une photo de moi dans la vitrine chez Ryan et lui demandèrent si la MGM serait intéressée à moi. Il faut croire que je l'ai impressionné. Je n'étais pourtant rien de plus qu'une misérable maigrichonne à cette époque. Il dit à Vy qu'il ferait de moi la plus grande star depuis Joan Crawford.

— Il a tenu parole.

— Ainsi le veut la légende. Mais, ce n'est pas arrivé du jour au lendemain. Excuse-moi, un instant, veux-tu? J'ai envie d'une cigarette.

Devon n'en revenait pas. Elle était en train de bavarder avec une étoile de cinéma là-bas, à Hollywood, comme deux grandes amies qui se retrouvent pour échanger des souvenirs de jeunesse. L'histoire de Gilda était aussi fascinante que celle de Lana Turner, qu'on avait découverte dans un milk-bar. Soudain, la voix était de retour au bout du fil, rassurant Devon qu'elle ne rêvait pas.

— Est-ce qu'Inez t'a fait des confidences au sujet de sa famille? demanda Gilda. Elle m'a tout raconté ce soir, la pauvre enfant.

— Oui, répondit Devon avec prudence, ne sachant pas ce qu'Inez avait révélé au juste.

— Je crois que c'est ce qui m'a rendue sentimentale ce soir. Autrefois, j'étais moi-même aussi déterminée qu'elle à devenir quelqu'un, à échapper à cet état de néant de celui qui n'est rien et ne va nulle part; j'avais moi aussi le nez collé sur la vitrine de la confiserie, l'estomac vide. Ce Larry Malnish, avec ses ongles manucurés et son manteau en poil de chameau, je le prenais pour le Christ envoyé à ma rescousse. Il avait fait environ cinquante copies de la photo et l'avait fait circuler partout à la MGM. J'ai failli mourir lorsqu'on m'a demandé d'aller tourner un essai à New York. Vy m'accompagnait. J'avais dix-sept ans et je n'avais pas encore terminé mes études.

Devon entendit Gilda tirer sur sa cigarette.

— Mais Larry Malnish et Vy prétendaient tous les deux que j'y arriverais, et je les ai crus. J'ignorais ce qu'était une star. Je ne savais même pas si je voulais en devenir une. Je crois que je voulais simplement devenir tout ce qu'un type comme Larry Malnish pensait que je devais être. A notre arrivée à New York, nous étions descendues à l'hôtel Taft. Nous nous faisions monter des sandwiches au poulet à notre chambre. Nous avons attendu trois jours avant que la MGM ne nous fasse signe. En attendant, Malnish m'a acheté de nouveaux vêtements et il m'a emmenée au Billy Reed's Little Club et chez Lindy's ainsi qu'au Quartier Latin, tandis que Vy m'attendait à l'hôtel. Il m'a montré ce qu'il fallait boire et manger et m'a dit combien laisser en pourboire à la dame des toilettes. Il dépensait une fortune et ne mettait jamais la main sur moi. Je commençais à croire qu'il ne me trouvait pas assez bien. C'est alors qu'il m'a présentée au grand Ted Kearny, et ce fut le coup de foudre. V'lan, boum! J'étais assommée.

— Le grand qui?

Gilda se mit à rire.

— Evidemment, c'était avant ton temps, ma chérie. Il s'appelait Morgan Edward Kearny. C'était un caïd de Wall Street qui avait un faible pour les jeunes actrices, et Larry Malnish était son chercheur de jeunes talents. Kearny était propriétaire d'une chaîne de cinémas dans laquelle Sam Durand était associé. Si jamais le vieux L.B. Mayer avait appris cela, Sam se serait retrouvé sur la paille. Kearny avait beaucoup d'influence à Hollywood. Il était grand de taille, aussi; c'était l'homme le plus grand que j'avais jamais connu. Il était énorme, séduisant et très riche. De l'avis de Malnish, Ted Kearny serait mon laissez-passer pour le succès. Tout ce qu'il me fallait faire, m'avait dit Malnish, c'était de plaire à Kearny. Mais, j'ai tout gâché en devenant amoureuse de lui.

— Du grand Ted?

— J'avais dix-sept ans et Ted Kearny en avait quarante-cinq; dès l'instant où je l'ai aperçu, j'étais perdue. Je n'ai jamais rien souhaité autant que de lui plaire. Malnish m'a conduite à la résidence de Ted à Gramercy Park. Nous sommes montés à son salon particulier. Un domestique l'aidait à endosser un smoking blanc et brossait son costume avec un petit balai. Un seul regard et c'en était fait de moi, j'étais amoureuse. Il avait d'épais cheveux noirs bouclés et à peine quelques touches de gris ici et là. Et de grosses mains, et des yeux bleu clair toujours rieurs. Pendant des années, j'ai beaucoup réfléchi à cette situation, et je me demande encore pourquoi cet homme m'a possédée de la sorte.

Devon songea à King. Elle se souvenait de la première fois où elle l'avait aperçu de sa fenêtre à Westbridge.

— Ce sont des choses qui arrivent, n'est-ce pas?

— C'était peut-être parce que je me sentais en sécurité avec un homme plus âgé. C'était peut-être sa maison, la bibliothèque en acajou foncé bien poli et les tapis moelleux. Jusqu'aux fleurs qui étaient énormes. Partout dans la maison, il y avait d'imposants bouquets aux couleurs vives. Je n'avais encore jamais vu de pivoines ni de roses chou. Pour un homme, il aimait vraiment les fleurs. Tout ce qui l'entourait était plus gros que nature.

— Ted Kearny m'observait dans sa glace. « Larry me dit que tu veux faire du cinéma. Tu sais ce qu'il faut pour faire du cinéma? » me dit-il. J'étais assise sur la banquette dans la fenêtre, adossée aux coussins de velours, fraîchement débarquée de mon village natal. Je ne connaissais rien à rien. « Il faut la beauté, ce qui ne te manque pas », dit-il en me regardant dans la glace, « et du genre, et de la tête. Mais il faut surtout de l'ambition, la volonté de faire tout ce qu'il faut pour y arriver. Es-tu assez ambitieuse? »

Je n'avais que dix-sept ans, et pourtant, je savais parfaitement ce qu'il voulait dire. Le domestique avait disparu. Larry était parti depuis longtemps. « Oh, je suis très ambitieuse », lui dis-je. (Gilda se mit à rire.) Il me fallait le convaincre, tu comprends. Il me faisait des avances, et tout ce que je souhaitais, c'était de le laisser faire. Je me moquais du cinéma. C'était *lui* que je voulais. Tu parles! Pour ma part, j'étais déjà dans le plus beau film au monde. Moi, Gilda Greenway. Sauf que j'étais encore Rae Quinn à ce moment-là. J'étais éperdument amoureuse de lui et enceinte de deux mois avant de me rendre compte qu'il ne m'épouserait pas.

— Oh, non!

— Vy ne m'a pas quittée. Malnish lui a trouvé un boulot comme vendeuse de bonbons chez Fanny Farmer dans la Quarante-deuxième rue, et en dépit de tout, nous avons trouvé moyen de payer le loyer au Taft en attendant que je fasse un essai à l'écran. J'ai décroché quelques petits rôles dans des films pour adolescents. Larry Malnish a pris les dispositions nécessaires pour me faire avorter et avec l'aide de Ted Kearny, j'ai finalement obtenu un impresario et un essai. Sam Durand me donna un contrat et un nouveau nom. Je devenais une star environ deux ans plus tard. Il fallait d'abord me donner des manières, une formation, et me faire perdre ce maudit accent de l'Oklahoma, ce à quoi je ne suis jamais tout à fait parvenue. Croirais-tu que je ne savais même pas comment marcher? Dans mon premier film, je marchais comme une mule qui souffre des hémorroïdes!

— Je ne valais pas plus de cent dollars par semaine pour la Metro. Ils ne savaient trop que faire de moi, alors ils m'ont fait jouer dans quelques films d'Andy Hardy. J'ai souvent tenu le rôle d'une vendeuse de cigarettes ou d'une secrétaire dans les films de Norma Shearer.

— Norma me demandait : « Puis-je voir mon mari? » Et je lui répondais : « Il est en réunion, madame Andrews » ou quelque chose d'aussi idiot. Alors, elle entrait en trombe dans le bureau de son mari et le trouvait en compagnie de Ruth Hussey.

— La plupart du temps, je flânais avec les techniciens et je faisais mon possible pour garder Howard Hughes à distance.

— Tu veux rire!

— Je le voudrais bien. Il me suivait comme un chien de chasse sur la piste d'un renard. Un soir, il m'a pincé les fesses chez Ciro's, et je l'ai assommé avec un cendrier en cuivre. Son agent de presse avait laissé entendre aux journalistes qu'il avait dû être hospitalisé en raison de troubles gastriques, mais j'ai vendu la mèche à Winchell lorsqu'il m'a téléphoné de New York. C'est à ce moment-là qu'on a commencé à parler de moi dans les journaux. Mayer était aussi furieux qu'un vieux bouc, mais j'ai obtenu de meilleurs rôles.

— Je ne recherchais pas la publicité. Je voulais que Ted sache que je l'attendais bien sagement. Ce qu'il apprit. Et on me donnait encore de meilleurs rôles. On m'a donné une augmentation de salaire. Ensuite, j'ai décroché ce merveilleux petit rôle avec le collier de perles dans *Night Anthem*. C'est ce qui m'a consacré vedette.

— Aujourd'hui, les historiens du cinéma écrivent des articles à n'en plus finir au sujet de la façon dont je lançais les perles par-dessus mon épaule et comment ce geste avait changé les femmes partout en Amérique. Ça me fait rire. La vérité, c'est que j'essayais d'attraper un sacré moustique qui me dévorait le dos. Le réalisateur était tellement furieux qu'il a demandé une reprise, mais au visionnement des essais, ils ont tiré au sort et c'est la prise avec l'action qui l'a remporté. C'est un fait historique accidentel, rien de plus.

— Toute cette sacrée industrie, et bon nombre des carrières qu'elle nourrit, sont fondées sur des histoires de ce genre. Tu vois, sans ce maudit moustique, je serais peut-être serveuse dans un minable bistro. Or, après cet incident, j'étais une nouvelle actrice importante appelée Gilda Greenway. Howard Strickling et tout le service de la publicité à la MGM ont commencé à me traiter en véritable vedette, après quoi le grand Ted Kearny est tombé amoureux de moi. Le reste, comme on dit, c'est de l'histoire ancienne.

— Et quelle triste histoire!

— Non, ma petite. Ce qui est fait est fait. La seule chose qui m'attriste, c'est l'avortement. Tu comprends, c'était en 1939; ils ont employé des pousses de bambou, ce qui a fait un joli dégât. Si j'avais su que ça m'empêcherait d'avoir des enfants, je n'y aurais jamais consenti. Je serais prête à tout pour ne pas laisser une d'entre vous subir le même sort. Mais en fin de compte, je suis sortie de Hilltop. Ma vie a changé, et celle de Vy aussi. Elle a renoncé à son mariage pour moi. Je lui dois beaucoup. Que son âme repose en paix, la pauvre.

— Tu veux dire que tu ne peux pas avoir d'enfant?

— Bien sûr que je peux. May est mon enfant, et Inez. Et toi, Devon Barnes, voudrais-tu d'une seconde mère?

— Eh bien, la mienne habite un appartement à Dallas. Avant, elle vendait des casseroles et des marmites. Aujourd'hui, elle a une armée d'une centaine de femmes dans trois Etats et elle vit des commissions de leurs ventes. Je ne l'ai pas revue depuis des années. C'est ma grand-mère qui m'a élevée, et elle m'a fait parvenir cinq dollars à Noël l'année dernière. Depuis que j'ai quitté Westbridge, elle refuse de m'envoyer un sou de plus à moins que je rentre au Texas pour y rester jusqu'à la fin de mes jours.

— Le reste de tes jours risque de durer longtemps. Je ne voudrais pas que tu les passes à traire les vaches.

— J'ai rêvé à ma mère ce soir, dit Devon à voix basse. Je me suis réveillée en nage et tellement seule sans elle. Je crois que je lui rappelle mon père qui était un vagabond et un rêveur.

— C'est ce que nous sommes tous. Ecoute, Devon. Maintenant, je suis là, tu comprends? Alors, viens me rejoindre au plus vite et je t'apprendrai un fameux jeu de patience qui se joue à deux. Tu ne seras plus jamais seule.

Deauville eut un petit rire moqueur en apprenant cela.

— Gilda Greenway, seule? Même Hedda Hopper ne compte plus les hommes dans sa vie. Pourquoi aurait-elle besoin de toi? Nom d'un chien, Devon. Moi aussi, je suis seul. Pourtant, je ne passe pas mon temps à essayer de m'accrocher à toi.

Gilda téléphona encore la semaine suivante. Et le mardi d'après. « Juste pour bavarder, pour apprendre à te connaître », disait-elle. Elle ne fit aucune allusion à l'appel qu'elle avait fait en pleine nuit, pas plus que Devon. Elle prit simplement l'habitude de téléphoner régulièrement, en bonne mère adoptive.

— J'ai parlé à Denise la semaine dernière. Tu sais de qui je parle? Denise Auerbach, de l'Atelier. L'associée de Serge Malinkov. Denise est d'avis que tu réussirais très bien au cinéma. J'ai travaillé avec elle ici il y a très longtemps. C'est une excellente actrice, mais elle n'est pas photogénique. Elle ne passe pas bien à la caméra. Tu peux jouer une scène avec elle où elle te fait sangloter, te fait pleurer à chaudes larmes et quand tu visionnes les prises, il n'y a rien qui passe. L'émotion qu'elle met à t'arracher le cœur n'est pas à l'écran. Comme la Dietrich. Son visage rend l'éclairage difficile et elle a une vilaine dentition. Elle est d'avis que toi, par contre, tu réussirais. Ils sont tous deux du même avis, Serge et Denise. Ils croient que tu pourrais aller loin, Devon.

— Tu ne peux pas t'imaginer à quel point les gens sont fous ici, disait Inez à Devon.

A la fin de novembre, King et Avery se rendirent en Californie discuter d'un projet de film pour *Barracks Street Blues*. Inez téléphona à Devon pour tout lui raconter dès le retour de King à New York.

Elle partageait maintenant une maison près de la plage à Venice, avec deux types que Gilda connaissait. L'un d'eux était apprenti coiffeur auprès de Bud Dahlripple à la Metro, et l'autre, originaire de New York, écrivait un scénario pour Rock Hudson à la Universal. Inez complétait le trio. Elle avait acheté une voiture d'occasion sans laquelle, assura-t-elle Devon, personne ne saurait survivre en Californie. La maison était de style « beatnik amélioré »; il y avait des murs en stuc et des fauteuils de caoutchouc en forme d'organes sexuels. Il flottait dans l'air une odeur d'encens, et des plants de marijuana poussaient dans la boîte à fleurs.

Inez parlait à Gilda tous les jours; ils travaillaient ensemble au scénario d'un film quelconque. Et elle parlait à King environ une fois la semaine, d'habitude de chez Gilda qui habitait un sacré palace baptisé « Les Perles ».

— Deux fois par jour, des autocars défilent devant la grille. Ils sont bondés de touristes au visage de papier mâché pendus aux fenêtres dans l'espoir d'apercevoir quelque chose derrière les magnolias. Il y a une ménagerie à l'arrière de la piscine où l'on trouve des oiseaux et des chiens, et trois chevaux, un zèbre...

— Allons, Inez!

— Si, je t'assure. Gilda raffole des animaux. Tu te souviens ce qu'elle disait à propos de sa chienne Tallulah? Celle-là, c'est celle qui voyage. Elle en a quatre autres à la maison.

— Qui en prend soin?

— Elle a du personnel, évidemment. Et cette terrible gouvernante qui prépare des repas spécialement pour la ménagerie. Les chiens de Gilda mangent mieux que moi. Toujours est-il que King et Avery sont venus discuter de la version cinématographique de *Barracks*. Mais il ne m'a même pas téléphoné!

King avait préféré se pointer au beau milieu d'une des fameuses parties du dimanche qu'un des compagnons d'Inez organisait.

— Tu parles d'une fête! racontait Inez en riant. La maison foisonnait de drôles de personnages : des danseuses du ventre et des musiciens barbus, des motards, des coiffeurs, des hommes forts, des starlettes sur les genoux des poètes et des acteurs, des pique-assiette. Je n'ai même pas vu King entrer. Il s'est frayé un chemin parmi eux et m'a tapé sur l'épaule. Ensuite, il m'a entraînée à ma chambre et a fait déguerpir tout le monde.

— Non!

— Oh oui! C'est ce qu'il a fait, mon héros. Il a vidé la maison et nous n'avons pas quitté le lit jusqu'à une heure avant son départ pour l'aérogare lundi matin. Pauvre chéri. Il avait à peine la force d'aller jusqu'à la porte. Son premier voyage au pays du lotus, et tout ce qu'il a vu, c'est le plafond.

May se trouvait à New York pour les vacances de Noël. Devon vint la rencontrer chez Rumplemayer's où une glace au caramel valait autant qu'une semaine de pourboires. C'était May qui avait choisi le restaurant. Elle opta pour une glace, un chocolat chaud et des biscottes, en précisant qu'elle voulait une double portion de noisettes sur la crème chantilly.

— Mais pas de guimauve, je vous en prie. Je fais attention à ma ligne.

— Et vous, mademoiselle?

— Un hamburger avec du thé, s'il vous plaît, répondit Devon.

— Tu es malade ou quoi, Dev? Ici, si tu prends quelque chose qui contient moins de trois mille calories par bouchée, ils t'envoient à l'hôpital Bellevue.

— Je sais où nous sommes, May, répondit-elle en regardant le garçon s'en aller. Et à Bellevue, ça coûte moins cher. Nous sommes si fauchés, Deau et moi, que je n'ai rien bouffé d'autre que du macaroni au fromage depuis dix jours. Oh! Mais, ne t'en fais pas! dit-elle en voyant la mine désolée de May. Ça me convient bien ce rôle d'actrice pauvre qui vit maigrement. Je te promets de prendre une glace au chocolat pour dessert. Alors, raconte-moi comment ça va à l'université.

— Bien, voici la plus importante nouvelle. Je ne suis plus vierge, annonça-t-elle en riant. A présent, nous savons toutes trois ce que signifie l'expression « Sésame, ouvre-toi! » Ben, quoi? Ne fais pas cet air surpris. Certaines d'entre nous ont peut-être des portes plus grandes que d'autres, Ali Baba, mais elles s'ouvrent quand même.

— C'est une nouvelle! Parle-moi de lui.

— En fait, ils sont deux.

May laissa le garçon les servir et s'en retourner à la cuisine. Elle plongea alors dans son récit, entre des bouchées de fondant au caramel.

— Je les ai rencontrés à une partie où nous nous sommes enivrés de vodka, après quoi je suis rentrée chez eux et j'ai couché avec eux.

— Avec les deux ensemble? En même temps?

— Tu sais, j'en vaux bien deux. Devon, est-ce que tu trouves que je suis une putain?

May portait encore des petits bas blancs et des souliers plats, de même que d'énormes pulls en tricot et des jupes de laine qui

179

dissimulaient ses bourrelets. Pourtant, elle avait nettement changé.

— Ne sois pas ridicule. Je n'ai jamais entendu dire que ça se faisait, c'est tout. Est-ce que ça ne dérange pas ta concentration?

— Non. C'est agréable, et personne ne se sent oublié. Il suffit de renverser la position, si tu comprends ce que je veux dire. Tu vois, tandis que l'un d'eux s'occupe de mes nénés, l'autre m'embrasse le con...

May avait ingurgité la moitié de sa glace. Elle prit une cuillerée de caramel qu'elle lécha lentement.

— Et voici ce que je leur fais à tous les deux.

Devon n'en croyait pas ses oreilles. Deau s'amusait souvent à prononcer le mot *con* lorsqu'ils faisaient l'amour, sachant qu'elle détestait cela. Parfois, il la forçait à dire le mot elle-même car il devenait très excité à entendre ce genre de langage. Mais de là à l'entendre de la bouche de May, ici même, pendant qu'elles mangeaient... Ma foi, May se conduisait exactement comme Inez!

On aurait dit que May lisait ses pensées.

— N'en parle pas à Inez, veux-tu? Tu sais à quel point les livres cochons l'intéressent. Je ne suis pas une perverse, Devon. J'ai l'impression d'être quelqu'un lorsque je suis avec eux. En fait, ils m'aiment bien, et ils aiment mon *corps*.

Elle avala une dernière gorgée de chocolat, se lécha les lèvres et sourit.

— Dis-le plutôt à Deauville. Peut-être a-t-il deux amis qui souhaiteraient me connaître.

Devon ne la trouvait pas drôle.

— Il vaudrait mieux demander l'addition.

— Je blaguais, lui dit May en lui touchant le bras. Je t'ai fait mon numéro de Mae West. Ce serait plutôt Deauville que j'aimerais rencontrer. Au fait, maman vous invite tous deux à passer Noël avec nous.

— Ça, c'est bien une réaction de blanc! dit Deauville. Tu vois ce que ça donne de fréquenter un repaire libéral comme l'université de Chicago? Tu deviens un libéral de salon et tu invites un nègre à venir chez toi boire du lait de poule à Noël! Merci, mais, pas pour moi. Faudra vous contenter d'un seul dindon. Invitez Harry Belafonte.

Il décida d'aller rendre visite à sa grand-mère en Alabama. Il n'était pas retourné au pays depuis son enfance. Devon essaya de l'en dissuader, craignant ce qui pourrait lui arriver là-bas. Le même automne, en effet, la garde nationale avait dû intervenir pour mettre fin aux émeutes qui avaient éclaté alors que neuf étudiants noirs avaient tenté de s'inscrire au Central High School à Little Rock, suite à un ordre de la cour suprême de cesser la ségrégation dans les écoles.

Deauville ne voulait rien savoir. Il avait besoin de s'évader, disait-il. Il avait assez de pognon pour un aller-retour. Sa famille veillerait à ses besoins là-bas pour quelque temps. Devon lui suggéra la Californie comme alternative.

— Inez adore ça. Tu pourrais habiter chez elle.

— Ah oui? dit-il avec sarcasme. Gilda accorde-t-elle des prix de faveur aux résistants? C'est l'ange de bonté de Beverly Hills? Où veux-tu que je trouve le fric pour aller en Californie? Je ne travaille pas six soirs et deux matinées à Broadway, moi. Je joue *Emperor Jones* dans un minable garage de la Quatrième rue pour un abruti de metteur en scène qui estime que je devrais le payer pour ce privilège.

Il était devant la porte et se préparait à aller encore réduire le monde en cendres. Il avait si souvent quitté l'appartement en colère depuis cette chaude nuit d'été où King l'avait raccompagnée, que Devon avait suggéré d'installer une porte battante par égard pour les voisins. Mais aujourd'hui, il s'arrêta, la main sur le bouton.

Il fit demi-tour, rompu et découragé.

— Devon, s'écria-t-il, et il vint s'affaisser sur la table qu'ils avaient rapportée de l'Armée du salut.

Devon accourut lui caresser la tête, le bercer dans ses bras.

— Je vais téléphoner à Gilda. Elle nous prêtera l'argent, Deau. Il faut que tu t'évades un peu. Je ne m'inquiète de rien d'autre que de ton bonheur et de ta sécurité.

Ils s'aimèrent ce soir-là avec toute la passion des jours anciens. Il la caressa à tous les endroits secrets qu'ils avaient explorés ensemble. Il l'étreignit de ses bras puissants et noirs, elle lui caressa les lèvres et les oreilles, ainsi que son menton déterminé et son cou long et gracieux. Elle effleura de la main sa poitrine, son abdomen, et ses cuisses musclées, jusqu'à ce qu'elle ait mémorisé la forme de son corps. Lorsqu'il se laissa glisser en elle, les formes du corps de Devon se moulaient aux siennes.

— Je t'aime, Deau, murmura-t-elle. Et j'ai peur que tu ne reviennes jamais. Je t'en supplie, ne me quitte pas.

Au matin, il était parti. Il avait laissé un mot près du lit disant qu'il téléphonerait de l'Alabama. May vint tenir compagnie à Devon pour la nuit, mais le téléphone resta muet.

La veille de Noël, Devon abdiqua. Elle sauta dans le métro et se rendit au luxueux appartement des Fischoff où elle resta avec

May. Elle était fatiguée d'être seule. D'ailleurs, May lui répétait sans cesse que même les chiens perdus ont besoin d'un ami à Noël.

L'appartement de sept pièces, où May avait passé son enfance, était un bel exemple d'opulence victorienne.

— Ma mère est la seule femme au monde qui met des napperons même sur le siège des toilettes, avait dit May.

Devon comprenait ce qu'elle voulait dire. Les pièces étaient sombres et richement meublées, et le mobilier paraissait écraser les cadres de portes. Des armoires en acajou surplombaient des tables à six pattes trop étroites pour y servir quoi que ce soit, et il y avait de la frange partout.

Des vaisseliers vitrés renfermaient la porcelaine. Il y avait aussi des miroirs dorés, et Devon n'avait jamais vu autant de papier-tenture : des lignes verticales sur fond argenté, de gros nuages verts flottant dans un ciel rose, et des aubergines dans la cuisine. Le salon arborait un tapis noir à motifs floraux roses.

— Elle aime tout, alors elle achète, gémissait May en levant les yeux au ciel.

Les photos encadrées des clients de Frankie surchargeaient les tables. Au centre du piano à queue, on voyait évidemment une photo de Gilda arborant ses fameuses perles dans un encadrement de velours bourgogne, et à côté d'elle, le plus récent client de Frankie, King Godwin. Un énorme portrait de Norma signé Augustus Johns dominait la pièce au-dessus du manteau de cheminée en chêne sculpté. Pas une seule photo de May.

— Maman en conserve une petite, cachée dans son portefeuille.

Quant à la chambre de May, elle paraissait sortie d'une planète éloignée. Il y avait des posters de James Dean, des fanions de Yale, des œillets fanés dans une bouteille à lait, des papiers d'enrobage de chocolat sous le lit de laiton, et du papier-tenture au motif pied-de-poule bleu et blanc, en vibrant contraste avec l'oppressante rigueur des autres pièces.

Devon eut un soupir de soulagement.

— Je suis heureuse de constater qu'une vraie personne habite ici. Je commençais à me sentir de trop sans mon châle et ma lampe à l'huile.

— Ma mère est vraiment très jeune d'esprit, lui dit May. Mais mon père a érigé ce petit musée en son honneur; alors, tu comprends, elle joue le jeu. Je sais que le jour où il partira, elle vendra toutes ces vieilles choses qui ont appartenu à grand-mère Fischoff et elle emménagera dans une maison de verre à Miami. En attendant, je te souhaite la bienvenue au musée Fischoff.

Les Fischoff étaient Juifs, mais c'étaient aussi des gens du show-business. Norma avait donc sorti les décorations d'usage, c'est-à-dire les chandelles du Chanukah et un arbre de Noël.

— Papa reçoit tant de pots-de-vin pendant la période des fêtes, de la part de toutes sortes de gens du métier, qu'il vendrait son âme au diable avant de laisser tomber Noël.

Les parents de May accueillirent Devon à bras ouverts. Les jeunes filles passèrent la veille de Noël à enfiler des guirlandes de maïs soufflé et de canneberges, à écouter la chorale de Norman Luboff chanter des cantiques de Noël au phonographe, et à aider Estelle, la cuisinière, à mettre la dernière main aux préparatifs pour le festin du lendemain. Estelle, qui veillait sur May depuis sa naissance, allait chez des parents à Far Rockaway pour le dîner traditionnel; les Fischoff devraient donc manger tôt.

Devon mettait la garniture dans des tartelettes tandis que May s'affairait à recouvrir de guimauve un plat de patates douces, en avalant une guimauve pour chacune de celles qu'elle déposait sur le plat. Le lendemain, le plat de patates douces qui arriva sur la table exhibait un grand trou au centre de sa garniture. La veille de Noël, les parents Fischoff se retirèrent tôt afin d'effectuer quelques appels de leur chambre, dont May disait qu'elle ressemblait à celle de Marie-Antoinette. Les filles se mirent au lit, d'où elles apercevaient les lumières du New Jersey, sur la rive opposée de la rivière Hudson. Lorsque Devon s'endormit, May jacassait encore au sujet de la magie de son premier orgasme.

Le matin de Noël, Devon se réveilla au son de *Vive le vent*. Elle revêtit une robe de velours rouge aux poignets de dentelle blanche, alors que May endossait une grande tunique sur un pantalon d'une largeur respectable.

— Bonjour, bonjour! fit Frankie d'un ton réjoui en donnant une bise à Devon. A son tour, May lui présenta la joue dans le but de recevoir la même preuve d'affection, mais son père tourna les talons en direction de la cuisine où il allait quérir le café.

— Il me déteste tous les autres jours de l'année, pourquoi en serait-il autrement à Noël? dit May en haussant les épaules.

Ils burent leur café en grignotant des brioches à côté de l'arbre de Noël. Par la suite, Frankie annonça cérémonieusement que le temps était venu d'ouvrir les présents. Devon offrit à Norma une bouteille de parfum « Ma Griffe » qu'elle s'était procurée en solde à moitié prix, et à Frankie, un pince-monnaie en forme de signe de dollars qu'un garçon du Café Figaro lui avait vendue. Pour May, elle avait trouvé un journal intime. D'après ce que son amie lui avait raconté, elle en aurait besoin.

Les Fischoff offrirent à Devon un camée antique.

— Voici justement un bijou victorien pour une belle victorienne, annonça Norma en écartant les longues mèches de cheveux noirs qui tombaient sur le visage de Devon dont elles cachaient les larmes.

— Et maintenant, pour *ma* belle victorienne, voici ce qui se fait de mieux!

Dans une boîte de chez Bergdorf-Goodman, Norma trouva le plus magnifique manteau de zibeline. Devon n'en avait jamais vu de semblable.

— Frankie, as-tu perdu la raison?

Norma était décontenancée, bouche bée.

— Mais, essaye-le, insista son mari qui souriait bêtement. Gilda fera une crise de jalousie en te voyant avec ça sur le dos, ma chérie.

Norma ne le retira pas du reste de la journée.

May distribua ses cadeaux. A Devon, elle offrit un magnifique porte-documents « pour ton premier rôle ». A sa mère, un délicat chandelier de verre bleu clair. Et en dernier lieu, elle présenta à son père un cadeau qu'il développa avec fort empressement. Dans une boîte enveloppée de papier argenté et décorée de cônes de pin argentés aussi, se trouvait une photo de May dans un cadre d'argent. On y lisait l'inscription suivante : « A mon cher papa que j'aime de tout cœur. May. »

— Qu'est-ce que c'est que ce cadeau?

Frankie ne pouvait cacher sa déception. Il n'a même pas la délicatesse de faire un effort, pensa Devon. Elle lui en voulait amèrement.

— C'est pour ton cabinet de travail, papa. Tu as des photos de tous les autres. J'ai posé pour celle-ci à l'université le mois dernier. Je suis même allée chez le coiffeur.

— Quelle excellente idée tu as eue, s'exclama Norma en enveloppant de ses bras de zibeline une May à la mine déconfite.

— Très joli, marmonna Frankie. Alors, à quand la dinde? J'ai faim.

— Nous mangeons à treize heures, comme d'habitude. Prends patience. May, je crois que c'est toi qui a pensé aux plus jolis présents. Maintenant, à ton tour!

— Je ferai ça plus tard. Je... Je ne me sens pas...

May bondit de son fauteuil et s'enfuit dans le refuge de sa chambre; elle avait l'impression d'avoir dans la gorge une boule de la grosseur d'une balle de golf.

— Frankie, tu as tout gâché. Je veux que tu lui présentes des excuses, et tout de suite. Tu m'entends?

Devon était surprise du ton soudain autoritaire de Norma Fischoff, d'habitude si douce. Elle fut encore plus étonnée de voir monsieur Fischoff changer subitement d'attitude. Son arrogance et son irritation avaient en un seul instant fait place à un air de chien battu.

— Oui, ma biche, dit-il avec soumission et d'une voix si douce que Devon pouvait à peine l'entendre. Il se dirigea vers la chambre de May.

Un peu plus tard, lorsque les filles se retrouvèrent seules, May dit à Devon que son père l'avait presque suppliée de lui pardonner, qu'il avait promis de placer la photo à la place d'honneur dans son cabinet dès son retour de vacances.

— Ensuite, il a regardé ma chambre et j'ai cru qu'il allait vomir. Ma foi, Dev, je pense qu'à chaque fois que je pars d'ici, ils tiennent un conseil de famille pour décider s'ils ne devraient pas tout simplement foutre le feu à ma chambre.

— Il a fait un effort. Accorde-lui toujours ça.

— Tu veux dire qu'il a fait son numéro de martyre parce qu'il sait que ma mère lui en ferait voir de toutes les couleurs s'il refusait. Il sait de quel côté son pain est beurré, va!

Devon changea de sujet avant que May ne recommence à pleurer.

— Qu'est-ce qu'ils t'ont offert pour Noël?

— La même chose que d'habitude. Des vêtements que je devrai retourner parce que j'ai pris cinq kilos depuis l'année dernière et qu'ils ne sont pas de la bonne taille. Ils m'ont aussi offert un bouquin. C'est un régime amaigrissant. J'ai calculé que d'ici Noël prochain, je devrais perdre vingt kilos. D'après ce livre, je n'ai qu'à manger rien d'autre que quatre mille neuf cent vingt-huit pamplemousses pendant un an!

King téléphona pendant que Devon et May étaient au spectacle de la nativité au Radio City Music Hall qui présentait en outre Marlon Brando dans *Sayonara* au grand écran.

— Frankie et lui prennent l'avion pour la Californie dès la première heure demain matin, les informa Norma Fischoff.

Le contrat cinématographique que Frankie attendait était en effet sur le point de se conclure et la doublure de King le remplacerait quelques jours dans *Barracks Street Blues* pendant l'accalmie du temps des fêtes.

— C'est une affaire phénoménale, vraiment, pour un premier film! affirmait Frankie avec fierté. Cent mille dollars pour la durée du contrat, que King joue ou non. En ajoutant les petits avantages négociés et la clause d'échelle mobile concernant le travail excédentaire, King pourrait toucher un beau quart de million en peu de temps. Swifty Lazar se vante toujours des contrats qu'il négocie. Attendez que je lui fasse part de celui-ci!

May rentra à Chicago.

— J'ai un super rendez-vous pour la Saint-Sylvestre, avait-elle dit à sa mère en faisant un clin d'œil à Devon. Celle-ci rentra à son appartement vide, plus abandonnée et troublée que jamais.

La période des fêtes lui donnait le cafard. Maybelle l'irritait constamment en la harcelant sans cesse de quitter « cette vie sordide » et de rentrer au Texas. Quant à la mère de Devon, elle ne s'était même pas donné la peine de souhaiter un joyeux Noël à sa fille. Devon célébra la veille du premier de l'An en faisant une longue promenade solitaire à Washington Square; elle dîna seule d'un plat de doriques, et se coucha avant minuit.

La sonnerie du téléphone la réveilla à l'aube.

— Debout, ma vieille! Nous sommes en mil neuf cent cinquante-huit!

— Grand Dieu, Inez. Quelle heure est-il là-bas?

— Qui sait? Qu'importe? Je n'ai pas dormi depuis des jours. Je viens de laisser King à l'avion de nuit. Dev, j'ai une nouvelle formidable à t'apprendre, lui annonça Inez qui paraissait ivre. Attends. Je laisse Gilda te l'apprendre. C'est elle qui a tout manigancé, en fait. C'est vraiment renversant.

La voix de Gilda était plus modulée.

— Inez et King vont se marier, ma chérie. N'est-ce pas merveilleux? Evidemment, elle désire que toi et May soyez ses demoiselles d'honneur.

— Inez et... King? Oui, bien sûr, c'est merveilleux.

Devon se mit à pleurer.

Inez était de retour au bout du fil, la voix pétillante.

— Et c'est mademoiselle Gilda Greenway qui s'occupe de tout. Devon, nous allons nous marier aux Perles! Gilda me dit que Frank Fischoff a obtenu pour King le meilleur contrat qu'ils ont jamais vu ici. Toute la ville en parle. King a les moyens de me faire vivre maintenant. Seigneur, il aurait les moyens de faire vivre Elizabeth Taylor! Mais c'est *moi* qu'il épouse. Je ne comprends rien à l'argent. Tu me connais, je ne suis qu'un écrivain, pauvre et passionné! Devon, n'es-tu pas ravie pour moi? C'est romantique, non? Gilda s'occupe de tout. Ecoute bien ceci. Ma robe de noces sera dessinée par Edith Head!

13

1958

Le mariage était fixé au deuxième jeudi de mars.

Les producteurs de *Barracks Street Blues* n'étaient pas enchantés de résilier le contrat de leur vedette, mais après que Frankie Fischoff leur eût cité des précédents tels que Ben Gazzara et Paul Newman, Avery Calder était intervenu et ils avaient attribué le rôle à un autre.

— N'oublie pas que le rôle ne lui appartient pas; il ne fait que l'emprunter pour quelque temps, avait dit le dramaturge. Tu peux rentrer quand tu voudras si le soleil te brûle la cervelle là-bas au pays des cinglés.

King ne voulait pas quitter New York.

Il ne voulait pas épouser Inez Hollister.

Il n'était même pas certain de vouloir tourner *Barracks Street Blues*. Les deux courts séjours qu'il avait faits en Californie l'avaient étourdi. Il était agité et ne parvenait pas à dormir. Le succès était un piranha qui lui dévorait les nerfs. Il en avait assez de jouer le même personnage un jour après jour l'autre, un bras attaché derrière le dos. Il avait besoin de tourner un film. Surtout que, dans les circonstances, Inez ne lui laissait pas grand choix. Gilda avait pris en charge la vie de la jeune fille et il était clair qu'un avortement était hors de question. Il ne se déroberait pas. Il ferait face à la situation comme un homme.

Tous les jours, King faisait de l'exercice au Hudson Health Club, sur la Cinquante-septième rue, où il développait ses pectoraux et moulait ses cuisses pour le Cinémascope; et tous les soirs, ces mêmes muscles se tordaient de spasmes sous l'effet du froid lorsqu'il se rendait au théâtre à pied dans la neige. A bien y réfléchir, s'il devait attendre le prochain coup d'échec pour voir progresser sa carrière, il serait plus agréable de le faire sur une plage, et l'échiquier était plus propre à Los Angeles.

King continua de jouer jusqu'à la fin de février, après quoi il vendit sa moto, donna sa cent quatre-vingt-sixième représentation un samedi soir, et le lendemain, céda son appartement à une pute nommée Glenda. Le dimanche soir, il était dans l'avion, en route pour un nouveau genre de roulette russe, c'est-à-dire son rôle de future star, son futur mariage à une future femme, dans une ville sans passé appelée Hollywood. Il voyageait en première classe. Il regarda une partie d'un film avec Doris Day, vomit ce que la TWA appelait sans honte le dîner, et s'endormit en tenant le *Hollywood Reporter* d'une main et sa bitte de l'autre, convaincu que si jamais on tournait un film au sujet d'un type qui devient impuissant à force de solitude et de désarroi, on pourrait lui accorder le rôle sans audition. Tout comme Oscar Levant l'avait prédit, lorsque King se réveilla à Los Angeles le lendemain matin, il avait quatre-vingts ans.

Inez avait changé.

Venue accueillir Devon à l'aéroport de Los Angeles le dimanche suivant, elle s'était élégamment coiffée en petit page, à la June Allyson ou à la Ella Raines, et faisait très sophistiquée en cachemire rose et collier de perles. Devon se sentait morne dans son imper sale de New York. Il neigeait à son départ, et le soleil de la Californie, trop chaud pour la saison, lui rendait la peau moite.

Inez ouvrit la porte de la Bentley bleue de Gilda.

— Tu te souviens de Tallulah, n'est-ce pas?

L'épagneule de Gilda était étendue sur la banquette arrière de la voiture.

— Je pense qu'on a dû vous présenter au « 21 ». Elle a passé tant d'heures dans une limousine avec Gilda qu'elle pique une crise si elle ne fait pas sa balade quotidienne. Gilda a trop à faire en raison du mariage, alors, elle m'a demandé de prendre sa place aujourd'hui.

— J'aurai tout vu!

— Je te l'ai dit qu'elle est folle des animaux. Attends qu'elle te présente le reste de la famille.

Inez ne n'arrêta pas de babiller durant tout le trajet jusqu'à Beverly Hills, et ce qu'elle racontait n'était pas toujours très clair. Elle employait des mots tels que « aridité » et « récalcitrant », et Devon savait qu'ils ne faisaient pas partie de son vocabulaire avant son départ de Bennington.

« Attends de voir les Perles. Je t'assure, Dev, on dirait que ça sort tout droit d'un film de Joan Crawford. King et moi y habitons en attendant que notre appartement de la rue Doheny soit prêt. Bien entendu, j'ai dû céder ma part de la maison que je louais à Venice. King ne veut pas vivre aussi loin du studio. On ignore encore à quel moment le tournage va débuter. Il se peut que ce ne soit pas avant des mois. Tu comprends, la bureaucratie! Tu as le temps de mourir avant qu'il ne se passe quoi que ce soit. Je suis convaincue que lorsque King aura commencé à travailler et que les frais quotidiens commenceront à s'accumuler, le studio nous fournira une maison avec piscine et une seconde voiture. Ces choses-là sont de rigueur ici, naturellement.

— Naturellement, répéta Devon.

— En attendant, nous sommes aux Perles et nous vivons aussi bien que Charlie Chaplin et Paulette Goddard. Je te jure, à côté des Perles, Pickfair ressemble à un taudis. Gilda a décoré tout le rez-de-chaussée en bleu marine et blanc, ce qui peut parfois être assez *doloroso*, si tu vois ce que je veux dire! Cependant, c'est une maison de cinquante pièces. Ainsi, tu peux toujours te réfugier dans une autre ambiance lorsque tu as les nerfs en boule. Il y a neuf chambres d'invités, chacune intitulée et décorée d'après l'un des premiers films de Gilda. Je crois que tu seras dans la chambre *Daisy Ashley*; dépêche-toi de sortir ton accent du sud, mamz'elle Scarlett, car les affaires vont bon train à la plantation cette semaine!

Inez était une fontaine de renseignements. Au cours des jours suivants, Edith Head s'occuperait des robes de Devon et de May à la Paramount où elle travaillait au nouveau film d'Audrey Hepburn. Inez serait en blanc cassé et porterait les perles de Gilda. Les demoiselles d'honneur porteraient du chiffon jaune et des bouquets de marguerites. Gilda avait retenu les services de domestiques supplémentaires, mais il se posait encore un problème.

— Il y a cette gouvernante, madame Denby, qui gère non seulement tout dans la maison, mais également ceux qui y mettent les pieds, peu importe l'heure du jour ou de la nuit. Crois-moi, Devon, cette vache est l'incarnation même d'une parfaite goule. King l'a surnommée madame Danvers. C'est la reine des mines sèches. Si cette femme t'adresse un sourire, tu peux être certaine qu'elle vient d'empoisonner un de tes chatons. Quelle mine lugubre elle a! En comparaison, Gale Sondergaard dans *The Spider Woman Strikes Back* ressemble à Blanche Neige.

— Pourquoi Gilda la garde-t-elle à son service si elle fait peur à ce point?

— Dieu seul le sait. King prétend que c'est parce qu'elle sait où tous les cadavres sont enterrés. Si tu veux mon avis, c'est elle-même qui les a tous enterrés.

Devon trouvait que Los Angeles ressemblait à une de ces villes provisoires à laquelle on aurait enlevé sa couleur, après quoi on l'aurait filmée avec une lentille à filtre.

— Inez, je n'ai pas vu âme qui vive dans la rue depuis notre entrée à Beverly Hills.

— Tu n'en verras pas, non plus. Ici, tu comprends, tu risques de te faire arrêter si tu décides d'aller à pied au bureau de poste.

C'est un endroit tellement exclusif que même le numéro de téléphone du commissariat de police n'apparaît pas dans l'annuaire! Les palmiers sont infestés de rats et à Noël, on vend des arbres roses et noirs. Gilda a dépensé une fortune aux Perles pour faire arracher les palmiers; elle les a remplacés par des magnolias afin de se sentir un peu plus chez elle. Depuis la fin de son contrat à la Metro en 1952, autant dire que les guichets ne rapportent rien, ce qui ne l'empêche pas de toujours vivre comme la dernière des véritables déesses du cinéma. Ça, je peux de te l'affirmer.

— Est-ce qu'il fait toujours aussi chaud?

— Ma chérie, tu n'as encore rien vu. S'il fait vingt-huit ici, on dit qu'il fait froid. Ah, oui, j'oubliais. J'espère que tu t'es munie de bouchons pour les oreilles. Tous les matins, c'est le même scénario.

Inez arrondit la bouche et sortit la langue en faisant un bruit semblable à « toc, toc, toc. »

— Veux-tu bien me dire ce que tu fais? lui demanda Devon en riant.

— C'est le bruit des balles de tennis, ma chè-re! Des balles de tennis.

Inez donnait l'impression que son script avait été écrit par Anita Loos, mais elle n'avait rien exagéré au sujet des Perles. Après un raide virage depuis Coldwater Canyon, la voiture s'arrêta brusquement devant une menaçante grille électronique. Sur une plaque en nacre à côté du haut-parleur dans le mur de pierre, on pouvait lire « Les Perles ».

— Sésame, ouvre-toi, cria Inez en appuyant sur le contrôle à distance accroché au pare-soleil.

La grille s'ouvrit majestueusement, donnant accès à un paradis verdoyant retouché de chlorophylle. De riches pelouses aussi vertes que celles d'un terrain de golf s'étendaient en nappes de chaque côté des magnolias géants qui longeaient l'allée bordée de pierres. On aurait dit que la voiture, en gravissant ce chemin escarpé, les transportait à Shangri-la.

— Où est la douve? demanda Devon en blaguant.

Des paons picoraient sous les vignes. Des passe-roses aussi hautes que des piquets de clôture présentaient leurs couleurs au soleil. Les glycines regorgeaient de grappes de fleurs mauves laissant échapper leur miel. Un peu plus loin, derrière des bosquets d'azalées, s'élevaient les colonnes de Tara, gardiennes d'une véranda de brique au mobilier de rotin capitonné de chintz. Au-dessus de la porte, une lanterne se balançait doucement dans l'air chaud. Un énorme retriever blond émit un jappement en guise d'accueil.

Madame Denby les attendait à la porte.

— Encore une New-Yorkaise, dit-elle en levant le nez.

Elle montra le chemin jusqu'à la chambre de Devon tandis qu'une Haïtienne nommée Créola s'occupait des bagages. Devon et Inez échangèrent un regard évoquant celui de nouveaux arrivés sur la scène d'un crime crapuleux.

— La nuit dernière, j'ai rêvé que je retournais à Manderley, dit Inez à voix basse.

Devon poussa un cri. Madame Denby se retourna vivement, faisant trembler de contrariété les épingles à cheveux de son chignon tressé. Elle avait le visage d'un requin marteau. Rien que des angles, aucune courbe.

— Par ici, je vous prie.

Sa voix évoquait le bruit d'une scie mécanique.

— Elle sort tout droit de *Rebecca*, dit Devon une fois qu'elles se retrouvèrent seules.

— Tu parles! fit Inez. C'est une vraie sorcière.

Elles s'accordèrent à dire que « madame Danvers », sobriquet dont Edna Denby serait à jamais affublée, n'avait rien de ces aimables gouvernantes en pantoufles, pas plus qu'elle n'était du genre à s'écrier : « Mon Dieu, j'ai oublié que j'avais mis un gâteau au four! »

— J'aurai autre chose à t'apprendre à son sujet à la deuxième bobine, annonça Inez en poussant Devon du coude. Allons retrouver Gilda.

Devon n'avait jamais rien vu qui ressemblait aux Perles. La maison était aussi vaste qu'un musée, en plus excitant. Depuis la fenêtre de sa chambre, elle pouvait voir King sur le court de tennis; il était déjà aussi brun qu'une noisette. Elle apercevait plus loin le jeu de croquet et ce qui lui semblait être un labyrinthe.

— C'est la maisonnette du jardinier, lui dit Inez en montrant du doigt une hacienda espagnole ceinturée de bougainvilliers. Par-delà la petite maison, il y avait une piscine de dimension olympique entourée de quatorze colonnes corinthiennes où présidait une Vénus en marbre.

— Ils y ont tourné une scène de l'un des films d'Esther Williams. C'est une réplique de celle qui se trouve au château des Hearst à San Simeon. C'est assez impressionnant, n'est-ce pas?

Une rangée de cabanons aux auvents rayés jaune citron et blanc bordait la piscine d'un côté; de l'autre, les abords d'un jardin anglais méticuleusement entretenu se cachaient sous une symphonie de lilas. Derrière la maison, par-delà une jungle d'eucalyptus, se trouvait la ménagerie.

— On dîne à dix-neuf heures et demie. Il y a un bain de bulles qui n'attend que le moment de te caresser la peau dans une salle de bains où les laits et parfums abondent à tel point qu'il faudrait plus d'un mois pour les épuiser. Figure-toi que tous les matins, on t'apporte le *Los Angeles Times* et le *New York Times* au lit, avec des croissants et du jus de pamplemousse frais; tous les soirs, tu couches dans des draps Porthault. Si tu as besoin de quoi que ce soit, tu n'as qu'à décrocher le téléphone et tu peux communiquer partout dans la maison. Je t'assure, Dev, tu vas te faire gâter pendant ton séjour ici.

— Je ne saurais dire si c'est le décalage d'heure ou la catatonie, dit Devon en se pinçant un bras. Mais, je n'arrive pas à bien comprendre où je suis.

— Pas plus que moi quand je suis arrivée, mais j'ai vite fait de m'y habituer. « On peut sortir la fille de Brooklyn, mais pas... » et caetera, et caetera, dit Inez en se moquant d'elle-même. Seulement, je n'ai même pas eu à faire d'effort. Il semble que tout le monde ici est originaire de Brooklyn. Détends-toi. Fais semblant que tu es Alice et que tu viens de tomber dans la tanière du lapin. Pendant la prochaine semaine de ton existence, tu vas assister au plus magnifique thé dansant que tu aies jamais imaginé. Au fait, même le thé dans cette maison a un nom impossible à prononcer. A plus tard, ma vieille!

Dans l'innocence empesée de la chambre de la jeune Daisy Ashley, Devon avait l'impression de se noyer dans les fronces et les volants. L'ironie de la situation ne lui échappait pas. Elle toucha le récepteur plaqué or du téléphone d'albâtre. C'était une réplique exacte de celui par lequel Gilda, dans le rôle de Daisy, jeune fille pauvre mais fière, apprend l'accablante nouvelle que son amoureux épouse une fille riche, interprétée par Marcia Hunt.

Non pas que Inez Hollister était une fille riche, ni que King Godwin était l'amoureux de Devon. Et elle n'était certes pas une pauvre fille abandonnée. Néanmoins, elle se demandait si Gilda, perspicace comme toujours, n'avait pas soupçonné ses sentiments pour King et n'avait pas intentionnellement choisi ce paradis de volants roses pour lui faire revivre un ancien scénario. Pour quelle raison? Par empathie? Par cruauté? Par compassion maternelle? Quelque part au fond de Gilda, se cachait-il ce même poison géminé qu'était la notion des mots *un jour* et *peut-être*?

La téléphoniste à Montgomery, en Alabama, était au bout du fil.

— J'voudrais bien vous aider, mignonne, mais j'trouve personne qui a c'nom-là.

— Tolin est le seul nom que je connaisse, répondit Devon.

Elle sentait encore venir les larmes et respira profondément avant d'ajouter :

— Je ne sais même pas si c'est le nom de l'abonné. Merci, mademoiselle.

Elle avait laissé un mot pour Deauville à l'appartement, et des messages à l'Atelier, au Living Theatre, chez Ricker's, aux garçons du Five Oaks, au Café Reggio, au White Horse Tavern, de même que sur le tableau d'affichage du *Village Voice*. S'il le voulait, Deauville saurait bien où la rejoindre. Elle espérait désespérément qu'il le ferait, bien qu'elle ne s'imaginait pas un instant mériter sa loyauté.

Les trois jours suivants passèrent avec la rapidité de l'éclair. May arriva de Chicago par avion, vingt kilos en trop.

— C'est gentil à toi, Inez, de te marier pendant les vacances du printemps, dit-elle en étreignant ses deux amies à la fois. Elle entraîna ensuite Devon à l'écart et lui chuchota : — Pas un mot à Inez au sujet de tu sais quoi!

Ensemble, elles coururent les magasins de Beverly Hills, comme les « petites dames » de Louisa May Alcott la veille de Noël. (« Pas d'argent mais beaucoup d'enthousiasme », devait écrire Devon dans son journal intime). Elles avaient eu des soupirs d'envie devant les tailleurs d'Irene chez Bullock's, à l'hôtel Wilshire, et aussi devant les robes signées Jean Louis chez I. Magnin; et chez Don Lopez, elles avaient trouvé les prix exorbitants.

May se lamentait qu'elle se ferait sans doute arrêter, car à son avis, l'embonpoint était illégal dans Rodeo Drive.

Les filles s'arrêtèrent devant la maison rose de Sunset Boulevard où Jayne Mansfield avait déjà posé nue sur un patio rose à côté d'une piscine remplie d'eau rose. En compagnie de Gilda, elles déjeunèrent au Brown Derby où elles faillirent s'évanouir lorsque Natalie Wood vint s'asseoir à leur table pour le café. Patrick les invita au cinéma au Grauman's Chinese Theatre suivi de glaces au chocolat.

Par l'entremise de son père, May avait organisé une visite à la Warner Brothers où Devon put observer Paul Newman qui tournait une scène de *The Young Philadelphians*. Le pays du rêve lui parut pire que jamais lorsque Devon remarqua que la chaloupe dans laquelle Spencer Tracy ramait pendant une éternité dans *Le Vieil homme et la mer*, était plantée devant un décor de carton-pâte. En outre, les décors de *Auntie Mame* s'écaillaient, et à la cafétéria, Inez fit remarquer à ses amies que Tab Hunter avait des boutons au visage.

Tous les matins, les filles se rendaient à l'atelier d'Edith Head faire l'essayage de leurs robes pour le mariage.

— C'est ce que je pensais, dit May en s'examinant dans la glace, les épingles saillantes sur sa robe jaune à volants. Elle portait un chapeau à grand bord en paille jaune clair garni de marguerites artificielles. — Devon ressemble à une délicate coupe de sorbet, tandis que moi, j'ai l'allure d'une banane sur le point d'éclater.

— Pas du tout, la rassura la dessinatrice récipiendaire d'un Oscar. Grace Kelly prétendait la même chose de ses costumes pour *Rear Window*, jusqu'à ce qu'elle constate comment je l'avais amincie. La plus difficile à habiller, c'est Judy Garland. Il m'a fallu *inventer* une toute nouvelle silhouette pour elle. Elle a la taille la plus étrange que j'ai jamais vue. Des cuisses splendides, longues d'ici à Santa Monica, des jambes en cure-dents, et une taille qui commence sous les nichons. L'unique rôle pour lequel la nature l'avait favorisée, c'était celui de Joséphine, et on ne lui a jamais donné la chance de le jouer. Fiez-vous à moi, les filles. Le jour du mariage, vous serez toutes des Audrey Hepburn.

Devon aimait bien Edith Head, petit bout de femme en verres fumés et chic tailleur Chanel, toujours affairée parmi ses mannequins d'essayage, un ruban à mesurer dans la bouche et ses incomparables dessins à la main. Elle aimait les *bagels* au saumon fumé de chez Nate and Al's, où Doris Day allait quotidiennement prendre son petit déjeuner à bicyclette. Elle aimait aussi la salade du Polo Lounge, où une fois, Shelley Winters avait lancé un verre de lait au visage d'un homme sur la banquette voisine, et où un nain en costume de Philip Morris apportait des téléphones roses aux tables afin que les clients puissent parler à leur psychanaliste. Elle aimait les éclairagistes et les perchistes des plateaux de tournage qui fumaient des Camels sans filtre. Ces types-là étaient tellement blasés qu'une actrice pouvait se promener sur le plateau en jupon transparent, ses rondeurs ondulant plusieurs pas devant elle, et ils ne levaient même pas les yeux de leur journal.

King avait raison, évidemment. Hollywood n'était « qu'une suite de petits patelins reliés par des autoroutes »; néanmoins, Devon voyait la ville pour la première fois, et non pas avec les yeux d'une touriste, mais avec ceux d'une personne avisée, grâce aux conseils d'une habituée qui bénéficiait de certains privilèges. Elle était l'invitée de Gilda Greenway, et ce nom ouvrait encore des portes.

— Lorsque je suis arrivée dans ce bled, dit Gilda un soir au dîner, j'ai frappé à toutes les bonnes portes.

Elle lança un regard oblique à Patrick et ajouta :

— Quand on me refusait l'accès, j'entrais aux mauvaises portes!

Le soir, Patrick invitait les dames à de somptueux restaurants, comme par exemple La Rue ou le Bistro, où la lumière tamisée donnait même au visage dodu de May l'apparence d'un pétale de camélia. Cependant, King n'était jamais de ces joyeuses parties.

Depuis le premier soir, alors que Devon lui avait donné la main avant le dîner aux Perles et qu'il l'avait serrée trop longtemps, ce qui n'avait échappé à personne, King évitait Devon. A l'arrivée de Gilda à table ce soir-là, il avait renversé un verre de vin rouge sur la nappe de toile damassée, et il ne faisait depuis que de rares apparitions obligatoires. Le jour, il jouait au tennis ou accordait des interviews, d'après Inez. Le soir, il disparaissait « pour des obligations » au volant de sa Thunderbird de location.

La veille du mariage, le menu du dîner comprenait des huîtres et du caviar, de même que des œufs de cailles sur un lit de laitue *radicchio.*

— Ne te force pas à manger, chuchota May à l'oreille de Devon. On se fera des tartines de beurre d'arachides tout à l'heure.

Fidèle à son image, Patrick était un excellent hôte plein de charme. Toujours enthousiaste en présence de Gilda, il était particulièrement heureux et spirituel en portant un toast aux mariés.

— La voie s'ouvre devant une jeune et brillante génération, bien représentée ici ce soir. Je lève mon verre d'abord aux mariés, et ensuite à chacun de vous, aux amis, à la famille, à l'avenir. L'industrie du cinéma est entre vos mains.

Verres de cristal en main, on trinqua deux fois de suite, après quoi Gilda dit à Patrick :

— Chéri, pourquoi ne leur racontes-tu pas ton anecdote au sujet de Marlene Dietrich.

Il redressa son nœud papillon de ses énormes mains cuivrées et rudes comme un gant de baseball.

— Eh bien, voici. A mon arrivée à Hollywood, Marlene Dietrich était la créature la plus élégante et la plus séduisante au monde. Elle avait de petits yeux mi-clos qui voyaient tout, et un accent allemand guttural qui faisait perdre la tête aux hommes. En revanche, elle avait une très mauvaise dentition. C'est pour cette raison qu'elle ne souriait jamais devant la caméra ni ailleurs, mais qu'importe. Avec un visage comme le sien, qu'avait-elle à envier à Shirley Temple? On l'appelait la boche solitaire.

— Patrick a fait en sorte qu'elle soit un peu moins solitaire, n'est-ce pas, chéri?

— Gilda, tu brûles les étapes! dit-il en rougissant. Toujours est-il que j'avais acquis une certaine réputation comme cascadeur et John Wayne m'avait adopté, pour ainsi dire. Nous avions l'habitude de faire de la voile ensemble et de pêcher au large de Catalina, et il s'était mis dans la tête que j'étais prêt à faire le saut comme acteur. Il a donc embobeliné les gens du studio afin qu'ils me donnent un assez bon rôle dans un film qu'il tournait avec la Dietrich. J'étais tellement ébahi le jour où j'ai fait sa connaissance que je lui ai marché sur un pied. Elle n'était pas très enchantée. Or, deux semaines plus tard, elle s'adressa à moi en prenant une cigarette : « Tonne-moi tu feu. »

J'étais si nerveux que j'ai sorti mon Zippo en vitesse et je lui ai brûlé les cils. J'ai failli me faire congédier, mais la boche m'aimait bien. Elle a dit : « Il a quelque chôsse, celui-là. » Et elle m'a invité à dîner. J'avais tout astiqué pendant des heures, mais les gros bonnets qui se trouvaient là l'ont accaparée toute la soirée. La Dietrich n'a fait que bâiller pendant tout le dîner, et à vingt et une heures, elle s'est levée en disant : « Fous defez partir, maintenant. Il me faut neuf heures de sommeil. » A la porte, je lui ai baisé la main et elle m'a invité à revenir la semaine suivante.

Patrick s'interrompit et but une gorgée de vin.

— Il a toujours le don de s'arrêter au mauvais moment, dit Gilda en badinant. Allez, chéri, tu nous tiens en haleine.

— Sur le plateau, je lui ai demandé ce que je pouvais lui offrir en gage de remerciement pour son amabilité, et elle a bâillé. Elle bâillait toujours, cette femme. C'était celle qui crevait le plus d'ennui à Hollywood à cette époque. Elle m'a répondu : « Pas de rôsses, car elles se fanent et meurent, et il faut les cheter. » J'ai donc consulté John Wayne à ce sujet et il m'a conseillé de lui offrir un couteau de poche.

— J'ai cherché pendant des jours avant d'en trouver un qui lui conviendrait, en nacre avec une étoile d'argent sur la poignée. Je suis donc allé dîner chez elle, dans cette vieille maison qu'elle habitait et qui me rappelait une toile d'araignée. Je lui ai offert le présent et elle a déchiré le papier d'emballage en laissant tomber le ruban de satin sans un seul battement de paupières. Elle a jeté un seul regard au couteau, après quoi elle a ouvert le grand tiroir d'une commode antique dans le hall d'entrée et l'a lancé dedans, parmi une centaine d'autres de toutes les couleurs et de toutes les formes imaginables. J'étais si déçu que je n'ai rien mangé. Après le dîner, comme elle me reconduisait à la porte, j'ai trouvé le courage de lui demander pourquoi il y avait autant de couteaux de poche dans ce tiroir. La boche bâillait devant la glace. « Tu vois comment je suis. Je suis très belle, non? Très élégante. Or, je ne veux pas de voitures, j'en ai déjà. Je ne veux pas de fourrures, j'en ai déjà. Je ne veux pas de rôsses non plus. Je sais pourtant qu'un jour, je ne serai plus aussi belle, ni aussi élégante, ni aussi désirable qu'aujourd'hui. Quand ce jour viendra, je serai prête. Qu'est-ce qu'un jeune garçon de seize ans ne ferait pas pour un joli couteau de poche? »

Chacun s'esclaffa, y compris King.

Après le dîner, les convives furent invités à la projection d'un nouveau film intitulé *Marjorie Morningstar*, et lorsque les lumières se rallumèrent dans la salle, King avait disparu.

— Il me semble qu'il boit beaucoup, remarqua May en frémissant. Il couche dans la chambre à côté de celle d'Inez, et ma foi, je pense qu'ils ne s'adressent jamais la parole en l'absence de Gilda.

Devon était étendue sur son lit, la tête sur un bras.

— Si Inez le touche, il se raidit. Je l'ai remarqué.

— Ah, oui! Ça crève les yeux. Il ne le fait même pas de manière subtile. A mon avis, ils savent tous deux qu'ils commettent une erreur.

— Alors, à quoi bon prolonger la mascarade? Pour l'amour de Gilda?

— Je ne devrais rien dire, poursuivit May. Il se consume d'amour, c'est certain. Mais ce n'est pas pour Inez. C'est toi qu'il voudrait épouser.

Devon devint cramoisie.

— Alors, pourquoi... Elle n'acheva point sa phrase. Elle venait soudain de comprendre. May hochait la tête.

— Je ne serais pas surprise que la chambre *Daisy Ashley* soit convertie en chambre de bébé d'ici la fête du Travail, sans vouloir faire de jeu de mots.

Dès l'aurore, Devon remarqua qu'une équipe de chez Chasen's était en train d'ériger une immense tente rayée sur la pelouse impeccable. Elle n'avait pas fermé l'œil de la nuit. Elle cherchait à dissimuler les vilains cernes autour de ses yeux quand on frappa à sa porte.

— Devon, c'est moi, cria May. Ça va?

May était la seule fille parmi toutes les connaissances de Devon qui portait un pyjama de flanellette durant toute l'année.

— Ciel! s'exclama la visiteuse en regardant autour d'elle dans la chambre de Devon. Chaque fois que j'entre dans cette pièce, j'ai l'impression que c'est ici que Miriam Hopkins est décédée. Je n'ai jamais vu autant d'organdi, même dans un film de Betty Grable. Moi, j'occupe la chambre *The Bridge*. Tu te souviens de ce film? C'est celui dans lequel Gilda joue le rôle d'une religieuse. Ça se passe dans les marécages de bambou à Sumatra. En tout cas, ma chambre me rappelle une pelure de grenade. Jusqu'aux draps qui sont rouges. On pourrait me prendre pour l'épouse de Fu Manchu.

Devon tira un papier-mouchoir rose pour essuyer ses yeux barbouillés de mascara. Elle constata alors que May, elle aussi, avait pleuré. Il y avait des bavures de mascara noir sous ses yeux d'habitude rieurs, et elle avait le nez rouge. Elle tenait à la main un mouchoir trempé.

— Pourquoi pleures-tu? lui demanda Devon.

— Mes parents ne sont pas là.

— Oh, mais en voilà une raison! Qu'est-ce qui te prend?

— Ma mère est malade, répondit May en tortillant les boutons de son pyjama. Gilda ne voulait pas me l'annoncer avant la cérémonie, mais je l'ai tellement tourmentée pour savoir pourquoi ils n'étaient pas encore arrivés...

— Ils trouvent sans doute qu'il ne vaut pas la peine de traverser tout le continent pour ce mariage. Si Gilda ne s'était pas acharnée après moi, je ne serais pas venue moi non plus.

May renifla à grand bruit.

— C'est sans doute une raison valable. Seulement, j'ai téléphoné à plusieurs reprises ce matin, sans succès. C'est ce qui me bouleverse. Si ma mère est trop malade pour prendre l'avion, tu ne penses pas qu'ils devraient être à la maison?

— Je te parie qu'ils font du lèche-vitrine sur la Cinquième avenue avant d'aller déjeuner.

Devon se rappelait l'allure de King le tout premier jour au « 21 », et combien elle avait désiré lui plaire. Il avait laissé monter Inez sur sa moto parce que c'était elle qui avait parlé la première.

— Allons, ne me dis pas que tu vas pleurer toi aussi, fit May en lui présentant une liasse de papiers-mouchoirs. Qu'y a-t-il? Il est arrivé quelque chose à Deauville?

Sur ce, Devon se mit à pleurer de plus belle! Et, en bonne amie qu'elle était, May se joignit à elle. Elles étaient assises côte à côte sur le lit à volants roses, sous le baldaquin à volants blancs, se lamentant comme deux chiens abandonnés, lorsque tout à coup, elles se regardèrent toutes les deux. Elles éclatèrent alors de rire à s'en tenir les côtes.

Comme elles reprenaient leur souffle, Gilda apparut soudain, tenant Tallulah dans ses bras, et elle se mit à les réprimander. Inez pleurait, disait-elle, et elles devraient avoir honte de démontrer tant d'égoïsme. Comment pouvaient-elles s'amuser ainsi, alors que la mariée avait les nerfs en boule!

— Allez immédiatement la retrouver dans sa chambre, leur ordonna-t-elle. Ce n'est pas une partie de plaisir. C'est un mariage!

Puis, elle leur fit un clin d'œil et partit en vitesse s'assurer que madame Denby veillait aux hors-d'œuvre.

Devon, May et Inez ne furent pas les seules à pleurer ce jour-là. Avery Calder, au bras de qui la mariée monta l'allée, sanglota avec elles pendant toute la cérémonie.

Les demoiselles d'honneur étaient splendides en robes de chiffon jaune. Quant à Inez, Edith Head lui avait dessiné une robe de noces qui la rendait aussi radieuse et virginale qu'Elizabeth Taylor dans *Father of the Bride*. Sous un col Claudine en satin blanc, le corsage de chiffon transparent sur corset de satin allait rejoindre la taille ceintrée. La jupe volumineuse d'un blanc cassé formait une traîne de trois mètres, et le tulle qui la recouvrait aurait suffi à confectionner quarante robes de bal. Les demoiselles d'honneur portaient des bouquets de marguerites, et la mariée tenait une gerbe de lys blancs festonnée de rubans de satin blanc qui touchaient le sol.

La nuit précédente, il y avait eu une vive altercation entre les futurs époux. Ils avaient claqué les portes, et May les avait entendus s'échanger des jurons. Mais lorsqu'elle avait allumé la lampe chinoise à son chevet, la maison était aussi calme qu'une église. Inez n'en donnait aujourd'hui aucun signe et s'efforçait de se conduire comme toutes les mariées, le regard étincelant de plaisir anticipé, et aussi, de ce qui paraissait être de l'amour.

La coutume veut qu'une mariée se pare de quatre articles distincts : l'un doit être ancien, l'autre nouveau, un troisième emprunté, et le dernier de couleur bleue.

Pour l'ancien, Inez portait le mouchoir de dentelle que sœur Marcus lui avait offert à son départ de Brooklyn pour Westbridge. Le nouveau, c'était bien sûr sa robe et ses souliers de satin à talons hauts que Devon et May lui avaient offerts. Elle avait emprunté les célèbres perles de Gilda et portait à la cuisse gauche une jarretelle de dentelle bleue qui lui coupait la circulation.

Gilda avait pensé à tout. Un quatuor à cordes jouait des pièces de Rodgers et Hart tandis que des placeurs attitrés conduisaient une centaine d'invités à leur place. Devon remarqua Rosalind Russell et les Jimmy Stewart parmi la foule, et quelqu'un affirma que Louella Parsons avait dû être menée aux toilettes après avoir pissé d'excitation.

Vêtu d'un habit de cérémonie blanc, Avery les escorta tous dans la salle de bal bleue des Perles, comme un fier général à la tête d'un petit peloton de soldats, allant signer un accord de reddition.

John Wayne déambula jusqu'à Patrick et Gilda.

— C'est un beau mariage, mes amis. Vous pouvez en être fiers.

— Merci, John, lui répondit Gilda, ravie. Je les estime comme s'ils étaient mes propres enfants.

On comptait de nombreux journalistes dans l'assistance, de même que la directrice des pages mondaines du *L.A. Times*, et un photographe de *Life* qui prenait des photos de tout angle.

Gilda avait ouvert et sa bourse et son cœur pour cet événement. La salle de bal regorgeait d'orchidées blanches, de tulipes blanches et de lys blancs, et des colombes blanches roucoulaient en somnolant dans des cages de rotin blanc, empruntées pour la circonstance au service des accessoires de la MGM. Chacun portait des tons pastel effacés, sauf Gilda. Toujours soucieuse du Technicolor, elle était en soie moirée vert émeraude et arborait un collier d'émeraudes qui scintillaient au soleil à chacun de ses mouvements. L'omniprésente madame Denby ajoutait une note menaçante en robe et châle de jersey noir, qui devaient lui irriter la peau par cette chaleur.

— Elle a oublié son balai, chuchota May, en donnant un coup de coude à Devon avant de prendre l'allée.

Tallulah avait un ruban jaune autour du cou, tout comme les trois canards lourdauds de Gilda nommés Huey, Dewey et Louie, à l'instar des personnages de Disney.

Ayant porté son regard sur Patrick qui était attablé de l'autre côté de la salle avec Sam Durand, le patron de Gilda à la Metro pendant douze merveilleuses années, la dame en vert écrasa une larme de regret pour ce qui ne saurait jamais se réaliser. Patrick, pour sa part, déjà ivre de Dom Pérignon, posa un bras sur les épaules de Durand et laissa échapper un long soupir.

— Si les choses étaient autrement, mon vieux, ce serait Gilda et moi qui serions à leur place.

King, trop soûl pour verser une larme à son propre mariage, était soutenu par deux jeunes acteurs à forte carrure, mandatés pour la circonstance et qui étaient en service commandé.

Lorsque le révérend les déclara mari et femme, King déclencha un murmure dans la salle quand, ayant levé le voile d'Inez, il tourna la tête pour éviter de l'embrasser sur la bouche. Stupéfaite, la mariée réagit rapidement et lui présenta la joue. Les invités défilèrent par les portes françaises jusqu'à la pelouse où les attendait un buffet élaboré que King appelait « la bouffe à pédé ». Le gâteau de noces comptait cinq étages dont le dernier supportait une moto et une machine à écrire en pâte d'amande qui représentaient les mariés. May avala le rouleau de la machine à écrire à elle seule! On dansa au rythme d'un petit orchestre et d'un groupe de chanteurs.

Chacun était ému, sauf King, qui avait disparu en plein midi.

Après la cérémonie, May monta à la chambre d'Inez afin de l'aider à endosser le tailleur de lin beige qu'elle porterait pour leur voyage à Palm Springs. Devon s'envoya rapidement deux verres de champagne dans un estomac vide, et, emportant le magnum, elle partit faire la visite des Perles. Elle avait l'intention de boire un toast dans autant de pièces que possible, et laissait au sort le soin de choisir celle où elle tomberait d'ivresse. Elle en était à son quatrième lorsqu'elle ouvrit la porte de la salle de projection où quelqu'un regardait des dessins animés. Elle plissait les yeux dans l'obscurité des lieux.

— Entrez! lui cria une voix masculine.

Devon trouva difficilement son chemin dans l'allée latérale, sur le sol incliné recouvert de moquette. Elle s'arrêta et chercha à discerner la forme aux longues jambes étendues devant l'écran. L'homme était calé dans un énorme fauteuil club capitonné de tartan, et fixait des yeux la violence animée à l'écran. D'une main, il tenait une bouteille de champagne en équilibre sur le bras du fauteuil.

— Bonjour, dit-elle en chancelant. Je m'appelle Devon Barnes. Je suis une amie de la mariée. Et vous?

La bouteille fit un bruit sourd en tombant par terre.

— Que veux-tu dire, t'es une amie d'la mariée?

— Excusez-moi, balbutia Devon en remontant l'allée.

— Devon Barnes, reviens ici, ma vieille. Que veux-tu dire, une amie d'la mariée?

— King?

— Qu'est-ce que tu veux dire, au juste? T'es pas mon amie, à moi aussi? T'es encore en rogne parce que j'ai essayé de t'rendre service, p'tite garce?

— Tais-toi, fit-elle, surprise de son ton de voix.

— Approche, dit-il en lui faisant signe de la main. Viens près de moi. Merde, Devon! Tu m'as tellement manqué.

Je m'approcherai quand les poules auront des dents, pensait Devon. Pourtant, ses escarpins de soie jaune s'avançaient lentement.

Il lui fit signe de s'asseoir à côté de lui dans le fauteuil et finit par se rendre compte, en voyant l'air furieux de Devon, debout devant lui, les mains sur les hanches, qu'il n'y avait pas de place pour deux.

— Oh, marmonna-t-il en cherchant à se lever.

— Te dérange pas!

201

Devon était contrariée. Elle s'assit par terre dans un amoncellement de volants jaunes. Le visage de King se trouvait tantôt éclairé, tantôt dans l'ombre, selon les images projetées à l'écran. A la lumière, ses yeux étaient d'un bleu limpide.

— Qu'est-ce que tu me veux?

Elle aurait voulu que sa voix paraisse autoritaire. Elle se serait même contentée qu'elle paraisse seulement pétillante. Cependant, sa voix n'était qu'un murmure rauque. C'était la soumission. *Demande-moi ce que tu veux... Tu l'auras!* En un éclair, elle constata que King avait compris. Consternée, elle ramassa ses jupes, le magnum, et les forces nécessaires pour se lever.

— Ne t'en va pas! Dis, Devon, tu me pardonnes? demanda-t-il d'une voix plus sobre.

— Pour avoir donné un coup de pouce à ma carrière?

Elle savait que ce n'était pas ce qu'il voulait dire.

King tendit la main et elle lui présenta le magnum de champagne, sachant que ce n'était pas ce qu'il souhaitait. Faisant fi de la bouteille, il se laissa glisser au sol et appuya le dos sur le devant du fauteuil. La tête penchée, il étudiait la jeune fille, la regardant droit dans les yeux.

— Arrête!

Devon essayait de détourner la tête, mais elle était incapable de le quitter des yeux.

— C'est trop tard, n'est-ce pas?

Elle hocha la tête en se disant : *Oh, King! Je te désire tant. Je t'aime depuis si longtemps. Pourquoi ne te l'ai-je jamais avoué? Et maintenant, c'est bien fini.* Les larmes lui coulaient sur les joues, gâchant le maquillage qu'elle avait appliqué avec tant de soin. Elle se mit à sangloter.

— Oui, c'est trop tard, King.

— Pas pour nous. Il ne sera jamais trop tard pour nous, Devon.

Il l'attira à lui et l'étreignit très fort tandis qu'elle sanglotait sur sa poitrine. Il se colla ensuite sur elle, de toute sa longueur, la gardant prisonnière dans ses bras.

Elle voulut se dégager, mais il resserra son emprise.

Lorsqu'elle cessa de lui résister, il lui prit le menton et attendit qu'elle ouvre les yeux. Il l'observa pendant que le nuage de fantaisie dont elle s'était enveloppée se dissipait comme de la fumée. Ayant constaté par son regard qu'elle avait pleine conscience de ce qui se passait entre eux, il lui donna un baiser.

Les lèvres de Devon demeuraient scellées à celles de King alors qu'il cherchait les boutons de sa robe. Elle s'accrochait à lui, vaguement consciente que si elle lui succombait, elle ne se le pardonnerait jamais.

King parvint enfin à détacher les boutons de soie et baissa impatiemment le haut de la robe. Les seins de Devon étaient libres contre lui. Il la renversa quelque peu et posa longuement son regard sur ses seins nus, après quoi il l'attira à lui, l'écrasant du poids de son torse.

Il suivit de la main la courbure de son dos et la serra encore plus fort contre lui. Il n'y avait plus d'espace entre eux, ils pouvaient à peine respirer. Il retroussa les volants de sa robe, la doublure de soie, les jupons de satin, et la toucha avec tant d'adresse qu'elle eut un frisson et leva les hanches pour accueillir ces doigts qui la cherchaient. Il était prêt, son sexe dur contre la cuisse de Devon, mais avant qu'il n'ait eu le temps de défaire son pantalon rayé pour se libérer, elle jouissait. Elle l'étreignait, s'accrochait à lui, son corps secoué de spasmes contre celui de King. Elle serrait les dents pour atténuer ses grognements, le visage caché dans le cou de King.

La salle de projection s'illumina tout à coup d'une clarté glaciale et aveuglante.

Devon sursauta et tenta de se lever, mais King lui plaqua les épaules au plancher. Il la tenait coincée sous lui.

— Attends, attends! grogna-t-il en se tordant contre elle, la secouant contre la rude moquette.

— Eteignez cette sacrée lumière, hurla-t-il à l'invisible intrus, qui obéit aussitôt.

Alors qu'il se frottait contre elle à coups de hanches, Devon gardait les yeux rivés sur l'œillet qui pendait à la boutonnière de King, jusqu'au moment où la fleur s'écrasa sur sa poitrine, un instant à peine avant lui.

Dès qu'il se fût levé, elle le repoussa, enfila le haut de sa robe et en attacha les boutons. Elle descendit en courant le grand escalier de marbre, n'osant pas regarder derrière elle le balcon et les portes de bois sculpté de la salle de projection. Elle ne voulait plus revoir King.

Plus jamais.

May était à l'étage et aidait Inez à retirer sa volumineuse robe de mariée quand Frankie Fischoff téléphona; cet appel devait bouleverser l'existence de la jeune fille.

A l'aide de son amie, Inez cherchait impatiemment à détacher les minuscules boutons de perle.

— Où est King? Et pourquoi Devon n'est-elle pas là?

Plus tard, May était incapable de se rappeler ce qu'elle lui avait répondu. Avait-elle taquiné Inez en lui demandant si elle croyait qu'ils étaient ensemble? Ou avait-elle simplement répondu : « Je n'en sais rien » ou « Qu'importe? » Elle avait peut-être fait une blague disant qu'on avait versé tant de larmes torrentielles pendant la cérémonie qu'il avait fallu se procurer un canoë. Elle ne s'en souvenait pas, il y avait trop longtemps de cela. Pourtant, tout ce qui avait suivi restait ancré dans cette partie de son cerveau où les souvenirs sont enfouis.

Gilda était soudain apparue, les yeux bouffis, un mouchoir de dentelle à la main.

— C'est ton père qui appelle, ma chérie. Tu peux te servir de l'appareil dans ma chambre.

Gilda lui prit le bras et l'accompagna dans le couloir, passant devant la massive porte entrebâillée de la salle de projection d'où s'échappait la musique d'un dessin animé.

C'est l'émotion de la journée qui la fait pleurer, pensait May. Elle songe peut-être au fait qu'elle ne peut épouser Patrick et cela la rend triste. Elle paraît si inquiète. Ce n'est certes pas à mon sujet, je me porte à merveille. Ni au sujet de ma mère. Non, il n'y a rien de sérieux. Un mauvais rhume, une grippe. Oh, mon Dieu, et si c'était une pneumonie? J'espère bien que non, se disait-elle comme Gilda lui montrait le téléphone déposé sur le magnifique couvre-lit de style provincial français.

— Je reste ici, à côté de la porte, lui dit Gilda.

May secoua la tête. Elle tenta même de sourire.

— Non, pas la peine. Tu ferais mieux d'aller retrouver Inez. Je préfère être seule.

— May? C'est toi, May?

Qui était à l'appareil? Ce n'était pas son père. Non. C'était bien une voix familière qui ressemblait à celle de son père, mais plus grave et désemparée. Frankie n'était jamais désemparé. Jamais il n'était aussi empressé de lui parler que cet homme au bout du fil.

— Oui, qui appelle?

— C'est ton père, May.

Voilà, pensa-t-elle. Voilà la preuve que ce n'était pas Frankie. Jamais il ne lui aurait dit ça. Il aurait dit : « C'est moi, bon sang. Où diable étais-tu passée? »

— Elle est malade, May, disait la voix. Ma pauvre Norma. Ils l'ont opérée hier. Intervention exploratoire, ont-ils dit. Ils ont jeté un seul coup d'œil et l'ont refermée. Ensuite, il ajouta d'une voix basse mais furieuse : Ils ont perdu la tête, ici, May. Ils prétendent qu'elle va mourir. Non, mais c'est pas croyable! poursuivit-il d'une voix plus forte. Elle veut te parler. Elle est tout près de moi. Elle m'a demandé de te téléphoner; je lui ai d'abord répondu que non, je ne te téléphonerais pas maintenant. Mais elle n'est plus la même, tu comprends. Elle s'est mise à crier. Jamais de toute notre vie de ménage elle n'a élevé la voix. Mais parce qu'elle voulait te parler, elle me criait après. Alors, j'ai téléphoné. Seulement... elle... s'est endormie. J'ai demandé à Gilda d'aller te chercher, comme Norma le souhaitait. J'ai fait tout ce qu'elle me disait de faire. J'ai composé. J'ai dit à Gilda de se presser. Et elle... Attends! Voici le docteur Vogel.

— Papa! hurla May. Attends! Ne lui parle pas maintenant, papa. C'est à *moi* qu'il faut parler!

Elle entendit la voix de son père qui criait à tue-tête.

— « Elle s'est endormie, comme ça. Nous étions en train de parler; j'ai fait un appel, je me suis retourné, et elle était endormie. Voulez-vous me dire ce qui se passe, docteur. Tout de même, le cancer, du jour au lendemain, c'est pas possible! Elle se portait bien; elle avait quelques crampes, la migraine, rien de sérieux. Je vous l'amène et tout à coup, on nous parle de cancer!

— Papa! Papa, qu'est-il arrivé, dis-moi?

— Non! entendit-elle son père s'écrier. Qu'est-ce que vous faites, sale boucher? Pourquoi lui couvrez-vous le visage? Elle n'est pas morte! Vous n'êtes qu'un imbécile. Vous êtes tous des imbéciles!

May entendit ensuite moins clairement le docteur Vogel qui demandait à l'infirmière d'aviser le centre de réanimation cardiaque. Monsieur Fischoff semblait avoir une attaque!

La jeune fille se mit alors à hurler de plus belle dans l'appareil.

— Docteur Vogel, c'est May. Qu'est-il arrivé? Docteur Vogel, dites-moi ce qui est arrivé. Docteur Vogel!

A bord de l'avion à leur retour à New York ce soir-là, elle et Devon buvaient leur vodka directement de la bouteille. May relatait les détails de l'appel de son père, et elle se répétait en revenant toujours au moment où elle avait constaté que sa mère était morte et que son père avait besoin d'elle.

Elle aurait voulu raconter à Devon qu'elle l'avait cherchée en courant partout dans la maison comme une idiote, mais elle n'y parvenait pas. Elle ne pouvait pas lui avouer qu'elle s'était rendue à la salle de projection, avait allumé les lumières, et l'avait aperçue à moitié nue et à bout de souffle à côté de King, le jour même du mariage de ce dernier.

La mère de May fut enterrée au cimetière de Southampton, autrefois un champ de pommes de terre. Une foule nombreuse qui comprenait des célébrités tant de Hollywood que de Broadway accompagnait May. Gilda fit parvenir un arrangement de roses et de tulipes, les fleurs préférées de Norma, celles que Frankie lui offrait chaque année pour son anniversaire. Elle aurait voulu être auprès de May pour les funérailles, mais elle était cependant en plein tournage, résultat d'un superbe contrat que Frankie avait négocié en son nom. Elle pria sa filleule la comprendre.

Les larmes aux yeux, Devon tenait la main de son amie pendant la cérémonie et la mise en terre du cercueil d'acajou.

Encore sous le choc de la mort de sa mère, May prit en charge la santé de son père de même que ses affaires compliquées mais lucratives. Frankie se remit lentement, presque contre son gré, et ne guérit jamais tout à fait. Partiellement paralysé, il avait à peine les forces nécessaires pour renseigner May sur ce qui devait être fait. C'est avec peu d'intérêt qu'il signait les contrats d'une main tremblante et décharnée. Il avait constamment les yeux hagards, comme les pommettes sauvages glacées dont on décore le jambon, et il prenait souvent May pour son épouse décédée.

Ses amis et intimes, et même ses concurrents, se mirent de la partie pour apprendre à May les trucs de la négociation. A seulement dix-huit ans, May comprenait très rapidement. Elle n'avait pas choisi ce métier, c'était le métier qui l'avait choisie. En revanche, une fois qu'elle en eût appris les rudiments, elle se découvrit un talent naturel.

Tous les soirs, après avoir fait manger à son père le dîner qu'Estelle avait préparé, May s'installait dans le fauteuil préféré de l'impresario, et se plongeait dans les contrats, les négociations avec les studios, les ententes de représentation, et les commissions en souffrance. Elle prenait des notes, dressait une liste des questions à poser à son père, et laissait son esprit absorber tout ce qu'il pouvait.

Elle était fascinée. Non seulement par la structure de ce genre d'affaires et leur terminologie, telle que les points, le montant brut ou net, les options, les reprises de contrat, mais aussi par les méthodes qui font qu'un impresario médiocre est ce qu'il est, et qu'un bon devient meilleur.

Frankie comptait parmi les bons. Or, sa fille, douée d'un esprit vif comme l'éclair, trouva quelques aspects de ses affaires qu'il aurait pu améliorer. Jusque-là, May n'avait jamais porté attention à ce métier. Aujourd'hui, elle savait exactement ce qu'elle allait devenir.

Parbleu, elle deviendrait le meilleur impresario dans le domaine cinématographique.

* * *

Le lendemain des funérailles, Devon rentra à Jones Street. Deauville s'y était arrêté et était reparti sans laisser aucun message. Il s'était contenté de prendre ses vêtements et ses livres, ainsi que la photo de W.E.B. Du Bois épinglée à l'armoire de la cuisine, à côté des coupures de presse relatant le boycottage des autobus à Birmingham et les émeutes au Central High School. Il y avait à présent une étrange tache pâle sur le mur de la chambre, à l'endroit où une photo autographiée de Paul Robeson était jusqu'alors accrochée. Devon se sentait coupable chaque fois qu'elle y posait son regard, ce qui devait se produire souvent au cours des nuits blanches qui suivirent son retour à New York. Et lorsque la culpabilité la tourmentait, évidemment, elle songeait à King.

Celui-ci téléphona plusieurs fois de la Californie, mais elle raccrochait toujours. Inez téléphonait aussi. Un éditeur de New York, invité au mariage, avait suggéré qu'elle contribue à la rédaction d'une autobiographie de Gilda. Inez songeait à accepter. Elle paraissait esseulée et dépourvue d'ambition. Elle avait repris son habitude de téléphoner à des heures indues, à la recherche de King, et demandait à Devon si elle en avait des nouvelles.

En avril, un mois après le mariage, Gilda téléphona à Devon pour lui annoncer qu'Inez était enceinte.

— De quatre mois et demi, plus précisément. C'est arrivé au moment de la visite-éclair de King à la fin de novembre. Je l'ai appris au premier de l'An. C'est la raison pourquoi j'ai hâté les choses. J'aurais cru que le mariage était la seule solution, mais je me rends compte que j'ai eu tort.

Gilda s'interrompit un instant, et Devon comprit qu'elle tirait sur une cigarette.

— Je ne devrais sans doute pas t'en parler, poursuivit l'actrice, mais au mois de décembre, Inez n'a pas eu ses règles et elle est partie à la recherche d'un médecin qui consentirait à l'avorter. N'en ayant pas trouvé, elle a tenté de se suicider en avalant des somnifères. Heureusement, un des garçons avec qui elle partageait la maison de Venice est rentré tôt et l'a trouvée étendue dans la cuisine, le flacon vide à côté d'elle. Dieu merci, c'est à moi qu'il a téléphoné plutôt qu'à la police.

— Oh, Gilda. Mais, c'est terrible! Qu'est-ce que tu as fait?

— Comme d'habitude, ma chérie, je me suis occupée de tout. J'ai encore beaucoup d'influence dans ce patelin. J'ai fait entendre raison à Inez et je lui ai raconté ce que ce boucher m'avait fait autrefois. Jamais je n'aurais laissé une de mes filles traverser la même épreuve!

Devon essayait de s'imaginer comment Inez avait dû se sentir, la pauvre. Elle qui n'en avait pas soufflé mot à Devon à Los Angeles. Elle qui s'était comportée à son mariage comme la plus heureuse des mariées.

— Elle est chez moi, aux Perles; comme ça, je peux y avoir l'œil afin qu'elle ne commette pas d'autre bêtise. A présent, elle est obsédée par le fait qu'elle prend du poids. Elle est convaincue que King va l'abandonner. Elle est en train de rendre madame Denby complètement folle. Elle a désespérément besoin d'une amie, Devon, et elle aimerait te voir, ma chérie, et moi aussi. Viens nous rendre visite.

— Oh, Gilda, je... je ne sais trop.

Comment pouvait-elle affronter Inez après ce qu'elle et King avaient fait?

— Qu'est-ce qui te retient donc à New York?

— Rien, répondit Devon, sachant que c'était la pure vérité.

Elle téléphona donc à sa mère à Dallas, mais il n'y avait pas de réponse. En se mordant la lèvre, elle composa ensuite le numéro de Maybelle. La voix au bout du fil était sévère et intransigeante.

— Rentre au Texas immédiatement. Je ne me porte pas très bien et j'ai besoin de toi. Est-ce que tu veux la part d'héritage de ton vaurien de père ou non? Je ne te laisserai pas un sou si tu ne rentres pas à Mills County aujourd'hui même. Reste à New York et tu iras droit en enfer, mademoiselle je-sais-tout. Tu es bien comme ton étourdi de père, va.

Devon sortit une boîte dissimulée sous son lit dans laquelle elle rangeait un travail à l'aiguille auquel elle s'affairait depuis le début de l'hiver. C'était un dessin très simple; de grosses lettres noires sur un fond blanc se lisaient ainsi : « Garde-le pour toi. » Elle s'empressa de le terminer et en fit un coussin qu'elle expédia à sa grand-mère par la poste. Elle offrit à sa voisine les disques de Billie Holiday ayant appartenu à Deauville et fit ses adieux aux cancrelats. Avant de remettre les clés, elle téléphona à May dans le but de lui dire au revoir, mais elle dut laisser le message à son service téléphonique. Comme le taxi quittait Jones Street, elle fut étonnée de constater qu'elle ne pleurait même pas.

Quelques mois plus tard, aux Perles, elle recevait un appel de la part d'un avocat d'Austin l'informant du décès de Maybelle. Cette dernière avait laissé à chacun de ses petits-enfants, à l'exception de Devon, un héritage en fidéicommis. L'exécuteur testamentaire désirait savoir comment il devait disposer de la vieille machine à coudre dont Devon avait hérité.

— Mettez-y le feu, dit-elle d'une voix glaciale. Elle était tout à fait sereine après qu'il eût raccroché.

Le 15 août 1958, Gilda téléphona à May pour lui annoncer qu'Inez avait donné naissance le matin même à un garçon de trois kilos.

— Quand viendras-tu faire la connaissance de mon petit-fils? lui demanda Gilda. Nous nous languissons de te voir.

— Tu veux rire! Je suis débordée de travail.

May avait déjà augmenté au nombre de cinquante les clients de son père, et elle visait la centaine. Tout le monde a son prix, et elle le savait. Or, contrairement à la plupart des brasseurs d'affaires, elle connaissait non seulement le prix de chaque chose, mais également sa valeur.

— Je ne peux pas me permettre d'aller voir un mioche. Qui s'occuperait de mon père et de ses affaires? C'est en plein la période où se décide la distribution pour les productions d'automne. Non, c'est impossible. Ce sera au petit de venir me voir à New York quand il aura grandi.

Une semaine plus tard, une gouvernante sonnait à l'appartement des Fischoff, une valise Vuitton à la main et un air de compétence joviale au visage. Pendant que May s'évertuait à convaincre la bonne dame qu'elle s'était trompée d'adresse, le téléphone sonna.

— La gouvernante est-elle arrivée? s'enquit Gilda.

May se mit à rire d'un rire ennuyé. Il n'y avait vraiment rien à l'épreuve de Gilda.

— Ecoute, ma chérie, disait la voix maternelle au bout du fil. « Tu as devant toi une infirmière diplômée et une gouvernante, avec les hommages d'Artie Donovan. Il dit que c'est la moindre des choses qu'il puisse faire pour son ancien associé. Cette femme possède des références impeccables. A présent, tu n'as absolument aucune excuse de manquer la réception de « bienvenue en ce monde » que je donne en l'honneur de Hollis Avery Godwin. »

Devon alla cueillir May à l'aéroport au volant d'une familiale qu'elle avait louée chez Hertz. May ne l'avait jamais vue aussi détendue depuis leur première année à Westbridge. Ou était-ce le fait que May était elle-même tellement surchargée de travail que tous les autres lui paraissaient calmes en comparaison. Gilda avait eu raison de la forcer à faire ce voyage. Elle le comprit au moment où Devon lui présenta un sac de mandarines provenant de la propre orangeraie de Gilda. Il était grand temps qu'elle se paye un peu de détente au soleil.

Devon lui donna une formidable étreinte.

— Attends de voir le petit lutteur. Tu vas l'adorer, tout simplement.

May ne fit aucun cas de cette remarque. Si seulement elle avait su...

14

Le 26 décembre 1979

— Tu n'as pas faim? demanda Devon en montrant l'assiette de
guacamole de Billy.

Ils se trouvaient sur la terrasse d'un petit restaurant mexicain
avec vue sur la mer à Hermosa Beach, où la nourriture était de
beaucoup plus intéressante que la petite troupe de *mariachis*.
Sous un soleil radieux, une brise fraîche soufflait du large; Devon
avait déjà dévoré une *enchilada* et en était à sa deuxième bière.

— J'ai perdu l'appétit, lui répondit Billy en mettant ses lunettes
Givenchy pour se protéger les yeux du soleil. Dieu que je déteste
le soleil. C'est tellement déprimant. Je préfère New York, où la
température me rappelle l'intrigue d'un long métrage de Doris
Day : si vous n'aimez pas ça, attendez quand même un peu. Les
choses vont changer d'une minute à l'autre.

— Franchement, mon vieux, un peu de soleil ne te ferait pas de
tort. Tu as le teint de quelqu'un qui passe trop de temps au cinéma.

— Tu parles comme Gilda, Devon.

— Je t'en prie. Si je me mets à pleurer maintenant, je ne
m'arrêterai plus.

Elle se massait la nuque, un geste qu'elle faisait d'ailleurs dans
chacun de ses films, avait-il remarqué.

— Pardonne-moi. Elle me manque tellement.

— Elle nous manque à tous.

— Lionel Biggs m'a dit que lorsqu'on a découvert Gilda, elle
avait dans la main cette fameuse photo de vous quatre au « 21 ».

— Et après?

— Je pense qu'il est temps de prendre un autre margarita, avant
que je commence à te poser des questions. A savoir, est-ce que tu
crois que King est coupable, où étais-tu passée ces deux dernières
années, pourquoi ai-je toujours eu l'impression que Gilda savait
où tu te trouvais, comment se fait-il que tu sois de retour pour ses
funérailles?

Devon prit une grande gorgée de bière.

— C'est la grande inquisition, où quoi? Gilda savait garder un
secret. Elle en avait l'habitude depuis toutes ces années avec
Patrick, et le grand Ted Kearny avant lui.

— Tu sais, il y a des années, alors que j'étais nouvellement arrivé ici, j'ai écrit un article au sujet de Gilda et de Kearny, et je me suis bien fait savonner.

— Il l'a complètement déboussolée, ce salaud. Elle en a eu le cœur brisé. « Il m'a d'abord déflorée, et ensuite, il m'a brisé le cœur. » Oh, j'y pense, Billy. J'avais oublié que je dois téléphoner à quelqu'un. Tu me commandes une autre bière, s'il te plaît?

Devon s'en alla à l'intérieur d'un pas hésitant. De sa place, Billy la voyait parler de manière animée comme si elle essayait de convaincre quelqu'un. Elle raccrocha, composa un autre numéro et parla encore pendant plusieurs minutes.

— Il nous faudra bientôt partir, dit-elle à son retour.

— Je me mêle de ce qui ne me regarde pas, mais est-ce que tu parlais au lieutenant Biggs, par hasard?

Devon passa outre à cette question.

— Où en étions-nous? Ah, oui. Gilda. Elle épousait les plus gentils mais tombait amoureuse des plus salauds, pas vrai?

— Oh, j'en connais au moins un qu'elle a épousé qui était aussi un rat. Un rat tellement gros qu'il aurait pu engendrer la peste.

— Tu veux dire le matador chantant de Brooklyn. Je me trompe?

— Non. C'était Artie Bender. On les avait surnommés tous deux « les bagarreurs ». Ça devait durer une année entière. Il ne lui donnait que des coups, mais il est du genre à envoyer des roses au cimetière chaque année au jour de leur anniversaire de mariage, à présent qu'elle est morte. Est-ce qu'elle t'a montré sa collection de rats? Elle en avait une vitrine pleine. Des rats, des souris, des rongeurs de toute espèce. Elle collectionnait les rats de la même manière que d'autres femmes collectionnent les breloques. Il y avait des rats en céramique, en bois, des rats empaillés, la souris Mickey, des rats en verre, en porcelaine de Wedgewood, tout ce que tu voudras. Elle avait l'habitude de montrer la vitrine en disant : « J'ai toujours été entourée de rats. J'en ai même épousé quelques-uns. »

— Qui d'autre y avait-il, déjà? demanda Devon. Le joueur de soccer, le guitariste de Stan Kenton...

— Elle n'a jamais épousé le guitariste. Elle a vécu avec lui pendant quelques mois dans une remorque à Palisades. Le joueur de soccer, lui, c'est une autre histoire. C'était son premier mari. Il s'appelait Herman Gehrig, et le gros imbécile prétendait toujours qu'il était le petit-cousin de Lou Gehrig. Gilda l'appelait Hermann Goering parce qu'il n'avait qu'une seule couille.

Devon faillit tomber de sa chaise.

— Ensuite, poursuivit Billy, il y eut Chunk Williams. Quel charmant garçon! Beau et grand, une découverte du même impresario qui avait lancé Rock, Tab, Lance et tous les autres qui portaient des prénoms de boissons gazeuses. Chunk avait devant lui une carrière de star quand un scandale avait mis Louis B. Mayer dans tous ses états. Gilda avait épousé Chunk pour rendre service à Avery Calder, tu sais.

— Non, je ne le savais pas. Qu'est-ce que Avery avait à voir avec Chunk Williams?

— Tu te souviens de *Barracks Street Blues*?

— Et comment! Tu ne savais pas que j'ai passé une audition pour le rôle de Rose Ann, la putain?

— C'était Chunk Williams.

— Que diable veux-tu dire?

— Chunk Williams était le beau jeune prostitué dont Avery était tombé amoureux à la Nouvelle-Orléans. Tu sais, le genre prostitué-au-cœur-d'or. *Barracks* était en quelque sorte une lettre d'amour à son intention. Avery l'avait d'abord représenté comme étant un marin noir et l'avait ensuite changé en putain blanche. Or, bien des gens savaient que ce personnage était en vérité Chunk Williams, l'ancien Monsieur Gilda Greenway. Avery l'avait envoyé à Hollywood dans les années quarante. Le jeune homme avait joué comme danseur dans des comédies musicales. Il avait aussi interprété des rôles de jeune soldat dans certains films de guerre. Tu sais, le genre de type dont l'épouse attend sagement à la maison dans sa cuisine. Or, il s'était fait surprendre dans un raid au Fantasy Club.

— Je croyais que le Fantasy Club était une maison close!

— C'en était une, en effet. Pour hommes exclusivement. Il s'est fait pincer dans ce bordel en compagnie d'un autre acteur du studio qui travaillait là au noir. J'oublie son nom, mais figure-toi qu'un réalisateur réputé avait le béguin pour lui. Toujours est-il que L.B. avait ordonné à Sam Durand de faire venir le réalisateur et Avery à son bureau, tu comprends, un peu comme des parents chez le directeur d'école. L.B. était un vieux débauché avec les femmes, et il *détestait* les pédés. N'oublie pas que ces jeunes-là avaient personnifié des soldats, la fierté de l'oncle Sam. S'il avait fallu qu'on apprenne qu'ils étaient pédés, le scandale aurait secoué l'industrie cinématographique tout entière. Sam Durand, le bras droit de L.B., avait donc sommé les « parties intéressées » de se surveiller, et c'est ainsi que Gilda avait épousé Chunk.

— Pour rendre service à Avery.

— Et à Kearny, d'après ce que j'ai su. Il souhaitait la voir mariée. A bien y penser, elle ne s'est mariée que trois fois. Et à deux reprises au cours des années où elle était la maîtresse de Kearny. N'oublie pas qu'il était plus âgé qu'elle de près de trente ans. Et c'était un célèbre et très élégant homme d'affaires de New York. Il avait une réputation à protéger. Qu'importe si on l'appelait « le pirate de Wall Street »? Voler les riches, c'était une chose. Voler la jeunesse d'une fille, c'en était une autre.

— Qu'est-il advenu de Chunk Williams?

— Il s'est suicidé en 1944. Il a ingurgité un seau de lessive qu'il s'était procuré dans la serre chez Gilda, et par-dessus ça, il a avalé un insecticide. C'est Ted Kearny qui a défrayé le coût des funérailles.

En 1944, le magazine *Photoplay* avait demandé à dix des plus célèbres étoiles féminines de définir en un mot leur impression de l'amour romantique. « Enrichissant », avait écrit Bette Davis. « Excitant », pour Hedy Lamarr. « Un défi », avait dit Joan Crawford.

A côté du nom de Gilda Greenway, on lisait le mot « Adieu ».

15

Dans la salle de séjour chez Gilda Greenway, le détective Biggs se cacha à côté d'une commode d'ébène incrustée datant du dix-neuvième siècle. Le meuble se trouvait à proximité du piano, le long du mur, et était justement assez haut et profond pour dissimuler adéquatement le détective.

Il venait d'entendre, à peine quelques instants plus tôt, la porte d'entrée s'ouvrir puis se refermer. Quelqu'un verrouilla la porte et glissa la chaîne en place. L'intrus avait non seulement violé les scellés, mais possédait une clé et souhaitait ne pas être dérangé.

Une ombre se déplaça dans l'entrée. Une ombre assez grosse, plus rondelette que grande.

La forme s'approcha de la salle de séjour. Biggs s'écrasa du mieux qu'il le pouvait le long du mur. Il ne bougeait pas, obligeant ses sinus à ne pas faire le bruit qu'ils faisaient parfois pendant son sommeil ou lorsqu'il respirait par le nez.

C'est alors qu'il l'aperçut.

Elle se déplaçait lentement, comme un chat à l'affût d'un rongeur. C'était une femme d'un certain âge, aux cheveux poivre et sel, mal fagotée, tout de noir vêtue, y compris souliers en cuir verni et sac assorti.

Biggs réfléchissait. Devait-il s'avancer et lui demander ce que diable elle voulait, ou attendre de voir ce qu'elle ferait?

Elle lui fournit la réponse.

En traînant des pieds, la femme s'approcha de la chaise longue où l'on avait trouvé Gilda. Biggs plissa les yeux. Elle serra son sac contre elle et s'assit sur la chaise. Elle se pencha et se mit à pleurer doucement, en fixant des yeux la tache de sang. Biggs se sentait mal à l'aise; il avait l'impression d'être un voyeur.

— Oh, Gilda... Pourquoi? Pourquoi ont-ils fait ça?

Biggs sortit alors de sa cachette. Il écarta le revers de son veston afin que la mystérieuse visiteuse puisse clairement voir son revolver de policier dans sa gaine.

— Police! annonça-t-il d'une voix plus forte qu'il ne l'aurait voulu.

La femme sursauta et poussa un cri à pleins poumons. Biggs courut à elle et lui dit :

— N'ayez pas peur. Je suis de la police.

Etouffée, la femme porta une main à sa poitrine. Elle paraissait terrifiée. Les larmes avaient gâché la pathétique tentative qu'elle avait faite de se rajeunir au moyen de cosmétiques. Son fard coulait et elle avait le visage plaqué de poudre humide. Elle était visiblement affligée.

Il attendit. Au bout d'un moment, la femme reprit sa respiration normale. Elle paraissait trembler moins violemment.

— Je suis navré de vous avoir fait si peur, madame, mais qui êtes-vous donc?

La femme leva un sourcil et le regarda droit dans les yeux.

— Ce serait plutôt à moi de vous le demander.

Biggs lui montra son insigne.

— Je suis le détective Lionel Biggs, du bureau des homicides.

Les yeux de la femme se gonflèrent encore de larmes.

— Oui, évidemment. Les homicides. C'est vous qui faites enquête quand il y a meurtre.

Elle pleurait toujours, à petits coups étouffés.

Biggs posa une main sur l'épaule de la femme.

— Ecoutez, madame. Je vous le demande pour la seconde fois. Qui êtes-vous?

La femme esseya de se calmer. Elle redressa les épaules et leva fièrement la tête.

— Mais, je suis la gouvernante!

Evidemment.

Celle dont Billy Buck avait fait mention et à qui Gilda avait donné une semaine de congé.

Quelle cruche il était! Dieu merci, Monahan n'était pas là. Il l'aurait fusillé pour avoir ainsi effrayé la pauvre vieille.

— Je vois, lui dit Biggs gentiment. Comment vous appelez-vous?

— Madame Edna Denby.

— Je suis désolé. Vous avez sans doute eu un choc terrible. Quand l'avez-vous appris?

Madame Denby sortit un mouchoir de son sac qu'elle referma avec un bruit sec.

— J'étais chez moi et j'ai entendu la nouvelle à la radio.

Elle se mit à sangloter.

— Mais que faites-vous ici aujourd'hui? demanda-t-il en allumant une autre Camel.

Elle se raidit, reprenant contenance.

— Je suis là pour les animaux. Evidemment, je suis la seule qui pense à les nourrir! Et je suis venue chercher mes effets personnels, aussi.

— Les animaux, avez-vous dit?

— Oui. Mademoiselle avait une fameuse réputation en ce qui les concerne. Vous ne le saviez pas? Oh, ce qui arrive est une terrible histoire, ajouta la vieille en pleurant.

Biggs la regardait et ne pouvait s'empêcher d'en avoir pitié. Pauvre vieille. Elle se réveille un bon matin pour apprendre que la femme chez qui elle travaille depuis des années, une des grandes légendes de notre époque, s'est fait descendre la veille de Noël. Il y avait des fois où il détestait son travail. Il observait la gouvernante qui s'essuyait les yeux. Elle avait sans doute été belle dans sa jeunesse. Il y avait quelque chose dans ses yeux qui lui rappelait sa mère. Cette dame était probablement très aimable.

— Connaissez-vous le coupable? demanda-t-elle en oubliant qu'il venait de lui dire qu'il faisait enquête.

Biggs secoua la tête.

— Nous cherchons toujours. Au fait, je crois que vous pourriez probablement nous aider. Si vous n'y voyez pas d'inconvénient, j'aimerais vous poser quelques questions.

Il laissa échapper un nuage de fumée et tira encore sur sa cigarette.

Edna Denby détourna son regard de la grande tache brune derrière elle. Quelques larmes s'échappèrent de ses yeux.

— Je ne peux pas croire qu'ils auraient pu lui faire ça, dit-elle tristement.

— Qui?

— Qui que ce soit.

— Pourquoi dites-vous « qu'ils » ont fait ça?

— Oh, je n'en sais rien, répondit-elle d'une voix triste. Je crois que je m'exprime mal. Ne m'en voulez pas.

Biggs se déplaça dans son fauteuil. Il se pencha en avant, tirant sur sa cigarette.

— Madame Denby, pouvez-vous me dire s'il s'est passé quelque chose d'inusité ces derniers temps?

— Que voulez-vous dire?

— Est-ce qu'il est arrivé quoi que ce soit qui était hors de l'ordinaire?

Madame Denby laissa échapper un soupir.

— Eh bien, Devon Barnes est réapparue en grande l'autre jour, après une absence de deux ans, annonça-t-elle d'un ton tranchant. Mademoiselle en était complètement stupéfaite. Vous comprenez, elles ne s'adressaient plus la parole depuis deux ans. A vrai dire, mademoiselle n'avait parlé à aucun des quatre depuis tout ce temps, sauf à son impresario, May Fischoff.

— Les quatre?

— Les quatre fans.

— Ah, oui. Je sais tout à leur sujet. Vous disiez donc que mademoiselle Barnes avait surpris mademoiselle Greenway?

— En effet. Elle est arrivée sans prévenir. Je pense que c'était la dernière personne que Gilda aurait voulu voir. Mais c'était bien elle. Elle a foncé dans la maison et elle est montée à la chambre. Elle avait un enfant avec elle. J'ignore ce dont il s'agissait, mais elles ont échangé de durs propos.

— Et, ensuite?

— Après, ajouta froidement madame Denby, tout semblait redevenu normal. En fait, Devon Barnes s'est arrangée pour rester ici pendant le temps des fêtes. Avec l'enfant. Et je fus informée de prendre une semaine de congé.

— Vous êtes certaine que mademoiselle Barnes devait rester ici le soir où mademoiselle Greenway s'est fait tuer?

— Evidemment. Devon Barnes vivait à nos dépens autant qu'elle le pouvait. Ils le faisaient tous.

— Pourquoi dites-vous « à nos dépens »?

— Excusez-moi. Je voulais dire Gilda, naturellement.

— Vous ne savez pas où nous pourrions trouver Mademoiselle Barnes?

— Je n'en ai pas la moindre idée. En tout cas, il est certain qu'elle a fait une entrée spectaculaire aux funérailles ce matin. Ah, ceux-là! On aurait dit qu'ils essayaient tous de prendre la vedette. Maudits soient-ils tous. Surtout Devon.

Madame Denby avait recommencé à pleurer.

Biggs se leva alors et posa une main sur l'épaule osseuse de la femme. Elle la saisit et versa encore quelques larmes. Pauvre femme. Comme elle lui rappelait sa mère.

— Madame Denby, je ne vous retiens plus. Vous pouvez aller nourrir les animaux, à présent. Mais, je vous en prie, ne touchez à rien dans la maison. Surtout autour d'ici. Après, il vous faudra partir, j'ai bien peur. Nous devons garder la maison sous scellés.

— Je comprends.

— Puis-je vous rejoindre par téléphone si jamais j'avais à vous demander autre chose?

— Oh, c'est idiot, n'est-ce pas? Je ne me souviens plus de mon numéro, fit-elle, l'air embarrassé. Si vous ne me l'aviez pas demandé, j'aurais pu vous le donner comme ça, tenez! Voyons, c'est... Non, c'est... Ecoutez, mon nom figure dans l'annuaire, monsieur Biggs.

Cela le fit sourire.

— C'est bon. Je vous fais signe si j'ai besoin de vous.

En descendant l'allée vers la sortie, Biggs fit émettre un message-radio à toutes les voitures de patrouille. Il voulait interroger Devon Barnes le plus tôt possible. Pas étonnant qu'elle ait quitté la chapelle aussi rapidement. Elle avait sans doute une bonne raison. C'était quand même étrange. D'après la vieille, Devon habitait ici. Et après le meurtre, hop! Disparue. Enfin, il saurait bien où avant longtemps. Et pourquoi elle était partie.

En arrivant devant la grille, la commande électronique se déclencha automatiquement. La barrière s'ouvrit pour laisser passer la voiture. Comme il s'engageait dans la petite rue qui mène à Coldwater Canyon Road, Biggs remarqua une chose bizarre.

Un des palmiers était cassé et des morceaux d'écorce étaient répandus sur le sol. Tous les autres arbres devant les grilles des Perles étaient intacts. Celui-ci lui apparaissait comme ayant subi de sérieux dégâts. Il stoppa sa voiture et en descendit.

S'étant avancé sur le gazon, il constata que l'arbre était endommagé à sa base. Il jeta un coup d'œil du côté de la rue. Il aperçut des traces de pneus sur le gazon, entre le bord de la rue et le pied de l'arbre. Biggs se pencha et passa la main dans l'herbe où il ramassa des morceaux de verre. Ils étaient propres; l'accident avait donc eu lieu très récemment. Les marques de pneus confirmaient d'ailleurs cette déduction.

Biggs haussa les épaules. Il n'y avait peut-être aucun rapport, mais on ne sait jamais. Il ajouta une autre note à son carnet dans le but d'effectuer une vérification auprès des autorités routières dès son retour au bureau. Auparavant, cependant, il avait quelques arrêts à faire.

Chez Chasen's, notamment, où le maître d'hôtel qui avait été en service la veille de Noël répondit avec plaisir à toutes les questions de Biggs.

— ...Et ensuite, vous avez appelé un taxi, c'est bien ça?

— C'est exact, lieutenant. La voiture est arrivée, et mademoiselle Greenway est partie. Monsieur Buck est resté et il a consommé quelques verres en attendant la fermeture.

— A quelle heure?

— Nous fermons officiellement à vingt-trois heures. C'est l'heure pour laquelle nous acceptons les dernières réservations. Mais, la veille de Noël, il y avait peu de monde ici à cette heure-là. Les clients qui s'étaient attardés après le dîner ont pris quelques consommations. Je crois que monsieur Buck était ici jusqu'aux environs de minuit. Je me souviens qu'il a fait la remarque que c'était déjà le jour de Noël. Il a souhaité un joyeux Noël à tous et il est parti.

— Vous vous souvenez à quelle compagnie de taxi vous avez téléphoné de la part de mademoiselle Greenway?

— Mais, bien sûr. C'était la Checker.

A treize heures, Lionel Biggs était chez la Checker Cab Company de la rue Argyle. Le propriétaire mit quelques minutes à localiser le chauffeur qui avait conduit Gilda chez elle. Il arriva que celui-ci était justement sur les lieux, en train de faire exécuter des vérifications à sa voiture. C'était un jeune homme d'environ vingt-deux ans, beau garçon à l'allure gamine et aux manières affables, qui portait un T-shirt comique de Sea World.

— Lorsque je suis allé la cueillir, il était environ vingt-deux heures trente. Nous nous sommes rendus directement à sa résidence, du côté de Coldwater Canyon Road.

— Avez-vous remarqué des voitures dans l'une ou l'autre direction? Quelque chose qui vous paraissait un peu étrange?

— Non, répondit le jeune homme en secouant la tête. Vous connaissez l'endroit. S'il y a quoi que ce soit dans cette petite rue, vous ne pouvez pas le manquer.

Biggs se souvint alors du palmier cassé et du verre brisé autour.

— Et, juste devant la grille des Perles, vous n'avez pas vu une voiture sur le gazon, par hasard? Une voiture écrasée contre un palmier?

Le chauffeur se mit à rire.

— Ah, ça, non! Parce que je me souviens de m'être approché de la grille, et en la voyant s'ouvrir, je me suis dit que cette femme devait avoir du pognon. Sapristi, je ne savais même pas que c'était Gilda Greenway au début. Vous pensez! Moi qui veux devenir acteur! Et je ne l'ai même pas reconnue quand elle est montée dans ma voiture!

— Et après, que s'est-il passé? Vous avez franchi la grille et...

— ...et j'ai grimpé la longue allée. Tout ce temps, je me demandais comment on fait pour avoir tant d'argent. Même pour Beverly Hills, la résidence de Gilda Greenway est d'une grandeur vachement imposante. Je pensais qu'elle devait rouler sur l'or.

— Assez pour l'assassiner?

Le jeune homme se raidit sur son fauteuil dans le bureau du propriétaire.

— Hé, vous voulez rire ou quoi? J'adorais les films de cette femme, mon vieux. Je les ai étudiés en art cinématographique à l'université. Vous vous mettez le doigt dans l'œil, Sherlock Holmes!

Biggs croyait le jeune homme.

— C'est bon, alors vous avez monté l'allée...

— ...et j'ai arrêté la voiture devant la maison. Mademoiselle Greenway éprouvait de la difficulté à trouver ses clés. Je lui ai demandé si je pouvais lui prêter assistance. A ce moment-là, je l'avais reconnue. Elle m'a répondu que non, d'une manière un peu ivre. C'était assez évident qu'elle était soûle. Elle fouillait dans son sac, et tous ces sacrés bijoux qu'elle portait scintillaient comme du feu. Diamantée jusqu'aux dents qu'elle était! Elle a enfin trouvé ses clés et elle est descendue en titubant. Elle s'est rendue à la porte, et après une minute ou deux, elle l'a ouverte et elle est entrée.

— La porte n'était donc pas ouverte à votre arrivée?

King prétendait avoir trouvé la porte ouverte, sans aucun signe d'entrée par effraction, ce qui écartait encore une fois le vol comme mobile du crime.

— Non. La lumière du porche était éteinte; je crois que c'est pour cette raison qu'elle a eu de la difficulté à pénétrer à l'intérieur. Mais une fois la porte ouverte, les lumières se sont allumées et elle est disparue dans la maison.

Biggs eut un soupir.

— C'est bon, mon garçon. Merci.

Au même moment, à l'autre bout de la ville, au deuxième étage du Centre des sciences médico-légales, le docteur Alice Wong, jeune toxicologue, lisait le chromatogramme du sang de Gilda Greenway.

L'appareil de chromatographie, différent des spectromètres à rayons ultraviolets en usage jusqu'au début des années soixante-dix, est beaucoup plus juste dans son analyse hématologique. Plusieurs années plus tard, cette même machine aurait une importance primordiale en déterminant la cause du décès de John Belushi. L'analyse s'obtient en faisant chauffer un prélèvement sanguin dans un four minuscule. Sous l'effet de la chaleur, le sang émet des gaz qui contiennent les différents composants chimiques qui s'y trouvent. En mesurant la vitesse d'échappement des différents éléments, qu'ils connaissent avec précision, les toxicologues peuvent déterminer avec certitude ce qui est contenu dans le sang et en quelle quantité.

Alice Wong lisait le chromatogramme de Gilda Greenway à mesure qu'il sortait de la machine. Elle pouvait déjà voir que Gilda avait consommé une bonne quantité d'alcool au moment de sa mort. Il y avait aussi des quantités minimes de Valium et de Seconal.

Mais rien de tout ça n'avait tué Gilda Greenway.

Elle avait été assassinée par balles.

221

Ou, du moins, c'était ce que pensait Alice Wong. Jusqu'à ce qu'elle étudie le diagramme de plus près.

Elle ouvrit grand les yeux. Son pouls se mit à battre plus vite. Quelque chose n'allait pas. C'était impensable! Elle n'en revenait pas. Pourtant, c'était bien là...

Elle eut une poussée d'adrénaline.

Elle venait de découvrir ce qui avait causé la mort de Gilda Greenway!

Elle décrocha le téléphone et appela immédiatement le médecin légiste.

DEUXIEME PARTIE

16

Le 18 mars 1965

Un soir de 1965, Billy Buck avait rendez-vous avec May Fischoff chez Don the Beachcomber. C'était à l'occasion d'une réception pareille à toutes les autres du genre à Hollywood. Si quelqu'un tournait un film, quelqu'un d'autre ouvrait une bouteille, et chacun faisait un profit aux dépens de l'autre.

A l'époque, peu de gens baignaient encore dans l'atmosphère exclusive et privilégiée qui avait entouré la période dorée. Les studios avaient en effet réduit le nombre des acteurs à leur solde. Des jeunes qui, quelques années auparavant, étaient garçons de parking chez Chasen's ou simples commis chez William Morris, menaient aujourd'hui le bal. Les tzars tels que Jack Warner et Harry Cohn se reposaient au soleil de Saint-Jean-Cap-Ferrat, et les légendes telles que Gilda Greenway réglaient les additions au Polo Lounge. Les règles du jeu n'étaient plus les mêmes, et Billy Buck n'était pas qu'un simple spectateur. Reporter chevronné du *New York Times* déjà à vingt-sept ans, il était, dans le monde du journalisme de vedettariat, une étoile au même titre que celles dont il rapportait les faits et gestes. En s'expatriant dans l'ouest, il savait qu'il aurait à sacrifier quelque peu la qualité intellectuelle de ses écrits, mais une chronique publiée à l'échelle nationale, intéressant quatre-vingts millions de lecteurs, ainsi qu'une émission radiophonique également diffusée dans tout le pays, signifiaient à tous les survivants de ce bateau en détresse qu'était Hollywood, que Billy avait du pouvoir.

Il inspirait la crainte et le mépris à ceux qui jadis savaient manipuler Hedda et Louella. Les règles avaient changé. A vrai dire, il n'y en avait pas, mais alors, pas du tout. En 1965, plus question d'acheter une bonne critique au moyen d'une douzaine de roses jaunes.

L'arrivée de Billy Buck, frais émoulu du Columbia School of Journalism, coïncidait avec le tournant d'une époque. Il s'était inspiré des étoiles du nouveau journalisme, comme par exemple Gay Talese et Tom Wolfe de l'*Esquire* et de *Playboy*, et se gagnait des amis des deux côtés de la machine à écrire. Ses articles effrontés et irrévérencieux dans le *Times* du dimanche poussèrent une des étoiles légendaires sur son déclin à dire de lui que « ce satané journaliste, vous l'avez ou bien à vos pieds, ou bien à la gorge ». C'était du reste une opinion qui faisait la quasi-unanimité. Billy en riait et se bourrait les poches.

Il était cependant différent des autres journalistes égoïstes qui, dans les années soixante, atteignaient la fortune et la gloire par leurs écrits venimeux. Ce que ses ennemis ignoraient, c'était que Billy Buck avait un faible pour la bonne vieille époque dorée de Hollywood.

En un mot, c'était un fan.

Il avait grandi au cinéma, au temps où les films avaient une signification. Il les avait tous vus, et en connaissait par cœur la plupart des dialogues. Il laissait aux autres le plaisir de se bousculer à suivre les péripéties de Warren Beatty. Billy, lui, écrivait des articles encore plus scandaleux sur Bette Davis !

Il avait une allure différente des autres, aussi. En effet, contrairement aux traditionnels reporters minables en costumes mal coupés, ceux qui avaient les ongles sales et de mauvaises dents auxquels Hollywood était habitué, Billy Buck était un homme suave, sûr de lui et vêtu avec élégance. Il portait des verres en corne couleur de miel, des mocassins, des chemises avec des cols à boutons, des blazers Bill Blass aux boutons dorés et des cravates rayées. Son physique de nageur et ses cheveux lisses et blonds aux mèches décolorées lui conféraient l'allure d'un amateur de surfing californien bronzé par le soleil. Par ailleurs, il avait acquis dans l'est un esprit vif comme un piège à rat.

Il connaissait son boulot, accomplissait la recherche que cela impliquait, et tolérait mal les imbéciles et les hypocrites. Les prétentieux qui l'avaient traité en vulgaire commis se virent bientôt immolés au bûcher du journalisme, d'un océan à l'autre. Il écrivit notamment de Sandy Dennis qu'elle entrait dans une pièce « comme une Volkswagen toutes portes ouvertes ». Il décrivit Barbra Streisand comme étant « une banana split en cauchemar ». Selon ses écrits, Louella Parsons était « tellement laide et rêche que, de l'avis général du tout-Hollywood, il devrait lui être interdit de se montrer avant la nuit, et encore, à condition d'être bien voilée ».

Son style d'arrogance bien tournée avait ainsi permis à Billy Buck de laisser le salaire de cent vingt-cinq dollars par semaine qu'il touchait pour sa chronique dominicale, en échange d'un contrat de cinquante mille dollars. De ses bras potelés grand ouverts, May Fischoff avait été une des premières à l'accueillir à Hollywood. Dès son arrivée au pays du rêve, May lui avait fait comprendre que, dans le milieu des impresarios, elle était une star aussi célèbre que Billy l'était dans le misérable cercle des encriers.

— Elle est forte, l'avait prévenu un éditeur du réseau. Depuis son arrivée ici il y a huit ans, elle a converti l'affaire de son père en une corporation de trente millions de dollars. Les pressions de son métier de super impresario en ont fait une femme rusée. Vous aurez l'impression de parler à un homme.

Il y avait eu une bonne raison à leur première rencontre. May avait en effet accepté de prêter son concours à Billy relativement à un article qu'il rédigeait sur les artistes de Hollywood pour le *Harper's Bazaar*. Il s'attendait à voir une gonzesse sévère aux cheveux teints et à la même raideur glaciale que Joan Crawford. Or, la femme rondelette aux longs ongles effilés et aux soyeux cheveux mi-longs couleur de blé était drôle et chaleureuse, et d'une cordialité spontanée.

— Vous me paraissez surpris. A quoi vous attendiez-vous donc?

— Enfin, vous n'êtes pas madame Bovary, mais vous n'êtes pas non plus une fille ordinaire.

— Ah! Si c'est une fille ordinaire que vous voulez...

Il l'avait immédiatement trouvée sympathique.

Billy connaissait l'histoire de Gilda Greenway et de ses quatre fans, ayant déjà fait une partie de la recherche nécessaire. May lui raconta simplement ce qu'il ignorait.

Il avait eu l'occasion d'interviewer King Godwin à New York, à la première de la version cinématographique de *Barracks* au Rivoli, film acclamé du reste par les critiques. King avait traversé au pas de course le hall d'entrée du luxueux hôtel Carlyle. Il portait des bottes de cowboy en peau de lézard, un blue-jean et un chapeau de cowboy; on aurait dit une pub des cigarettes Marlboro. Mais derrière cette façade, King était tel que Billy le décrivait dans le *Times* : « C'est un monstre sacré dans la jungle chromée de Manhattan; il est tout simplement un de ces acteurs sensibles au cœur blessé, incertain de ce qu'il est; il habite Holmby Hills et vit dans une société destructrice qui regorge déjà de sujets pareils à lui. »

Les choses n'avaient pas été faciles pour King. En raison du nouveau rejeton, de son épouse hargneuse, et de sa carrière en petite vitesse, il avait eu des difficultés financières dès le début. Inez s'était empressée d'emménager dans l'appartement de la rue Donehy, et avec la collaboration d'un voisin culturiste, l'avait repeint en orange. Elle avait ensuite entrepris de vivre comme l'épouse d'une étoile de cinéma.

Le tournage de *Barracks* fut retardé d'un an car le studio avait procédé à des coupures budgétaires. Inez en était réduite à payer le loyer au moyen de ce qu'il lui restait de la fraude qu'elle avait perpétrée à New York. La situation châtrait davantage son époux sans travail. Il se mit à les éviter, elle et le bébé, ce qui rendait Inez furieuse. Elle essaya de lui inspirer un sentiment de culpabilité en se lamentant qu'elle avait négligé sa propre carrière d'écrivain pour donner un fils à King, et que, maintenant, il ne faisait aucun cas d'eux.

Elle couchait aux Perles presque tous les soirs. Gilda y avait aménagé une chambre de bébé où un dessinateur de chez Disney, qui lui devait une faveur, avait fait à la main des dessins sur le mur.

King décida de faire appel à May, qui venait d'ouvrir une succursale de l'agence Fischoff sur la côte ouest et qui, dans son genre, était en bonne voie de devenir un magnat. Elle réussit à lui obtenir un rôle intérimaire à une émission de télévision où il personnifiait une sorte de Buffalo Bill révolutionnaire. Soutenu par de grands acteurs de composition tels que Ben Johnson, Harry Carey fils et Don « Red » Barry, King avait immédiatement impressionné les critiques de télé, même si l'émission était annulée après treize semaines.

King s'en moquait. Il avait quand même passé sept semaines en tournage à Santa Fe, loin des remontrances d'Inez. Il avait les cheveux tellement longs pour ce rôle qu'il devait les attacher sous une casquette de baseball lorsqu'il accordait des interviews. Durant cette période, il fignola quelques apparitions à l'émission *Felony Squad*, et à une autre qui traitait de créatures monstrueuses dans laquelle il jouait, au grand désarroi de May, un biologiste marin victime de grenouilles mangeuses d'hommes!

— Aujourd'hui, l'étang à grenouilles, demain, le monde! disait Avery pour le consoler.

Au début du tournage de *Barracks* en 1960, tout ce que Frankie avait promis avant son attaque devait enfin se réaliser. Inez se mit donc immédiatement à la recherche d'une maison qui conviendrait au genre de vie que se devait de mener une importante vedette de Hollywood; elle arrêta son choix sur un domaine de trois arpents dans l'élégant quartier de Holmby Hills pour lequel elle dépensait, en meubles de plexiglas et en paiements hypothécaires, tout ce que King gagnait.

A aucun moment au cours de ses premières années à Hollywood, aurait-on pu qualifier d'ostentatoire la vie de King Godwin. Il évitait les soirées mondaines et travaillait de longues heures au studio. De plus, il consacrait encore d'autres heures le soir comme gardien d'un vieil immeuble à Westwood, en échange d'une garçonnière sans téléphone où il pouvait s'échapper d'Inez.

Barracks s'avéra le succès monétaire et artistique que May avait prédit. King était donc enchanté de partir en tournée, ce qui le garderait éloigné du domicile conjugal.

A New York, il confiait ceci à Billy Buck :

— Lorsqu'on me dit que j'ai de la veine si ma carrière se déroule si bien, cela me rend furieux. Les choses sont ainsi parce que j'ai *fait en sorte* qu'elles le soient. Je crois que c'est à l'acteur de faire sa chance dans ce métier. Si vous aimez ce que vous êtes, vous pouvez survivre. Il faut apprendre à ne pas s'attarder à toutes les stupidités négatives qu'on vous impose. C'est une simple question d'argent : combien valez-vous aux yeux de ces vautours, et à quel prix peuvent-ils vous vendre? Je pourrais toujours trouver du travail à faire le singe à la télé ou à tourner des films d'horreur absurdes. Or, ce qui est difficile, c'est de trouver des rôles de choix. Vous comprenez, si un type à moustache arrive dans ce patelin, là-bas, on dit de lui : « Tiens, encore un Clark Gable ». Ou encore, dès l'instant où l'on vous aperçoit à dos de cheval, c'est : « Voilà un second Gary Cooper ». Il faut vous éloigner en vitesse avant de croire à ces chimères vous-même. En outre, vous ne pouvez vous imaginer toutes les propositions qu'on m'a faites, mon ami. Tant les femmes que les hommes! Je peux vous certifier que tous les clichés sont véridiques. J'ai fait du tort à ma carrière en les refusant, mais je dois vivre avec ma conscience, n'est-ce pas? Or, j'ai la conscience tranquille. Voyez-vous, en résumé, l'histoire de King Godwin est la suivante, mon ami.

Il posa ses longues jambes sur un fauteuil et se gratta les couilles tandis que Billy prenait des notes.

— J'ai appris une chose, acheva-t-il. Vous ne pouvez compter sur rien à Hollywood, sinon sur vous-même.

On avait choisi la boxe comme sujet du second long métrage de King, intitulé *Hanging On*. C'était l'histoire d'un boxeur dont hérite une reine des cosmétiques à la suite d'une transaction. Dans le but de rembourser les dettes corporatives de la dame en question, le boxeur dispute un combat de championnat à la suite duquel il perd la vue.

King n'était pas pugiliste. Pourtant, à la façon dont il s'entraînait, on aurait pu croire qu'il était boxeur. Il entreprit une seconde tournée publicitaire, au cours de laquelle il s'amusait à faire une assez bonne imitation de Sugar Ray Robinson en donnant partout des coups de poing. Une fois, il baissa son blue-jean pour montrer de près son bon vieux rouleau à pâte à une pimbêche désagréable!

La presse, toujours peu flatteuse envers lui, le traitait d'individu hostile, sardonique, méfiant et arrogant. Un journaliste écrivit dans *Esquire* : « Il m'apparaît comme étant fébrile et facilement excitable; on dirait qu'à l'instar des chiens, la température de son corps est constamment supérieure à la normale. »

May l'avait mis en garde, mais il lui riait au nez.

— Tout ce que je leur dois, c'est un spectacle. Je me moque de ce qu'ils disent de moi, à condition qu'ils ne touchent pas à ma vie privée.

Et l'argent rentrait.

Hanging On fut un succès monstre.

Sam Durand aimait se vanter que le film avait rapporté un montant brut de plus de dix millions au cours de la première semaine en salle.

— C'est encore plus que ce que *Barracks* a rapporté. Ça bat tous les records au mid-west!

En 1963, King avait déjà tourné six films. Tous de gros succès, sauf une épopée biblique sur Saint Jean-Baptiste tournée à Rome et pour laquelle il avait essuyé de sévères critiques.

Un journaliste à la plume acide avait écrit dans *The New Yorker* : « A ma connaissance, aucun des disciples, ni quiconque d'autre dans l'Ancien Testament, ne s'est jamais exprimé en disant : « Hé, mon pote, quelles nouvelles de Galilée? » C'est ridicule. »

Pour sa part, Billy Buck écrivit que King semblait être en transe dans ce film. « Il ne cesse de regarder par-delà la caméra; on dirait qu'il veut s'assurer que personne n'a volé sa moto! »

— Il a empoché un demi-million de dollars rien que pour prouver que les sandales ne lui vont pas, disait May dans un soupir.

De son côté, Inez faisait des scènes.

— Tout ce que je sais de mon mari, c'est par les journaux que je l'apprends, devait-elle se lamenter à May. Tous ces reportages parlent de son image. Mais je me demande où ils vont la chercher, cette bougre d'image, car ce n'est certes pas le vrai King. La moitié des femmes en Amérique le prennent pour un tombeur, alors que sa propre épouse ne l'a pas vu dans son lit depuis bientôt deux ans! La seule chose qui s'améliore, c'est l'argent. Mais je souffre toujours d'angoisse; je me sens délaissée, je suis nerveuse et j'ai les mains moites. Encore la nuit dernière, j'ai rêvé que mon père montait l'escalier, nu comme un ver, une hache à la main. Je t'assure, May, que si je ne trouve pas à m'occuper, je vais me retrouver à l'asile!

Aussi, devant l'insistance de Gilda, un des rédacteurs au *Herald Examiner* avait consenti à laisser Inez travailler à la pige. Le journal s'arrangea donc pour lui obtenir un rendez-vous avez Sean Connery, qui se trouvait alors à Hollywood pour promouvoir les films de James Bond.

— Il ne m'accorde que quinze minutes, avait-elle dit à Gilda, mais j'ai une idée.

— Ne va pas faire de conneries, l'avait prévenue celle qui connaissait elle-même tous les trucs des reporters. Cet homme-là n'est pas un imbécile. Et, pour l'amour du ciel, apporte une enregistreuse.

Après avoir consulté sa garde-robe, Inez choisit une jupe circulaire et un chemisier de crêpe transparent au décolleté plongeant, qu'elle portait sans soutien-gorge. Pendant toute la durée de l'interview à l'hôtel Bel-Air, elle se penchait en avant et se frottait les mamelons. A un moment donné, elle se croisa les jambes comme le font les hommes, la cheville droite sur le genou gauche.

Impossible pour son sujet de ne pas reluquer sous sa jupe à chaque fois qu'il la regardait prendre des notes. Une telle distraction prolongea donc leur entretien; le subterfuge réussit à détourner Connery de ses propos usuels et l'amena à traiter de sujets plus personnels; l'interview dura une heure quarante. L'article qui en résulta était cependant impubliable.

Inez fut aussi critique de restaurants pendant une journée! Voici comment les choses se sont passées. Le journal l'avait envoyée évaluer un petit restaurant français à Santa Monica.

« La nourriture est si infecte ici, écrivit-elle, qu'il est impossible de différencier un plat de l'autre. Les sauces ont un goût de colle, les crevettes ressemblent à des orteils pétrifiés badigeonnés d'iode, et le soufflé aux fraises est aussi plat qu'une spatule et à moitié moins savoureux. La seule chose qui ait un peu de caractère et d'attrait est le pain, qui ne figure même pas au menu. »

Le jour de la parution de cette critique, le restaurant en question avait reçu trente-cinq annulations pour le dîner. Les propriétaires, élèves de Paul Bocuse en France, avaient menacé d'intenter une poursuite.

— Accordez-moi une faveur, avait dit le rédacteur à Gilda. De grâce, oubliez mon numéro de téléphone!

Finie comme journaliste, Inez se mit à dépenser sur sa nouvelle carrière de femme du monde. Elle grimpait lentement l'échelle sociale, déterminée à accéder un jour au rang d'hôtesse du groupe « A » de Hollywood, oubliant la cruelle réalité que c'était King que chacun voulait inviter à dîner, et non pas son épouse bavarde et névrosée.

— Si Dieu avait voulu que tu parles plus que tu n'écoutes, lui faisait remarquer Gilda, Il t'aurait donné deux bouches et une seule oreille au lieu du contraire.

Imperturbable, Inez avait fini par se convaincre que si elle ne pouvait atteindre la même renommée que King, ni devenir aussi légendaire que Gilda, ni aussi puissante que May dans cette ville où seules ces trois qualités comptaient, elle y parviendrait par ce qu'elle appelait « l'osmose artistique ». Devon, elle non plus, n'avait pas réussi, et c'était elle qui était le plus souvent la victime d'Inez. Celle-ci la traînait dans les magasins, lui faisait des sermons sur les avantages de la vie mondaine, et l'accablait de ses troubles émotifs qu'elle trimbalait toujours avec elle.

De l'extérieur, la maison des Godwin ressemblait à une plantation de la Louisiane. L'intérieur, lui, rappelait un décor des *Horizons perdus*. Dans la salle de séjour, placées en des endroits bizarres, des colonnes de six mètres soutenaient un plafond granuleux. Il y avait des patios vitrés que personne n'utilisait et qui constituaient pour King une cause d'irritation constante, surtout qu'Inez insistait pour y référer comme étant des « lanaïs hawaïennes ». Un immense étang rectangulaire rempli de poissons rouges couvrait la moitié de la pièce, ce qui obligeait les gens à le contourner pour atteindre l'autre côté. King trouvait que ce n'était qu'un satané piège, pour y être tombé à plus d'une reprise lorsqu'il était en état d'ébriété.

Le mobilier consistait en un fantastique mélange pêle-mêle et désassorti de broche, de verre, de caoutchouc, de daim et de bois. Il y avait des blocs de béton et des lampes en forme d'ananas; une table était constituée d'une boule de pétanque, d'un boyau d'arrosage, et de trois boules de billard; une console grotesque était fabriquée de *Corian*, un marbre synthétique dont on revêt d'habitude les comptoirs de cuisine. Un tapis blanc à long poil couvrait le sol d'un mur à l'autre.

— Dieu du ciel! s'était écriée Gilda à sa première visite. Pas étonnant que King ne tienne pas à rentrer. La maison ressemble à un monastère de l'Himalaya. Je me demande si c'était l'intention de quelque décorateur sadique de décorer tout en blanc, ou si c'est prévu parce qu'Inez laisse tomber de la cocaïne partout.

La maîtresse des lieux était justement en train d'aspirer une ligne.

— Le problème, ma chère, c'est que tu ne connais rien à ce style de décoration. C'est de la *créativité de haute gamme*.

Poussée par un désir insatiable d'accéder à l'élite mondaine de Hollywood, Inez étudiait tout ce qu'on écrivait sur les hôtesses du groupe « A » dans le *Women's Wear Daily*; elle dévorait la chronique de Joyce Haber dans le *L.A. Times*. Elle imitait tout ce que ces dames faisaient, achetaient ou portaient.

— Conserver son statut est tout ce qui compte, disait-elle avec extravagance à May et Devon un jour qu'elles déjeunaient ensemble. Pour être pareille à Betsy Bloomingdale, à Fran Stark, ou encore à Edie Gœtz, il faut suivre les règles. Il faut manger à la bonne table au Bistro, dépenser au moins trente mille dollars par année en vêtements et cinquante mille en bijoux, de préférence ceux de David Webb, et se dévouer pour des œuvres valables telles que la Fondation Dorothy Chandler ou l'école Frostic.

— Qu'est que c'est que cette école Frostic? lui demanda Devon.

— Je l'ignore, mais je sais que c'est important, répondit Inez, passant outre au scepticisme de son amie. Les *Thalians* sont à éviter, par contre, car c'est une œuvre sous l'égide de Debbie Reynolds qui n'est même pas du groupe « B ». Rosalind Russell est définitivement du groupe « A », mais on ne fait que tolérer son mari, Freddie Brisson, qu'on appelle « le patricien de Roz ». Ross Hunter, c'est le réalisateur du groupe « A », Denise Minelli en est la régente, Nancy Sinatra, la martyre. Frank Sinatra est le chanteur du groupe, mais on ne peut inviter la martyre et le chanteur à la même soirée. Il y aurait trop de flammèches, cela risquerait de faire fondre les chandelles!

— Je me demande à quel groupe j'appartiens, remarqua May en riant. Sans doute au groupe en thérapie!

— Fais pas l'idiote, rétorqua Inez. Il n'y a rien d'autre que les groupes « A » ou « B ». Si tu n'en fais pas partie, tu n'as plus qu'à suivre leurs aventures dans les journaux.

— Ils sont tous tellement âgés, dit Devon en souriant. Après s'être crevés à donner toutes ces belles réceptions, est-ce qu'on leur donne une transfusion sanguine de type « A »? Que font-ils quand il y a un tremblement de terre sur la faille de San Andreas et qu'ils doivent rester à la maison?

May poussa un cri.

— Nul ne le sait. En tout cas, il n'y a pas de bébés du groupe «A».

Inez poursuivait son but avec une ardeur insatiable. Elle pouvait dépenser huit cents dollars pour une chemise de nuit et se trouvait nue sans ses dessous confectionnés sur mesure chez Juel Park. Elle se faisait coiffer par Hugh York, épiler à la cire chez Elizabeth Arden, et poser de faux ongles chez Grace.

Elle s'était procuré une planche spécialement rembourrée à la forme de son dos par Marvin Hart, l'instructeur de culture physique du groupe « A »; elle dormait dans des draps Porthault et refusait d'adresser la parole à quiconque habitait San Fernando Valley.

— Il vaudrait mieux qu'elle prenne garde à son chic train de vie, disait Gilda, car elle pourrait faire une chic petite dépression nerveuse.

Dès le début, King ne voulait d'aucune façon être mêlé à ce milieu. Il mangeait de la pizza, refusait toute invitation à une soirée ou à une première, et urinait dans la piscine. Inez en frémissait à chaque fois qu'elle garait sa Rolls dans l'entrée, à côté de la Volkswagen de King.

— Tu ne te soucies donc de rien? disait-elle en pleurnichant. Et moi qui m'efforce de cultiver ton image.

— Tu te trompes, Inez. Tu me confonds avec quelqu'un pour qui ça pourrait avoir de l'importance.

L'obligation d'avoir un certain statut à Hollywood avait, de bien des manières, obligé May à faire les plus sérieux efforts d'adaptation.

— C'est toi, très chère, lui disait Inez de son ton désobligeant, pour qui les plus importants changements s'imposent.

En premier lieu, elle avait eu un lifting du menton. Autant mettre la charrue devant les bœufs, car après la guérison des cicatrices, la charrue avait meilleure apparence, mais elle traînait toujours les bœufs.

Donc, après la chirurgie esthétique, voulant récolter le fruit de la douleur qu'elle s'était imposée, elle se lamentait de la même manière que le faisait Agnes Gooch dans *Antie Mame*.

— Que dois-je faire, à présent?

— Mon Dieu, May, tu es donc si ignorante? lui répondait Inez, exaspérée. Tu ne lis jamais le *Vogue* ni le *Harper's Bazaar*?

May se procura donc ces magazines à l'hôtel Beverly Wilshire. Or, une annonce en grosses lettres dans l'un d'eux recommandait d'utiliser l'ombre à paupières en couches superposées de tons apparentés, abricot sur violet, jusqu'à l'arcade sourcilière. Cela avait pour effet de donner un regard profond et aussi clair qu'une fontaine égéenne, soi- disant irrésistible.

Après lecture des magazines, elle courut les comptoirs de cosmétiques des grands magasins. Elle avait les ongles couleur de sarcelle ou de sapin et les paupières chartreuses. Sa bouche, à « l'aspect sensuel en un tournemain », avait le brillant du rouge à lèvres vif d'Estée Lauder. Vidal Sassoon avait teinté ses cheveux de safran épicé.

— Je suis aussi colorée qu'une chambre d'hôtel à Las Vegas, se lamenta-t-elle à Inez qui l'encourageait à d'autres extravagantes folies.

Esclave des couleurs automnales prônées par *Vogue* pour réussir une « séduction colorée », elle dépensa trois mille sept cents dollars pour l'achat d'un chemisier de soie rose vif aux poignets noirs, d'un parka écarlate en forme de tulipe avec un capuchon, de gants fuchsia et de boucles d'oreilles couleur orange.

— On dirait un assortiment de bonbons, dit-elle en se regardant dans la glace et en se demandant si elle perdait la tête.

S'aventurant encore plus loin, elle essayait tout ce que, d'après les magazines, Candice Bergen faisait pour améliorer sa beauté. C'était peine perdue. Les mélanges de farine d'avoine et les crèmes de papaye lui donnaient des éruptions. Elle se disloqua le dos lors d'une séance de gymnastique suivie d'exercices pour les cuisses et l'abdomen. Les massages Shiatsu d'une sadiste coréenne nommée Akita lui donnèrent tellement la migraine qu'elle faillit devenir une habituée des analgésiques. Une visite chez le nutritionniste de Marilyn Monroe, qui lui prescrivit une « diète de rajeunissement » de dix jours composée de raisins et d'amandes, lui donna la diarrhée pendant un mois.

— Croirais-tu que Joan Collins passe quotidiennement trois heures dans une baignoire contenant quatre litres de lait? lui avait demandé Inez.

— Elle doit cailler par temps chaud!

May avait essayé cette méthode, pour s'apercevoir qu'elle était allergique aux produits laitiers. Un shampooing au concombre et un assouplisseur à l'avocat que lui avait conseillés un éminent spécialiste de Beverly Hills et destinés à « oxyder les follicules », lui montrèrent ce qu'était une vraie crise de psoriasis.

Un beau jour, elle décida que c'en était trop. Elle dit à ses conseillers et amis, comme on dit aux fourmis envahissant un pique-nique :

— Arrière, tous! L'hypocrisie des magazines de mode est la plaisanterie du plus mauvais goût qu'on ait jamais perpétré à l'égard de la femme américaine!

Le jour même, elle annulait son abonnement à *Vogue* et renonçait à se prêter plus longuement à un tel canular. Elle annonça à tous qu'elle avait fait sa propre « Déclaration de l'indépendance. »

Comme preuve à l'appui, elle écrivit un article enflammé qui racontait « comment se servir du corps qu'on possède pour mieux faire l'amour ». Elle put le vendre à *Cosmopolitan* pour la somme de mille dollars, et elle célébra le fait en consommant un parfait au chocolat couvert de noix et d'une généreuse portion de crème chantilly.

A mesure que les tentatives d'Inez pour envahir la société mondaine se faisaient de plus en plus futiles, Devon lui témoignait de moins en moins de sympathie. Inez avait toujours été une fonceuse, aventurière et agressive, tandis que Devon était une observatrice prudente et passive. Inez, c'était le caviar et le Dom Pérignon, Devon, c'était le pâté et la piquette!

Pour sa part, Devon estimait que la Californie n'était rien de plus qu'un endroit où le destin l'avait envoyée. Elle s'adaptait sans heurts aux constantes surprises comme s'il eût été question de nouveaux manèges dans un parc d'amusement. Elle n'était pas impressionnée par des choses bizarres telles que la pizza à la réglisse et les funérailles-éclair; en contrepartie, elle ne s'habituait pas aux stratagèmes exténuants que requérait la fréquentation des milieux mondains.

De son côté, Inez était prête à tout. Pour attirer l'attention, elle avait même songé un jour à remplir sa piscine de bébés requins. Tous les matins à son réveil, elle sirotait un Bloody Mary en consultant les journaux pour voir si son nom y figurait, tandis que Devon, elle, se brossait les dents et avalait un bol de céréales. Elles étaient différentes; trop pour que Devon finisse par s'apprivoiser. Et elle eut tôt fait d'y renoncer.

Quant à May, elle était trop occupée pour s'en faire. Son agence prenait de l'expansion à un tel rythme qu'elle dut faire installer six nouvelles lignes téléphoniques dès la première année. Ses journées n'étaient qu'une suite de réunions d'employés ou du conseil d'administration, et de séances d'étude de scénarios; elle assistait à des réunions de production, déjeunait avec des clients et signait des chèques.

— Je ne me suis jamais arrêtée à songer comment doit se comporter un impresario. Les règles étaient établies avant mon arrivée. Mon travail consiste simplement à rendre tout le monde satisfait, disait-elle.

Elle avait à rencontrer les journalistes autant que ses clients. Elle avait l'habitude de faire asseoir ses interlocuteurs dans une chaise longue en canevas rose à frange blanche, tandis qu'elle les affrontait debout, les mains sur ses hanches généreuses, ou encore les jambes croisées, les mains appuyées sur chacun des bras de la chaise, les regardant droit dans les yeux. Elle fumait les cigarettes que chacun se plaisait à lui offrir; des paquets chiffonnés étaient éparpillés partout dans son bureau. S'il lui venait une idée, même au beau milieu d'une phrase, elle l'écrivait et collait ensuite cet aide-mémoire au volant de sa Corniche couleur crème. Il n'était pas rare d'en trouver dix à la fin d'une journée.

Inez trouvait Devon trop ennuyeuse et May trop occupée. Elle se tourna donc vers ses anciens amis à Venice, ceux qui restaient du temps de Kerouac, les poètes désillusionnés et les compositeurs non publiés qui s'étaient liés d'amitié avec elle à son arrivée en 1957. Ils renouèrent connaissance par le biais des stupéfiants.

De son côté, Devon avait ses cours d'art dramatique au nouveau théâtre que l'Atelier venait d'ouvrir sur la côte ouest. Elle meublait en outre ses loisirs en s'occupant d'œuvres de bienfaisance dans les ghettos. Inez, elle, n'avait aucune occupation. Et le soir, May non plus n'en avait pas. C'est ainsi qu'elle devint la complice idéale pour les expériences d'Inez avec les drogues douces.

Elle avait commencé par prendre une *Quaalude* occasionnellement, pour combler la solitude des soirées à la plage en compagnie de son sac de croustilles. Ensuite, l'or d'Acapulco avait suivi, pour soulager la tension lorsque certaines négociations se déroulaient mal, ou pour atténuer son sentiment de frustration devant la carrière chancelante d'un client. Quant au sexe, elle se contentait des prostitués du service téléphonique auquel elle faisait appel, parfois deux à la fois. Et plus elle vieillissait, plus elle les préférait jeunes!

Lorsque May fumait du pot, elle avait faim. Au lendemain d'une soirée où elle en avait fait usage, elle se réveillait toujours en pleurant devant les sacs de croustilles vides sur le parquet, les papiers d'emballage des barres de chocolat sous son lit, et les récipients de noix salées dans l'évier de la cuisine. Elle se lavait alors le visage à l'eau glacée pour réduire l'enflure, avalait un comprimé anti-appétit, et allait au bureau faire plus d'argent. Souvent, elle lançait de sa voiture un slip mystérieux, au beau milieu de Sunset Boulevard.

Un soir, elle fit la connaissance d'un saxophoniste venu à Hollywood faire des enregistrements avec un compositeur de ses clients. Ace était sans ami; il était mignon et souffrait de solitude. Lorsqu'il invita May à sa chambre au Tropicana, elle accepta.

— Coke? demanda-t-il.

— Désolée, je ne bois que de l'orangeade ou de la bière.

— Je parle de la coke pour les narines, May. Du bonbon pour le nez. Tu dois bien avoir un petit miroir sur toi?

Il sortit d'un sac de voyage un petit flacon de verre rempli de poudre blanche dont il versa une petite quantité sur la surface du miroir. A l'aide d'un canif, il en forma quatre fines lignes droites.

— C'est du bon stock; pas coupé de laxatif pour bébé ou rien du genre.

May était fascinée. Elle avait entendu Inez parler de ça, mais c'était la première fois qu'elle voyait de la cocaïne pour de vrai. Ace lui montra un billet de cent dollars roulé en un fin cylindre.

— Regarde.

Il se pencha ensuite au-dessus du miroir et, inspirant profondément, il aspira une des lignes par la narine droite au moyen du cylindre.

— Bienvenue au paradis de la coke, dit-il en lui présentant le miroir.

Elle sentit d'abord son palais et ses narines s'engourdir. Merde, pensa-t-elle, je fais une réaction allergique. Par la suite, elle eut un goût amer sur la langue et dans la gorge.

— Détends-toi, lui dit Ace. Tout va bien.

Et soudain, c'était vrai. Elle se sentait merveilleusement bien. Elle se sentait belle et heureuse, et absolument convaincue qu'elle ressemblait à Audrey Hepburn.

— Tu partages ta cocaïne avec un des plus importants impresarios de Hollywood, dit-elle, ayant peine à croire que c'était bien May Fischoff qui se vantait ainsi devant ce jeune homme blasé.

— Sensass, répondit Ace en lui présentant une autre ligne. Mais, comment es-tu au lit?

— Un récent sondage me classe parmi les dix meilleures.

Ils s'empressèrent de se dévêtir et tombèrent l'un sur l'autre en palpant, embrassant, mordant tout ce qui leur tombait sous la main ou sous la dent. May sentait l'effet de la coke. Elle était envahie d'une vive sensualité qu'elle n'avait jamais connue auparavant.

— J'ai ce qui compte, madame l'impresario de Hollywood.

Il avait une main entre les cuisses de May et l'explorait de son index et de son majeur. De sa main libre, il lui palpait les cuisses et les seins. May grognait d'abandon alors qu'il s'écartait d'elle pour prendre le petit flacon.

— Bienvenue à bord, Alice, lui dit Inez en blaguant le lendemain, quand May lui annonça la nouvelle. Tu es maintenant au Pays des merveilles!

Ce n'était pas par hasard que Billy Buck était allé rencontrer May Fischoff chez Don the Beachcomber. En proie à l'ennui et à une certaine agitation, il avait recherché la compagnie de la jeune femme. Dans cet endroit bondé d'anorexiques en robes noires passe-partout, May était décidément très voyante avec son caftan brodé. Il était très facile de la repérer et on ne pouvait pas plus la manquer que la devanture de l'hôtel Impérial après le tremblement de terre à Tokyo.

Elle présenta le journaliste à l'un de ses nouveaux clients en disant :

— Méfie-toi, mon cher, car Billy est reporter.

Howard Sundance était un beau garçon plutôt tranquille, qui projetait plus de dynamisme à l'écran et sur scène qu'il n'en avait en réalité. Il s'était mérité un prix Tony pour son interprétation dans une comédie de Broadway intitulée *Two Can Do*, et il était en nomination pour un Oscar, ayant repris le même rôle à l'écran dans un des longs métrages les plus populaires de l'année.

— Mes félicitations! déclara Billy en lui serrant la main. J'ai vu le film. A mon avis, toi et Devon Barnes, vous étiez tous deux formidables. Je dois avouer que je suis surpris qu'elle ne soit pas en nomination elle aussi.

Le jeune homme se raidit.

— Oui, je sais. Je vous remercie.

May fit un clin d'œil à Billy.

— Pauvre diable, c'est tout ce qu'il a entendu de toute la soirée. Ecoute, Devon est là-bas, près de la porte, à côté d'Inez Godwin. Elles s'occupent de mes jeunes. Pourquoi ne vas-tu pas le lui dire toi-même?

Il trouva Devon et Inez au bar en compagnie de deux jeunes garçons blonds en smoking et chemise à jabot identiques. Inez était perchée sur un tabouret. Elle portait une jupe de daim ajustée, fendue sur le côté presque jusqu'à la taille. Un des « jeunes » de May était debout entre ses jambes écartées. L'autre était derrière elle et lui massait la nuque et les épaules. Devon les observait d'un regard voilé.

— J'aimerais pouvoir vous dire que vous êtes radieuse, mademoiselle Barnes!

— Oh, salut, Billy! Pardonne-moi. Trop de champagne. Trop de...

Elle montra d'un geste la foule qu'il venait de traverser pour la rejoindre. Soudain, elle se redressa.

— Billy, est-ce que tu connais Inez Godwin?

Le garçon qui se trouvait entre les jambes d'Inez était en train de l'embrasser dans le cou.

— Salut, fit-elle en tapant un clin d'œil à Billy par-dessus la tête du jeune homme. Alors, c'est vous le journaliste dont il faut se méfier, hein?

— Je n'ai pas de plume sur moi ce soir! répondit-il, au cas peu probable où cela aurait pu l'intéresser.

Il savait que le film que King Godwin tournait à Rome était presque achevé. C'était une histoire de gladiateurs qui mettait en vedette une nouvelle beauté italienne nommée Claudia Leone. Il aurait voulu demander à Inez quand elle attendait le retour de son mari. Mais le baiseur de cou et le masseur pourraient trouver la question de mauvais goût. Ils étaient tous deux assez costauds, et Billy n'avait aucune envie de les offusquer.

Il s'adressa donc à Devon.

— Je suis simplement venu te dire que c'est vraiment dommage que tu n'aies pas été mise en nomination pour *Two Can Do*. Sans toi, le film serait une ridicule perte de quatre-vingt-dix-sept minutes et de huit millions de dollars. Tu en as fait du chemin, ma vieille! Gilda avait raison à ton sujet.

— C'est très gentil à toi de me le dire. Je t'en remercie du fond du cœur. Tu n'aurais pas vu Gilda, par hasard, en venant de ce côté?

— Non. J'ai rencontré ton impresario et ta co-vedette, mais je n'ai pas vu Gilda ce soir.

— Zut! Je comptais sur elle pour nous ramener. Je suis venue avec May et compagnie, précisa-t-elle en montrant du pouce les deux garçons. Toutefois, May est partie faire sa petite affaire avec Howie Sundance, et Inez est trop bourrée pour prendre le volant. Et ces deux-là sont sans doute trop jeunes pour détenir un permis de conduire.

— Tu peux monter avec moi, si tu veux. Je partais, justement.

— C'est vrai? Oh, ça, ce serait chic, Billy. Tu en es bien certain? Je ne voudrais pas te priver de rester.

— Mais, pas du tout, voyons. Je ne pense pas que ce soit moi avec qui tu auras des problèmes, dit-il au moment où Inez enveloppait les jambes autour de celui qui l'embrassait toujours dans le cou.

— Elle a passé une dure semaine. Crois-moi, Billy. Elle n'est pas tout à fait elle-même, ce soir. Inez, dit-elle en saisissant le jeune homme par la crinière et lui redressant la tête. Il est temps de partir. Billy a l'amabilité de nous ramener.

— Oh? gémit-elle en sortant de ce qui paraissait être un état d'hypnose. Eh bien, je trouve que c'est vraiment chouette. Ça, alors! Je suis complètement ivre. Qui c'est, celui-là?

Elle tourna la tête et parut surprise d'apercevoir le garçon qui lui massait le dos.

— C'est un copain de May. Allez, hop, ma vieille. Comment ça va, les jambes?

— Je ne les sens plus, dit-elle en s'écrasant dans les bras du garçon derrière elle. Je ne suis pas en état de m'en aller. Partez sans moi. Je m'arrangerai toujours. De toute façon, je ne suis pas aussi ivre que je souhaiterais l'être.

— Madame Godwin, lui chuchota Devon, vous vous donnez en spectacle!

— Mademoiselle Barnes, vous oubliez que c'est mon foutu mari qui en fait un spectacle. Je parle de mon mari, King Godwin, au cas où vous l'auriez oublié. Il donne le meilleur spectacle que

Rome ait vu depuis l'affaire Burton-Taylor pendant le tournage de Cléopâtre!

— Inez, lui reprocha Devon sévèrement. Tu ne sais donc pas que c'est impoli de se répéter?

Billy et Devon la saisirent chacun par un bras et la conduisirent jusqu'au parking.

En attendant la Jaguar de Billy, Inez se mit à pleurer.

— Oh, Devon. C'était un si beau script.

— Il ne peut certes pas s'agir du film de gladiateurs, dit Billy.

— La vache! L'ignoble vache italienne! cria-t-elle entre deux sanglots. Oh, la salope aux gros seins! Et à lui, je lui souhaite de perdre sa bitte!

— Non, dit Devon alors qu'ils traînaient Inez dans les marches et l'installaient sur la banquette arrière de la voiture. Elle veut parler de son script. Celui qu'elle a écrit, devrais-je préciser. May a essayé de le vendre. Même Gilda a essayé, elle aussi, ajouta Devon en secouant tristement la tête. Mais, c'est peine perdue. Personne n'en veut de son script.

— Bande de couillons. Damnée ville remplie de coupe-gorges. Seigneur, Devon. Tu n'aurais pas un tranquillisant, par hasard? Ces foutus de stimulants que le médecin m'a prescrits me font claquer des dents. Il m'en faut deux pour me réveiller le matin, et plus tard, il me faut un ou deux tranquillisants pour enrayer mes tremblements. Et aussi, deux de ces capsules vert et noir pour m'endormir. Depuis le début de la semaine, je ne vis que de comprimés et d'alcool.

Billy lui offrit deux cachets d'aspirine.

— Oh, je voudrais que le monde entier s'engloutisse, dit-elle en les avalant. Après tout ce boulot! Quand je pense que j'y ai mis tout mon cœur et toute mon âme. Tu en es témoin, Devon.

— Et c'était un bon texte, Inez. Ils ont tous dit que c'était bien. Tout le monde sait combien tu es douée. Inez est un excellent écrivain, tu sais, Billy. Seulement, c'est l'histoire qui cloche...

— Ils en ont peur. Non, mais c'est incroyable! C'est une histoire que j'ai vécue moi-même, et ils ont peur de la tourner! Oh, la vache, dit-elle en pleurnichant soudain. Je me meurs d'ennui ici, et King se prélasse avec elle dans une villa italienne et lui donne ses piqûres quotidiennes!

Il n'était que vingt-deux heures trente quand ils laissèrent Inez à sa gouvernante.

— Si on allait prendre un café? suggéra Billy.

— Dac! Je t'invite chez moi, répondit-elle, après quoi ils prenaient le chemin de sa maison de plage. Je me sens fatiguée tôt, ces jours-ci, poursuivit-elle. Tu comprends, je me réveille à cinq heures. Je ne commence pas le tournage de mon prochain film avec Glenn Ford avant deux semaines, mais mon corps, lui, n'est pas au courant.

Devon ouvrit la radio. C'était l'heure des nouvelles. Il était question d'une confrontation entre les policiers et certains manifestants lors d'une marche pour les droits civils.

— Est-ce tu comprends ça, toi, que les Noirs de ce pays ne peuvent toujours pas voter sans risquer leur vie? C'est honteux, dit-elle avec une colère inhabituelle. Chacun se dit, ah, mais c'est comme ça le sud, vous savez. Or, pourquoi tout blâmer sur le sud? Combien d'acteurs et de réalisateurs noirs y avait-il à la réception, ce soir?

— Les choses s'améliorent. Enfin, il y a Poitier, et...

Elle lui coupa la parole.

— Le seul fait que tu puisses les nommer est la preuve même de ce que j'avance! Oh, et puis, pardonne-moi, Billy. Je suis très fatiguée ce soir, et je suis de mauvais poil. Ne t'occupe pas de ce que je dis.

Elle choisit un poste qui diffusait de la musique douce et fixa des yeux les ténèbres de la nuit en écoutant Tony Bennett.

Billy fut surpris du charme ancien et champêtre dont Devon avait imprégné la minuscule maison de deux pièces qu'elle louait sur la plage. Il était encore plus étonné de la maison en soi. Dans cette ville où des maisonnettes à toit de chaume à la Hansel et Gretel faisaient bon voisinage avec des haciendas espagnoles de trente pièces, il en était venu à penser qu'il se trouvait dans un immense Disneyland. Or, la retraite de Devon au bord de la plage était aussi unique que Devon elle-même.

L'extérieur était constitué d'un ancien autobus londonien à deux étages, importé vingt ans plus tôt par une compagnie de films pour une saga sur la deuxième grande guerre dont la vedette était Irene Dunne. Un technicien du studio l'avait séparé en deux parties et l'avait converti en une excentrique maison de plage dont le bas abritait le salon. Un escalier en colimaçon à la Frank Lloyd Wright menait à la chambre, finie en bardeaux de séquoia.

— Bienvenue chez moi! dit Devon en l'invitant à entrer dans une minuscule pièce dont les fenêtres d'autobus donnaient sur le Pacifique. Billy siffla entre les dents. C'était évident qu'il ne s'agissait pas de la résidence des sœurs Gabor!

Devon avait accroché, sur les murs de bouleau blanc, des travaux à l'aiguille et des cadres de l'époque révolutionnaire qu'on trouvait autrefois dans les tavernes. Une armoire de couleur fade datant de 1780 arborait encore sa peinture d'origine composée de lait de beurre mêlé de bleuets, et servait de présentoir à une collection de vaisselle Staffordshire bleu pâle et blanc. Des chrysanthèmes jaunes en pot étaient disposés au pied d'un fauteuil à bascule noir qu'occupait une énorme poupée. Devant la cheminée, le canapé était recouvert d'une authentique courtepointe de Baltimore aux motifs de couleurs vives : des cornes d'abondance, des aigles bleus, des paniers rouges, un bateau brun à voilure jaune, des étoiles vertes sur fond blanc. Des canards de bois reposaient sur l'allège de la fenêtre dans la cuisine.

A l'opposé des livres prétentieux qu'il voyait d'habitude sur la table à café des stars, ceux qui se trouvaient là sur une table miniature, éclairés par un ancien extincteur vert converti en lampe, témoignaient des goûts éclectiques et sans prétention de Devon. Steinbeck, les Mémoires de Douglas MacArthur, des poèmes de Rimbaud et de Verlaine, un livre de cuisine italienne, les histoires de J.D. Salinger, une copie jaunie du défunt *Vanity Fair*, et l'autobiographie de Malcolm X faisaient bon ménage.

— Tu es déçu?

— Au contraire! Je pense que je pourrais vivre ici moi-même. J'ai visité beaucoup de résidences à Los Angeles, mais jamais rien comme celle-ci. Nous sommes bien en Nouvelle-Angleterre, non? C'est l'océan Atlantique à Nantucket que j'entends, n'est-ce pas?

Elle se mit à rire de ce rire du Texas qu'il trouvait si attachant.

— A vrai dire, c'est un peu le Connecticut. C'est là où j'ai fait mes études. J'aurais sans doute dû être chanteuse car j'ai toujours eu l'âme vagabonde. C'est tout naturel que je finisse par vivre dans un autobus.

— Celui-ci a vraiment l'air d'un véritable domicile. Ce sont plutôt les domiciles de Beverly Hills qui ont eux, pour la plupart, l'apparence d'un autobus!

— J'ai découvert cette maison par accident, à vrai dire. C'est toujours ce qui m'arrive, du reste. Toute ma vie n'a d'ailleurs été qu'une suite d'accidents. J'ai tendance à banaliser le succès et tout ce que les gens doivent faire pour garder à flot leur carrière. Si tu savais à quel point cela embête May et Inez! Mais moi, je ne m'arrête pas à ces choses-là. Inez serait capable de tuer sa grand-mère pour une invitation à dîner chez George Cukor. J'y ai accompagné Avery Calder, une fois, et j'étais assise à côté de Katharine Hepburn. Nous avons passé la soirée à nous échanger des recettes de gâteaux. Elle me rappelait une de mes tantes au Texas.

— J'ai tellement consommé de repas servis par des traiteurs chez les élus du groupe « A », que je pourrais en écrire un livre, lui annonça Billy. Crois-moi, tu ferais mieux de t'en tenir aux gâteaux.

— Je suis en Californie depuis sept ans et je n'ai tourné que trois films. On ne peut pas dire que je sois précoce. Je conduis une Mustang de location, je porte des chemisiers à carreaux et des espadrilles, et je préfère les hot-dogs aux ananas polynésiens flambés. Tu peux voir où passe mon argent. Plutôt m'acheter une table Hepplewhite qu'une nouvelle Mercedes.

— J'en connais déjà long sur les trois autres fans de Gilda, mais toi, tu demeures un mystère, Devon Barnes. Je crois qu'il se cache là une bonne histoire.

— Pas vraiment. Nous sommes tous arrivés ici à peu près au même moment. King et Inez étaient les premiers. May les avait ensuite suivis, arrivant avec une carrière toute tracée. Moi, j'ai été emportée par le vent en quelque sorte. J'ai vécu avec Gilda quelque temps. Je répondais au téléphone et je faisais office de secrétaire. Tu connais le genre de travail : les lettres de conseils aux fans et les photos autographiées. Elle me donnait un salaire afin que je ne me sente pas trop pique-assiette à vivre de sa charité aux Perles.

— Peu de temps après, Denise Auerbach est venue ici de New York ouvrir une succursale de l'Atelier des acteurs, et elle m'a embauchée pour enseigner l'analyse de la mise en scène théâtrale. Comme je me suis vite fatiguée de flâner à la piscine chez Gilda, j'ai eu différents emplois de jour. J'ai été serveuse pour une journée, mais je ne pouvais pas porter les tabliers empesés et les hautes coiffes. J'avais l'air d'un géant! J'ai aussi été opératrice d'ascenseur à Century City, mais ça n'a duré qu'une semaine parce que j'avais la nausée rien que de monter au deuxième! J'ai enseigné la natation. On m'a embauchée comme secrétaire à la Paramount, et j'ai appris comment taper à la machine pendant le week-end! C'est à cette époque que l'Atelier a mis sur pied une production de *Sabrina Fair*, et May a convaincu John Frankenheimer de venir me voir jouer. Il m'a obtenu un rôle dans une des émissions de *Playhouse 90*, et c'est à partir de ce moment-là que les choses ont commencé à bouger. J'ai joué dans un film d'Anthony Quinn où j'avais neuf répliques; on a commencé à dire que j'étais prometteuse. Par la suite, j'ai interprété une maîtresse d'école dans un film intitulé *Reform School Girls*. J'ai tout refusé après ça en attendant de trouver quelque chose qui soit enrichissant. Je travaillais à l'Atelier le soir, et je me consacrais aux œuvres de charité le jour. Ensuite, May m'a offert *Two Can Do*. Je ne sais toujours pas quel chantage elle a pu faire au réalisateur, toujours est-il que cela m'a rapporté. Inez a enfin recommencé à m'adresser la parole!

— Dis-moi un peu comment elle est comme auteur, demanda Billy en s'adossant aux coussins d'art artisanal.

Encouragée par Gilda, Inez avait travaillé à la rédaction d'un script pendant près de huit ans, donc depuis peu après son arrivée à Los Angeles.

— L'histoire débute assez bien, un peu comme *A Tree Grows in Brooklyn*, raconta Devon en offrant à Billy une tasse de café additionné de crème de cacao. C'est l'histoire d'une jeune fille qui se débat pour survivre dans un rude milieu pauvre.

— C'est pour cette raison qu'on a refusé son scénario? Parce que les deux histoires se ressemblent trop? C'est pour ça qu'elle n'en finit plus de les traiter de lâches?

— Non. C'est parce que l'histoire d'Inez est trop poignante. Tu vois, plus Inez rendait son script véridique, moins elle avait de chance qu'on accepte de le produire. Gilda avait tenté de la prévenir. May aussi. C'était peine perdue. C'est pourtant un bon script, Billy. C'est une histoire triste et dure. Dans les mains d'un bon réalisateur, avec de bons artistes, il pourrait être fameux.

— De quoi s'agit-il, au juste?

— L'histoire tourne autour d'une relation incestueuse entre une fille et son père.

Billy siffla.

— Elle n'a pas peur de la controverse!

— On lui a demandé d'apporter des modifications, de faire en sorte que le père ne soit violent que lorsqu'il est en état d'ébriété; il pourrait la battre, mais pas question de sexe! Inez en est devenue furieuse et elle a demandé à May de retirer le projet. Gilda a passé toute une semaine à essayer de lui faire changer d'avis. L'ennui, c'est que juste au moment où Inez a le plus besoin de King, lui se trouve sur un autre continent. La rumeur veut qu'il soit en train de se payer une aventure avec sa co-vedette. Tu t'imagines?

— Avec « la vache »?

— Avec Claudia Leone.

— Je commence à comprendre.

— Mais, tu vois, c'est le fait qu'Inez abandonne qui m'inquiète. Je l'ai déjà vue en furie, et je l'ai vue morose aussi et apitoyée sur son sort. Cependant, cette semaine, elle était presque suicidaire. Je n'aurais jamais pensé que je souhaiterais Tqu'elle éclate. Pourtant, cette colère qu'elle a démontré ce soir, c'est le seul signe positif qu'elle a donné de toute la semaine.

Devon consulta sa montre et alluma la télé.

— Regarde les nouvelles quelques minutes pendant que je fais encore du café.

— On rapporte encore ce soir une confrontation dans le sud, annonçait le chef d'antenne. On a baptisé cette journée « le dimanche sanglant ». On ne connaît pas encore le nombre de blessés, mais il pourrait se chiffrer dans les centaines. Le tout a débuté lorsque la police de l'Etat d'Alabama a tenté aujourd'hui de faire rebrousser chemin aux manifestants de la marche pour la liberté qu'avait organisée le docteur Martin Luther King, sur la route entre Selma et Montgomery.

On voyait à l'écran quatre Noirs sur une route minable, les bras entrelacés. Derrière eux, quatre ou cinq de front, les manifestants marchaient. De chaque côté de la route, des policiers, matraque en main.

Comme les robots des films de science-fiction, les policiers avancèrent lentement en direction des manifestants non armés. La caméra montrait alors une image floue de bottes noires dont elle s'éloigna pour s'arrêter sur les jambes tordues d'un marcheur affaissé, et se concentra ensuite sur une des victimes. Le sang coulait sur son visage noir tandis que cinq policiers en uniforme le traînaient hors du champ de vision de la caméra; ils semblaient le rouer de coups tout en ordonnant au cameraman de se retirer.

— Deauville!

Billy ne s'était pas rendu compte que Devon était de retour au salon. Elle regardait l'écran avec des yeux effarés, son visage reflétant l'expression de douleur et d'indignation sur le visage de l'homme ensanglanté.

Le journaliste du poste local était de retour à l'écran et promettait aux téléspectateurs une belle température et les nouvelles sportives, immédiatement après un message publicitaire.

Devon tourna frénétiquement le bouton syntoniseur, à la recherche, supposait Billy, d'autres rapports concernant la manifestation des droits civils.

— Devon, que se passe-t-il?

Elle ferma le téléviseur en proférant un juron de colère et s'effondra en sanglots sur le canapé, comme si la violence à l'écran la touchait personnellement. Billy s'assit à côté d'elle et appuya la tête de Devon contre lui. Elle cessa enfin de pleurer et se mit à respirer plus normalement.

— Tu connais cet homme! dit-il en comprenant tout à coup. Celui qui avait la tête ensanglantée!

— C'est Deauville Tolin. J'habitais avec lui à New York. J'étais amoureuse de lui. Est-ce qu'ils ont dit s'il était mort?

— Non, ma chérie. Non, il n'est pas mort. Il s'en remettra. Ne t'inquiète pas, Devon. Il s'en sortira, et toi aussi.

246

— Mais il faut que je fasse quelque chose. S'il est vivant, il a besoin de secours. Il faut que je le retrouve.

— Qui sait? dit-il d'une voix plus rassurante que ses sentiments ne l'étaient véritablement. Ce n'est peut-être pas le même homme. On ne sait jamais.

— C'était bien Deauville, Billy.

— Quand l'as-tu vu la dernière fois?

— L'été dernier, à la télé. Et j'ai vu sa photo dans les journaux il y a quelques années.

Cela évoquait soudain toutes ces longues et chaudes nuits d'été qu'elle avait passées avec Deauville à New York. Il y avait si longtemps... Il y avait eu tant d'amour.

— Attends. Je vais te montrer que je dis vrai.

— Ça va, je te crois.

— Il accompagnait un autobus rempli de gens qui s'en allaient marcher pour la liberté. J'étais si fière de lui, lança-t-elle en disparaissant dans l'escalier. J'étais si heureuse qu'il s'occupe à quelque chose. Il était devenu tellement déprimé. Les derniers temps, la frustration l'étouffait.

Billy la suivit dans l'escalier jusqu'à la chambre.

Devon sortit une vieille valise du placard et en vida le contenu sur son lit : de vieux programmes de théâtre, des lettres d'amour, ses chères poupées de Gilda en papier, une carte routière de la Californie aux coins retroussés.

— L'année dernière, aux nouvelles, je l'ai vu faire un discours aux étudiants de Berkely. L'organisme dont il s'occupait était à la recherche de jeunes qui pourraient se rendre au Mississippi faire le recensement des électeurs. L'été dernier, lorsque ces garçons de New York se sont fait assassiner... Voilà!

Elle brandissait un paquet de photos, des portraits d'un jeune et séduisant Noir au sourire attachant. Elle retira ensuite de la pile sur le lit une coupure de journal qu'elle lui mit sous le nez.

— Tout ceci parle de Deauville. Est-ce que tu me crois, à présent? Billy, il faut que je téléphone à la police en Alabama. Ils doivent me connaître. Quelqu'un là-bas a bien dû me voir au cinéma. Je leur dirai que je suis prête à payer son cautionnement. Je pourrais peut-être y aller, ou envoyer quelqu'un sur place pour le sortir de l'hôpital ou de prison, ou d'où qu'il se trouve. Je pourrais en prendre soin ici.

Il fallut à Billy près d'une demi-heure pour l'en dissuader.

— Devon, ça ne réussirait jamais. Et le pire, c'est que tu mettrais fin à ta carrière.

— Si tu savais comme je m'en moque de ma carrière, Billy. Deauville était mon amant, mon ami. Il prenait soin de moi. Il faut que je fasse quelque chose. Je ne peux pas le laisser mourir ou moisir en prison. A quoi ça me sert d'être célèbre si je ne peux rien faire pour lui, si je ne peux rien faire pour améliorer la situation?

— Tu le peux. Tu le feras. Mais dans le cas de Deauville, c'est précisément parce qu'il était ton amant que tu ne peux pas l'aider maintenant. Réfléchis un peu. Pense qu'il te faudra avouer à un bougre de raciste là-bas, en Alabama, que tu vivais avec un nègre. Que tu l'aimais! Tu as raison, ils sauraient alors exactement qui tu es. Et ils s'en serviraient contre toi. Savais-tu que les mariages mixtes sont illégaux dans la plupart des Etats? Et que cohabiter avec un Noir constitue probablement un délit dans plusieurs d'entre eux? Sans compter qu'un tel aveu public représenterait sans contredit une sérieuse violation aux normes établies à Hollywood. Tiens-tu à ce que votre histoire d'amour fasse l'objet de blagues grivoises et de lettres malveillantes? Pense qu'il te faudrait t'adresser à ces policiers qu'on vient de voir à la télé, ceux qui portent des bottes et des casques et des verres fumés.

— Ils le tueraient, s'écria-t-elle soudain. Grand Dieu, Billy. Ils le battraient à mort, n'est-ce pas?

— Ils pourraient certes faire ça.

— Je vais téléphoner à May. Elle connaît peut-être quelqu'un qui pourra l'aider. Ou Inez. Elle a toujours eu beaucoup d'estime pour Deauville. Mais non! C'est à King qu'il faut que je téléphone, s'exclama-t-elle soudain. *Lui*, il pourra faire quelque chose.

— King Godwin? Il connaît ton ami?

— C'est lui qui m'a présenté Deauville. Ils fréquentaient l'Atelier ensemble. Etant donné que King est un homme, il n'y aurait aucune implication sexuelle. C'est une star, maintenant, non? Aider Deauville, ça ne pourrait plus lui nuire. On l'écouterait, lui. Oui, si quelqu'un peut trouver Deauville et le sortir de ce pétrin, c'est bien King.

Billy essayait de s'imaginer l'acteur capricieux en bon samaritain. Depuis que, du jour au lendemain, King avait atteint la gloire après la version cinématographique de la pièce d'Avery Calder, il s'était taillé une fameuse réputation. C'était un bon acteur, électrisant en fait. Mais on ne pouvait pas compter sur lui. A deux reprises en cinq ans il avait été suspendu, et il avait quitté le plateau de son dernier film, l'histoire d'un policier d'après un roman de Ross Thomas, en invoquant des « différends d'ordre artistique » avec le réalisateur.

A Beverly Hills, on commençait à l'appeler l'enfant terrible, aux côtés des McQueen, Beatty et Brando. Plus d'une fois les policiers de Beverly Hills avaient reçu des plaintes au sujet des querelles entre les Godwin lorsque King entrait tard pour la troisième ou quatrième fois de suite. Ou lorsque King avait surpris Inez au lit avec le garçon de la piscine pendant le déjeuner. Ou encore, quand Inez avait surpris King dans un cabanon en compagnie de Mademoiselle janvier, une des pin-up du magazine *Playboy*.

Depuis quelque temps, King évoluait dans le milieu international des grands viveurs. Il s'était lié d'amitié avec Michel Weiss-France, le producteur français et ancien critique des *Cahiers du Cinéma*, dont la passion pour sa profession n'avait d'égale que sa décadence personnelle. D'après ce que Billy avait entendu dire, Weiss-France avait lancé, de manière assez fulgurante, une demi-douzaine de jeunes actrices. Au fait, il lui semblait se souvenir que c'était Weiss-France qui avait « découvert » Claudia Leone, avec qui le producteur avait d'ailleurs vécu pendant une courte période.

Non, décidément, Billy ne voyait pas King Godwin en héros. D'autant plus qu'il se rappelait autre chose.

— Devon, est-ce qu'il n'y avait pas un froid entre toi et King ? Il me semble avoir entendu ça quelque part.

— Il n'est pas question de moi en ce moment. Il est question de Deauville.

Bien que l'idée lui apparaissait peu prometteuse, il accepta de collaborer. Il lui serait facile de trouver où King habitait à Rome. Billy connaissait en effet un type des affaires publiques de Cinecitta, de qui il obtint sans peine le numéro de téléphone privé de Claudia Leone.

— C'est pour toi, caro, dit-elle en lui présentant le récepteur. Elle posa un soyeux bras blanc sur les pectoraux de King et se rendormit.

Il était huit heures du matin à Rome. King n'avait pas les idées claires, ayant consommé la veille une forte quantité de vin. Ils avaient dîné de *pollo alla cacciatora* au El Toula, restaurant vraiment trop onéreux où ils avaient vidé trois bouteilles de Pinot Grigio Felluga. (Le vin des anges, lui avait roucoulé Claudia à l'oreille d'une voix ivre). S'il avait bonne mémoire, il avait terminé la soirée en lui courant après sur les marches des Jardins de Tivoli.

Il prit le verre de chianti qu'il avait laissé la veille sur sa table de chevet en marbre. A la lumière pâle du matin, il apercevait le télégramme de Gilda qu'il avait à moitié chiffonné, les scripts que May lui avait fait parvenir, et la petite photo de Hollis, son talisman de voyage.

Il se rinça la bouche d'une gorgée de vin qu'il avala. Le vin était devenu son rince-bouche matinal. Il jeta un regard à Claudia. Ses cheveux d'ébène décoiffés entouraient son beau visage de camée. Elle avait une bouche aux lèvres généreuses, comme celle de Devon. Ses bras étaient bien tournés quoique plus rondelets que ceux de Devon, et ils étaient mous tandis que ceux de l'autre étaient musclés et athlétiques. Il aimait ses merveilleux seins blancs, gros et étonnamment fermes, aux mamelons aussi roses qu'un museau de chaton.

Ils se trouvaient dans l'appartement de Claudia, un duplex richement meublé de la Via Margutta. Il tendit la main pour caresser la touffe poilue noire.

— Allô, King Godwin à l'appareil.

Il entendit la voix à l'autre bout du tunnel atlantique.

— C'est toi, King? Dieu merci! C'est Devon.

Le sang ne lui fit qu'un tour; son cœur battait autant qu'un moteur de moto prêt à démarrer.

— Devon?

Il se demandait s'il était encore ivre. Il avait trop bu la veille. Peut-être rêvait-il encore.

Il s'imagina soudain le beau visage de Devon, évoquant le souvenir de son long corps athlétique. Il sentit un frémissement à l'entrejambe. Depuis le jour de son mariage, alors que Devon et lui avaient partagé ce bref instant de passion aux Perles, il l'avait évitée. Elle et Inez étaient toujours amies, mais lui ne pouvait plus l'être.

C'était la seule femme qui lui faisait perdre tout contrôle.

— Devon, où es-tu?

— A Los Angeles, évidemment. Oh, King, je suis si heureuse d'entendre ta voix. Ça fait vraiment trop longtemps qu'on ne s'est parlé.

Il s'assit et avala encore une gorgée de vin. Il avait l'impression qu'un bataillon de soldats russes avait passé l'hiver dans sa bouche. Pourtant, Devon était au téléphone, et s'il rêvait, il souhaitait ne jamais se réveiller.

— En effet, tu as raison, répondit-il en se creusant la tête pour trouver quelque chose d'intelligent à dire.

Claudia bougea un peu. Elle choisissait mal le moment de se réveiller.

— Comment ça va, Devon? Et comment as-tu obtenu ce numéro? demanda-t-il d'une voix calme.

— Ça va, je pense. C'est Billy Buck qui a trouvé ton numéro.

— J'aurais dû m'en douter. Enfin, j'ai beaucoup pensé à toi. Je pense souvent à toi. Tu me manques.

— King, ce n'est pas pour moi que je te téléphone.

— Si tu appelles de la part de Gilda, dis-lui que j'ai son télé-gramme à côté de moi. Et qu'il s'agit de *mon* mariage et de *ma* vie.

— Il s'agit de Deauville, King. Il est en difficulté. Il a besoin de secours.

— Qui? demanda-t-il froidement.

Il sortit une cigarette.

— Deauville. On l'a battu quelque part en Alabama. J'ai tout vu aux nouvelles ici...

— Ah, oui. Aux nouvelles, répéta-t-il sans émotion. Excuse-moi, veux-tu?

Il vida son verre.

— Les policiers à Selma ont lancé des bombes lacrymogènes et ils se sont servi de matraques. C'était horrible. J'ai honte d'être originaire du sud.

— J'ignorais que vous étiez toujours en contact.

— King, les choses vont mal ici. Il y a eu une émeute près d'un pont. Des centaines de personnes ont été battues. Je regardais les nouvelles et j'ai vu Deau. Ils le rouaient de coups de poing et de coups de matraque à la tête. Ils lui donnaient aussi des coups de pied et l'ont traîné avec eux.

— Excuse-moi un instant, veux-tu? J'ai une de ces gueules de bois!

Il réveilla Claudia.

— Dis, chérie, va me chercher un verre d'eau. De l'eau minérale, et quelques cachets d'aspirine.

Elle lui fit un signe affirmatif avec un sourire engourdi, déposa un baiser sur sa poitrine, et bondit hors du lit.

Elle était plus petite que Devon, et plus rondelette. Ses fesses sautillaient lorsqu'elle marchait et ses seins bondissaient. Elle n'avait pas d'aussi belles jambes que Devon et son rire n'était pas aussi profond et fou.

— Pardonne-moi, King. Je ne voulais pas te déranger. Mais, ce n'est pas pour moi que je t'ai téléphoné. C'est pour Deauville.

— Ouais, tu me l'as déjà dit. Ciel, on gèle ici. Claudia, dépêche-toi. Reviens, chérie. J'ai froid.

— King, je t'en supplie, il faut que tu l'aides. C'était ton ami à toi aussi.

— Je pense rentrer bientôt, dit-il en regardant la photo de son fils dans le cadre d'argent. Quel temps fait-il à Los Angeles?

— Il fait chaud.

— Tant mieux. Ici, on gèle comme des rats.

— Et, au sujet de Deauville?

Claudia s'empressa de revenir au lit. Elle déposa un cachet sur la langue de King et lui fit boire de l'eau. Elle s'enroula autour de lui, mais son corps était froid après s'être promenée nue dans le grand appartement glacial.

— Je suis navré d'apprendre ce qui lui arrive, répondit King. Vraiment navré. Et je suis navré que tu ne sois pas en nomination cette année.

— As-tu l'intention de lui venir en aide?

— Le film, c'était de la merde. Mais, toi, tu étais splendide. Meilleure que le rouquin. Comment s'appelle-t-il déjà? Sundance?

— Que fais-tu de Deauville, King?

— Tu es vraiment bonne actrice, Devon.

Il raccrocha. Claudia se tortillait à côté de lui. Il tendit la main pour la toucher et s'arrêta soudain.

— Je dois faire un appel, bambina. Rendors-toi. Je me servirai de l'appareil du salon.

— Tu rentres chez toi bientôt, non?

— Oui, bientôt.

Elle se cacha la tête sous l'édredon. En sortant de la chambre, il l'entendit pleurer.

Il lui fallut quelque temps avant d'avoir la communication avec Paris. La fille qui décrocha chez Michel Weiss-France lui annonça que le réalisateur était absent pour le week-end.

— Et la petite garce l'a suivi. Si vous le retrouvez, et que c'est une fille qui répond, elle se nomme Julie. C'est une petite pute rouquine. Dites-lui que Marianne la salue, pour voir si la salope a du remords.

King entra en communication avec l'Hôtel du Cap à Cap d'Antibes et demanda monsieur Michel Weiss-France. Effectivement, une voix féminine lui répondit, mais il n'était pas d'humeur à faire le message.

— Je voudrais te demander un service, Michel, dit-il lorsque Weiss-France se trouva au bout du fil.

— Mon vieux, j'espère que ça en vaut la peine, après ce que tu viens d'interrompre!

— T'as entendu parler d'une émeute en Alabama? A Selma?

— Non, mais tu perds la tête ou quoi? Voilà que cette merveilleuse gonzesse me faisait la meilleure sucette de toute la Côte d'Azur. C'est la première non-professionnelle à se la rentrer aux trois-quarts dans la bouche, et tu veux t'entretenir de politique?

— Michel, c'est une affaire urgente.

— Tu n'y es pas, King. Avoir une paire de lèvres superbes qui s'aventurent sur tes couilles, ça c'est urgent!

— Un de mes amis est en difficulté en Alabama. Il faut que quelqu'un aille là-bas payer son cautionnement.

— C'est pour ça que tu téléphones à un Français à Cap d'Antibes.

— L'heure n'est pas à la fausse modestie, Michel. Où est passé le flamboyant auteur marxiste, l'enfant terrible du cinéma de gauche? Ecoute, petite grenouille, tu es le révolutionnaire qui a les meilleurs contacts que je connaisse. Je veux que tu téléphones à cette avocate de tes amis à Washington.

— Ah, je l'avais presque oubliée. Elle, alors, elle te fait une sacrée sucette, mon vieux.

— Michel, le nom du type c'est Deauville Tolin. Je veux qu'on le sorte de là, et en vitesse. C'est un Noir qui se trouve dans un endroit où, depuis quelque temps, on descend les blancs rien que pour avoir marché à côté de l'un d'eux. Ils tuent les enfants, incendient les églises, et font sauter des voitures. Je veux qu'on le trouve et qu'on le sorte de là, et au plus vite, parbleu!

— Rappelle-moi son nom, Kingston. Je téléphone tout de suite à Washington. C'est une femme très gentille. Elle ferait n'importe quoi pour moi.

— Il s'appelle Deauville Tolin.

King lui épela le nom.

— Tu dois bien l'aimer, ce type. C'est un veinard, non?

— C'est le plus veinard des salauds. Je n'aime pas son culot.

— C'est entendu, j'appelle ma fiancée à Washington. Elle connaît tout le monde. Si elle le peut, elle interviendra pour moi. Elle est fantastique. Oh la la! Cette avocate fait une sucette fantastique. Je te donne son numéro?

— A ta grosseur, elle doit avoir les mâchoires d'un python.

— Non, répondit Michel en riant. Seulement, elle se pratique sur le monument de Washington. Oh, elle connaît bien la technique. Mais il lui manque la passion de celle qui se trouve présentement sous mes couvertures. C'est un vrai bijou. Mon ami, c'est un secret que je ne peux pas partager avec toi.

— Si c'est une jolie petite rousse nommée Julie, dis-lui que Marianne lui envoie ses salutations.

— Je ne la trouve pas drôle, mon ami.

A Los Angeles, Devon avait raccroché, complètement déçue. Les larmes lui mordaient les yeux. Incapable de répéter ce que King lui avait dit au juste, elle savait seulement qu'il avait refusé de venir en aide à Deauville.

Billy lui prépara un thé à la menthe additionné de miel et de cognac. Une bonne mesure de cognac. Elle en but un second, et un troisième, en se creusant les méninges pour trouver un moyen d'aider Deauville. Finalement, à deux heures du matin, épuisée par la fatigue et l'alcool, elle téléphonait aux Perles.

Gilda était encore debout. Et comment! En furie contre madame Denby, elle arpentait sa magnifique chambre, celle baptisée *Tara*. Elle venait encore d'avoir une de ses fréquentes querelles avec la gouvernante à propos de la nourriture pour les chiens. Fallait-il leur donner du poulet bouilli ou de la viande à chiens en conserves?

— Du poulet bouilli, nom de Dieu, vieille chipie! Et retire tous les os.

— D'après le docteur Pritchard, il est préférable de leur donner la viande en conserves qui contient plus de protéines.

— C'est moi qui sais ce dont ces chiens ont besoin, sapristi! dit Gilda en colère. Pas le vétérinaire! Et que je ne vous reprenne pas à leur donner cette sorte de nourriture. Je n'en croyais pas mes yeux en voyant ça dans leur bol.

Nom de Dieu! Gilda était en colère. *Personne* n'en connaissait plus qu'elle sur ses animaux. Elle avait lu tout ce qui s'était jamais publié. Ces créatures étaient ses enfants. Au même titre qu'Inez, Devon, King et May pouvaient l'être.

Le téléphone sonna. Gilda saisit le récepteur et fit une pause afin de se calmer avant de répondre.

— Allô, j'écoute.

Elle entendit soudain la voix d'une vedette de cinéma, basse, langoureuse et idéale pour la quadriphonie.

Elle écouta son interlocutrice pendant quelques instants.

— Tu es certaine que c'était lui, ma chérie?

Ce fut tout ce que Gilda lui demanda.

— Bon. Va te coucher, maintenant. Maman va s'occuper de tout. Passe-moi Billy, à présent.

— Quelle heure est-il en Alabama?

C'était une voix apaisante pour les nerfs tendus de Billy.

— Quatre heures du matin.

— C'est bon, dit-elle dans un soupir. Mets-la au lit. De mon côté, je vais essayer de mettre de l'ordre dans cette sale histoire.

Devon était dans sa chambre et ramassait, comme une enfant cueille des fleurs, les photos de Deauville éparpillées sur son lit.

— C'est l'heure du dodo, ma beauté.

Billy lui ôta les photos des mains et les lança dans la valise. La jeune actrice était plutôt bourrée et chancelait quelque peu. Il la mena à la salle de bains et l'installa sur le siège des toilettes pendant qu'il ouvrait les robinets de la baignoire, dans laquelle il avait pris soin d'ajouter une bonne poignée de sel de bains.

— Ça me rappelle l'histoire du lion qui avait une épine dans la patte.

— Que dis-tu, ma jolie?

— Gilda et moi. (Elle ferma les yeux et appuya la tempe contre les tuiles rafraîchissantes du mur.) Je suis la souris. Celle qui ronge la corde ou extrait l'épine, ou je ne sais trop ce que la souris fait pour remercier le lion.

— Oui, oui.

Il entreprit de déboutonner le chemisier de Devon. Elle leva les bras comme une fillette obéissante. Elle avait près de vingt-six ans, mais à cet instant, elle en paraissait plutôt seize; elle avait l'air d'une adolescente repentie et fatiguée qui avait trop bu au bal de fin d'année.

— Et je le lui rendrai un jour. Un jour, elle aura besoin de moi, Billy. Et je lui viendrai en aide. Tu verras. Lorsque Gilda aura une épine dans le pied, je la lui retirerai. Je rongerai les liens qui la retiennent. Grand Dieu, Billy. Je l'aime tant. C'est elle ma véritable mère. Elle ne m'abandonnera jamais, pas vrai, Billy?

— Elle t'aime beaucoup.

— Elle ne me laisserait pas dans la misère, hein, Billy? Pas Gilda. Elle m'aime.

Comme il lui retirait son chemisier, elle ouvrit un œil en lui demandant :

— Et toi?

— Quoi, moi? Si je t'aime? Je suis en train de te déshabiller, non?

Elle y réfléchit un instant, lui fit une grimace soupçonneuse, et lui adressa un magnifique sourire.

— Tu es irrésistible. Tu t'arrangeras, pour le reste? Elle hocha la tête un peu trop vigoureusement mais le rassura enfin, et il retourna à la chambre préparer le lit.

Il remarqua une photo tombée à l'envers sur le parquet. Billy la ramassa et aperçut une Gilda Greenway beaucoup plus jeune, souriant à belles dents de son fameux sourire. Elle était entourée de quatre jeunes gens attrayants à l'expression légèrement étonnée. Il scruta la photo quelques secondes avant de comprendre pourquoi les visages lui semblaient si familiers.

— Devon, demanda-t-il sur le pas de la porte de la salle de bains. Quand cette photo a-t-elle été prise?

Devon le regarda en plissant les yeux.

— Ah, c'était une occasion mémorable, répondit-elle en scandant les mots d'un ton faussement solennel. C'était la première rencontre entre Gilda Greenway et ses quatre fans. Et la première fois aussi que j'ai rencontré Kingston Godwin.

Malheureusement, il a préféré les nichons d'Inez aux miens. Rappelle-moi de te raconter ça un jour, quand je serai plus sobre.

— Puis-je en faire une copie. J'aimerais bien l'ajouter à la collection dans mon bureau.

— Oh, tu peux l'emporter, Billy, répondit-elle en lui envoyant des bulles. Je dois bien en avoir encore trois ou quatre pour me rappeler qu'il fut un temps où je croyais que la vie se déroulait comme dans les contes de fée.

17

1968

Devon était une des principales organisatrices des levées de fonds au profit des droits civils. Elle participait aux rassemblements et manifestations, et elle avait prêté son concours à la formation d'un comité interracial pour la prévention d'émeutes comme celle qui avait fait rage pendant six jours à Watts en août 1965. Elle quémandait sans cesse de l'argent à Billy et à toutes ses connaissances à Hollywood.

— Même un petit montant peut nous être utile.

C'était pour un fonds quelconque qu'elle recueillait cet argent, ou encore, pour un programme de distribution alimentaire ou une marche pour la paix.

Deux ans après *Two Can Do*, Devon se voyait décerner le prix Golden Globe à titre d'interprète la plus prometteuse de l'année pour son rôle dans *Emma Blandish*. Elle y jouait le rôle d'une jeune fille du sud, une illettrée, à qui un maître d'école noir décide d'enseigner à lire. L'homme, originaire du nord, est venu dans le sud dans le but d'enseigner à l'école locale qui, il va de soi, est assujettie à la ségrégation. Un ancien amoureux de la fille les ayant découverts ensemble un soir chez elle, il entre dans une colère épouvantable et trouve accidentellement la mort. Emma aidera l'instituteur innocent à s'échapper et subira seule son procès pour meurtre.

Devon avait fait campagne pour obtenir ce rôle.

Dès qu'elle avait eu vent du projet, elle voulait le rôle de cette martyre sans le sou. May était elle aussi d'avis que c'était un rôle en or, un rôle difficile et sans charme mais qui justement, après deux comédies de suite, mettrait en évidence l'immense talent d'interprète de Devon. Avec le concours de Gilda, la jeune actrice donna donc un dîner auquel furent conviés notamment Billy, May, Inez, le producteur, et Axel Mordus, le réalisateur.

Après les médaillons de veau à l'oseille suivis des tartelettes au kiwi, Gilda invita ses convives à visionner le film *Two Can Do*. Chacun loua haut et fort le talent de Devon Barnes en déplorant le fait qu'elle n'avait pas été mise en nomination après avoir donné substance à un film qui, sans sa participation, aurait été trop léger.

May souligna le charmant accent de Devon et les efforts que cette dernière avait déployés pour s'en défaire. Inez ajouta que Devon possédait la même merveilleuse qualité féline, bien que moins maniérée, que Vivian Leigh dans *Autant en emporte le vent*.

— Elle est plus terre à terre, plus vulnérable. Vous comprenez ce que je veux dire? demanda-t-elle au réalisateur. C'était Billy Buck qui avait porté le coup de grâce. King, en tournage au Mexique, lui avait en effet téléphoné le jour même en disant qu'il avait entendu dire que Devon s'intéressait à ce film d'Axel Mordus et que, d'après lui, elle était l'interprète tout indiqué. Il avait en outre ajouté que, bien sûr, il ne voyait aucun inconvénient à ce que Billy le dise à qui de droit.

Le journaliste n'était pas surpris que Devon lui téléphone ce soir-là et lui demande de répéter ce qu'il avait annoncé chez Gilda. Elle parut étonnée d'apprendre que King avait bien dit la trouver parfaite pour le rôle d'Emma.

— King? Il t'a téléphoné du Mexique rien que pour te dire ça? Eh ben, ça alors!

— Allons, Devon, fit-il d'un ton sceptique. N'oublie pas à qui tu parles!

— Je t'assure, Billy. C'est toi qui me l'apprends. Je me demande pourquoi il a fait ça... Oh, c'est sans doute Gilda qui le lui a demandé. Quand elle s'y met, celle-là!

— Je trouve qu'il était plutôt convaincant. Je pense qu'il croit sincèrement que tu es la meilleure candidate pour ce rôle. En tout cas, il voulait m'en persuader.

— Et toi, quel est ton avis?

— Tu le sauras demain en lisant ma chronique. Je crois que je vais y mettre une photo de King, cependant. Pas la tienne. Savais-tu qu'il compte maintenant parmi les « dix visages les plus connus au monde »? Ce sont les résultats d'un récent sondage, il paraît. Tu lui dois une fière chandelle.

— Tu crois? dit-elle en riant. Non. Je pense que nous sommes quittes.

Quel que fût le mobile de King, il avait raison au sujet de Devon. C'était une excellente Emma Blandish. Pour des milliers de spectateurs, Devon, pieds nus, en blue-jean et chemise à carreaux, devint Emma, une fille aux convictions passionnées. Ce rôle devait faire pivoter sa carrière, et il fut celui avec lequel les gens l'identifièrent pendant des années. Emma Blandish, la fille courageuse mais vulnérable, lancée dans une notoriété dangereuse pour avoir osé protester contre l'injustice.

C'était un rôle que Devon avait joué dans la vie privée bien avant la rédaction du scénario, et qui n'avait pas la faveur de tous.

Il y avait, par exemple, une scène dans laquelle Emma Blandish donne un baiser d'adieu à l'instituteur noir. Axel Mordus l'avait laissée dans la version finale de son film, mais elle fut retranchée de la version en salle. Interviewée lors d'une émission radiophonique, Devon fit brièvement allusion au fait qu'elle avait protesté contre ce retrait. Or, le studio se mit à recevoir des appels et des lettres venimeux reprochant à Devon « d'aimer les nègres » et la traitant de « traîtresse à sa race et son pays ».

Elle reçut toutes sortes de menaces, de mort autant que du boycottage de ses films.

A Holmby Hills, il était toutefois maintenant de mise d'inviter chez soi des Noirs et des mendiants aux cheveux longs. Il était bien vu de faire passer pour eux un chapeau doublé de vison en même temps que les joints d'or d'Acapulco. Les stars de Hollywood et leur suite, en chemises à fleurs et vestes Nehru, se laissaient photographier en pleine discussion avec des hommes portant des verres fumés, des coiffures afros, des vêtements teints à la main et des colliers de perles algériennes. Les déesses de l'écran et les dames de la haute portaient leurs cheveux longs et raccourcissaient leurs jupes. Inez, une des hôtesses les plus omniprésentes de Hollywood, aimait porter des vêtements à frange en daim brodé de perles. Même si elle n'avait pas encore réussi à franchir la barrière du groupe « A », même si son bel époux n'était jamais là, il y avait toujours à ses réunions mondaines de l'alcool à profusion et de l'excellente mari. Il y régnait un harmonieux équilibre entre l'argent et le prestige d'une part, et la passion et la pauvreté artistiques de l'autre. Et la présence de l'impétueuse Devon Barnes était assurée.

— Mes amours, je tiens absolument à vous avoir, disait Inez. Mick sera là, avec Keith et quelques autres Stones. Peut-être aussi Grace Slick et Timmy Leary. Et on vient tout juste de me livrer de l'excellente colombienne. Janis se charge d'apporter l'or d'Acapulco. Le maharishi viendra, à condition que sa Rolls soit réparée. Tu le vois d'ici, arrivant à pied? Suivi de John, Ringo, George et Paul? Nous aurons un plaisir fou, je vous le certifie.

D'un rire hystérique, elle vidait son verre, faisait signe à un domestique de lui rapporter une vodka, et composait le numéro suivant.

A l'occasion de l'une de ces réceptions chez Inez, Devon confia à Billy qu'elle travaillait sans doute trop, qu'elle pensait en avoir trop entrepris ces derniers temps, car elle commençait à se ressentir des effets de la fatigue. Pourtant, ce n'était pas les lettres venimeuses qui l'effrayaient, pas plus que les allusions de plus en plus hideuses de la part des journalistes conservateurs.

— A vrai dire, Billy, je me sens un peu paranoïaque. Depuis quelque temps, j'ai cru remarquer des hommes bizarres qui me suivent.

— Mais, tu n'as qu'à te regarder, ma beauté. C'est évident que les hommes te suivent.

Elle lui adressa un sourire.

— Je suis sérieuse, Billy. Je suis devenue aussi nerveuse qu'un chien pendant un orage. Enfin, j'espère que ce n'est que de la paranoïa!

Elle glissa un bras sous celui de Billy et lui demanda de sortir prendre une bouffée d'air. Le crépuscule se montrait humide et nuageux; il y avait menace de pluie imminente. Dans le but d'échapper à la musique trop forte et aux voix trop élevées, ils se dirigèrent vers les courts de tennis où un homme en blanc pratiquait seul son service.

— Ça me rappelle Fellini, dit Billy en montrant d'un geste le joueur solitaire. On le connaît? Il me semble que son visage me dit quelque chose.

Devon aperçut un homme trapu et athlétique qui se mouvait avec une intensité gracieuse. Il avait un visage anguleux et carré qu'éclairaient des yeux profonds et aussi noirs que des mûres, sous une arcade touffue qui lui conférait l'allure d'un perpétuel penseur. D'épais cheveux lui tombaient sur le front et il renversait constamment la tête pour se dégager les yeux.

— C'est Michel Weiss-France, déclara Billy. Est-ce que tu le trouves séduisant? On dit que c'est un sacré tombeur! Qu'est-ce qu'il a, d'après toi? Et ne me réponds pas en centimètres.

— Je le trouve très attrayant.

— Tant mieux. Tu es justement son genre.

— Et, quel est son genre?

— Le genre féminin! En fait, c'est un véritable connaisseur. Je crois que tu saurais lui rendre la monnaie de sa pièce. Il est très politique. On l'appelle le « Sartre du cinéma », ou quelque autre idolâtrie du genre. Tu n'aurais qu'à lever le petit doigt, ma chère, et il serait enchanté de te suivre. Alors, avec qui est-il en compétition?

— Je ne pourrais pas te le dire. C'est ce qui me rend folle. Ce sont des types différents dans des voitures ordinaires. Ce qui me déprime, c'est qu'ils ont tous l'air si ennuyeux. Ce sont des individus qui portent une chemise de golf avec un pantalon de polyester. Il y en a d'autres qui portent un complet, mais avec des bas blancs et des espadrilles! L'un d'eux porte même ses cheveux courts.

— On dirait le FBI.

— Sois sérieux, Billy. Crois-tu que je m'en fais pour rien, ou devrais-je en parler à la police.?

— A Los Angeles? Il y a des policiers à Los Angeles?

(Ils éclatèrent tous deux de rire.) Qu'est-ce que tu leur dirais? Que tu te fais suivre par des individus moches?

Le rire de Devon retentit dans le silence humide jusqu'au court de tennis. Sa concentration rompue, Weiss-France leur lança un regard sévère.

Un éclair bleu illumina soudain le ciel et le visage de Devon en fut brièvement éclairé.

— Ça va, Emma? lui lança le tennisman en faisant un signe de la main, le visage tout à coup radieux.

Un grondement de tonnerre se fit alors entendre. Billy saisit la main de Devon et courut avec elle jusqu'à un abri près du tennis.

Michel Weiss-France haussa les épaules avec résignation et ramassa ses balles au moment où des gouttes de pluie aussi grosses que des pois se mettaient à tomber. Le temps de rejoindre Devon et Billy à la cabane, il était trempé jusqu'aux os.

— Ah, j'avais raison, dit-il, toujours souriant.

Il lécha la pluie qui lui coulait sur le visage, après quoi il serra la main de Devon avec enthousiasme. Il avait le bras bronzé et musclé, et ruisselant de pluie.

— Vous êtes Emma, n'est-ce pas? La « Jeanne en blue-jean ». C'est ainsi que je vous ai surnommée. Comme Jeanne d'Arc, vous comprenez? Je vous trouve fantastique. Ah, comment ça va, monsieur Buck? dit-il en saluant Billy tout en conservant la main de Devon dans la sienne. Nous nous sommes rencontrés au festival de Cannes, je crois.

Weiss-France s'adressa à Devon.

— Il a dit quelque chose de très drôle à Cannes. Figurez-vous qu'on a présenté Billy à la princesse Grace devant un grand nombre de personnes. Elle lui a dit : « Ah oui, le critique américain. » Sur quoi Billy lui a répondu : « Ah oui, la princesse de Philadelphie! » J'admire ce genre d'arrogance.

— C'est très aimable à vous de vous en souvenir, monsieur.

— Mais, vous avez fait une excellente critique de mon film. Comment pourrais-je oublier tant d'éloquence et de bon goût? A présent, il faut que je me change.

Il relâcha la main de Devon. Haussant les épaules en guise d'excuses, il montra à quel point sa chemise était trempée.

— Vous voulez bien m'attendre? Vous ne vous sauverez pas? J'en ai pour à peine dix minutes. J'ai la Porsche. C'est la voiture de King, vous comprenez. Lui, le pauvre, il est en pleine nature en Oregon. Comme il se sacrifie pour son art! Et moi, j'ai le plaisir de partager sa maison et ses amis, et de conduire sa splendide voiture. De toute façon, c'est moi qui la lui ai vendue l'année dernière. Alors, dites-moi? demanda

Michel Weiss-France en sortant à reculons de la cabane. Vous viendrez me rejoindre à ma voiture? Dans dix minutes, je vous le promets. Je vous en supplie! Nous n'avons que cette soirée étant donné que je rentre à Paris demain.

— Oui, je vous attends.

Devon riait. Weiss-France soupira et se croisa les bras.

— Bravo. Encore! Riez encore, comme ça. J'en ai rêvé de ce rire. Le rire d'Emma Blandish. Merveilleux!

Il partit à reculons en lui envoyant des baisers, un ridicule sourire de mime sur son visage ruisselant de pluie. Finalement, il tourna les talons et courut jusqu'à la maison.

— Je crois que tu lui plais.

— Sans blague, Sherlock, répondit Devon en riant toujours.

— Je commence à comprendre pourquoi il a tant de succès, à part la rumeur de sa « suffisance », dont je le soupçonne d'être l'auteur. Il paraît qu'il est aussi bien équipé qu'un âne, tu sais!

— Quelle éloquence, mon cher!

— Peu importe, ma chérie, fit-il en lui tapotant le bras. Téléphone-moi demain matin. Il faudra que tu me racontes tout dans les moindres détails. Et n'oublie pas ton ruban à mesurer!

Michel exécuta un virage interdit depuis le Pacific Coast Highway pour entrer la Porsche dans l'aire de stationnement devant l'autobus londonien. Par la lunette arrière, Devon pouvait apercevoir la Ford bleue arrêtée de l'autre côté de la route. C'était l'homme aux cheveux courts qui était au volant, et il buvait du café ou de la soupe dans un contenant de papier. Celui qui portait une chemise de golf dormait sur le siège à côté de lui.

— Qui sont-ils? lui demanda Michel.

— Je l'ignore. Mais je les ai remarqués à plusieurs reprises cette semaine. Dans mes moments de paranoïa, je pense qu'ils me surveillent, et quand la paranoïa fait place à la terreur, je m'imagine toutes sortes de choses. Il se peut bien qu'il soient en train de filer un mari infidèle ou encore, qu'ils se reposent. Ou ce sont peut-être des tueurs à gage qui ont pour mission de me descendre. Qui sait?

— Je pense que ce sont des agents du FBI.

— Le FBI? Tu crois?

— Je vais bientôt le savoir.

— Comment ça?

262

— Attends-moi, dit-il en ouvrant la portière. Il traversa la route en attachant son blazer. Dans le rétroviseur, Devon le regarda se pencher et s'adresser au chauffeur de la Ford bleue.

Il hochait la tête d'un air sérieux.

Il donna ensuite la main à cet homme et retraversa la route en vitesse.

— Qu'est-ce qu'ils t'ont dit?

— Il prétend attendre un ami. Un ami qui habite ici. Il n'est pas sérieux en répondant ça, dit-il tout en ouvrant la portière du côté de Devon. Ils sont sûrement du FBI. Je peux les sentir de loin. Ils me filaient déjà à New York et à Washington. Ils se ressemblent tous. Ce sont de petits hommes ternes à l'aspect médiocre. Des hommes sans couleur, tu me comprends?

— Mais oui, parfaitement. Michel, je crois que c'est moi qu'ils surveillent. Veux-tu que nous allions ailleurs? Je ne sais trop ce que nous devrions faire.

Il lui sourit.

— Viens, je vais te le montrer. Le moins qu'on puisse faire, c'est de les divertir un peu, non?

Il la prit dans ses bras et lui donna un baiser. C'était un baiser doux et chaleureux, empreint d'une sincérité surprenante. Michel avait de solides bras et son corps se moulait bien à celui de Devon.

Il avait aussi de grandes mains avec lesquelles il touchait le postérieur de la jeune femme. Devon sentit grimper sa courte jupe. Elle se demandait si l'homme aux cheveux courts ou celui à la chemise de golf pouvaient les voir à la lumière du crépuscule. Elle se demandait si les agents du FBI pouvaient voir Michel lui passer la main dans son slip. Elle se cambra afin de lui faciliter la tâche.

— Bon, ça suffit, dit-il en retirant soudainement la main.

Elle suivit son regard de l'autre côté de la route. Il faisait maintenant trop noir pour savoir si Dupond et Dupont avaient apprécié le spectacle. Elle, en tout cas, en était satisfaite. Elle prit le visage songeur de Michel dans ses mains et lui donna un baiser.

— Ça suffit, chérie. Ils pourraient te faire du tort. Ils peuvent te causer des ennuis. Moi, je rentre en France demain. Mais toi, ma douce Emma, tu dois rester.

— Je m'appelle Devon.

— Ma douce Devon.

— Ce que tu es drôle! dit-elle en lui touchant le visage, écartant les mèches rebelles de son front.

— Tu trouves? fit-il en renversant la tête et en étreignant Devon de toutes ses forces. Mais c'est précisément ce à quoi j'ai toujours rêvé. Te faire rire! (Elle riait encore.) Oui, te faire rire.

263

Dis, est-ce qu'on fera l'amour? Je vais te rendre heureuse. Je vais te faire rire.

— Entrons discuter de tout ça.

Ils burent du Courvoisier devant la cheminée en écoutant la mer. Il trouvait Devon naïve de n'avoir pas compris qu'elle était sous surveillance en raison de ses discours et des activités dans lesquelles elle s'était engagée.

— Je n'ai rien fait qui soit illégal, dit-elle. Je n'ai prêché aucune violence, de quelque sorte. Au contraire, j'ai tenté de me servir de mon influence pour promouvoir l'équilibre. Il se passe beaucoup de choses affreuses dans ce pays, Michel.

Ils bavardèrent jusque tard dans la nuit. Devon avait confiance en lui. Peu importe les histoires et les statistiques. Elle était en train de vivre une merveilleuse expérience qui ne se trouvait dans aucun script.

Elle lui raconta qu'elle s'était rendue dans le ghetto de Watts frapper aux portes des libéraux blancs, leur demandant leur appui pour la création de postes destinés aux Noirs. Une fois, elle avait assisté à une grande soirée chez Marlon Brando dans Mulholland Drive. C'était une levée de fonds pour Resurrection City, et elle s'était aliéné tous les convives en étant la seule à demander où allait l'argent. Elle ajouta son nom à une liste d'éminents libéraux qui iraient volontiers en prison si le docteur Benjamin Spock était condamné. Elle avait appuyé Bobby Seale et participé aux ralliements pour la libération de Huey Newton. Un soir, à la maison de plage de John Frankenheimer, elle avait bavardé la moitié de la nuit avec Bobby Kennedy, assise par terre à côté du célèbre politicien en bermudas et T-shirt de Howdy Doody, tandis que son chien Freckles mangeait le bifteck dans l'assiette de Devon.

Elle défendait les minorités. Or, à mesure que ses convictions libérales se faisaient connaître, on sollicitait et ses dons et sa signature, qu'elle accordait avec tant de générosité que même Gilda, elle-même libérale de longue date, dut la mettre en garde.

— Ta vie entière n'est qu'une suite interminable de crises!

— Et toi, qu'est-ce que tu as fait pour les opprimés récemment?

— Ne me sers pas ce genre de discours condescendant. J'ai déjà donné au bureau, comme on dit. Et pendant des années. Mais je le faisais avec grâce.

Et c'était vrai. A plus d'une occasion, son charme naturel lui avait été d'un précieux secours.

— Sais-tu comment Gilda s'est tirée de la chasse aux sorcières de McCarthy dans les années cinquante? lui avait demandé May un jour qu'elle s'empiffrait au déjeuner. Tu n'es pas sans savoir que Gilda était l'une des plus ferventes socialistes à Hollywood. Or, tous les Rouges qui figuraient sur la liste noire venaient régulièrement jouer au poker aux Perles, après que Dore Schary eût pris la tête de Metro et mis Gilda à la porte. Lorsque vint son tour d'être appelée par le comité d'enquête, elle invita donc les membres à dîner chez elle. Dans une atmosphère détendue à côté de la piscine, elle se contenta de leur servir des côtelettes grillées au barbecue accompagnées de salade Parmentier, le tout suivi de pastèque. On aurait dit une scène de bande dessinée. En fin de compte, l'affaire en est restée là et personne n'en a jamais plus parlé.

— Ça, alors! Lillian Hellman s'était défendue avec une férocité de tigresse, tandis que notre Gilda s'est contentée de faire bouffer ses accusateurs.

Dans le cas de Devon, c'était pourtant différent. Les dissensions dans les rues et sur les campus universitaires favorisaient à ce point les malaises sociaux que la situation revêtait pour elle une plus grande importance que sa carrière. L'origine de sa compassion était complexe et le prix qu'elle aurait à payer pouvait en être pénible et coûteux. Et pourtant, elle ne pouvait laisser le monde être mis à feu tandis qu'elle languissait sous des cieux aux couleurs artificielles et des lunes fluorescentes, en attendant qu'on crie : « On tourne! » Il fallait qu'elle danse sur le flanc même de ce volcan.

— Tu es une idéaliste très typique, lui dit Michel en lui baisant un doigt. Tu es facile à repérer.

— Et qu'en sais-tu? lui lança-t-elle, étonnée de l'insensibilité et de l'indifférence de son compagnon.

Or, il s'avérait que Weiss-France en savait long sur ce chapitre. Même si, ayant servi sous les drapeaux, il avait lui-même un dossier militaire impressionnant, Michel lui avoua avoir de sérieux doutes quant aux changements qui s'opéraient dans son pays. Il avait œuvré pour de Gaulle, mais les récentes grèves dans un Paris secoué par les émeutes le rendaient encore plus sensible aux questions qu'on se posait au sujet du leader français. Il connaissait l'histoire américaine, et il rappela à Devon certaines persécutions et injustices de naguère qu'elle n'avait jamais pris en considération : par exemple, l'incarcération des Américains d'origine japonaise dans les camps de concentration pendant la deuxième grande guerre; la Bonus Army, cette armée de pauvres bougres, vétérans de la première guerre, qui avaient entrepris une marche sur Washington pour exiger les avantages et pensions qu'on leur avait frauduleusement promis, et qui furent battus et chassés de la capitale par les soldats.

Il connaissait aussi les fautes et les mensonges imputables à la France. Il lui parla du gouvernement de Vichy et des sympathisants des nazis tels que Maurice Chevalier, qui jouait de son plein gré, et le sourire aux lèvres encore, pour Hitler et l'armée d'occupation. Il en savait encore plus long sur l'intervention française en Afrique et au Viêt-nam. Ils discutèrent du colonialisme et de Hô Chi Minh. Et du fait que les Français, comme les Américains aujourd'hui, avaient sous-estimé l'intelligence, l'engagement et les techniques de combat des races colonisées.

Au moment où le feu mourut, après qu'ils eurent vidé la bouteille de Courvoisier, Devon était déjà amoureuse.

— Mais, je te dois des excuses, dit-il. Je t'ai promis de te faire rire, et voilà que je t'entretiens de choses tellement sérieuses.

Elle sourit et lui baisa la paume de la main.

— J'adore t'écouter. Tu vois, aujourd'hui, les Etats-Unis sont un pays où il existe de grands écarts; des écarts de génération, de communication, d'opinion politique. Mais j'ai l'impression qu'en ce moment, entre nous, il n'y a aucun écart.

— Je ne t'ai pas déçue? Eh bien, dit-il en l'aidant à se lever, j'espère que je ne le ferai pas à présent non plus.

Il ne voulait plus la toucher jusqu'à ce qu'ils se soient dévêtus et se trouvent ensemble au lit. Il souhaitait s'étendre à ses côtés et explorer son corps.

Devon attendait sous la courtepointe.

— Maintenant, je vais te confier un secret, dit-il à son retour de la salle de bains, une serviette à la main et nu, à l'exception de son slip bikini. Il avait la peau couleur de cumin. Ses bras et ses jambes étaient trapus mais merveilleusement galbés, athlétiques et musclés. Il sentait bon le clou de girofle.

— En France, j'ai la réputation d'être un excellent amant. Il faut que je te dise que je travaille fort à conserver cette réputation. Mais mon secret, c'est que j'ai un complice.

Elle souriait.

— Ce complice, ah, c'est un gourmand, un égoïste, une bête capricieuse!

Il lança sa serviette dans un coin et retira son slip. Il s'avança ensuite vers elle.

— Permets-moi de te présenter mon complice. Comme tu peux le constater, il est sans distinction particulière. Il est peut-être même un peu décevant, non?

A cette invitation, elle y jeta un regard. Il avait un sexe charmant, proportionné au reste de son corps, bien que moins musclé pour l'instant.

— Je trouve que c'est un complice très respectable.

266

— Merci.

Il se faufila à côté d'elle sous la couverture. Son corps était ferme et chaud. Elle aimait la réaction de son propre corps, mamelons dressés, ventre ondulant lentement contre lui et le faisant grossir. Lentement, avec précaution, il glissa les mains sur elle avec la douceur d'une plume, sentant sous ses doigts la texture de ce corps délicat.

— Chérie, j'aime te caresser ainsi, dit-il d'une voix rauque. Je veux aussi te couvrir de baisers, mais pour l'instant, c'est tout ce que je veux. J'adore le goût de tes lèvres.

Elle glissa la main sur la courbe de son torse, sur sa taille, sa hanche, sur l'épaisseur musclée de son postérieur. La main de Michel ayant dirigé la sienne, Devon le sentit qui s'alourdissait.

— Il te faudra un peu de patience, lui chuchota Michel à l'oreille. J'ai un secret à te confier, ma petite Devon. Avec quelqu'un que j'aime, c'est plus difficile pour moi.

Mais à force de le toucher, le sexe de Michel prenait une taille qu'elle n'aurait jamais imaginée. Lentement, il se gonflait sous son étreinte.

Il lui embrassa les seins, puis lécha son ventre et le pli de ses cuisses. Il baisait maintenant le corps de Devon avec la même fiévreuse intensité qu'il avait montrée en lui baisant la bouche.

— Je veux te prendre, dit-elle. Je veux te tenir encore dans mes mains.

— Tu le feras. Je veux y aller en douceur. Je veux t'aimer. Crois-moi, il n'y a pas d'autre façon.

Elle comprit bientôt ce qu'il voulait dire. Elle était lubrifiée au point de ne pas y croire. Etait-ce sa salive à lui ou son propre lubrifiant? Elle n'aurait su le dire et s'en moquait.

— Devon, murmura-t-il en s'allongeant sur elle. Je n'ai jamais demandé ceci à personne. Dis-moi, je te plais?

— Je t'aime.

— Je le sais. Nous le savons, mon complice et moi. Tu vois? dit-il en se frottant contre ses cuisses mouillées qu'il ouvrit de sa solide protubérance, grosse et ronde, et dure comme un tuyau.

Devon tendit la main pour le toucher à nouveau.

— Dirige-moi en toi, dit-il. J'irai doucement, je ne veux pas te faire mal. Tu es bien préparée?

— Je le crois, répondit-elle la gorge serrée.

Elle ressentit ensuite une douleur. Elle ferma les yeux et essaya de se détendre tandis que la douleur se changeait en plaisir.

Michel pénétra plus profondément en elle. Elle sentait qu'elle s'ouvrait à lui, elle sentait sa chaleur se refermer sur lui.

— Je t'aime, lui dit Michel. Je ne partirai pas. Je t'aime.

* * *

Ils étaient étendus, exténués d'émotion, unis de corps et d'esprit, au faîte de l'extase. Michel alluma une gauloise comme Devon lui caressait la poitrine et le nombril.

— Je commence bientôt le tournage d'un nouveau film, dit Devon. Et toi, tu dois partir pour l'Espagne, n'est-ce pas? Ce n'est vraiment pas le meilleur moment pour nous deux.

— Sans doute, mais nous pourrions peut-être nous rencontrer cet été? Je connais l'endroit tout indiqué, un merveilleux petit village de Normandie, où les vergers descendent en cascade jusqu'à la mer...

C'est alors qu'ils entendirent un grand fracas de verre dans le salon, suivi de pas furieux dans l'escalier.

Avant que Devon n'ait pu crier, la porte de la chambre s'ouvrait avec un fort craquement de bois.

Quatre hommes, dont deux le pistolet au poing, firent irruption dans la chambre.

Ils ne sont pas masqués, pensa Devon.

L'homme aux cheveux courts était là, obéissant aux ordres d'un autre en complet couleur de merde de bébé.

— Regardez bien dans le placard et la salle de bains.

Il avait son arme braquée sur Michel.

— Les bras en l'air, le Français, lui ordonna l'homme au vilain complet.

Devon serrait les couvertures sur sa poitrine.

— Qui êtes-vous, leur demanda Michel. Où sont vos papiers? Vous avez un mandat, ou êtes-vous de vulgaires criminels?

— Nous savons qui tu es, mon gaillard, répondit le chef en pointant son arme sur Michel. Et tu es dans de beaux draps si le nègre est ici. Ton gouvernement aurait plus de facilité à rapatrier la statue de la Liberté si on trouve le nègre avec toi. Et si nous ne le trouvons pas, eh bien, nous trouverons peut-être quelque chose d'autre qui nous permettra de te garder ici, dans ces bons vieux USA.

Devon essayait de boutonner son chemisier, mais ses mains tremblaient.

L'homme aux cheveux courts lui plaqua une photo sous le nez.

— Tu connais ce type?

C'était une photo d'un homme noir, les yeux bouffis et distendus de chair noire cicatrisée. Une autre cicatrice s'étendait d'un œil jusque dans le cuir chevelu.

— Non, répondit-elle en hésitant, les yeux rivés sur la photo. Qui est-ce? Qu'est-ce que vous voulez?

— Regarde comme il faut, ma jolie.

Quelque chose de l'homme sur la photo lui était familier. C'était Deauville!

— On ne trouve rien, cria un des hommes depuis le rez-de-chaussée.

— T'as bien regardé dans la cuisine? Y'a rien dans la poubelle?

— On a tout passé au peigne fin, Phil.

Le chef saisit le bras de Devon.

— Tu es du mauvais camp, ma belle, lui dit-il avec un rire menaçant. C'est nous les bons.

— Vous me faites mal, répliqua-t-elle en grimaçant.

Il lui montra encore la photo de Deauville.

— Ce mec, c'est un meurtrier. Un sale nègre. Si tu l'aperçois, sauve-toi dans l'autre direction. Parce que l'un de nous sera à ses trousses pour le descendre.

Ils s'en allèrent aussi soudainement qu'ils étaient apparus.

Il fallut le reste de la nuit à Devon pour convaincre Michel de rentrer immédiatement en France. S'il restait, elle craignait que les hommes, qu'ils fussent du FBI, de la CIA, ou pire, ne reviennent l'arrêter. Il avait un film à tourner, n'est-ce pas? Il pouvait en accomplir davantage pour leur cause en procédant au tournage. En liberté, il exerçait plus d'influence qu'en perdant son temps dans les cours de justice américaines. Et non, elle ne pouvait pas l'accompagner. Pas maintenant.

Il lui tendit les bras, mais elle ne répondit pas au geste. Elle était morte de peur.

— Je te téléphonerai, dit-il la main sur la porte.

Elle ne put que lui faire un léger signe de tête. Elle trouvait la situation aberrante; elle ne pouvait pas croire ce qui venait de lui arriver!

18

1969

Ce fut la pire année de la vie de Devon Barnes. Le harcèlement faisait partie de sa vie quotidienne, comme le yaourt aux groseilles. Le matin même où Michel rentrait à Paris, la manchette du *San Francisco Chronicle* clamait en gros titre : « Massacre au palais de justice de Marin County. Trois hommes recherchés. »

L'un d'eux était Deauville Tolin.

D'après le journal, le FBI recherchait Tolin et deux autres Bérets noirs en rapport avec l'enlèvement suivi du meurtre d'un juge et de quatre policiers au palais de justice de Marin County. Le porte-parole du FBI prétendait que Tolin était le chef d'une bande de cinq membres constituant le groupe d'exécution des Bérets noirs. Deux de ces radicaux étaient déjà derrière les barreaux, tandis qu'on était toujours à la recherche des trois autres.

Les « hommes mornes » retournèrent chez Devon à maintes reprises lui montrer des photos de Noirs à coiffure afro, ou à tête rasée, ou coiffés d'un béret. Ils cherchaient à savoir si elle les connaissait. Ils lui montraient aussi des photos d'immeubles, certains réduits en ruines, à San Francisco, ou à Cleveland, ou encore à New York, qu'ils prétendaient être ou avoir été le quartier général des Bérets noirs. Ils l'interrogeaient au sujet de certains corps calcinés, certains visages ensanglantés.

Pendant des semaines, Devon avait remarqué que le sentier reliant sa maison à la plage était constamment jonché d'ordures. Elle pensait qu'un chien perdu ou un coyote devait errer dans les parages, lorsqu'un soir, à une heure assez tardive, elle s'aperçut que deux hommes en complet examinaient ses poubelles à la lampe de poche.

Une fois, ils la suivirent jusqu'aux Perles. Après qu'elle eût franchi la grille de sortie au terme de sa visite, une voiture sombre lui bloquait le passage. Un des hommes en descendit et vint vers elle.

— Elle est dans le coup, elle aussi? lui demanda-t-il en parlant de Gilda.

Devon pouvait se voir, rapetissée, dans les verres miroitants de l'agent. Elle fit signe non.

Mais ceux qui lui adressaient la parole n'étaient pas tous en complet. Certains d'entre eux portaient la barbe et un pantalon éléphant, des *love beads* au cou, et des bottes de cowboy. Des hippies aux cheveux longs s'adressaient à elle aux différents rassemblements pour la paix et lui offraient des joints, de la mescaline ou de l'acide.

Un hippie dans la trentaine arborant un anneau à une seule oreille, l'attendit un jour à sa sortie de chez Giorgio's dans Rodeo Drive.

— Il paraît que tu aimes les sales nègres, Devon, dit-il en lui emboîtant le pas. Comment tu lui trouves la queue à celui-là?

Il lui montra une photo d'un Noir gisant nu et sans vie dans une mare de sang.

Devon réussissait malgré tout à cacher le tumulte de sa vie privée à ses amis du métier, et se confiait uniquement à Billy. Sa carrière avait pris de l'essor avec *Emma Blandish* et filait à vive allure. Mais la jeune actrice comptait de plus en plus sur le Valium pour garder contenance en public.

Devon fut ravie d'apprendre que le documentaire intitulé *Les Enfants*, dont Michel était le réalisateur, avait été mis en nomination pour un Oscar dans la catégorie des films étrangers. Weiss-France avait tenté à plusieurs reprises de revenir aux Etats-Unis, mais à chaque fois, l'Immigration lui avait refusé l'entrée. Devon et lui espéraient tous deux que la publicité entourant sa nomination finirait par convaincre les bureaucrates au Secrétariat d'Etat de changer d'avis. Finalement, Michel avait demandé à Devon d'accepter le prix en son nom, si jamais il gagnait.

— Et le gagnant est Michel Weiss-France, pour *Les Enfants*.

La voix du présentateur retentit dans le silence du Pavillon Dorothy Chandler.

— C'est mademoiselle Devon Barnes qui acceptera le trophée de la part de Michel Weiss-France.

La fierté et l'amour qu'elle éprouvait pour Michel lui donnèrent la volonté de se lever. Elle avait tant espéré qu'il gagnerait, tant voulu que son film obtienne la reconnaissance qu'il méritait, qu'elle crut un instant avoir imaginé cette victoire.

La feuille qu'elle tenait à la main tremblait de manière flagrante au moment où elle commençait à lire le témoignage que Michel lui avait dicté au téléphone. Les paroles du réalisateur, empreintes de fierté et de bravoure, remerciaient l'Académie et tous ceux qui étaient impliqués dans le film, pour avoir cru en lui et l'avoir épaulé. La voix de Devon résonnait dans l'auditorium bondé de vedettes.

Soudain, on se mit à la huer et à siffler.

Bobby Kennedy et Martin Luther King n'étaient plus, et Richard Nixon venait d'accéder à la Maison Blanche.

Ou bien les temps changeaient à Hollywood et on se tournait vers le conservatisme, ou bien la campagne de dénigrement contre Devon commençait à porter fruit. L'atmosphère de la salle était tendue et hostile.

Devon prit une grande respiration et poursuivit malgré la clameur grandissante. Et puis, tout aussi soudainement, les sifflements et les cris se calmèrent et firent place à un chuchotement animé. Les spectateurs se retournaient, se levaient de leur siège, cherchant à voir qui s'avançait du fond de la salle.

Coincé au milieu d'une rangée, Billy Buck se leva sur la pointe des pieds pour voir ce qui se passait. Il aperçut enfin King Godwin, approchant de la scène à grands pas. Billy n'avait pas remarqué auparavant que l'acteur était dans l'auditoire. En fait, le journaliste était convaincu qu'Inez était escortée à la cérémonie par son fils Hollis et un jeune homme aux cheveux foncés qui portait un blue-jean avec son smoking blanc. Billy aurait parié que King se trouvait à Londres où il travaillait d'arrache-pied au nouveau film de Stanley Kubrick.

Mais c'était bien lui, là, dans l'allée principale, en magnifique tenue de soirée, comme un homme civilisé; on aurait pu le choisir pour faire la page couverture d'un magazine de mode masculine.

Tout à coup, vêtue de daim à frange, ses longs cheveux châtains retenus par un bandeau de cuir, Inez se leva de sa place et se dirigea vers l'allée. La tête haute, les yeux pétillants de fierté ou de fureur, Billy n'aurait su le dire elle s'avança derrière King dans l'allée et se mit à applaudir.

May Fischoff, en caftan noir aussi richement brodé que la tente d'un cheikh et signé Pierre Cardin, se fraya un chemin jusque dans l'allée, et applaudit chaleureusement elle aussi.

Billy aperçut ensuite Avery Calder, étonnamment frêle, qui donna une tape dans le dos de King au moment où le blond acteur passait à côté de lui. King s'arrêta brièvement et donna l'accolade au dramaturge malade que rejoignait Patrick Wainwright un instant plus tard dans la grande allée. Mais ce ne fut qu'à l'arrivée de Gilda dans l'allée, Gilda qui, à quarante-sept ans, était une sublime apparition de velours rouge canneberge, toujours belle avec ses pommettes saillantes et ses yeux félins, arborant comme toujours son fabuleux collier de perles, que l'allée se remplit d'acteurs, d'impresarios, de scénaristes et de techniciens. Ils firent à Devon une ovation debout, acclamant tant sa personne que la cause qu'elle défendait.

Et tout à coup, on vit King sur la scène; il embrassa Devon devant les membres de l'Académie et quarante millions de téléspectateurs.

— C'était de la part de Michel, annonça-t-il alors que l'auditoire se remettait à les acclamer ou à les huer, dans une cacophonie d'émotions confuses.

King posa un bras autour de Devon et de l'autre, il leva triomphalement l'Oscar qui se trouvait sur le podium devant elle.

Tant bien que mal, elle balbutia quelques mots.

— Au nom de Michel Weiss-France et des enfants-soldats au Viêt-nam du Nord... et en Amérique... nos enfants, chacun d'eux... Merci!

— Bravo! s'écria Jane Fonda.

Main dans la main, Devon et King quittèrent la scène par la coulisse.

— Merci! murmura Devon, stupéfaite. Merci d'être venu à la rescousse.

— Ben, quoi? C'est ce que j'ai toujours voulu.

Ils passèrent en vitesse devant les journalistes. Non, leur dit-il, ils ne restaient pas pour la séance de photos après le spectacle. Oui, peut-être y aurait-il une déclaration plus tard.

Demain.

Il fallait voir May Fischoff à ce sujet.

— Où se trouve le Français? s'enquit un reporter alors qu'ils gagnaient en courant la sortie des artistes. Comment se fait-il que Weiss-France ne soit pas ici?

— Le gouvernement lui a refusé l'entrée au pays, répliqua Devon.

— Ce n'est pas ce que j'ai entendu dire, rétorqua le reporter. Il paraît qu'il a filouté tous les casinos et tous les bordels. Qu'en dites-vous, King? Qu'est-il arrivé à votre ami? Comment a-t-il attrapé cet œil au beurre noir qu'il avait à l'aéroport de Los Angeles?

— De quoi veut-il parler? demanda Devon à King comme ils sortaient dans le méli-mélo des camions, des câbles de télévision, des gardiens de sécurité, et des techniciens s'échangeant des directives sur leurs walkies-talkies.

— Aucune idée. Du bon vieux temps, probablement. Par ici!

Devon aperçut la nouvelle moto de King.

Elle se remémorait une autre ruelle dans laquelle ils avaient émergé autrefois, alors qu'elle était si exaltée d'avoir passé une audition devant Avery Calder et son metteur en scène. King l'avait traitée d'imbécile et d'autres qualificatifs pires encore pour avoir renoncé au rôle dans le seul but de sauver l'orgueil de

Deauville. Elle avait puisé courage dans le fait qu'il avait reconnu son talent. Elle en avait été excitée, aussi.

King sauta de la plate-forme et lui tendit les bras.

— En parlant du bon vieux temps!

Elle se mit soudain à rire et se laissa glisser dans ses bras.

— Qu'est-ce qui te fait rire? demanda-t-il avec le sourire comme ils couraient à la moto.

— Je pensais à New York, à cette audition de minuit pour *Barracks*; je pensais que tu as toujours une moto et que nous nous retrouvons encore dans une ruelle.

— Tu avais renoncé à tout pour Deauville. Ouais, j'y pense moi aussi, parfois. J'étais tellement en rogne contre toi. Tu avais du culot. Est-ce que c'est une chose que tu ferais encore? Refuser un rôle pour l'amour d'un type? Pourrais-tu simplement te retirer encore une fois?

— Je n'en sais rien. Après ce soir, il se pourrait que j'y sois obligée.

Il plaça un casque protecteur sur la tête de Devon et leva le menton de la jeune femme pour l'attacher.

— Eh, oui, dit-il d'une voix douce. Ça se pourrait, en effet. Zut! Pour un acteur, j'ai la mémoire courte. Il y une surprise qui t'attend à la maison!

Il tapota le dessus de son casque et lui fit un large sourire.

— Allez, monte, Tex. C'est le temps de célébrer.

Devon l'aperçut par les portes vitrées garnies de jardinières de géraniums blancs. Il lui tournait le dos, mais c'était Michel, indéniablement.

Il était debout à côté de la lanaï préférée d'Inez, un whisky dans une main et une gauloise dans l'autre, en pleine conversation avec une blonde peroxydée à la poitrine volumineuse. Aucun autre convive n'était encore arrivé. Il n'y avait qu'eux deux, outre les employés du traiteur, les garçons du bar, et les géraniums.

La blonde fut la première à la voir; elle lui sourit et dit quelque chose. Michel fit volte-face. Son visage s'illumina d'une joie si sincère que la douleur momentanée de l'avoir trouvé en compagnie d'une autre femme s'évanouit instantanément. Le cœur de Devon s'emplit d'amour. Elle remarqua que Michel portait un léger pansement au-dessus de l'œil gauche. Il paraissait avoir le visage tuméfié.

Il accourut à elle dans un éclair et l'étreignit en la soulevant de terre. Il la serrait sur sa poitrine en pirouettant avec elle.

— Je t'aime. Tu es plus belle que je ne m'en souvenais. Je t'aime, Devon. Tu m'entends? Je t'aime. Tu comprends ce que je te dis? Je t'aime!

Elle lui donna un baiser sur chaque joue.

— Aïe! Merde alors!

— Michel, mais qu'est-ce qui t'arrive?

— Je vais tout te raconter.

Il l'embrassa légèrement.

— Merde! fit-il encore, en touchant délicatement sa lèvre supérieure enflée. Ah! Voilà le méchant. Et le héros, aussi! Oui, c'est vrai. C'est lui qui a réussi à me faire entrer au pays avec ses contacts. Des gens qu'il a connus grâce à moi, dois-je préciser! Eh, oui, l'avocate de Washington. N'est-elle pas formidable, cette amie? Après ça, il me séquestre au Nevada et tente de me tuer, comme tu peux le constater.

— Je ne comprends pas, dit Devon, que l'amour et l'excitation rendaient aveugle.

La blonde était à l'entrée du salon; on aurait dit qu'elle était mal à l'aise et qu'elle ne se sentait pas à sa place. Elle portait un corsage décolleté qui dévoilait le haut de ses seins, un short rouge qui dévoilait le bas de ses fesses, et des talons hauts à la Joan Crawford.

D'où qu'elle soit, pensa Devon, elle n'est certes pas allée à la remise des Oscars dans cette tenue; pas plus qu'elle ne sortait de l'école de Miss Hewitt!

— Bonsoir. Je m'appelle Devon Barnes. On ne nous a pas encore présentées.

— Mille excuses, fit Michel.

— Oui, je sais, dit la gonzesse. C'est-à-dire, je sais qui vous êtes. C'est vrai, j'ai vu tous vos films.

— Devon, je te présente Margie, dit King. C'est une vieille amie de New York. Nous l'avons rencontrée à Las Vegas. Viens, Margie. Je vais te faire visiter la maison.

Michel saisit la main de Devon et l'attira dans l'escalier.

— J'ai envie de toi, ma chérie. Tu viens? J'aimerais te faire l'amour à nouveau.

Elle avait un million de questions à lui poser. Ça pouvait toujours attendre.

— Je te raconterai tout, lui promit-il encore. Comme je suis fier de toi. Je t'ai regardée à la télévision. Pendant que tu te sacrifiais pour moi, je me suis dit en moi-même que je mourrais pour toi. Devant le monde entier, tu t'es levée avec courage et fierté, et tu as accepté les hommages et les injures que je n'ai pas eu le cœur d'affronter. Tu es vraiment ma Jeanne. Ma Jeanne en blue-jean. Tu m'as manqué, tu sais. J'ai pensé à toi comme un fou, Devon. Je n'ai jamais aimé personne à ce point.

Ils choisirent le grand lit de la chambre d'amis violette.

— Tu ne trouves pas que c'est une couleur déprimante, le violet? lui demanda Michel.

— Voyons, mon chéri, lui répondit Devon en imitant Inez. On appelle ça « aubergine ».

En riant, ils s'arrachèrent leurs vêtements et se renversèrent sur le lit dans un assemblage de chair moite.

— Je me souviens de toi, devait dire Devon plus tard, en caressant le corps de Michel et son pénis chaud et mouillé.

Michel porta la main de Devon à sa bouche et la baisa délicatement, en faisant la grimace.

— Devon, écoute.

Il se leva sur un coude et la regarda. Ses yeux noirs lançaient des étincelles de joie et son épaisse chevelure lui retombait sur le front. Devon sentait le souffle de Michel sur son visage, et voulait embrasser ses douces lèvres meurtries pour en réduire l'enflure.

— Je t'écoute.

— Mais, tu pleures?

Il se pencha et lécha de ses joues les larmes salées qu'elle pensait invisibles.

— C'est à cause de moi? C'est moi qui suis la raison de ta tristesse?

— Non, ce n'est pas toi. C'est parce que j'ai passé une année épouvantable, Michel. Et tu m'as tellement manqué. Avant de te revoir, je ne pouvais pas pleurer. Il faut croire que je me sens en sécurité maintenant. Michel, tu ne peux pas t'imaginer ce qui se passe ici. Je ne pouvais pas tout te raconter au téléphone, on écoute mes conversations. J'ai reçu des menaces de chantage à plusieurs reprises. Un soir, j'ai trouvé un pistolet chargé dans le tiroir de mon bureau. C'est l'enfer ici. On a même empoisonné mes chats. Les gens de mon métier sont tous tellement confus en ce qui concerne leurs convictions politiques qu'ils en sont devenus schizophrènes. Tu sais ce qu'ils ont fait à Jean Seberg?

— Oui, ma chérie. Je l'ai rencontrée à Paris. Elle est sur le point de craquer. Mais je ne laisserai jamais la même chose t'arriver. Je vais t'arracher à cette folie monstrueuse.

— Ai-je oublié de te dire que je t'aimais?

— Regarde. Non, mais regarde ce que tu me fais! (Il s'approcha d'elle.) Tu n'as qu'à me dire que tu m'aimes, et voilà! La bête se réveille. Nous nous aimerons encore et encore, n'est-ce pas? Mais, Devon. Faut-il que ce soit ici? Tu ne pourrais pas rentrer en France avec moi? Tu prétends te sentir en sécurité avec moi. Tu le seras encore plus en France. Tu ne te rends pas compte à quel point ils t'aiment là-bas. Tu ignores que les gens te connaissent et t'admirent. Tout comme moi.

— Aller en France?

— Oui. Ça fait des mois que j'y pense. C'est pour cette raison que je suis revenu. Pour te le dire de vive voix. Je veux que tu rentres en France avec moi et que nous vivions ensemble pour toujours.

— Elle a le sourire aux lèvres, annonça Inez en vidant son verre au moment où Devon descendait l'escalier. On se meurt d'inquiétude et l'ennemie publique numéro un sourit comme les vaches de Disney.

Elle arracha le bandeau de cuir de sa tête et le lança au petit brun en blue-jean et smoking blanc.

— Eddie, rafraîchis mon verre, veux-tu? Tu trouveras ce qu'il te faut à la cuisine. Carmella va te montrer.

— Ah, te voilà, dit May qui arrivait en trombe. Bien joué, ma petite. J'espère seulement que tu possèdes une ceinture à pistolet pour porter avec ton bikini. J'ai l'impression qu'on ne nous proposera rien d'autre que des westerns pour quelque temps.

Elle donna à Devon une solide étreinte.

— Je suis fière de toi, Devon. Qu'ils aillent tous se faire foutre. Et pas de commentaire de ta part, jeune homme!

Ces dernières paroles s'adressaient à Hollis Godwin. En faisant la moue, il attendait que les femmes aient dégagé l'escalier pour monter à sa chambre retirer ce veston que sa mère l'avait obligé à porter.

— C'est très drôle, May, dit-il en se donnant un air blasé. Tu étais splendide, Devon. Tu aurais dû voir la tête de Bob Hope lorsque tu as prononcé ton discours. Pour peu, il avait une attaque! Dis donc, où est mon père? Etait-il là-haut avec toi?

— Hollis! fit Inez d'un ton sec. Boucle-la, veux-tu? J'ai une de ces migraines carabinée qu'aucune aspirine ne pourrait guérir. J'ai eu assez d'énervement pour une même journée.

— Mais, tout ce que j'ai dit...

— Au fait, où est mon cher époux? Oh, Michel! Depuis quand es-tu là? Mais, mon pauvre chéri, qu'est-il arrivé à ton œil?

Elle examina Devon et Michel à tour de rôle.

— C'est donc ça que vous faisiez là-haut! Pas surprenant que vous ayez le sourire aux lèvres.

Michel embrassa May et Inez, chacune à son tour.

— C'est ton mari qui m'a fait ça!

— Pas vrai! Comment est-ce arrivé? Non, ne me le dis pas. C'était une histoire de fille, n'est-ce pas? J'espère qu'elle en valait le coup.

— Ah, maman, je t'en prie, s'exclama Hollis embarrassé.

— Tais-toi, Hollis, et va me chercher un autre verre. On dirait qu'Eddie s'est perdu en cours de route.

Michel passa la main dans les longs cheveux blonds du garçon.

Le petit brun en smoking blanc réapparut avec la vodka d'Inez, au moment même où la porte sonnait.

— A tout à l'heure, Michel, dit Hollis. Nous pourrions peut-être jouer au tennis?

— Carmella, la porte! cria Inez. Eddie, donne-moi une *Quaalude*.

Elle avala le comprimé avec une lampée de vodka, après quoi elle leva son verre.

— Que les olympiades commencent!

Devon cherchait Gilda. Elle voulait partager sa joie avec sa mère adoptive. Michel avait déjà fait part à King de son intention de ramener Devon en France avec lui. C'est pour cette raison, Michel avait-il expliqué à Devon, que King l'avait emmené à Las Vegas. Pour fêter ça. King avait insisté.

Margie, la blonde? C'était une pute que King avait connue à New York, autrefois; une vieille amie pour qui les choses n'allaient plus très bien. Ils l'avaient rencontrée à l'hôtel Sands et King avait décidé de la ramener à Hollywood où elle avait toujours souhaité travailler.

— Je peux lire la colère dans le regard d'Inez, remarqua Michel comme ils s'approchaient de la piscine, où King et la blonde étaient en grande conversation.

— Je crois que nous ferions mieux de tenir compagnie à la vieille amie de King en attendant l'arrivée des autres convives. Ça t'ennuie?

— Bien sûr que non, voyons.

— En fait, elle est très amusante. Ce ne sera pas un fardeau.

— Salut, Michel! fit la fille.

— Ça va, Margie? Comment tu trouves ça?

— Oh, je suis très fière de lui. Depuis le temps que je dis à mes amies que je le connaissais avant, vous comprenez! Elles ne m'ont jamais crue. Elles n'avaient aucune raison de me croire. Hannah le savait pourtant, elle. Tu te souviens de Hannah, King? Elle parlait toujours de toi et de ton sale chien. Elle s'est enfuie avec une danseuse il y a environ cinq ou six ans. Tu parles que le mari de la fille a fait une de ces histoires en rappliquant au ranch! Il a tout mis à l'envers à force de les chercher toutes les deux. Les filles avaient beau lui répéter que son épouse était partie avec Hannah depuis longtemps, il n'y avait rien à faire! Hannah s'est enfuie avec le chien et Elyse, c'était le nom de la danseuse, les deux enfants d'Elyse et un chat angora qui n'avait pas de queue.

Elle est partie pour l'Etat de Washington. Je pensais leur rendre visite l'été prochain. Hannah n'a pas hésité à m'inviter. Elles possèdent quarante hectares, tu sais.

King secouait la tête.

— Hannah, oui, je me souviens d'elle. Et l'autre, comment s'appelait-il déjà?

— George, le mufle. Georgie O. Je n'ai jamais pu prononcer son deuxième nom.

— Non, je voulais dire le chien! Lucky, ouais Lucky. S'il est toujours de ce monde, il doit mener une belle vie, à présent.

— Pas aussi belle que la tienne, mon vieux. C'est un vrai château de rêve. Il manque une seule chose pour faire mon bonheur.

— Quoi donc?

— Où se trouve le petit coin?

— Suis-moi, dit Michel en lui offrant le bras. Je vais te montrer le chemin. Laissons Kingston expliquer mes blessures à Devon. Je ne sais toujours pas comment il se fait que son poing ait eu le béguin pour mon œil!

A côté de Devon, King regarda Michel et Margie en silence pendant un instant. Puis, il s'adressa à elle.

— Tu as vraiment l'intention de le faire, n'est-ce pas? Tu vas le suivre à Paris.

— Tu étais déjà au courant, pas vrai? Tu le savais quand tu m'as demandé si j'étais prête à tout laisser tomber.

— Oui, répondit-il en prenant une gorgée de whisky. Michel est mon meilleur ami. Je savais tout.

— C'est pour ça que tu as essayé de m'en dissuader? Tu trouves que je ne suis pas assez bien pour lui? Oh, mais je le suis. Je l'aime, tu sais.

Il regarda en direction de la maison. Michel et Margie avaient rejoint Inez sur la terrasse.

— Viens, promenons-nous un peu.

Entre la piscine ovale et le court de tennis nichait un abri couvert de vigne. Ils empruntèrent ce tunnel de grappes de raisin.

— Qu'est-il arrivé entre vous deux à Las Vegas? Michel prétend que tu l'as enlevé. Il dit que tu as insisté pour donner une petite fête en son honneur. Belle soirée! Il ne se souvient même pas pourquoi tu t'es fâché, pour quelle raison vous avez échangé des coups.

— Tu veux savoir la vérité, toute la vérité, rien que la vérité?

— C'est donc si terrible?

— Ça dépend. Je lui ai dit de ne pas t'emmener en France. Que ça ne pouvait pas marcher entre vous deux et d'oublier tout ça.

— Tu lui parlais en ami, évidemment. Tu ne voulais que son bien.

— Non, lui répondit-il d'une voix lente. C'est pour toi que je m'en fais.

Elle se retourna vivement.

— Pour moi? Menteur! Sale menteur. Je l'aime.

— Je le sais. Moi aussi, je l'aime. C'est mon meilleur ami. Mais je le connais mieux que toi.

— Nous allons nous marier.

Il fit la grimace.

— Vous marier? Il t'a demandée en mariage?

Quelle imbécile! Elle en voulait à King de savoir qu'il n'avait jamais été question de mariage.

— Enfin, pas vraiment, non. Tu es content? Franchement, King, je ne te comprends pas. Je ne t'ai jamais compris.

— Je sais. Si nous avions un peu plus de temps, peut-être que tu finirais par me comprendre.

— Nous ferions mieux de retourner à la réception.

Il l'attira à elle. Oh, combien de fois il avait voulu le faire depuis le jour fatidique de son mariage. Il n'avait jamais réussi à l'oublier, et en la regardant dans les yeux, il avait plus que jamais le même sentiment.

Il voulut lui donner un baiser, mais elle le repoussa dans l'ombre de l'abri.

— Avant de partir, je voudrais te dire une chose, King. Tu sais, j'étais amoureuse de toi autrefois. Il y a longtemps que je voulais te le dire. C'est trop tard, à présent.

Elle vit Inez qui s'approchait d'elle.

— Ma chérie, dit son hôtesse d'une voix faussement douce, un verre de vodka à la main. Où étais-tu passée?

Devon soupçonnait qu'elle le savait déjà.

— Gilda et Avery viennent d'arriver. Tout le monde te cherche.

La *Quaalude* qu'Inez avait avalée quelque temps auparavant faisait son effet. Elle tenait son verre d'une main pas très solide et la vodka lui coulait sur les doigts et sur sa bague à diamants.

— Tu n'étais pas avec King, par hasard?

Il sortit de l'ombre.

— Eh bien, voyez-vous ça! C'est une première. Même à une de mes soirées. Je croyais que c'était la blonde qui t'intéressait, King? Dis-moi, est-ce que toi et Michel auriez décidé de faire un échange encore une fois, comme vous l'avez fait avec Claudia Leone?

— Je t'en prie, Inez, l'implora Devon.

— Oh, mais Michel les essaye toujours avant de les passer à King. Je pensais que tu savais déjà ça, Devon. Pauvre King. Il passe toujours en second. Ou s'agit-il d'une de ces rares occasions où c'était toi le premier? C'est ça, mon chéri? Les rôles sont renversés cette fois?

Devon s'avança en disant :

— Tu as trop bu, Inez.

Mais celle-ci l'arrêta en lui posant une main tremblante sur l'épaule.

— Non, ma chère. Je suis gelée. Complètement droguée. Ceci, dit-elle en montrant son verre de vodka, ça fait partie des accessoires.

— Fiche-lui la paix, Inez, lui ordonna King.

Inez leva les bras en l'air. Son verre lui glissa des doigts et tomba sur la pelouse.

— Oui, ô seigneur et maître!

Devon les laissa en vitesse et se dirigea vers la maison où elle serait en sécurité.

— Je tiens à te dire qu'il ne s'est rien passé, Inez. Non pas que ça changerait grand-chose.

Elle alla s'asseoir sur le banc de bois sous les vignes.

— Je t'en veux, dit-elle entre les dents, et elle se cacha le visage dans les mains.

— Il faudrait qu'on se parle, Inez.

— Non, cria-t-elle en secouant la tête. Va te faire foutre. Tu peux courir toutes les filles que tu veux. Je m'en moque. Je ne t'en empêcherai pas, je ne l'ai jamais fait. Mais pas ici. (Elle leva vers lui des yeux vitreux.) Pas ici, sous mon nez, et pas avec ma meilleure amie.

— Elle est amoureuse de Michel. Elle part à Paris avec lui. Et ça n'a rien à voir avec nous. Pas vraiment.

— C'est de toi qu'elle est amoureuse. Elle l'a toujours été. Et c'est injuste, King. Elle a tout. Elle est libre, indépendante et célèbre. Rien ne la retient; ni maison, ni mari, ni enfant. Elle peut aller où ça lui plaît, quand ça lui plaît.

— Toi aussi, Inez.

— J'ai essayé, pas vrai? Je voulais être écrivain, mais Gilda m'a forcée à t'épouser. Je voulais me faire avorter. Elle me l'a défendu. Elle m'a promis que j'écrirais pour elle. Et je l'ai fait, King. J'ai rédigé un script sensationnel fondé sur une expérience vécue. J'y racontais toute la vérité au sujet de ma vie, de mon foutu père, et comment il était en réalité. Je disais la vérité et ils ont prétendu que personne ne s'y intéresserait, que personne ne croirait mon histoire. Tu vois, l'inceste, ce n'est pas un thème à la mode. Ce n'est pas un beau rôle pour Barbra Streisand. Tout le monde se moque de mon histoire, personne ne veut la connaître. Ce sont tous des lâches. De pauvres lâches!

Il y eut un bruissement dans le bosquet.

— Qui va là? hurla Inez soudain terrifiée.

King alla jeter un coup d'œil dans les buissons. La pelouse qui les entourait se trouvait dans la pénombre et il ne vit pas qu'une silhouette était là, immobile, prête à s'enfuir.

— Tu es droguée. Il n'y a personne.

— Non, il n'y a personne. Personne.

Tout à coup, elle lui en voulait. Elle avait les larmes aux yeux.

— Je suis droguée et il n'y a personne. Certes pas toi. Tu n'es jamais là, King. Lorsque j'avais besoin de toi, vraiment besoin de toi, où étais-tu? Avec cette putain d'Italienne. J'avais besoin de toi, et tout ce que j'avais, c'était un gosse et une maison remplie de satanés gongs chinois!

— Je suis navré.

Elle le regarda, stupéfaite et dégoûtée.

— Tu es quoi? C'est comme ça que tu me remercies? Ma vie s'écroule, et tout ce que tu trouves à me dire c'est que tu es navré?

Elle leva le bras pour le frapper mais il la saisit au poignet.

— Es-tu toujours dans cet état? Ivre et droguée?

— Comment pourrais-tu le savoir, tu n'es jamais là, monsieur l'acteur de cinéma!

— Qu'est-ce que tu prends pour te mettre dans un état pareil?

— Qu'est-ce que tu prends? répéta Inez en se moquant de lui, les yeux hagards. Qu'est-ce que tu crois? Je prends une bonne dose de la vie, tiens. Ma vie si fabuleuse. Ah, mais je suis madame Kingston Godwin, après tout. Je fais l'envie de millions de femmes. Je suis la gardienne du bon vieux rouleau! Ah ça, j'en ai vu des rouleaux depuis quelque temps, mais pas le tien. Tu l'as toujours? Voyons, voir.

Elle mit la main sur la braguette de King, et, ce faisant, perdit l'équilibre. Il la saisit aux épaules pour la remettre d'aplomb.

— Pour l'amour du ciel, Inez!

Elle s'effondra contre lui, le visage dans sa poitrine et se mit à sangloter sans retenue.

Il lui caressa les cheveux.

— Je suis désolé, Inez. Tu peux me croire. Mais il est temps que les choses changent entre nous. J'aurais aimé qu'il en soit autrement.

— Oh, non, gémit-elle. Oh, mon Dieu, non. Ne dis pas ça, King. Tu es tout ce que j'ai, mon chéri. Ne me dis pas ça. Pas maintenant.

— Voilà maintenant des années qu'on s'évite. Je suis fatigué, Inez, pas toi? Si on mettait un terme à tout ça? Dix ans, c'est assez long pour ce genre de relation. Il faut qu'on en sorte, pour que chacun de nous sauve sa peau. Il en est grand temps.

— Pas maintenant. Pas encore. Oh, King, fit-elle en se prenant la tête à deux mains. Non! Je n'en ai pas la force. Je serais prête à *tuer* plutôt qu'à te laisser partir.

— Mais où donc est Inez, demanda May.

— Elle cherche sa tendre moitié, répondit le petit brun. J'espère qu'elle l'a trouvée. Elle était plutôt bourrée. Dis, j'ai de quoi fumer, ça t'intéresse?

May l'examina avec attention. Il était plus grand qu'elle de trois ou quatre centimètres. Il avait les épaules d'un sportif, le cou d'un taureau, et son blue-jean était usé là où elle remarquait une protubérance. Ça doit être un pédé ou un prostitué, pensa-t-elle, ou bien les deux! Ou encore, peut-être qu'il aimait simplement se toucher quand la sève montait. Quoi qu'il en soit, ou bien il avait glissé quelque chose à cet endroit, ou bien il était prêt à passer à l'action.

— J'aimerais bien. Chez moi ou chez toi?

— Tu habites loin d'ici?

— J'habite à Malibu.

— Quoi? A Malibu?

Elle le reluqua de la tête aux pieds.

— Enfin, tu cherches l'amour ou l'argent?

Il était drogué.

— Il me semble que tu peux m'offrir les deux.

— Ça, alors! Mais où donc Inez t'a-t-elle déniché?

— Hé, sois gentille. Je suis ici pour affaire. C'est moi qui ai apporté les joints et les *Quaaludes*. J'ai un peu de coke sur moi, un peu de mescaline aussi. Et je peux me procurer autre chose si tu veux.

— Ce sera pour une autre fois.

— T'es régulière, ou quoi?

— Je me demandais justement la même chose à ton sujet.

— Quoi?

— Est-ce que tu es venu avec un ami, par hasard? Tu connais peut-être un type qui aimerait se joindre à nous?

— Qu'est-ce que tu veux dire au juste? Tu veux faire une partouze? Tu aimes les programmes doubles?

— Suis-moi.

Elle le prit par la main et le conduisit aux toilettes des invités.

Ils y surprirent deux hommes en train de se caresser. L'un était agent artistique en smoking et ceinturon rouge, l'autre était acteur, en chemise à fleurs, pantalons de daim et cravate Peter Max.

— Mais qu'est-ce que ça veut dire? demanda celui qui était en tenue de soirée.

— C'est une descente, répondit May. Les mains en l'air et sortez!

— Nom de Dieu, May. Pourquoi t'as pas frappé?

— Pourquoi t'as pas mis le verrou? Comme ceci!

Elle les poussa à l'extérieur et verrouilla la porte derrière elle.

— Tu es drôle, lui dit le garçon. Qu'est-ce qu'on fait ici? Tu veux un joint tout de suite?

— Oui.

May posa les mains autour de la taille du jeune homme et les laissa glisser de bas en haut.

— T'es solide. Tu fais du surf?

— Ouais. Et du conditionnement aussi. Je fais ça à Venice. A Muscle Beach. Tiens, regarde-moi ça!

Il fit jouer ses biceps.

Elle lui toucha le bras d'une main.

— Dur comme une roche. Très bien!

— Regarde ça aussi.

Il fit le dos rond pour elle. Les muscles de sa poitrine dansaient. Elle le toucha et lui caressa les tétons.

— Holà, attention! Ça pourrait m'exciter.

— Alors, regarde!

Elle laissa son caftan glisser de ses épaules jusque sous les seins qui débordaient de son bustier. Elle serra les bras devant elle de manière à forcer ses seins hors de leur prison.

— Oh la la! Tu parles! Je peux les toucher?

Il avait de rudes mains calleuses et lui pinça les mamelons en disant :

— Ça te plaît?

— Tu m'as promis un joint.

— Oui, ma beauté. J'en ai justement un pour toi. Juste ici, précisa-t-il en portant la main à son entrejambe. Touche, tu veux? Ma foi, je vais éclater.

Quelqu'un agitait la porte.

— May, es-tu là-dedans? demanda King Godwin.

May posa sa main où le garçon avait mis la sienne. La chose lui paraissait aussi intéressante qu'attrayante. Elle sentit un frémissement; il n'y avait aucun coussinet. C'était donc du vrai de vrai.

— Oui, cria-t-elle à King.

— May. Est-ce que Hollis et avec toi?

Elle retira la main et enfila son caftan en vitesse.

— Non, fit-elle en ouvrant la porte. Pourquoi? Que se passe-t-il?

— Ah, merde! maugréa le garçon. T'es folle, ou quoi? Hé, reviens. Qu'est-ce qui se passe?

— Je n'arrive pas à le trouver. Inez et moi étions en train de nous disputer et je l'ai soudain aperçu. Il a dû nous entendre. Il s'est enfui, mais Inez était dans un tel état, je n'ai pas osé la laisser. A présent, je ne le trouve nulle part.

— Je ne l'ai pas vu. Je vais jeter un coup d'œil aux alentours.

— Et moi, alors?

— Tu peux commencer sans moi!

— Pardonnez-moi de vous interrompre, mes enfants, dit Avery en prenant le bras de Gilda. Mes plus sincères félicitations, monsieur Weiss-France. Votre film est excellent et tout à fait troublant. Mes félicitations à toi également, Mère Courage, pour un tas de choses qu'il serait superflu de mentionner.

— Michel, permettez-moi de vous présenter...

— Monsieur Calder, acheva Michel en inclinant la tête. Je suis un grand admirateur de vos œuvres.

— Vous êtes trop aimable. Je vous prie de nous excuser. Une affaire urgente, vous comprenez!

Avery se pencha à l'oreille de Gilda et lui dit de manière dramatique :

— Ma chère, il faut absolument faire disparaître la couleur locale.

Il roula les yeux en direction de Margie qui s'éloignait d'eux sur ses talons aiguilles. La voluptueuse blonde jeta au même instant un regard par-dessus l'épaule et reconnut Avery à qui elle fit un petit signe de la main. Il lui répondit et elle se mit à rire en plaçant l'index sur sa bouche.

— Chut! fit-elle.

— C'est ça, ma jolie, dit Avery en posant lui aussi un doigt sur sa bouche. Chut!

Margie lui adressa un clin d'œil et fit semblant de mettre un cadenas sur sa bouche et de laisser tomber la clé dans son corsage.

— Qui c'est cette gonzesse? demanda Gilda en regardant Margie se frayer en titubant un chemin dans la foule. Une adepte de Marcel Marceau?

— Vous vous souvenez, c'est une amie de Kingston que nous avons rencontrée à Las Vegas, répondit Michel. Je vous l'ai présentée tout à l'heure.

— Je pensais que c'était une putain, mais il faut dire qu'à Hollywood, une femme qui s'habille de cette manière est peut-être une honnête mère de famille en route pour le supermarché.

— Ma chère, lui dit Avery en retirant soigneusement une boîte à pilules argentée de la poche de son veston. Avec des amis de ce genre, King peut se passer d'ennemis.

Il leur offrit des pilules qu'ils refusèrent tous deux en secouant la tête.

— Il ne faut pas vous méprendre. Cette fille est absolument adorable. Seulement, elle est complètement bourrée. Figure-toi, confia-t-il à Gilda, qu'elle m'a raconté les histoires les plus singulières.

Il choisit deux comprimés qu'il avala avec une gorgée du verre de Gilda.

— Quelle saloperie! Qu'est-ce que tu bois? lui demanda-t-il en se prenant la gorge.

— Du soda au gingembre, Avery. Ça ne te fera pas mourir. De quelles histoires s'agit-il, au juste?

— Nous partions justement, annonça Devon en donnant une bise à Gilda.

— Ma chérie, lui dit Gilda en la serrant contre elle, n'oublie pas de téléphoner à Patrick avant de partir. Son épouse est encore à l'hôpital. Il est allé la voir après le gala et ne sera pas de retour avant demain. Vous partez bientôt? demanda-t-elle en s'adressant cette fois à Michel.

— Je dois rentrer dans deux jours. J'ai laissé un film en pleine production et beaucoup de gens m'attendent. Lorsqu'ils verront pourquoi je les ai quittés, cependant, ils comprendront.

— J'en suis convaincue. J'aurais aimé donner un petit dîner en votre honneur, au moins.

— Je te téléphone demain matin, lui promit Devon. Dis adieu à tout le monde de notre part. Au revoir, Avery.

— C'est vrai? Patrick est allé voir Marie? demanda Avery aussitôt après leur départ.

Gilda lui fit signe que oui.

— Comment est mon maquillage?

— Impeccable. Pourquoi? Tu as pleuré?

— Que veux-tu! Je ne changerai jamais. Et maintenant, c'est Devon qui me quitte. Mon Dieu, je me sens vieille comme la terre ce soir. J'aimerais que Pat soit ici.

— Et si elle mourait, Gilda? En avez-vous parlé?

— Qui, Marie? Non, il y a des années que nous n'en avons pas discuté.

— J'ignore comment tu fais. Je serais tellement jaloux à ta place. Je sais bien qu'elle est paralysée, qu'elle est aussi inoffensive qu'un nouveau-né et qu'elle mène l'existence d'un légume. Rien n'empêche que je me rongerais les sangs chaque fois qu'il rend visite au potager. Il n'est jamais là quand tu as besoin de lui. Comme ce soir, par exemple.

Gilda glissa un bras sous celui d'Avery.

— Ce soir, c'est toi qui es là, mon cher. Et je me porte très bien. A présent, veux-tu m'expliquer ce qui s'est passé entre toi et Margie? Qu'est-ce que ça signifie sa petite pantomime?

— Ma chère, dit-il à voix basse, les yeux pétillants et malicieux. Elle le connaissait dans le temps.

— C'est ce qu'elle prétend.

— Gilda, faut-il vraiment que je te dise quoi faire? Tu es censée me demander : « Qu'est-ce qu'elle entend par là? »

— Qu'est-ce qu'elle entend par là?

— A l'époque où ils tournaient des films porno ensemble à New York.

— Des films porno?

— Tu sais bien, ces petits bouts de film qu'on regarde après avoir déposé une pièce dans les machines de la Quarante-deuxième rue. On les trouve d'habitude entourées d'un rideau à l'arrière des sex-shops.

— Des films salés? King Godwin a joué dans ce genre de films?

— Plutôt ceux du genre canin.

Gilda écarquilla les yeux.

— Le genre canin?

— Oui. Wouf, wouf, comme Rin Tin Tin. Sauf que leur vedette s'appelait Lucky. Je sais que c'est scandaleux de ma part, mais j'ai demandé à cette Margie si par hasard elle savait ce qui était advenu des films qu'ils avaient tournés ensemble. Or, il semble que son ex-petite amie, une lesbienne bien plantée à ce qu'il paraît, a toujours les bobines en sa possession. Elle se nomme Hannah.

Gilda siffla en douce.

— Ça, par exemple! Quelqu'un d'autre est-il au courant?

— Si nous ne la faisons pas déguerpir d'ici au plus vite, ma mignonne, il se pourrait fort bien que quelqu'un d'autre l'apprenne. Quelqu'un lui a refilé du speed. Je pense que c'est le jeune ami d'Inez, celui qui porte un blue-jean et un smoking.

— Alors, mon ami. Si on éloignait cette jeune personne de ce château de cartes avant qu'il ne s'écroule?

Ils se dirigèrent vers les toilettes.

— Gilda! s'écria May. Est-ce que tu as vu Hollis?

— Bonsoir, ma chérie, dit Gilda en présentant la joue à May. Depuis que je suis arrivée, il me semble que tout le monde a beaucoup vieilli. Je ne me souviens pas au juste quand je l'ai vu pour la dernière fois mais je me rappelle parfaitement qu'il te cherchait.

— Merde! Enfin, Dieu sait où il se cache à présent. J'ai fouillé toute la maison. Si tu le vois, dis-lui que je l'ai cherché partout, veux-tu?

Elle avait la main sur le bouton de la porte des toilettes.

— Je crois que cette pissotière est occupée, dit Avery.

— En effet. J'espère seulement que son moteur tourne toujours, ajouta May en ouvrant la porte. Oh, pardon!

Eddie était debout devant la toilette, les jambes écartées, son blue-jean autour des genoux.

— Ah, c'est bien le moment! Pas maintenant, grogna-t-il. Attendez un peu.

C'est alors que May remarqua une autre paire de genoux entre ceux du garçon, et des ongles rouge sang qui s'accrochaient à son veston blanc.

— Zut! Pourquoi tu t'arrêtes, à présent? Mais... Mais qu'est-ce qui se passe? lança-t-il en même temps que la blonde échevelée qui s'était trouvée assise devant lui se levait et regardait d'un œil perplexe les spectateurs dans la porte.

— Oh! Salut, Avery, dit-elle en riant nerveusement.

Elle écarta de son chemin le jeune à moitié nu qui tenait à la main sa bitte violacée.

— Bonsoir, mademoiselle Greenway. Salut, tout l'monde. J'allais vomir, vous comprenez, mais Eddie a prétendu que ce serait vraiment dommage de gaspiller le speed qu'il m'avait donné plus tôt. S'pas Eddie? Alors, que j'y ai dit, qu'est-ce qu'on devrait faire? Eh ben, il a dit qu'il était bandé, vous comprenez, et qu'il attendait cette grosse fille qui l'avait planté là au beau milieu de, enfin, vous devinez quoi. Alors, j'ai dit, faut pas gaspiller ça non plus, vous comprenez...

— En tout cas, ça l'empêchait de jacasser, dit Avery à Gilda comme ils conduisaient Margie au vestiaire.

— Quelle affaire! dit le garçon à May. C'était vraiment toi que je voulais.

— C'est l'intention qui compte. Si tu peux remonter ton blue-jean sans qu'il y ait trop de casse, je t'attends devant la maison. C'est la Rolls blanche.

— Dis-moi. Où donc étais-tu passée? lui demanda-t-il un peu plus tard à leur arrivée chez May.

288

— J'étais à la recherche du grand amour.

— Tu cherchais un autre type? dit-il comme ils grimpaient l'escalier de côté qui menait à la cuisine.

— Tu piges vite, répondit-elle d'un ton sec en lançant son sac sur la chaise en rotin. Je cherchais un garçon, dit-elle. Un gamin.

Un filet de lumière lui permettait d'apercevoir le jeune homme qui retirait son smoking blanc.

— C'est vrai? demanda-t-il en lançant son veston sur la chaise. Tu aimes les petits garçons?

Il baissa le caftan de May.

— Pas trop petits.

— Oh, la, la! Les voici encore, dit-il en lui caressant les seins. T'as des nénés formidables, tu sais.

Elle déboutonna la chemise d'Eddie. Il glissa la main dans le bustier et en dégagea les seins.

— Oh! C'est comme tout à l'heure. Vraiment, il faut que j'y touche. T'aimes ça que je caresse tes nénés?

Elle posa les bras autour de son cou. Ses seins se gonflèrent.

— Voilà. C'est reparti!

Il la saisit à deux mains et lui embrassa le cou et la gorge en la mordant. Il l'embrassa ensuite sur la bouche, avec force d'abord, en lui mordant les lèvres comme il l'avait fait avec ses seins. Peu à peu, il ralentit ses transports. Elle sentait qu'il s'adoucissait, qu'il se laissait aller. Elle passa lentement la langue sur les lèvres du jeune homme et entreprit de les sucer. Avec une adresse experte, elle se collait contre lui, frôlait la poitrine d'Eddie de ses seins, lui écrasait l'aine de son abdomen.

— Oh! dit-il dans un soupir en reprenant son souffle. Enlève ce corset ou je ne sais trop comment tu appelles ça. Je t'en prie, gémit-il en portant la main à l'endroit où le bustier serré laissait la chair à nu.

Elle dégrafa le long bustier dont elle se débarrassa. Ses gros seins étaient libérés. Il chercha à les cueillir de ses mains et constata qu'il arrivait à peine à en tenir un seul à deux mains.

— Tu as une de ces poitrines! Je mourrais volontiers entre tes deux nichons.

Elle remonta son caftan sur ses épaules.

— Si on passait dans ma chambre?

— Oh, oui. Donne-moi un baiser. Tu sais, je n'ai encore jamais fait l'amour à une femme comme toi. Tu es si énorme! Tu as tellement à offrir. Même tes lèvres sont généreuses. Je veux tout de toi. Je veux te baiser partout, tu me comprends?

— Vite, la chambre! gémit May.

— C'est vrai que tu aimes faire l'amour à trois? Allez, dis-moi la vérité, fit-il en saisissant la main de May et en la posant sur sa dure protubérance. Tu n'as pas vraiment besoin de deux partenaires pour jouir, n'est-ce pas? Pas avec moi, en tout cas.

Ils entrèrent dans la chambre en se caressant.

— Ah, merde alors! J'y vois rien, dit le garçon. Je ne te vois pas. Je veux te regarder encore. Je n'ai jamais vu une femme aussi généreuse de toute ma vie.

May appuya sur l'interrupteur.

— Ça te plaît ce que tu vois?

Or, ce n'était pas elle que le garçon regardait, mais il fixait du regard le lit défait.

— Y'a un autre type!

— Chut! Tu vas le réveiller.

C'était Hollis Godwin. Il avait dû faire de l'auto-stop jusqu'à Malibu et se trouvait à présent dans le lit de May Fischoff.

— Je suis déjà réveillé. Salut, Eddie.

— Mince alors! C'est le fils de madame Godwin. Ça, par exemple! Vous êtes vraiment trop détraqués pour mon goût.

— Qu'est-ce que tu fais ici? demanda May en endossant son caftan pour se couvrir les seins.

— Il fallait que je te parle. Je t'ai cherchée partout à la réception. J'ai pensé que tu étais peut-être rentrée.

— Merde! dit Eddie. C'est pire que d'avoir pris de l'acide de mauvaise qualité. En fait, je dirais même que c'est malsain. Je ne peux pas continuer à bander comme ça, sans me soulager. Non, mais enfin, y'a de quoi se retrouver à l'hôpital!

— Qu'avais-tu à me dire qui ne peut attendre à demain?

— Je pense que mon père va nous quitter, pour de bon cette fois. Je crois qu'ils vont se séparer, May. Il faut que tu m'aides. Je ne veux pas qu'il parte.

— Tu veux que je m'en aille? criait Eddie tandis que May le reconduisait. Non, mais t'es cinglée ou quoi?

— Allons, Eddie. Tu es un grand garçon, n'est-ce pas? lui dit-elle en glissant un billet de cinquante dollars dans la pochette de sa chemise. Tiens!

Elle lui présenta un exemplaire de *Playboy*, celui qui renfermait une interview de Patrick Wainwright.

— Si tu voyais les nénés de Miss February! Tâche seulement de ne pas salir l'interview de Wainwright, O.K.? Ce serait un véritable sacrilège.

Le garçon maugréait lorsqu'elle lui claqua la porte au nez.

May se versa une vodka et remplit un verre de lait pour Hollis. Elle coupa quelques tranches de gâteau, après quoi elle retourna à sa chambre.

Il avait pleuré. Il s'était frotté les yeux de ses mains sales et son visage ressemblait maintenant à une carte routière ayant attrapé la pluie. Il la regardait. Il avait le nez qui coulait, le visage couvert de saleté, et ses longs cheveux blonds en broussaille formaient de petites ailes sur sa tête.

— Tu m'en veux? lui demanda-t-il.

— Pourquoi t'en voudrais-je? répondit May en lui présentant son verre de lait. Je suis très populaire. Je peux baiser tant que je veux!

Elle prit un morceau de gâteau et l'engouffra.

— Allons, dis pas de bêtises, May.

— Tu veux que je t'aide ou es-tu venu ici pour me faire encore des sermons?

Il déposa son verre de lait et se leva.

— Je n'aime pas que tu parles comme ça. Pourquoi tu dis toujours des saloperies?

— Tu veux que je te fiche à la porte, ou quoi?

— Allez, vas-y! Tu parles! Ça m'en fait une belle marraine, dit-il en sortant un joint de sa poche et l'accrochant à son oreille. Je m'en vais. Et ton gâteau, tu sais ce que tu peux en faire!

D'un bon pas, il passa devant elle.

— Attends un peu, jeune homme! lui lança-t-elle en l'attrappant par la ceinture. Qu'est-ce que c'est que ça? demanda-t-elle en levant le bras pour prendre le joint. Hollis, tu es trop jeune pour commencer à jouer avec cette merde!

— Oh? Qui est-ce qui fait des sermons, maintenant? Tu sais où je l'ai pris? C'est ton petit copain qui me l'a donné. Il l'a roulé pour moi lui-même! Ça vient du stock de ma mère. J'ai aussi quelques-uns de ses tranquillisants, ajoutait-il en sortant quelques comprimés de sa poche. Elle se bourre de ça constamment. Elle était gelée ce soir, quand ils se disputaient. J'étais dans les buissons et je les ai entendus. Elle a dit toutes sortes de stupidités à mon père. Des choses incroyables, insensées, tu sais! Des mensonges. Tiens, par exemple. Elle a dit à papa qu'elle ne voulait pas vraiment l'épouser dans le temps, ni avoir de gosse, non plus. Des histoires de ce genre. Ce n'est pas vrai, n'est-ce pas? Je t'assure, elle remportait la palme ce soir.

— Elle a dit tout ça?

— Oui.

Il la regardait de ses grands yeux bleus. May éclata de rire.

— Tu parles! Eh ben, elle devait être complètement partie, hein, pour dire des choses pareilles!

Il esquissa un vague sourire.

— Ouais. Tu le penses, toi aussi, qu'elle était gelée?

— Ça m'en a tout l'air!

— C'est ce que je croyais. Pourtant, papa avait l'air bizarre. Je pense qu'il a cru ce qu'elle disait. Ou encore, il était en colère parce qu'elle était droguée. Tu en veux? dit-il enfin en montrant les tranquillisants dans sa petite main sale.

Elle prit tout ce qu'il avait.

— Va te laver un peu. Je vais prévenir ton père que tu es ici. Il te cherchait.

— Ah, oui?

— Ça te surprend?

— C'est que, fit-il en haussant les épaules, je ne le vois pas très souvent.

— Il te manque?

— Non. Enfin, je sais qu'il est très occupé. Il est constamment au loin, en tournage. Ça ne m'ennuie pas. Seulement, je ne veux pas qu'ils se séparent. Je pense que je ne pourrais pas le tolérer. Je connais ma mère, tu sais. Elle joue à la femme dure, mais je pense qu'elle perdrait les pédales s'il partait, tu comprends?

— Et toi?

— Qu'est-ce que tu veux dire? Tu le connais. Il est toujours parti. Ça ne changerait rien entre nous, n'est-ce pas?

— Va te laver! Et enlève cette chemise, aussi. Elle sent mauvais!

May téléphona à King.

— Hollis est avec moi. Il a fait de l'auto-stop. Tu avais raison, il a été témoin de votre petite scène à la Virginia Wolf. Il pense que tu vas la quitter, pour de bon cette fois.

— C'est ce que je vais faire.

Inez vomissait dans la pièce d'à côté.

— Non, tu ne le feras pas, King. Pas avant que nous ayons eu un petit entretien. A moins que tu ne songes à prendre ton fils avec toi. Tu ne vas pas le laisser se démerder avec les pots cassés. Si tu pars, Inez va mal réagir. Et c'est Hollis qui va se voir obligé de s'en occuper. Il n'en est pas question.

— May, il n'y a plus rien entre elle et moi. Depuis des années.

— Je le sais, mon grand. Mais ça ne fait que commencer pour ton fils. Il t'aime. C'est lui qui fait ton sale boulot depuis des années, King. Pendant que tu voyageais et que tu travaillais en Europe, où tu baisais à qui mieux mieux, il s'occupait d'elle à la maison. Tu ne vas pas l'abandonner sans lui dire merci. Il n'a même pas eu le temps de vivre une enfance normale, ce gosse. Tu lui dois au moins ça, espèce de salaud. Il a à peine dix ans, et il est déjà en bonne voie de devenir un drogué! Il me fait penser à un vieillard en uniforme de scout. Accorde-lui le loisir d'avoir une jeunesse avant de prendre le large encore une fois.

— Je le prendrais volontiers avec moi, mais ce n'est pas une vie pour un gamin. Je le sais, je suis passé par là moi-même.

— Promets-moi de ne pas faire ta valise avant que nous ayons eu une conversation, d'accord?

— Une conversation à quel sujet?

— Au sujet de remettre Inez sur pied. De la sevrer de la drogue et de lui trouver quelque chose qui lui rendra sa fierté. Hollis a besoin de toi, et si tu as l'intention de quitter Inez, il faut qu'elle soit en meilleure santé. Il se peut qu'elle ne soit jamais en état de veiller sur lui, mais au moins, il faudrait qu'elle soit capable de veiller à ses propres besoins afin qu'il puisse faire autre chose que de s'inquiéter de sa mère.

— Qu'est-ce que tu veux que je fasse?

— Que tu négocies. Si on prenait le petit déjeuner ensemble, demain? Je ramènerai Hollis tôt dans la matinée : je te prendrai par la même occasion! Ça te va?

— D'accord, dit King à voix basse. Sacré nom d'un chien, May. Tu es sensass!

Cela fit sourire May. Elle entendait l'eau couler dans la baignoire, et la voix ténue de Hollis qui imitait solennellement Bob Dyland :

— ...*How does it feel, to be without a home, like a complete unknown, like a rolling stone?*...

— Tu me trouves sensass. Attends de voir ton fils!

19

Le 26 décembre 1979, 13 h 30

Au quartier général du West Los Angeles Police Department, avenue Butler, le lieutenant Lionel Biggs prit l'ascenseur jusqu'au deuxième où se trouvait son bureau encombré. Ses genoux étaient fatigués et ses cors le faisaient souffrir. Sa visite au maître d'hôtel chez Chasen's, où il avait humé les odeurs de la bonne cuisine, lui avait ouvert l'appétit.

Après avoir interrogé le chauffeur de taxi qui avait conduit Gilda chez elle la veille de Noël, il s'était acheté un Big Mac chez McDonald's et l'avait avalé en vitesse dans la voiture en rentrant à son bureau.

A présent, il avait mal au cœur.

Il rota et lâcha un pet.

Au moment où il allait libérer son fauteuil d'un tas de paperasse, le détective Larry O'Brien l'interpela depuis son bureau, de l'autre côté du corridor.

— Hé, Lionel! On te demande au téléphone. Tu ne devineras jamais qui c'est! Devon Barnes!

— Justement la personne à qui je désire parler, répondit-il comme son estomac se mettait à gargouiller. Dis donc, entre-temps, tu pourrais peut-être me rendre service. Renseigne-toi auprès de la gendarmerie pour savoir s'ils ont relevé un accident en face des Perles le soir de l'assassinat de Gilda Greenway.

— Compte sur moi! lui lança O'Brien en décrochant le récepteur.

Biggs appuya sur le bouton de la ligne numéro deux.

— Biggs à l'appareil.

— Détective Biggs? Ici Devon Barnes. Il faut que je vous parle.

— Je l'aurais parié!

— J'étais aux Perles le soir où on a tiré sur Gilda.

— Je m'en doutais. Au fait, j'ai déjà lancé un avis de recherche en ce qui vous concerne.

— Oh!

— Vous passez me voir?

— Oui, mais pas maintenant. Je déjeune en ce moment sur la côte avec un ami. Je pourrais être là à dix-sept heures.

— C'est un peu tard. A votre place, je m'arrangerais pour être ici plus tôt.

— Cela m'est impossible. J'ai des choses à régler avant.

— Vous courez la chance d'être arrêtée, vous savez. Ça ne paraîtrait pas très bien dans les journaux!

— Je prends le risque. Mais je vous le promets, je serai là à dix-sept heures.

Biggs n'avait pas sitôt raccroché que le détective O'Brien lui criait :

— Hé, Lionel! Monahan désire te parler.

Biggs avait la gorge serrée. Maintenant, il se sentait vraiment malade. Il avait bien besoin que Monahan le talonne! Pourquoi cet imbécile n'était-il pas en traction? Comme ça, il ne pourrait pas se servir d'un téléphone. Mais, pas de danger que ça se produise! A la place de cela, Monahan se trouvait à l'hôpital pour avoir perdu une testicule!

Ce genre d'accident n'aurait pu arriver à un plus parfait couillon.

— Biggs! s'écria Monahan dans le récepteur.

Le supérieur de Biggs criait sans arrêt. Etant donné qu'il lui manquait maintenant une valseuse, se disait Biggs, il devait sentir le besoin de crier plus fort.

— Où en êtes-vous dans l'affaire Greenway? Et, épargnez-moi les détails. Contentez-vous de me donner les faits, lieutenant. Comme le ferait Dragnet, c'est clair?

— Oui, répondit Biggs qui aurait voulu fracasser le récepteur.

Il relata les faits saillants : l'appel anonyme les informant du meurtre; la découverte de King à côté du cadavre; l'interrogatoire de King; celui de Billy Buck; sa visite à la morgue la veille; les funérailles le jour même, où Devon Barnes avait fait apparition avant de s'enfuir avec Billy Buck; l'avis de recherche pour Devon après avoir appris de la gouvernante que la jeune femme se trouvait aux Perles la veille de Noël; l'interrogatoire du maître d'hôtel et du chauffeur de taxi.

— Ecoutez, cria Monahan, c'est désastreux! Justement ce que je craignais. C'est la soirée des amateurs! Vous êtes en train de ternir la réputation de ma division, bougre d'imbécile! Cette femme est morte depuis trente-six heures et c'est tout ce que vous avez? Je savais que ça se produirait! Si c'était moi qui étais chargé de l'affaire, j'en aurais déjà fini. N'importe quel détective qui se respecte sait que les premières vingt-quatre heures après un meurtre sont les plus cruciales. Vous avez eu plus de temps qu'il n'en faut, et qu'en avez-vous fait? Vous n'avez aucune piste!

Biggs prit une grande respiration. Dommage que celui qui avait tiré sur Monahan n'avait pas visé plus haut, comme sur sa bouche, par exemple!

— D'autant plus que vous n'avez même pas fait mention du rapport d'autopsie. Où diable est-il, ce rapport?

— Je l'aurai bientôt. J'attends un rapport préliminaire d'un moment à l'autre, et le rapport toxicologique plus tard cet après-midi.

— Nom de Dieu, il faut les brasser, ces bougres. Vous auriez dû l'avoir dès ce matin!

Les doigts de Biggs pianotaient sur son bureau.

— Et, ajouta Monahan, comment se fait-il que la presse soit au courant que la victime tenait cette fameuse photo à la main? On en parle partout. Qui est responsable de cette fuite? A qui en avez-vous parlé? Je me demande quelle sorte d'enquête vous menez! Vous n'avez aucun contrôle. Vous...

Biggs raccrocha. Le diable l'emporte! Monahan serait hospitalisé encore deux semaines. Il s'occuperait des répercussions à ce moment-là.

Larry O'Brien lui demanda :

— Comment est le vieux bouc?

— Aussi enragé que de coutume.

O'Brien se mit à rire.

Quelques instants plus tard, Biggs recevait par messager une enveloppe du Centre des sciences médico-légales.

Il la déchira et lut rapidement le rapport d'autopsie numéro 79-3064. Comme il fallait s'y attendre, le rapport comprenait beaucoup de jargon et de dessins à caractère médical. Il contenait également les observations préliminaires du médecin légiste que ce dernier avait communiquées à Biggs plus tôt dans la matinée.

Une balle avait pénétré dans le corps de la victime au-dessus du sein gauche. Elle en était ressortie par le milieu de l'omoplate droite. Compte tenu des dimensions de la perforation, et après analyse des balles retrouvées sur les lieux du crime, le médecin légiste avait pu déterminer que l'arme était un Remington-Peters de calibre .38 chargé de balles en cuivre à pointe creuse. Ce qui expliquait le dommage considérable au dos de Gilda, les balles à pointe creuse faisant ricochet au moment de l'impact.

Biggs souriait. Un bon vieux .38 spécial, c'est ce que l'assassin avait utilisé. C'était l'arme la plus facile à se procurer aux Etats-Unis. Et parmi les plus efficaces.

Selon la trajectoire, le coup était parti d'une distance d'environ trois mètres et avait été tiré d'une hauteur d'environ six centimètres au-dessus de la victime, ce qui laissait supposer que l'assassin était debout et la victime, assise.

Il poursuivit sa lecture.

« Etant donné que le sang cesse de circuler dès que le cœur arrête de pomper, il est possible de déterminer quelles blessures ont été infligées avant et après la mort, et si lesdites blessures étaient fatales ou non.

« Dans le cas présent, les dommages causés aux tissus et organes par la balle de calibre .38 auraient pu provoquer la mort. Toutefois, pour autant que je puisse en juger, je suis d'avis que la blessure par balle a été infligée *après* le décès de la victime. Heure approximative du décès : entre 22 h 30 et 23 h 45, le 24 décembre 1979. »

Biggs se leva d'un bond. Il avait soudain la bouche sèche en relisant le dernier paragraphe.

Gilda Greenway était déjà morte *avant* qu'on tire sur elle?

Alors, de quoi était-elle morte?

Il poursuivit.

« J'ai également remarqué deux petites blessures à l'intérieur du poignet droit, à environ deux centimètres de la main. Elles mesuraient trois millimètres de diamètre, séparées l'une de l'autre d'environ quatre centimètres. En attendant le rapport toxicologique, cependant, je ne peux arriver à aucune conclusion définitive quant à la cause du décès. »

Il n'en revenait pas. Il fallait attendre les analyses de sang?

Il téléphona au bureau du médecin légiste.

— Dans combien de temps pourrai-je avoir les résultats de toxicologie dans l'affaire Greenway?

— Vous devriez les avoir tard cet après-midi. J'ai demandé à Alice Wong de procéder à un second test.

— Qu'est-ce qui l'a tuée d'après vous, si ce n'est pas un coup de feu?

— Vous le lirez dans mon rapport!

— Nom d'un chien, c'est moi qui mène l'enquête. Qu'est-ce que c'était?

— Attendez mon rapport!

A l'autre bout du fil, le médecin raccrocha et reprit la dictée d'un rapport d'autopsie auquel il s'affairait avant l'appel de Biggs. En raison du bruit occasionné par les autres autopsies qu'on pratiquait dans la salle « A » – scies électriques, dispositifs de succion, cervelets flanqués sur des balances métalliques – le médecin s'était réfugié dans une cabine insonorisée dans un coin de la pièce, où il pourrait travailler en toute quiétude.

Soudain, il interrompit sa dictée. Il réfléchissait au cas Greenway. La veille, en pratiquant l'autopsie, il avait remarqué une chose. Et Biggs lui aussi avait dû le voir dans le premier rapport. Bien que le médecin légiste n'y avait pas consigné ses soupçons quant à la véritable cause du décès, il avait réfléchi depuis. Il savait que son instinct ne le trompait pas.

S'il avait vu juste, ils avaient entre les mains une nouvelle sensationnelle.

Cependant, ce médecin avait déjà été à l'origine de plus d'une controverse. Il n'était donc pas sur le point d'en déclencher encore une avant que le laboratoire de toxicologie ne le lui ait confirmé. Il serait patient. Il attendrait.

Au Bureau des homicides, Larry O'Brien cria à Biggs depuis l'autre côté du couloir :

— Dis donc! Tu voulais que je téléphone à la gendarmerie? Ils ont vérifié les accidents survenus la veille de Noël. Je les ai sur la trois.

Biggs décrocha le récepteur.

— Lieutenant Biggs? Il y avait un accident aux Perles la veille de Noël. C'est le seul de ce genre que nous ayons relevé depuis les quelques derniers jours.

— C'est vrai? Pourquoi ne nous avez-vous pas téléphoné plus tôt? Vous ne lisez donc pas les journaux? Il y a eu un meurtre aux Perles ce soir-là. Merde! Un renseignement de ce genre aurait pu faire avancer l'enquête! A quelle heure l'accident est-il arrivé?

— Nous l'ignorons. L'appel nous est venu d'une patrouille de sécurité privée. Les agents ont remarqué la voiture vers vingt-trois heures. Nous avons envoyé une remorqueuse sur place qui l'a dégagée vers vingt-trois heures vingt. Nous ne vous l'avons pas signalé parce que la consigne n'exige pas de le faire dans les cas de touage.

— A vingt-trois heures, dites-vous?

— C'est exact.

— J'espère que vous avez vérifié le matricule, lâcha Biggs d'un ton sec.

— Oui, lieutenant. La voiture appartient à madame Inez Hollister Godwin.

20

Le 26 décembre 1979

— Il faut que je me sauve, dit Devon en attirant l'attention du garçon en poncho jaune vif. Il faudra le refaire dans des circonstances plus agréables, Billy.

— Avec plaisir. Laisse, je m'en occupe.

Billy régla l'addition avec sa carte American Express, en prenant soin de déchirer méticuleusement les carbones tandis que Devon examinait les effets de la bière sur son visage.

Ils se dirigeaient vers la sortie lorsqu'une énorme matrone en verres fumés roses et chemisier souillé leur barra le passage.

— Mademoiselle Barnes! Vous voulez bien me donner votre autographe?

Elle fourra un crayon à sourcils cassé dans la main de Devon, qui s'exécuta poliment en esquissant un faible sourire.

— Je suis vraiment navrée au sujet de Gilda Greenway, mademoiselle Barnes. J'ai lu dans le journal que vous deux, vous étiez vraiment très proches. C'est terrible que ce King Godwin l'ait assassinée. C'est lui qui l'a fait, vous savez. La voyante du journal l'avait prédit. C'est sûr que c'est lui, aussi sûr que John F. Kennedy est toujours vivant sur cette île...

— Oh, décampez, voulez-vous! dit Billy en poussant la femme avant d'escorter Devon vers la sortie. Sapristi! Les cinglés ne sont pas tous à l'asile, pas vrai?

Il fit démarrer sa XKE. Devon s'essuya les yeux et toucha l'épaule de Billy.

— Ne t'en fais pas, Billy. Il y aura probablement des jours où ce sera pire.

Ils s'engagèrent en direction nord sur l'autoroute pour rentrer à Los Angeles.

— Devon, dit Billy au bout de quelques instants, j'ai remarqué que tu avais téléphoné à quelqu'un lorsque tu es allée aux W.-C. au restaurant. Voudrais-tu m'expliquer ce que signifie tout ce mystère? A qui as-tu téléphoné?

Devon lui sourit.

— A May Fischoff.

— Et moi qui croyais que tu appelais quelqu'un de spécial.

— Très astucieux, jeune homme! C'est en fait précisément ce que j'ai fait. Mais il fallait aussi que je parle à May. Gilda était sa marraine, tu comprends. Elle a été une véritable seconde mère pour May dès sa naissance. C'est une dure épreuve. May souffre beaucoup plus que tu ne peux te l'imaginer.

— Est-ce que tu crois que c'est May la responsable?

— Et toi, est-ce que tu le penses?

— Eh bien, elle était très en colère contre Gilda. Au restaurant, le soir de sa mort, Gilda m'a raconté qu'elle avait refusé un contrat de télévision que May était en train de négocier depuis plus d'un an. Elle m'a simplement confié qu'elle avait réfléchi, que ses priorités n'étaient plus les mêmes, et qu'il y avait des choses plus importantes dans la vie que la fortune et la gloire. Je pensais qu'elle avait retrouvé la foi, mais lorsque je lui ai posé la question, elle s'est mise à rire à gorge déployée. Elle a prétendu avoir vendu son âme au diable il y a quarante ans. Tout ce que j'en sais, c'est que May aurait pu prendre grassement sa retraite avec la commission qu'elle aurait touchée de ce contrat.

— Pourquoi prendre sa retraite? Pour rester à la maison et se rendre malade à se morfondre d'inquiétude au sujet de Hollis? A se demander s'il n'est pas dans le lit d'une jouvencelle?

— D'après ce que j'ai pu remarquer, il me semble qu'ils forment un couple très uni.

— C'est vrai. Pauvre Gilda. Elle ne l'a jamais compris. Elle ne ratait pas une occasion de reprocher à May l'écart d'âge entre elle et Hollis. Tu vois, May ignorait que Gilda avait déjà eu un avortement qui avait gâché sa vie. Elle pensait seulement que Gilda n'approuvait pas le grand écart d'âge. Elle se disait que Gilda la trouvait trop instable pour rendre Hollis heureux. Mais à vrai dire, Gilda était convaincue que Hollis finirait par s'enfuir un jour avec une jeune, comme Ted Kearny l'avait fait dans le temps.

— Comment sais-tu ça?

— Billy, il faudrait qu'on te donne ta propre émission de télévision. Tu sais comment interroger les gens!

Devon ouvrit alors la radio, à la recherche d'un poste qui diffusait de la musique.

« La police de Los Angeles poursuit toujours son enquête sur le meurtre de Gilda Greenway, l'une des plus célèbres vedettes de Hollywood des années quarante. C'est aujourd'hui que se déroulaient au cimetière de Forest Lawn les funérailles de la star, trouvée morte à sa somptueuse résidence de Beverly Hills la veille de Noël. Plusieurs centaines d'amis et d'admirateurs étaient venus lui rendre hommage, y compris King Godwin, que la police

300

a du reste interrogé relativement à sa présence chez la victime au moment de la découverte du cadavre.

« Les autorités policières se refusent à tout commentaire quant au fait que la femme qui a rapporté le prétendu meurtre pourrait être la même qui avait téléphoné à la défunte actrice au restaurant où elle dînait la veille de Noël en compagnie de Billy Buck, chroniqueur et confident de certaines des plus célèbres vedettes du grand écran.

« La police a cependant confirmé avoir l'intention d'interroger Devon Barnes, l'actrice et activiste qui a fait une apparition surprenante aujourd'hui après une absence de deux ans de la scène hollywoodienne. Toutefois, les autorités n'ont pas voulu confirmer un rapport selon lequel un témoin important dans cette affaire aurait vu Devon Barnes en compagnie de la victime l'après-midi précédant le crime. Nous vous ferons part du déroulement de cette enquête aux actualités de dix-huit heures. »

Après avoir regardé dans son rétroviseur, Billy ferma la radio et arrêta la voiture le plus doucement possible sur l'accotement.

— Je me demande ce que mes lecteurs diraient s'ils savaient que le « confident des stars » est présentement en compagnie de la surprenante mademoiselle Barnes tandis que le monde entier est follement à sa recherche, et que je ne parviens pas à la faire parler. Est-ce bien vrai, Devon? Tu avais vu Gilda ce jour-là?

— Billy, je te jure que je ne cherche vraiment à rien te cacher. Oui, c'est vrai. Je suis allée chez Gilda, mais je n'étais pas seule.

Il avait beau en avoir appris beaucoup en peu de temps, il était quand même en mesure de faire une rapide déduction.

— Tu veux protéger quelqu'un! dit-il. La personne avec qui tu étais chez Gilda le soir de sa mort est la même vers qui tu t'empresses d'accourir maintenant. C'est ça, n'est-ce pas, Devon?

— Je t'en supplie, Billy. Il faut que je parle à King et au lieutenant Biggs avant d'en dire plus long. Je t'en prie, acheva-t-elle en consultant sa montre Cartier. Il se fait tard.

— Juste une dernière question, conclut Billy avant de réengager la Jag dans le flot de la route encombrée. Où dois-je te conduire, à présent?

— A East L.A., répondit-elle, dans le quartier appelé le *barrio*, « le petit faubourg ».

21

1976 - 1977

Pour Devon, le nombre d'êtres chers qu'elle perdait ne faisait qu'augmenter.

Elle était en train de visiter un hôpital pour enfants à Hanoi lorsqu'elle apprit, avec plusieurs semaines de retard, que Patrick Wainwright s'était fourré le canon d'un .12 dans la bouche et qu'il s'était flambé la cervelle. Elle se sentait lasse ce jour-là; elle était opprimée par la chaleur exténuante et déprimée par la destruction qui l'entourait de toute part.

Depuis qu'elle avait quitté les U.S.A. avec Michel sept ans plus tôt, elle s'était rendue dans le sud-est asiatique à plusieurs reprises. Elle avait tourné deux films pour lui *Amérique* et *The Innocence*.

Dans le premier, une fable de science-fiction sur l'intervention américaine au Viêt-nam, elle jouait le rôle d'une courtisane-guerrière nommée « Amérique » qui se pavane dans un costume semblable à celui des bunnies du *Playboy*, mais sans les oreilles. Symbolisant l'Amérique, cet agresseur corrompu, Devon violait dans ce film cinq de ses six co-vedettes, y compris Marianne Veranne et Claudia Leone, anciennes maîtresses toujours chères à Michel. En retour, elle était elle-même violée par un mastodonte britannique de cent quinze kilos souffrant de mauvaise haleine chronique. Il avait de grosses lèvres molles et son élocution était si efféminée qu'en comparaison, Charles Laughton avait l'air viril.

Par ailleurs, *The Innocence* était la suite du film avec lequel Michel s'était mérité un Oscar. Devon était la narratrice du documentaire, dans lequel elle figurait comme l'un des membres d'une équipe d'observateurs en visite à Hanoi pendant le bombardement du Cambodge par les Américains.

Elle était donc au chevet d'une jolie fillette qui avait perdu les deux jambes. Elle tenait la main de l'enfant et écoutait le médecin, elle-même une enfant en dépit du sarrau blanc qu'elle portait sur le pantalon noir des paysans, lui expliquer tant bien que mal dans un anglais pénible ce qui était arrivé à la petite et à sa famille.

Devon ne l'écoutait pas véritablement. Elle ne pensait qu'à emmener la fillette avec elle. A la sortir de là. Elle voulait compenser pour ce qui était arrivé, remplacer la famille que la petite venait de perdre, remplacer ses parents qui avaient trouvé la mort pour avoir cherché à améliorer le monde.

Devon se sentit soudain envahie par un sentiment de colère envers ses propres parents. Elle ne leur avait toujours pas pardonné de l'avoir abandonnée. Elle était fatiguée; aussi, voulait-elle faire la paix avec eux. Maintenant âgée de trente-six ans, elle souhaitait avoir des enfants bien à elle.

Au même moment, une jolie journaliste britannique – la plus récente des innombrables conquêtes de Michel – entrait dans la salle. En l'apercevant, Devon comprit qu'elle n'aurait jamais d'enfant avec Michel. Ce dernier serait en effet incapable de tolérer la moindre concurrence. Il était en quelque sorte un petit garçon intelligent et espiègle à qui elle devait pardonner toutes les bêtises, qu'elle devait comprendre et aimer sans discussion. Elle s'était transformée en mère, modèle de sagesse et d'indulgence.

Et elle en était fatiguée.

Elle en avait assez, aussi, d'être stéréotypée en France comme étant le rafraîchissant symbole d'un mouvement préconisant la dénonciation de la guerre aux Etats-Unis. On la représentait dans les bandes dessinées comme une Jeanne d'Arc cowgirl. La Jeanne au blue-jean de Michel. On l'appelait « la belle Américaine », c'est-à-dire l'antithèse d'une « vilaine Américaine ».

— Tu connaissais Wainwright personnellement? lui demanda Sheila Farraday, la journaliste britannique, de son désagréable accent jovial.

Elles étaient rentrées à pied à l'hôtel de Devon et s'étaient arrêtées au bar où elles consommaient leur whisky sec. Devon était en tenue de combat couleur kaki, ayant depuis longtemps renoncé à sa garde-robe de chez Giorgio's de Beverly Hills. Sheila, quant à elle, portait une robe de toile fraîchement repassée et de coupe impeccable, et ressemblait davantage à une hôtesse de l'air qu'à une sérieuse journaliste.

— Je suis désolée. J'étais loin de m'imaginer que tu pouvais le connaître. Je croyais simplement que c'était une nouvelle de Hollywood dont tu n'étais pas encore au courant.

— Qu'est-ce qu'on disait à son sujet dans le câble? demanda Devon d'une voix posée.

— Qu'il s'est suicidé. Ça a dû faire un joli dégât. Je suppose que cela avait quelque chose à voir avec le décès de son épouse. Oui, je serais prête à le parier. Apparemment, il lui était très dévoué. Il y avait une éternité qu'il était marié avec elle, même si elle était malade la plupart du temps.

— Et, son épouse, demanda Devon d'une voix atone. Quand est-elle décédée?

— Il y a au moins six mois. Oh! Voilà Michel! fit-elle la mine tout à coup plus réjouie. Je suis sincèrement désolée, Devon.

Michel leur adressa un signe de la main et s'approcha de la table. Il fit la bise à Devon.

— Ça va? demanda-t-il en les examinant successivement l'une et l'autre.

— J'étais justement en train de raconter à Devon ce qui est arrivé à Patrick Wainwright.

— Ainsi, tu es au courant, dit Michel en s'agenouillant à côté de Devon. Je voulais te l'annoncer. C'est triste, n'est-ce pas? Et plutôt étrange. On n'aurait jamais pensé qu'un homme comme lui puisse flancher. Qu'il puisse s'enlever la vie.

— Je trouve qu'il y a un côté ironique à tout ça, interrompit Sheila. Enfin, c'était l'exemple parfait du bon Américain, n'est-ce pas? Est-ce qu'on ne l'appelait pas « Pat le Juste »? A présent, Saigon est tombé et l'Amérique a perdu la guerre. C'est l'invasion des Khmers rouges et Patrick Wainwright s'est suicidé. Vous voyez, c'est le lot de l'Amérique. De l'ironie dans tout, partout.

Devon lança son whisky au visage de Sheila Farraday.

La journaliste poussa un cri.

— Devon! Est-ce que tu perds la tête? La pauvre fille n'a fait qu'exprimer une remarque.

Michel se mit à essuyer la robe de Sheila avec son mouchoir.

Devon les laissa tous les deux et monta à la suite qu'elle partageait avec Michel. Elle tenta de téléphoner à Gilda mais elle ne parvenait même pas à rejoindre Bangkok, encore moins Hollywood! En un rien de temps, elle avait fait ses bagages. Elle fouilla les poches et les tiroirs de Michel, manœuvre qui lui valut de faire main basse sur une importante somme d'argent au moyen de laquelle elle réussit à éliminer les embûches bureaucratiques qui, autrement, auraient pu la retenir à Hanoi pendant des heures encore, voire même des jours.

A son arrivée à Paris, dix-sept heures plus tard, une douzaine de messages de la part de May l'attendaient. Certains remontaient à un mois. Les plus récents provenaient de Londres.

Mais les deux derniers appels de son amie étaient de Paris même où elle était descendue à l'élégant Petit Hôtel, situé à dix minutes à pied à peine de l'appartement de Michel, rue de la Seine. Sans prendre la peine de s'annoncer, et en dépit de l'heure tardive, Devon s'empressa – elle courut, en fait, et aussi vite qu'un sprinter – elle s'empressa donc de se rendre à l'hôtel où elle téléphona à May à sa chambre et lui annonça qu'elle l'attendait dans le minuscule hall d'entrée. Elle entendait encore les cris de joie de May lorsque celle-ci sortit de l'ascenseur, en vison noir pleine longueur, tête blonde ébouriffée, visage rond à demi dissimulé derrière d'énormes lunettes noires Porsche.

— Ciel, Devon! On m'avait dit que c'est à cet hôtel que Oscar Wilde est décédé. Eh bien, n'en crois pas un mot! Il est toujours dans ma chambre!

Elles s'élancèrent dans les bras l'une de l'autre en pleurant comme des enfants.

— Ma foi, May. Tu n'as pas changé du tout!

— C'est très indélicat de ta part! Et, toi! Toujours belle à croquer. Tu pourras me dire à qui revient ce privilège aussitôt qu'on aura trouvé de quoi boire. Dis donc, ma fille, je te croyais à jamais perdue dans les rizières! Mais tu tombes à pic, comme d'habitude. Je quitte Paris demain. J'en ai assez de leur plomberie archaïque. Bien sûr, je veux tout savoir en ce qui vous concerne, Michel et toi, mais d'abord, à mon tour. J'ai une grande faveur à te demander.

— Tout ce que tu voudras, May, répondit Devon en étreignant sa plus vieille amie, soulagée de la voir dans la Ville Lumière.

Elle décida de faire connaître à May la Brasserie Lipp située Boulevard Saint-Germain, et commanda deux scorpions que les deux filles attaquèrent sans plus de cérémonie.

— Avant tout, donne-moi des nouvelles de Gilda.

— Avant tout, n'est-ce pas Yves Montand que j'aperçois là-bas, sous le miroir? Seigneur, c'est le seul homme dans toute la France que je laisserais me tripoter. Pour l'instant. Il est encore tôt! Mais, revenons-en à Gilda. Elle n'en mène pas large, je t'assure, Devon. Je ne l'ai jamais vue dans un tel état.

Comme elle disait vrai!

May se rappelait l'allure qu'avait Gilda avant son départ pour l'Europe : les yeux creux, le teint blême...

Dans un rare moment d'inquiétude, madame Denby lui avait confié : « Je ne la reconnais plus. La nuit dernière, je l'ai trouvée qui errait dans le jardin, comme une somnambule. La nuit précédente, je l'ai entendue jouer du piano dans la salle de bal à trois heures du matin, toutes lumières allumées. Quand on sait qu'elle n'a jamais touché le piano de sa vie! Elle ne fait plus aucun cas des animaux. Elle ne s'en approche même pas. Elle qui clame toujours que ce sont ses créatures, elle ne s'en préoccupe pas.

May relata les propos de madame Denby à Devon.

— C'est terrible!

— Ce salaud de Patrick, dit May. Il avait bien possédé Gilda. Et maintenant, voilà ce qu'il lui fait. Si elle s'attendait à ça! Je comprends que le décès de Marie avait déprimé Patrick; c'est assez naturel. Mais cette fois, il était incapable de se sortir de sa déprime. La situation allait de mal en pis. Il avait passé le weekend aux Perles en compagnie de Gilda et ils avaient connu des heures très romantiques, remplies d'amour. Ensuite, il s'est rendu au ranch où il s'est enlevé la vie.

— Pas surprenant qu'elle le prenne si mal. Qui est avec elle? Qui s'en occupe?

— Eh bien, la vieille Denby, évidemment. Mais Inez s'en occupe, elle aussi. Elle a même laissé tomber l'alcool en joignant les rangs des Alcooliques Anonymes. Pourtant, ça n'a pas duré et elle a recommencé à boire, avec raison d'ailleurs, quoique moins qu'avant. Et, tu sais quoi? C'est Inez qui a trouvé la solution.

— La solution à quoi?

— A la déprime de Gilda. Il faut la sortir de là avant longtemps, sinon, ce sera la clinique, ma vieille. Il faut qu'elle reprenne son travail, qu'elle fasse quelque chose qui lui redonnera le goût de vivre.

— Mais, est-ce qu'il y a du boulot pour elle?

— Pas vraiment, non. Et si les choses continuent du même train, il n'y en aura pas, non plus. En plus de tout le reste, figure-toi qu'il y a quelques mois, un imbécile a publié un message d'anniversaire dans les magazines cinématographiques. « Bon cinquantième anniversaire, Gilda! »

— Elle a vraiment cinquante ans?

— Cinquante-quatre, plus exactement. Mais, il y a belle lurette qu'elle a cessé de les compter.

— Je ne suis pas au courant de ce qui lui est arrivé ces derniers temps.

— Eh bien, il ne lui est arrivé rien de bon. Certains jours, on lui donnerait soixante-dix ans. L'admirateur qui a fait publier le message d'anniversaire ignorait qu'il publiait un avis nécrologique. C'est exactement l'effet que cette maudite annonce a produit. Tu vois, j'avais réussi à lui trouver quelques bons scénarios ces dernières années. Oh, rien de grandiose, mais des rôles qui avaient une certaine dignité, tu comprends. Il avait même été question d'une histoire d'amour entre une veuve et un jeune homme, ce qui lui aurait convenu à merveille. Il fallait retoucher le script, mais le rôle frisait la perfection.

— Et, qu'est-il arrivé?

— Le lendemain de l'annonce fatidique, les producteurs nous ont retiré le scénario. Il paraît qu'il avait été écrit à l'intention d'une femme de trente-neuf ans, quarante au plus. Peu importe si Gilda pouvait paraître des années plus jeune que ça. Lorsqu'elle se sentait bien, avec le bon maquillage, elle paraissait encore mieux que Jacqueline Bisset. Mais tout à coup, on aurait dit qu'elle était aussi vieille que Job et repoussante comme du poison au guichet.

May vida son verre d'un seul trait.

— Tu ne peux pas t'imaginer les ordures de scénarios qu'on m'envoie pour elle à présent. Tiens, par exemple, des matrones de prison, des grand-mères meurtrières, des zombies extra-terrestres!

Devon commanda encore une tournée tandis que May poursuivait son récit.

— Le pire, disait-elle dans un soupir, c'est qu'elle sera peut-être forcée d'accepter un de ces rôles. Je pense qu'elle a besoin d'argent. Patrick ne lui a pas laissé un sou. Non pas qu'il en ait eu à lui laisser, de toute façon. Il a flambé toute sa fortune à Santa Anita. Tu vois, il avait un faible pour les chevaux de course. Et Gilda n'a aucune idée, mais là, absolument aucune idée de ce que lui coûte l'entretien de son foutu château qui lui sert de domicile. Je l'ai suppliée de me confier ses affaires au lieu de les laisser entre les mains de ce comptable nazi qui est à son service depuis ses débuts à la MGM. Mais, rien à faire. Donc, j'ai maintenant un contrat sur mon bureau pour un des épisodes de *Love Boat*, et une proposition de trois cent cinquante mille dollars pour un film minable intitulé *Motorcycle Mama*. Je suis en train de ruminer cette affaire, dit-elle en secouant la tête. Tu sais, il suffit d'ajouter au suicide de Patrick environ un litre de téquila par jour depuis son décès, et l'insécurité innée de Gilda face à son talent elle pense vraiment que c'est sa seule beauté qui lui a valu de réussir et voilà, on comprend tout.

— Oh, May, c'est terrible! Tu prétendais pourtant qu'Inez avait trouvé une solution?

— Oui, même si c'est un peu intéressé de sa part. Je ne devrais pas être méchante, toutefois. Dieu sait qu'elle s'est fait taper sur les doigts pour avoir essayé. Je lui dois au moins ça. Et Gilda aussi, même si elle n'est pas en mesure de le constater en ce moment. C'est assez simple, en fin de compte, ajouta May en haussant les épaules. Inez a suggéré qu'on écrive un scénario expressément pour Gilda.

— Mais oui! Evidemment!

— Seulement, voilà le hic. King et moi en avons discuté et voici notre plan. La seule façon d'assurer le succès du film c'est que King et toi soyez ses co-vedettes. Tu te rends compte de la publicité! Ce serait l'événement de l'année, peu importe l'intrigue. Or, Gilda t'aime bien. Elle aime King aussi. Si c'était l'histoire des Andrews Sisters, elle lui demanderait de jouer le rôle de Maxine, ma foi! La seule question à régler est donc de savoir si tu es prête à reprendre le travail.

Devon ne tint pas compte de la question.

— Comment est King? demanda-t-elle plutôt. Je l'ai revu il y a quelques années. Lui et Michel s'étaient payé une de leurs fameuses soirées ensemble, et ça s'est terminé au Mexique deux semaines plus tard.

— Pour être honnête, il est formidable. Il est devenu un merveilleux père pour Hollis et c'est maintenant un de mes meilleurs amis. Hollis habite avec moi, à présent. Tu le savais?

— Non. Eh bien, j'en suis ravie pour lui. Il n'aurait pas pu choisir une meilleure marraine. Quel âge a-t-il maintenant? Il doit bien avoir...

— Dix-huit ans. Un mètre quatre-vingt-dix, soixante-huit kilos, et la plus belle tête! Il ne faut pas que j'en parle, on en aurait pour toute la nuit! J'ai tellement de choses à te raconter. Mais, les affaires en premier. Pour l'instant, King essaye de convaincre Gilda d'accepter cette nouvelle idée. Lui, il a déjà dit oui, sans même avoir lu le scénario. Il est prêt à commencer dès la fin du tournage de son présent western, ce qui devrait nous mener dans, voyons voir, trois mois tout au plus.

— C'est pour Gilda qu'il fait ça?

— C'est pour elle que nous mettons tous la main à la pâte. Ecoute, nous avons besoin de toi. King et toi êtes vraiment les seuls qui pourraient la convaincre. Tu comprends, en ce moment, elle prend conscience de sa mortalité. C'est le suicide de Patrick qui a tout déclenché. Elle constate qu'elle vieillit, qu'elle devient une croulante. Une vieille de la vieille, quoi. Il ne sera pas facile de la convaincre. Depuis quelque temps, elle s'offusque facilement et n'a confiance en personne.

Devon, est-ce que tu veux jouer encore? Est-ce que tu aimerais tourner un autre film? Je ne veux pas t'offenser, mais personne au monde ne peut se montrer dans cet horrible costume que tu portais dans *Amérique*, et en même temps, faire pleurer les gens, ma fille. Par surcroît, tu l'as fait pour une bagatelle. Pour ça, ma fille, tu as mon entière admiration. Et moi, je n'ai pas touché un sou.

— Tu ne m'en veux pas, n'est-ce pas, ma chérie? J'ai fait ça par amour. C'était ma dot, si tu veux.

— Et quelle dot! Je crois comprendre qu'on peut trouver des répliques de ton costume dans les magasins de Pékin? Non, ma chère. Je ne sais pas ce qu'il faudrait pour que je t'en veuille. Tu m'as tellement manqué, ajouta-t-elle en prenant les mains de Devon et en secouant la tête. Dis-moi que tu acceptes de faire ce film. Nous serons à nouveau ensemble tous les quatre.

— Oh, May! Si seulement tu savais comme je suis heureuse d'apprendre ça. J'ai si souvent pensé à rentrer travailler en Amérique. Mais, où en sont les choses là-bas? C'est assez difficile pour moi d'en juger à distance. Aux dernières nouvelles, les journaux m'appelaient « la fille de Hô Chi Minh ».

— Et après? Tu t'en contrefous, non? Tu es une femme qui n'a pas peur de ses convictions, capable de s'engager. Enfin, c'est de famille, quoi! Je trouve ça merveilleux. Et vachement courageux de ta part. Ton père serait fier de toi.

— Mon père? Ça, par exemple! Je pensais que tu faisais allusion à l'oncle Hô!

— A lui aussi. Devon. Toi qui as vécu à Hanoi, comment peux-tu craindre Hollywood?

Devon se mit à rire, de ce rire franc à la Betty Hutton.

— Ecoutez-moi ce rire! dit May avec un sourire en coin. Ça fait longtemps que je l'attendais ce rire fou. Devon, réfléchis un peu. Ce serait la rentrée cinématographique du siècle, avec trois grandes vedettes de Hollywood qui, pour une raison ou pour une autre, n'ont jamais tourné ensemble. La presse va en raffoler. Ça vaut peut-être la peine d'écrire un livre, qui sait?

— De deux choses l'une : ou bien c'est la meilleure offre que j'aie jamais reçue, ou bien c'est la pire. Je n'en ai pas la moindre idée. Il faut que je réfléchisse.

— Je t'en prie. Tu as jusqu'à demain, quinze heures. Je m'en veux de faire pression, ma chérie, mais sans toi, le projet est à l'eau. Pas de projet, pas de Gilda. Mais, ne va pas croire que je te talonne! fit-elle en souriant tristement. Pardonne-moi. Je sais que je suis difficile, mais il faut que je veille à garder ma réputation! Enfin, je ne connais pas d'autre moyen pour sortir Gilda de sa déprime. Elle a besoin qu'on l'aide. Elle s'est toujours dévouée pour nous. De toute façon, ce sera bien amusant de travailler tous ensemble au même projet, non?

— « La Dame aux perles et ses quatre fans », dit Devon. Encore une fois réunis, mesdames et messieurs, pour le plus grand plaisir de tous.

— Je n'en reviens pas! Tu te souviens encore de cette fameuse photo? Tu as une de ces mémoires! Au fait, j'ai oublié de te dire qu'Avery Calder consent à écrire le scénario. Je suis allée lui rendre visite à Londres et il est tout à fait enchanté de cette perspective. Tu sais, il a été très malade. On lui a enlevé un poumon. Il a renoncé à la cigarette; c'est toujours ça! Mais il boit plus que jamais, et il consomme encore toutes ces pilules. Il prétend qu'il est trop vieux pour changer, à présent. Il est convaincu qu'il a un cancer du sein. Je lui ai dit que je trouvais ça étrange, un cancer du sein chez un homme. Il m'a répondu que toute sa vie, il ne lui est arrivé que des choses étranges!

A l'évocation de cette remarque, elles s'esclafférent toutes deux.

— Rien n'empêche qu'il peut toujours écrire merveilleusement bien. Allez, Devon. Embarque avec nous. Tu t'imagines? Toi, King, Gilda, le scénario d'Avery... Si je ne peux pas vendre ce projet, autant me retirer de la course et ouvrir un stand à hot-dogs.

— Que fais-tu d'Inez? Tu as bien dit nous quatre, n'est-ce pas?

May se rongeait les ongles.

— Devon, je ne sais plus ce que je dois faire. Je t'ai annoncé les bonnes nouvelles. A présent, voici les mauvaises. Toute cette histoire, c'est une trouvaille d'Inez. Et elle en était vraiment très excitée. Je t'assure, elle était comme une enfant. *Hé, venez les amis, on va tourner un film, ici, dans ma cour!* Or, Gilda est trop vulnérable en ce moment. Elle ne veut courir aucun risque. C'est donc Avery ou personne. Ça se comprend, bien entendu. Qui voudrait financer un film d'Inez Godwin? Enfin, qui est-elle après tout? L'épouse de King, point. Et puis, ah oui, c'est l'une des hôtesses les plus en vogue de Hollywood. Chic, n'est-ce pas? Elle offre des lignes de cocaïne sur du cristal de Lalique. Sans blague! Avec des pailles en or, qui plus est! Elle cache sa coke dans des œufs de Fabergé. Enfin, dans un œuf, en tout cas. Ça fait très élégant. Et je suis convaincue que tous ces mecs avec qui il me faudra négocier ce contrat adorent tous Inez et sa grande générosité. Ça, je n'en doute pas. Mais, de là à prendre un risque financier avec elle, c'est une autre paire de manches!

— Elle ne pourrait pas travailler de concert avec Avery?

— Avery n'a jamais de sa vie travaillé en collaboration avec qui que ce soit! Je lui en ai touché un mot lors de ma visite à Londres. C'est hors de question, même s'il s'agissait de Mankiewicz lui-même. Et il adore Mankiewicz, ce qui n'est pas peu dire. Je n'ai donc pas osé lui avouer que je pensais à Inez.

— Te voilà dans de beaux draps! C'est mal fichu!

— Ne m'en parle pas! Rien que d'y penser, j'en suis malade. Il faut que je trouve quelque chose pour elle. Non seulement parce que je l'aime bien, car, Dieu sait pourquoi, je l'aime bien. Mais parce que, tiens-toi bien, pas de King sans Inez!

— Je n'en crois rien!

— Si, je t'assure. Moi et mes grands sermons! Tu vois, je lui répétais toujours qu'il serait un beau salaud de la quitter avant qu'elle ne se soit rétablie. Avant qu'elle n'ait accompli quelque chose par elle-même. Eh bien, c'est ce scénario qui devait constituer le grand défi d'Inez. Et, par la même occasion, rendre à King sa liberté. Pas de King sans Inez. Pas de Gilda sans Avery. Pas de film sans Devon. Rien.

Devon contemplait la rue sombre et paisible. D'indigo qu'elle était, la couleur du ciel venait de tourner au rose. Un jeune couple se promenait main dans la main, sans se soucier de l'heure matinale. Le café était à moitié vide. Même les Parisiens doivent aller travailler le matin.

Un garçon en tablier blanc apparut à leur table.

— Je pense qu'on ferait mieux d'y aller, dit Devon. Avec le décalage d'heures, je ne sais plus quel jour nous en sommes. L'addition, s'il vous plaît.

— C'est déjà réglé, mademoiselle Barnes, répondit le garçon. Ce sont les jeunes Américains, là-bas, qui ont insisté pour payer. Ils m'ont demandé de vous dire qu'ils vous adorent.

Devon tourna la tête. A quelques tables d'elle, plusieurs jeunes Américains en blue-jeans et en pulls, chuchotaient entre eux en lui souriant. Elle leva son verre et leur lança :

— Merci!

Une jolie jeune fille se leva et lui cria :

— Devon, nous vous aimons! Quand rentrez-vous?

May haussa un sourcil.

— Je lui posais justement la même question.

A l'appartement de la rue de la Seine, devant la porte de bois ciselé vert foncé, Devon entendait la persistante sonnerie du téléphone. Elle farfouilla dans son sac, trouva sa clé qu'elle tourna dans la serrure, et se précipita en direction du bruit impatient. Mais elle se garda de décrocher. Le vaste appartement sentait le renfermé. Elle alla ouvrir les fenêtres pour laisser entrer l'air frais. Elle était arrivée dans la chambre à coucher lorsque la sonnerie se tut enfin.

Elle se demandait en elle-même comment elle pouvait savoir que c'était Michel. Il se pouvait tout aussi bien que ce soit May. Ou encore Adèle, l'adjointe de Michel. Ou Perry L'Eaise, des Cahiers du Cinéma.

C'était peut-être Gilda, aussi.

Le téléphone sonnait de nouveau quinze minutes plus tard.

Elle n'en fit aucun cas.

Et, lorsque la sonnerie retenti une nouvelle fois un quart d'heure après, elle était certaine que c'était Michel, car c'était toujours sa façon d'agir lorsqu'ils se disputaient à distance. Il insistait auprès de la téléphoniste pour qu'elle persiste à rappeler, et laissait sonner jusqu'à ce que Devon décide de décrocher sans répondre, ou alors qu'elle réponde, ce qui signifiait qu'elle lui avait pardonné.

Devon faisait les cent pas, se demandant où était passée la colère qu'elle ressentait envers Michel à son départ de Hanoi. Elle se demandait pour quelle raison elle se sentait coupable et refusait en même temps de décrocher.

Etait-ce par empathie? Quelle idée absurde. Pourquoi diable aurait-elle pitié de Michel, lui qui l'avait trompée, qui avait couché avec la Barbie britannique dont l'accent évoquait celui de Julie Andrews. Pourquoi ne se sentait-elle pas blessée? Qu'avait-elle fait de son amour-propre, de sa dignité? Où était passée sa colère?

Elle errait d'une pièce à l'autre en se remémorant les moments où ils s'étaient aimés. Où ils avaient lu Janet Flanner et le *Herald-Tribune* ensemble, chacun dans son fauteuil, les pieds sur le même pouf, Michel ayant sur le nez ses lunettes en écaille de tortue qu'il ne portait jamais en public. Ils sirotaient tous deux le cognac préféré de Michel à trois cents dollars la bouteille, comme s'il s'était agi d'une bouteille de cola.

Elle se rappelait le soir où son amie Martine Toulon, journaliste au magazine *Elle*, avait qualifié de préhistorique l'attitude de Michel envers les femmes. Il avait agité les bras en lui disant : « Il faut que je t'aime pour tolérer un tel manque de respect de la part de tes amies! » Il s'était précipité dans la chambre à coucher mais reparaissait dix minutes plus tard, soi-disant prêt à les emmener dîner, nu sous une étole de vison drapée autour des hanches, et en chaussettes!

Dans le salon, elle se souvenait qu'elle avait un jour trouvé un slip en dentelle qui ne lui appartenait pas, enfoui entre les coussins du sofa. Dans la chambre, elle pensait au soir où son ami Tonio avait affirmé que sans Devon, *Amérique* n'aurait été qu'une farce vide de sens, sur quoi Michel avait séduit la copine de Tonio, dans leur propre lit, tandis que Tonio et elle jouaient au jacquet dans la pièce voisine.

Et dans la cuisine, elle se rappelait que c'était devant la superbe table en bois de rose où elle disposait des pivoines dans un vase de cristal, que Michel lui avait dit : « Tu sais que je ne te quitterai jamais, Devon. J'en suis incapable. Je suis un lâche qui doit toujours être victime de la femme. Mes agissements te pousseront un jour à t'en aller et j'en souffrirai. Mais je ne te quitterai jamais .»

Elle alla à la salle de bains s'asperger le visage, et examina attentivement l'image que lui renvoyait le miroir. C'était ainsi qu'elle se tenait, devant le même miroir, le soir où King avait fait son apparition.

— Il faut croire que je m'étais trompé, avait-il dit en l'observant depuis la porte de la chambre. J'aurais pensé que le chenapan te rendrait malheureuse. Pourtant, tu es plus radieuse que jamais. Tu dois être heureuse.

Pour peu, elle lui aurait tout raconté. Mais, aurait-elle vraiment pu admettre qu'il n'avait pas eu tort? Qu'aujourd'hui, elle comprenait qu'il avait cherché à la mettre en garde au sujet de Michel? Qu'aujourd'hui, elle savait qu'il s'était inquiété d'elle?

Michel était alors apparu derrière King en lui tapant l'épaule : « Allons-y! Voyons si Paris se souvient de toi, mon ami. »

Et King avait répondu en regardant Devon : « C'est pour m'en rendre compte que j'ai fait le voyage. »

Le téléphone sonnait à nouveau. Devon alla répondre dans la chambre.

— Où étais-tu? cria Michel. Voilà des heures que j'essaye de te rejoindre. Tu es partie sans dire un mot. Tu n'as même pas informé Adèle de ton retour.

— J'ai rencontré May Fischoff hier soir, Michel. Elle est ici, à Paris. Elle veut que je joue dans un nouveau film. J'ai décidé de rentrer en Amérique.

— Je refuse d'en parler. Nous ne pouvons pas discuter d'une chose pareille au téléphone.

— A ta guise, alors. Quand seras-tu de retour?

— J'ai du travail ici pour encore une semaine, et ensuite, je vais à Manille pour deux semaines.

— Et après?

— Je n'en sais rien. J'ai beaucoup à faire. Tu oublies que je suis en train de tourner un film! Il y des gens ici, une équipe, la presse, des gens à qui je ne peux pas simplement dire : « Adieu, mes amis. J'ai un problème à régler avec une fille. »

— Un problème de fille? Nous vivons ensemble depuis sept ans!

— Qu'est-ce que tu cherches à faire? Tu veux bousiller mon film? Tu veux que je laisse tout tomber et que je me rende aux antipodes t'implorer de rester?

— Non. Ça tombe bien, j'ai besoin d'être seule avant de rentrer.

— Ah! Et puis, merde! Tu es impossible. Tu sais bien que cette fille n'était rien pour moi. Rien! Tu sais que je ne changerai jamais. Qu'est-ce que tu veux, à la fin?

— Je veux faire la paix avec toi, et après ça, partir.

— Epouse-moi, cria-t-il. Voilà, je l'ai dit. Bon. A présent, tu vas cesser tes conneries. Tu me rends fou. Est-ce que tu penses que je peux travailler dans cet état? Il faut que tu sois raisonnable, maintenant.

— Je suis navrée, mon chéri.

— Devon, tu m'attends, n'est-ce pas? Je rentre dès que possible. Je t'aime. Je comprends ce qui nous arrive. Une autre serait déjà partie. Tout ce que je te demande, c'est d'attendre que je sois rentré.

Il avait changé de ton. Sa voix était retenue au lieu d'être effrontée et tonitruante.

— Oui, je t'attends, Michel. Je t'aime aussi. Est-ce que tu crois qu'on pourrait être des amis? Est-ce que ce serait trop difficile?

— Ah, Devon. Je suis ton ami, beaucoup plus que tu ne le penses. A bientôt. Même si c'est avec un peu d'appréhension, j'ai hâte de te revoir.

* * *

Ce fut Michel qui trouva un moyen de satisfaire Inez. Au début de 1977, il rentra à Paris comme promis, après quoi il était constamment aux petits soins avec Devon.

Il avait compris à présent qu'elle le quitterait. Il ne cherchait plus à l'en dissuader.

Au début, au retour de Michel, ils erraient dans l'appartement, la tête et les yeux baissés. A présent, il leur restait peu de temps ensemble, et les derniers jours devenaient douloureusement précieux.

Le vin était vinaigré, les fleurs s'étaient fanées. Dans cet appartement où jadis avaient régné l'amour et la passion, ils souffraient aujourd'hui de languissants silences.

C'est alors que May avait téléphoné de Los Angeles en disant qu'elle n'en pouvait plus.

— Avery a eu une idée sensationnelle pour le scénario, un mélange de *Sunset Boulevard* et *The Barefoot Contessa*. Ce sera un classique des films noirs de Hollywood. Il pense l'intituler *Cobras*. King aime bien l'histoire et pense que ça pourrait marcher. Même Gilda l'a trouvé bien. Tiens-toi bien, Devon. Figure-toi qu'elle a dîné en compagnie de Billy Buck hier soir!

— Elle l'a toujours trouvé sympathique, répondit Devon. Je ne vois pas ce qu'il y a de si extraordinaire.

— Devon! Elle n'a rien pris d'autre que de la vodka et des tranquillisants depuis que Patrick s'est flambé la cervelle. Toujours est-il que tout semblait bien aller, poursuivait May, jusqu'au moment où Hollis est rentré, il y a quelques minutes à peine, le nez ensanglanté et l'œil balafré. Il avait rendu visite à sa mère qui était droguée et avait encore bu. Elle avait piqué une

314

crise et couru après Hollis avec un chenet, tout ça parce qu'il cherchait à me défendre.

— A te défendre à quel sujet? De quoi veux-tu parler?

— Elle m'a traitée de tous les noms, poursuivait May. De voleuse de puceau, de traîtresse empoisonnée, parce que c'est moi qui ai demandé à Avery d'écrire le scénario. Peu importe que ce soit l'idée de Gilda. Mais attends, il y a mieux! Non seulement il a fallu faire cinq points de suture à l'œil de Hollis, mais elle a aussi essayé de battre son nouveau copain. Tu comprends, je me sens un peu responsable de cette union diabolique. Mitch est capable de tout. Je devrais le savoir, c'est moi qu'il fréquentait avant que Hollis emménage ici. Il a à peine trois ou quatre ans de plus que Hollis et ils prenaient de la drogue ensemble, dans le temps.

Je ne saurais dire si c'est lui qui a poussé Inez à recommencer, ou si c'est lui qui la fournit. En tout cas, elle a voulu frapper Mitch et il lui a fracturé un bras.

— Qu'est-ce que tu comptes faire? C'est épouvantable!

— Je n'en ai pas la moindre idée. Tout ce que je sais, c'est que si on ne trouve pas quelque chose d'intéressant pour Inez, comme écrire par exemple, alors, *Cobras*, c'est de l'histoire ancienne. Et Gilda aussi. Merci de m'avoir écoutée, Devon. Je me suis dit que tu étais la seule à qui je pouvais raconter cette horrible histoire.

— De quoi s'agit-il? demanda Michel.

Devon lui raconta l'affaire.

— Franchement, ils sont vraiment cinglés. Mais c'est là où se trouve le véritable drame! Dans la préparation des interprètes, leurs conflits, beaucoup plus que dans le scénario en lui-même. C'est cette histoire-là que je chercherais à raconter. Parallèlement avec des faits véridiques, l'histoire d'Avery serait une intrigue au sein d'une autre. Tu comprends? C'est ça qu'Inez devrait écrire!

Devon téléphonait à May une heure plus tard.

— Un livre sur le tournage du film?

— C'est toi-même qui disais que c'était une excellente histoire, lui rappela Devon. Tu as dit que ça ferait un bon bouquin. Regarde les ingrédients, May. C'est le premier film de Gilda depuis combien d'années? Le premier véritable scénario d'Avery aussi? N'oublie pas que *Barracks* et les autres scénarios étaient tous des adaptations, alors, ils ne comptent pas. Mais celui-ci réunit King et Avery. Là encore, c'est une première.

— Et puis, il y a toi, enchaînait May qui se laissait prendre au jeu. Tu parles, Dev. C'est ta rentrée en Amérique après sept ans d'exil. C'est ton premier film avec King. Et avec Gilda, qui vous a découvert tous les deux.

— Sans oublier le film lui-même, un exposé sur Hollywood qu'Avery pense intituler *Cobras*. Des milliers de gens voudront savoir où il a déniché toutes ces saloperies et qui sont les véritables personnalités derrière ses personnages.

— En outre, poursuivit May, si c'est Inez qui l'écrit, je te parie qu'on peut se servir de cette vieille coupure de presse dont tu parlais. Tu sais, la photo prise le jour de mon seizième anniversaire. Oh, Devon Barnes, cette fois je les tiens et je vais leur vendre ma salade, comme des glaçons dans le désert. Nous avons là une arme à deux tranchants : le livre fait la promotion du film, et en retour, le film mousse la vente du livre.

— May, dit Devon avec délicatesse, Inez est-elle suffisamment en forme pour entreprendre la rédaction d'un livre, d'après toi?

— C'est maintenant ou jamais, non? A condition que je puisse lui obtenir un contrat, mais je suis certaine d'y arriver. Oui, ça sent les six chiffres! Et avec une clause escalatoire, un de ces escaliers sur lequel Fred Astaire pourrait danser! Elle y parviendra. Il faudra qu'elle le fasse, sinon, elle devra cesser à jamais de se lamenter que Gilda et moi, et le reste de ce monde si cruel, lui avons dérobé sa chance d'atteindre la fortune et la gloire. C'est au tour de la petite Inez d'avoir sa chance, de se montrer à la hauteur, et de plus d'une façon. Il faudra qu'elle se montre au-dessus de la coke, des pilules, et de l'alcool également.

— Et si elle n'y parvenait pas? Si, après tout ce temps, elle n'avait pas le talent voulu?

— Qu'importe? Pourvu qu'elle dise oui. Pourvu qu'elle essaye. Ensuite, si elle a besoin d'un coup de pouce, on lui trouvera un collaborateur. Mais, une chose à la fois.

— Je ne veux pas te gâcher ta joie, dit Devon, mais si Gilda n'était pas d'accord? Si elle décidait que l'idée ne lui plaît pas?

Il y eut un silence au bout du fil.

— Nous trouverons moyen de lui faire changer d'avis.

— Comment peux-tu en être aussi certaine?

— Ecoute. Je suis en train de me faire construire un château de vingt pièces. Tu ne penses pas que c'est peut-être parce que je suis un as dans mon métier, qui est de convaincre les gens qu'ils font un bonne affaire?

— Que veux-tu, je suis une Texane à la tête dure, et tout à fait ignorante en cette matière.

— Devon. Je suis une Juive qui ne recule devant rien. Contente-toi de te pointer ici, où tu devrais être. Je m'occupe du reste!

Pendant le dîner à Ma Maison, May annonça à King qu'elle savait que Devon allait accepter, bien que cette dernière n'avait encore rien signé. Elle demanderait à Devon de téléphoner à

Gilda de Paris, mais il fallait que King aille aux Perles préparer le terrain.

— Elle ne sera pas facile à convaincre, mais arrange-toi pour qu'elle soit incapable de refuser. Toi, tu es chargé de la musique, et Devon, des paroles! Il faut absolument qu'elle pense que nous avons enfin trouvé un scénario digne d'elle et un contrat capable à coup sûr d'attirer les foules au guichet.

Le lendemain, King devait constater à quel point May avait vu juste. Gilda n'était pas facile à convaincre. Il s'était rendu aux Perles pour le déjeuner qu'elle lui avait servi sous un baldaquin dans le jardin. Elle était farouchement opposée à la proposition de King.

— Pourquoi m'embarquer dans cette affaire? demanda Gilda devant ses œufs bénédictine. Après tout ce qui vient de m'arriver? Et après que cet imbécile ait publié l'annonce de mon anniversaire? Cinquante ans! Quand j'y pense! Non, il n'en est pas question. Qu'ils aillent se faire voir, comme aurait dit Patrick. Non. Vraiment, mon petit, c'est une charmante idée, mais ça ne m'intéresse pas.

— Gilda, tu n'as rien à perdre. Ce sera une bonne façon de te remettre en circulation. Nous serons tous là pour te soutenir : Devon, moi... Tu auras tout ton monde autour de toi. Comment pourrais-tu trouver de meilleurs collaborateurs? Gilda secoua la tête et avala une quantité respectable de son Bloody Mary.

— Non. Définitivement, non. Tu vois, c'est Garbo qui a trouvé le meilleur truc. Elle a tout laissé tomber au moment stratégique, ce qui fait d'elle une légende aujourd'hui; elle restera immortelle jusqu'au second avènement, ma foi. Quant à moi, mon petit, il se peut que je n'aie pas encore remarqué de moment stratégique dans ma propre existence, mais ça ne veut pas dire qu'il soit trop tard.

Le lendemain, May se rendait à Topanga Canyon où elle veillait à la construction de son premier achat immobilier d'importance : une imposante demeure d'adobe de vingt pièces située sur un tapis de verdure de quatre hectares. Il y avait une terrasse en pierres plates et une piscine olympique dans un magnifique arrangement paysager. Le tout lui coûterait trois millions de dollars, sans compter le million supplémentaire pour l'intérieur; mais, Hollis et elle le méritaient bien.

Elle décida de rentrer au bureau, satisfaite des progrès qu'elle venait de constater. Chemin faisant, elle décrocha le téléphone dans sa Rolls et composa le numéro de Devon à Paris.

Il fallut à cette dernière deux semaines d'appels transatlantiques aux Perles avant de convaincre enfin Gilda de tourner *Cobras*. Lors de son dernier appel, Devon avait déjà entendu tous les arguments que Gilda pouvait lui apporter. Et pourtant, elle insistait. Or, tout comme sa patience, la résistance de Gilda faiblissait.

— Ma chérie, tu sais que je t'aime, mais je n'ai aucune raison au monde de vouloir faire une rentrée!

— Si, tu en as, cria enfin Devon, exaspérée. Tu es une actrice, pardieu!

— Qui n'a tourné aucun film d'importance depuis des années.

— C'est ce que la Swanson prétendait avant de jouer dans *Sunset Boulevard*.

Deux semaines plus tard, May téléphonait à Michel et à Devon pour leur rendre compte des récents événements.

— Il y a deux maisons d'édition qui ont l'eau à la bouche! Je pense que nous irons au plus offrant, ou nous essayerons de négocier la publication d'une édition ordinaire concurremment avec le format de poche.

— Et Gilda trouve que c'est une bonne idée?

— Je n'irais pas jusque-là. Disons plutôt qu'elle a décidé de ne pas s'y opposer. De toute façon, elle a d'autres chats à fouetter en ce moment.

— Elle est tellement obsédée par son intimité! J'étais certaine qu'elle refuserait.

— C'est ce qu'elle a d'abord fait à ma première suggestion qu'Inez devrait écrire : « Une histoire de perles; la vie de Gilda Greenway. »

— Tu n'as pas fait ça!

— Elle n'a pas mieux aimé l'idée qu'Inez prête sa plume à l'autobiographie de la grande Gilda Greenway! Je lui ai laissé refuser ainsi deux ou trois autres suggestions avant de lui proposer la plus importante : « Cobras L'histoire d'un tournage. » Elle était acculée au mur; elle n'avait pour ainsi dire plus droit de veto. Alors, quand est-ce que tu rentres? Avery arrive de Londres dès demain. Il a déjà achevé une première ébauche.

— Je ne suis pas encore prête.

— Qu'est-ce que tu comptes faire? demanda May. Arriver le premier jour du tournage?

— Justement.

La relation précaire entre Michel et Devon avait repris de sa vigueur dans les mois précédant le départ de la jeune femme. C'était à la fin de l'été 1977 à Paris, et il s'était installé entre eux une sorte de trêve dans une intimité domestique. Le couple se promenait parmi les marronniers aux lourdes branches, faisait du

318

lèche-vitrine rue de la Paix, écoutait des disques de Blossom Dearie, et se gavait du *soul food* de Chez Haines.

Ils étaient plus proches que jamais, mais ne parlaient jamais d'amour.

Un soir, Devon sirotait un capuccino tandis que Michel contemplait son cognac d'un œil distrait devant le feu qui crépitait dans la cheminée.

Le cinéaste lança un regard à Devon par-dessus ses lunettes.

— Comment trouves-tu le scénario? Avery a-t-il pondu un chef-d'œuvre? Est-ce qu'il a bien su cadrer ses personnages pour mettre en valeur une distribution aussi illustre?

Devon leva les yeux et sourit.

— En tout cas, c'est du Calder à son état pur. La concupiscence, la cupidité, l'inceste, l'homosexualité, la trahison, les grands airs, on y trouve de tout. Et cette sorte de passion innée pour la famille dont il raffole tant.

— Et, il s'en tient à ce que May avait promis? Tu joues le rôle de la sœur de Gilda?

Elle fit signe que oui.

— Tu crois que tu peux réussir à faire ça? Que tu peux rendre la chose crédible? Tu es bien, quoi? Dix-huit ans de moins qu'elle?

— Oui. Mais de la manière dont Avery le présente, c'est plausible. King joue le rôle de l'étranger dont Gilda tombe amoureuse. C'est, pour ainsi dire, « Un Tramway nommé désir » dont l'action se passerait à Bel Air. Et le rôle de King rafle tout. Avery s'est encore arrangé pour le rendre irrésistible!

— Il est amoureux de toi.

— Enfin, non. Pas exactement. Non, c'est beaucoup plus sensuel que ça! Qu'est-ce qui te fait sourire ainsi?

Michel haussa les épaules.

— Non. Tu vois, ce n'est pas le genre de ce personnage de tomber amoureux — ce n'est pas comme ça qu'Avery le dépeint. Enfin, jamais il ne l'admettrait, en tout cas. Il se sert de moi pour s'approcher de Gilda. Je pense qu'au fond, il est probable qu'il m'aime, mais...

— Je voulais dire King, précisa Michel, avec une soudaine fascination pour le cognac ambré dans son verre. Le vrai King et la vraie Devon. Il est amoureux de toi. Tu l'ignorais peut-être?

Elle le dévisageait, s'attendant à le voir sourire encore ou donner un signe quelconque qu'il la taquinait. Il leva les yeux et s'aperçut qu'elle le regardait d'un air curieux.

— Tu ne le savais pas? Je suis désolé. On dirait que ça te renverse! J'aurais plutôt cru que ça te ferait plaisir.

— Non.

— Non, ça ne te fait pas plaisir? Ou non, tu n'es pas renversée? Ou non, tu ne penses pas que je dis la vérité?

— Je pense que tu fais erreur. Tu t'imagines des choses.

— Devon, je vais te dire pourquoi je t'en parle. C'est parce que je veux qu'entre nous il existe ce à quoi tu as déjà fait allusion. Je veux que nous soyons amis, que nous nous aimions toujours. J'avais pensé te le cacher, mais je t'aime. C'est pour cette raison-là que je t'en parle; c'est le plus sincère cadeau d'amitié que je puisse te faire.

— Oh, Michel. Tu dois te tromper.

— Non. C'est lui-même qui me l'a dit au Mexique. Et je ne doute pas de sa parole. J'aurais voulu que tu sois avec nous là-bas. King a trouvé un repaire fascinant près du Yucatan. C'est un endroit qui lui ressemble beaucoup. Dangereux et sauvage en apparence, mais il n'y a pas la moindre brise qui s'élève qui ne soit embaumée de paix. Je lui ai dit : « Devon adorerait cet endroit. » C'est alors qu'il m'a révélé ses sentiments à ton sujet. Il est amoureux de toi, depuis l'instant où il t'a aperçue. Et il s'en est encore rendu compte la dernière fois qu'il t'a vue, ici même, dans cet appartement. Il te croyait enfin satisfaite. Il pensait que tu étais heureuse avec moi. (Michel hausse les épaules et sourit.) Tu l'étais, n'est-ce pas? Pendant quelque temps, en tout cas? Mais, tout change. Une femme ne peut pas être heureuse dans la robe qu'elle portait le jour de sa confirmation. Tous les êtres évoluent. C'est la vie. Et, le plus important dans la vie, c'est d'avoir la paix d'esprit. Je te souhaite de la trouver, ma chérie.

22

L'automne 1977

— Sois la bienvenue, ma chérie, s'écria May en lui donnant une étouffante étreinte. Tu as tenu parole, ma coquine. Le tournage est commencé depuis la semaine dernière et ta première scène est prévue pour demain.

Tenant toujours les mains de Devon, May recula d'un pas pour examiner d'un regard admirateur le tailleur Ungaro que portait son amie.

— Très chic! Tu es ravissante, en dépit du décalage horaire! Je ne peux pas croire que tu es enfin arrivée. Je pensais que tu n'y parviendrais jamais.

Devant elles s'ouvrirent les portes coulissantes automatiques du terminus de la Pan Am à l'aérogare de Los Angeles. Un grand garçon basané aux cheveux décolorés par le soleil et au jeune profil anguleux s'approcha du carrousel à bagages. Il portait un blue-jean délavé, des bottes de moto et une chemise de même tissu que son pantalon boutonnée jusqu'au cou. Le cœur de Devon tressaillit. Comme il ressemblait à King, surtout par sa façon de se mouvoir. Il avait de larges épaules, de grandes jambes galopantes et des yeux bordés de velours foncé, d'un bleu encore plus soutenu que ceux de King. Des yeux qui scrutèrent les alentours et s'illuminèrent de joie en apercevant Devon qui le regardait. Embarrassée, elle détourna la tête.

— Devon!

Le grand et beau gaillard s'approcha d'elle, l'étreignit très fort, et lui planta un baiser enthousiaste et humide sur la bouche. Ses lèvres avaient un goût de chocolat.

— Dis donc, ma vieille! Tu es sensass. Non, mais regarde-la, May! N'est-ce pas qu'elle est sexy?

— Hollis! fit Devon estomaquée.

May souriait et elle serra affectueusement le bras du garçon.

— C'est moi qui l'élève depuis son plus tendre jeune âge!

Un chauffeur en livrée s'approcha d'eux.

— Tiens, donne-moi ton coupon de bagage, Devon, dit Hollis. On s'en occupe. Va donc retrouver ma mère. Elle meurt d'envie de te revoir.

— Comment? Inez est ici?

— En voilà une surprise! fit May qui secouait la tête en regardant Hollis.

— Allez devant, dit-il. La voiture est stationnée en double. Si vous devez la déplacer, ne laissez pas Mitch prendre le volant. Il est complètement camé.

— Oh, mais je vous connais, vous!

C'était un homme en casquette de golf, pantalon orange et chemise bleue, qui pointait Devon du doigt.

— Vous êtes, vous êtes... Comment vous appelez-vous, déjà?

— Anita Bryant, répondit May en prenant le bras de Devon. Pas d'autographe, je vous en prie.

Elles hâtèrent le pas vers les portes coulissantes.

— Non, ce n'est pas elle! leur cria l'homme en les suivant. C'est l'autre!

Dehors, un porteur observa Devon d'un œil distrait, regarda ailleurs, puis détourna vivement la tête en disant :

— Emma Blandish, n'est-ce pas?

— Non, répondit May en entraînant Devon sur le trottoir. C'est l'autre.

— Hé, Devon! fit un barbu en salopette qui avait levé deux doigts en V. Vive la paix!

— Encore une fois, bienvenue, ma chère, dit May en serrant le bras de Devon. Est-ce que tu pleures?

Devon cherchait à refouler ses larmes.

— Non, fit-elle en sortant de son sac un paquet de papiers-mouchoirs qu'elle partagea avec son amie. Mais toi, si!

Une limousine noire aux vitres fumées les attendait. La portière arrière vola grand ouverte.

— Dépêche-toi de monter! lui ordonna une voix grave et rauque.

— C'est toi, Inez? demanda Devon en se penchant pour regarder à l'intérieur.

Un garçon brun lui souriait.

— Mitch Misyak, fit-il en lui donnant la main.

D'un mouvement brusque, une pâle main décharnée le saisit à l'épaule et l'écrasa sur le siège.

Blottie dans le coin opposé de la banquette arrière capitonnée de velours, Inez Godwin se trouvait presque entièrement dissimulée par un foulard de soie Gucci à larges rayures et de gigantesques lunettes noires. Son petit menton volontaire, blanc et délicat, émergeait de son blouson en vison foncé.

— Sacré nom de Dieu! Monte, veux-tu? Allez, donne-moi une bise.

Devon enjamba les grandes pattes du jeune homme.

— Quelle bonne surprise! s'exclama-t-elle en embrassant Inez.

— Regardez-moi cette belle fille! dit Inez en effleurant d'une main glaciale la joue de Devon. Qui prétend que le crime ne paye pas? Je m'attendais à trouver une radicale aux yeux de fauve et en veste Mao. Et qu'est-ce que je trouve à la place? Un véritable mannequin du magazine *vogue*! Je voudrais bien voir quelle autre surprise tu nous réserves!

May monta à son tour, prenant à elle seule une large part de l'espace restreint.

— N'est-ce pas qu'elle a l'air magnifique!

— C'est parce qu'elle mène une vie saine! dit Inez en retirant ses verres fumés. Allez, autant en finir maintenant, poursuivit-elle en battant des paupières. Allez! Conte-moi un mensonge, comme tous les autres. Dis-moi que je suis abso-lu-ment sensationnelle.

Ses mains tremblaient.

— Tu as maigri, fit Devon, renversée de voir à quel point les joues d'Inez s'étaient creusées.

May se tourna vers Inez en disant :

— Elle se trompe. C'est à moi qu'elle est censée dire ça.

— Je suis en train de me réformer, expliqua Inez de sa voix grave et fêlée. Je n'ai pas pris une seule goutte depuis bientôt deux semaines. Et je n'ai pas fait de coke depuis... Depuis quand? demanda-t-elle à Mitch.

— Quelques jours.

— Ne sois pas ridicule, lui dit-elle d'un ton sec. Quelques jours, mon cul! Ça doit faire au moins une semaine. Je suis à l'entraînement, poursuivit-elle en s'adressant à nouveau à Devon. Est-ce que May t'a annoncé que je suis en train d'écrire un livre? Une idée brillante, si j'ose dire. Tu sais, c'est moi qui aurais dû écrire le script de ce maudit film. L'idée était de moi, d'ailleurs. Puis, Gilda m'a joué un de ces sales tours! Non, mais je te parle d'une vacherie monstre, comme ça ne s'est jamais vu! Mais Mitch est au courant. Il m'accompagnait le matin lorsque je me rendais aux Perles pour arracher la bouteille des mains de Gilda. Je lui donnais son bain, je lui lavais les cheveux. Madame Denby ne pouvait pas l'approcher. Gilda ne laissait personne d'autre que moi l'approcher. J'ai raison ou non, May?

— C'est vrai. Devon est au courant, Inez. Je lui ai tout raconté.

— Ça devait être pénible pour elle. Et pour toi, aussi.

— Tu peux le dire! Elle passait des journées entières en peignoir crotté, sans se peigner, sans se laver. Elle était ivre du matin au soir. Elle ne se rendait même pas compte qu'elle vomissait sur elle. Et vous, où étiez-vous quand Gilda avait besoin de vous, hein? Toi et King et Avery? Nulle part où j'aurais pû vous rejoindre, en tout cas.

— Inez! fit May pour la mettre en garde.

Inez lui lança un regard oblique.

— Ben quoi? Tu me trouves malpolie? J'oublie les bonnes manières? J'ai cherché des amis dans toute cette sacrée ville, mais aucun de vous ne s'est montré.

— Mitch, va voir ce qui retient Hollis et Tommy, veux-tu? Donne-leur un coup de main.

— Dis donc, May! J'ai fini de jouer au chien savant pour toi, fit Mitch en souriant. Tu ne t'en étais pas rendu compte?

— Les chiens sont toujours des chiens, mon grand. Ils ne font que changer de puces! lui cria Inez. Allons nous-en d'ici. Je suis transie jusqu'aux os.

— Eh ben, merci, Inez! dit Mitch d'un ton dégoûté avant de descendre.

— Pardonne-moi, Devon. C'est toute cette histoire avec Gilda, tu comprends. J'en suis complètement épuisée. Et il ne lui a pas suffi de m'empêcher d'écrire le scénario, tu sais, même si c'était moi qui en avais eu l'idée. Mais, tant pis, j'ai mis mon orgueil de côté et je lui ai fait cette brillante proposition d'écrire un livre. Enfin, demande à May si c'est vrai que cinq différents éditeurs étaient impatients de me publier. Et après tout ce que j'ai fait pour elle! Et après qu'elle m'ait planté un couteau dans le dos. Eh ben! Après tout ça, si tu savais à quel point elle s'est montrée enquiquineuse!

— Inez! dit May en cherchant dans son sac une pastille pour la gorge, tu sais qu'elle manque de confiance en elle, surtout en ce moment.

— En ce moment? En ce moment, elle a tout ce qu'elle pourrait souhaiter. May vient de parcourir le globe, pour l'amour du ciel! Pas vrai, May? Elle s'est rendue à Londres sortir Avery des boules à mites. A Paris, convaincre Tokyo Rose ou la Voix de Hanoi libre, ou je ne sais plus très bien comment on t'appelait, Devon. Elle est allée jusque dans les montagnes du Montana ou de l'Utah, où elle a finalement retrouvé King qui a repris la selle.

Elle s'interrompit soudain et risqua un œil par la fenêtre de la voiture.

Hollis et le chauffeur s'approchaient de la voiture avec les valises de Devon. Mitch traînait en arrière, l'air maussade. Inez saisit le poignet de Devon.

— Pas un mot à Hollis.

Elle remit ses lunettes et adressa un large sourire à Mitch lorsqu'il monta dans la voiture.

324

— Merci, mon amour, dit-elle en lui tapotant l'entrejambe.

Ils roulèrent jusqu'à la maison retirée que May avait louée pour Devon, haut dans les collines de Hollywood Hills. Tandis que Hollis et Mitch rentraient les valises, May fit visiter à Devon la maison coquettement décorée. Chacune des pièces donnait sur la cour où poussaient de splendides séquoias autour d'une piscine et d'un bain tourbillon.

— Voilà, mademoiselle. Vous aimez? J'ai dû faire la guerre à Sheena, la reine de la jungle, pour avoir cette maison.

— Oui, merci. J'aime beaucoup.

Devon serra May contre elle et, une main autour de sa taille, la reconduisit à l'entrée.

— Tu es bien certaine d'avoir tout ce qu'il te faut?

— Tout à fait.

— J'aimerais bien rester un peu pour t'aider à t'installer, mais nous devons reconduire Inez chez elle.

— Elle a l'air pitoyable, May. Est-ce qu'elle tremble comme ça tout le temps?

— Non. Elle est un peu faible en ce moment. Elle essaye en même temps d'arrêter de boire et de se droguer. C'est comme si elle avait passé la nuit au milieu de l'autoroute de Santa Monica. Tout va rentrer dans l'ordre dès qu'elle commencera à écrire. Toutefois, elle ne comprend pas pourquoi on ne lui a pas encore permis l'accès au plateau. Il ne faudrait pourtant pas, tu comprends, que Gilda la voie comme ça, paranoïaque et agitée. (May secouait la tête.) Elle fait de gros efforts, Devon. Ne la prends pas trop au sérieux pour l'instant, veux-tu?

Inez les attendait dans la limousine.

— Merci d'être venue m'accueillir, lui dit Devon en se penchant pour l'embrasser.

— Je suis heureuse que tu sois de retour. Pardonne-moi de ne pas être entrée voir ta maison. Je suis complètement épuisée. La prochaine fois, tu veux bien?

— Tu n'as pas besoin d'invitation!

— Hollis! cria Inez. Où est Mitch? Dis-lui qu'il nous fait attendre. Je veux m'en aller.

— Il est aux toilettes. Il n'en a pas pour longtemps.

— Il n'est pas aux toilettes, confia Inez à Devon. Il est en train de prendre de la coke. Quand il fait ça, il ne peut pas dire deux mots sans se tromper. Hollis! cria-t-elle encore. Va le chercher, veux-tu? Dis-lui que j'ai froid. Dis-lui... Ah, bon! Le voilà. Allez, Mitch. Monte. Tout le monde t'attend. Je suis en train de mourir!

— Calme-toi, Inez, dit May en prenant place dans la limousine. Nous partons, tu vas te sentir mieux. Mitch va attraper quelques araignées juteuses pour toi pour le dîner et tu pourras regagner ta crypte avant la tombée de la nuit !

Hollis embrassa Devon et monta dans la voiture. Devon referma la portière arrière et se pencha pour regarder à l'intérieur.

— Je te téléphone plus tard, lui lança May. Gilda va sans doute le faire elle aussi dès qu'ils auront terminé les prises de la journée. Repose-toi un peu.

— C'est ce que je me proposais de faire. Merci encore, ajouta-t-elle en les saluant de la main. Inez, tu salueras King de ma part.

— J'allais justement te demander la même chose, répliqua Inez à tue-tête alors que la limousine démarrait.

Gilda téléphona au crépuscule.

— Devon ? Oh, ma chérie, c'est bien toi ? Je ne peux pas croire que tu sois enfin de retour.

— J'espérais que tu m'appelles.

— Je ne le croirai pas tant que je ne t'aurai pas vue en personne. Es-tu vraiment crevée ou est-ce que tu peux passer me voir ce soir ?

— Donne-moi cinq minutes pour me rafraîchir et trouver des chaussures, et j'arrive.

— Tu n'as pas besoin de chaussures, ma chérie. Tu es en Californie à présent ! Est-ce que je t'envoie le chauffeur ?

— Non. May a pensé à tout, même à une Camaro flambant neuve. A quelle heure m'attends-tu ?

— Dès maintenant !

Elle était partie depuis sept ans, et pourtant, le trajet de vingt minutes jusqu'à Beverly Hills lui semblait aussi familier que si elle l'avait parcouru encore la veille. Elle ouvrit la radio et entendit la voix rauque et inconnue d'un nouveau chanteur rock déclarer avec passion : « Chérie, nous sommes destinés à fuir. »

Comme c'est vrai, pensait-elle. Non seulement au sujet de King et de moi, mais en ce qui concerne Inez et May, aussi. Enfin, je suis de retour, à présent.

Elle augmenta le volume, exaltée par la voix convaincante du chanteur. Ah, ce que c'est bon d'être rentrée, pensa Devon, et de revoir ma mère adoptive à nouveau.

Peu après le panneau-réclame du restaurant de Dean Martin, elle prit la courbe près de chez Schwab's et sourit aux ridicules vieux palmiers qui accueillent les touristes à Beverly Hills.

Comment ai-je pu m'absenter aussi longtemps, se demandait-elle. Quel phénomène pouvait bien me garder loin de cette ville folle ? Loin de Gilda et de mes amis ?

Elle pensa à Michel. En ce moment, il devait être en train de dîner, en buvant son Montrachet, ayant trouvé consolation auprès de l'une de leurs amies, peut-être bien Sheila Farraday. Devon éprouva un bref pincement de tristesse en regrettant Paris, en regrettant sa vie avec Michel. Mais elle entendit alors la musique entraînante le rock américain, pensa-t-elle; rien de comparable! et elle accéléra pour arriver plus rapidement aux Perles.

Elle aperçut madame Denby par la fenêtre de la cuisine. La gouvernante portait un grand tablier blanc sur son uniforme noir, et elle avait revêtu une paire d'énormes mitaines pour le four. La femme à la mine sévère tenait par la queue une petite créature rondelette qui gigotait.

— Sainte Mère! grogna madame Denby en ouvrant la porte.

Elle retourna en vitesse à la table afin de remettre la créature mécontente dans ce qui paraissait être une cage remplie de souris.

— C'est un rat? demanda Devon.

— Non. Une des gerbilles s'était échappée.

— Je suis désolée de vous avoir fait peur, lui dit Devon en se penchant pour embrasser la gouvernante.

Mais madame Denby recula vivement, évitant l'étreinte.

— Je vous attendais à la grande entrée, dit-elle en lissant sa jupe et en cherchant, avec ses grosses mitaines, à rentrer une mèche rebelle dans son chignon. Mademoiselle m'a prévenue que vous étiez de retour.

— J'ai pensé entrer par la cuisine, comme quelqu'un de la famille, répondit Devon qui se sentait un peu ridicule.

— Eh bien, montez, à présent. Je vous apporte ce qu'il faut dans une minute, dès que j'aurai nourri les animaux.

— Ne me dites pas qu'elle a ajouté des souris à la ménagerie!

— Non. Ce sont elles qui servent de dîner! Mademoiselle vous attend, Devon.

— Je suis heureuse de vous revoir, madame Denby.

— Bah!

Devon traversa la cuisine pour se rendre à l'avant de la demeure en se disant en elle-même que l'implacable madame Denby n'avait toujours pas changé!

Pieds nus, vêtue uniquement d'une robe d'intérieur en soie couleur prune, Gilda dormait, recroquevillée dans la grande chaise longue blanche du salon. Un shaker en argent et un verre à martini vide reposaient sur une table à côté d'elle. A demi ouvert sous sa main inerte, le script d'un scénario. Une paire de lunettes, que Gilda ne portait pas encore lors du départ de Devon, avait glissé sur le bout du nez patricien de la comédienne. Sa chevelure auburn paraissait trop flamboyante, en contraste avec la pâleur poudrée de son visage.

Au repos, son visage était aussi beau que jamais. Mais elle se réveilla en sursaut et porta la main à sa gorge. Lorsqu'elle renversa la tête, la bouche pendante, les yeux plissés sous ses lunettes, les ravages du temps et des épreuves se faisaient cruellement remarquer.

— Devon?

La jeune femme s'agenouilla au pied du fauteuil.

— Bonsoir, ma chérie. Je suis de retour.

— Dieu merci! fit Gilda en prenant dans ses mains le visage de Devon, effleurant son front d'un baiser. Oh, Devon! Patrick est parti. Il m'a quittée!

— Je sais. Je suis vraiment désolée.

La bouche de Gilda tremblait.

— Je rêve à lui sans cesse. Encore maintenant, je rêvais justement à lui.

— Je suis navrée de t'avoir réveillée.

— Non, non. Ça va. Je suis si contente que tu sois là. Ce n'est pas facile de se réveiller d'un rêve de ce genre. Chaque fois, c'est encore un choc de constater qu'il... n'est plus. L'espèce de gros imbécile, dit-elle dans un soupir en frottant la joue de Devon. Mais toi, tu es toujours là, n'est-ce pas, ma petite fille? Et moi aussi.

Au même moment, un épagneul blanc et brun arriva en trombe dans le salon et se mit à sauter et à japper aux pieds de Gilda.

— Ce n'est pas...?

— Tallulah? dit Gilda en achevant la phrase pour Devon. Non, la pauvre chérie. Elle est partie elle aussi. Elle était tellement vieille que je devais la transporter partout. Je te présente Tallulah Aussi, dit Gilda en prenant l'animal qui se blottit dans le creux de ses bras. Elle est très mignonne. Elle adore les autres chiens et déteste madame Denby.

Gilda se leva et aida Devon à se lever elle aussi.

— Tu es un peu plus en chair. Tu ressembles à une fleur, une qui aurait gagné le premier prix d'un concours. De quoi te nourrissait-on, là-bas?

— Du même engrais que les autres fleurs.

— Mais, tu es grande, dis donc. Encore plus que moi!

— C'est parce que tu es pieds nus et moi, je me promène en bottes à talons aiguille. Mais, ma foi, on te voit les os! Tu m'as l'air bien fragile, et tu as maigri.

— Combien pèse le cerveau humain, dit-on? demanda Gilda. Trois kilos? Trois et demi? C'est ça que j'ai perdu. Tu ne savais pas que j'avais perdu la raison?

Elle fit un clin d'œil et s'en alla.

— Tu as dû avoir beaucoup de peine. Gilda, tu me pardonnes de ne pas avoir été ici?

— Je pense que, les premiers mois, j'étais trop troublée pour m'en rendre compte. Je peux t'offrir quelque chose à boire?

— Non, merci.

Gilda secoua le shaker et versa les quelques dernières gouttes dans son verre.

— Demande à Inez. Elle saura bien te le dire. Elle l'a déjà chanté sur tous les toits, d'ailleurs. Tu dois me trouver ingrate, n'est-ce pas? demanda-t-elle avant de vider son verre. Mais je ne le suis pas vraiment. Pour autant que je sache, elle m'a sauvé la vie. Non pas que j'y tenais tellement, car je baignais plutôt dans le mélodrame pendant quelque temps. Mais, tu sais ce qui m'a empêchée de me détruire? Ce n'était pas toi, ma jolie, ni King, ni Inez, ni Avery, ni même madame Denby. C'était de savoir, dans ma torpeur d'ivrogne, que si je retrouvais le vieux cowboy là-haut, au paradis, son épouse y serait elle aussi. Et nous ne serions pas plus avancés.

Devon se mit à rire.

— Ce raisonnement me paraissait assez valable, à ce moment-là. J'avais décidé que je préférais m'endormir en pleurant la perte d'un amant plutôt que celle d'un fantôme qui m'aurait trompée. Tu sais, je ne suis pas encore allée au cimetière. Il est enterré à côté d'elle. Mais il faudra que j'y aille avant longtemps, ma chérie. Il faut que je l'oublie et que je laisse tout ça derrière moi. Devon, est-ce que tu voudrais m'accompagner?

— Mais, bien sûr.

Devon pensa ensuite à une autre tombe à laquelle elle n'avait jamais rendu visite, et elle se mit à pleurer.

— Ne t'en fais pas, ma chérie. Tu n'es pas forcée de m'accompagner. Avery viendra avec moi. Il se sent très bien dans les cimetières, étant donné le nombre de personnes qu'il y a envoyées.

— Non, non. Seulement, j'ai beaucoup pensé à mon père depuis quelque temps.

— Je peux comprendre.

— Comment ça?

— Eh bien, tu as fini par tellement lui ressembler, n'est-ce pas?

— Qu'est-ce que tu veux dire?

— Voyons, ma chérie! Tu dois bien t'en être rendu compte. Même moi, j'y ai pensé. J'ai lu les journaux, j'ai lu ce qu'on a écrit sur ton compte, la Jeanne au blue-jean, et tout ça. Et j'en étais très fière, ma chérie. Et après, je me demandais ce qu'en aurait dit ton pauvre défunt père. Comme il serait fier de constater quelle voie tu as choisie. Après tout, c'est la même que lui, pas vrai, ma chérie?

— Je n'y avais jamais pensé. Lorsque j'étais jeune, je détestais les causes qu'il défendait car elles le gardaient au loin trop souvent. Je croyais que je m'étais écartée de lui. Que j'avais choisi ceci – tu sais, le théâtre, le cinéma, la fortune et la gloire – dans le but d'être aussi différente de lui que possible. J'ai choisi de faire tout ce qu'il aurait trouvé vide de sens et inutile.

Sais-tu comment May t'avait baptisée? La « Jeanne de Mullin ».

Devon riait entre ses larmes.

— C'est vrai? Oh, Gilda. Tu penses vraiment que mon père aurait approuvé ce que j'ai fait?

— Oui. Où est-il enterré? Au Texas?

— Non. Ici même en Californie. Quelque part près de Bakersfield. Je ne sais même pas où exactement.

— Nous le trouverons, ma petite. Fais-moi confiance. Non, mais regarde-nous, dit Gilda qui se mit à rire elle aussi. Il n'y a pas de doute, ils vont nous enfiler deux camisoles de force identiques!

— Oui, regarde-nous, poursuivait Devon. Rien n'a changé, n'est-ce pas? Voilà que c'est toi qui me réconfortes, alors que ça devrait plutôt être le contraire.

— Ne t'en fais pas pour ça. Tu auras ta chance demain, sur le plateau. C'est là où j'ai le plus besoin de réconfort.

— Tu as la trouille?

Gilda hocha la tête.

— J'ai des papillons gros comme des chauves-souris.

— Moi aussi! Moi aussi.

— Vous dînez ici?

Madame Denby était sur le pas de la porte, sa physionomie moins affable que le ton de son invitation.

— Qu'avez-vous fait de la gerbille?

— C'est ce que je sers pour le dîner.

— Oh, cessez ces plaisanteries! fit Gilda en roulant les yeux. Elle déteste tous mes animaux. Alors, ma chérie, pourquoi ne restes-tu pas? Il n'y a probablement rien dans ton réfrigérateur.

— Non, merci. La prochaine fois, je te le promets, dit Devon en bâillant. Mais, le décalage commence à avoir raison de moi. Sans compter que, depuis mon arrivée, je n'ai pas cessé de songer à me payer un bon vieux *chiliburger*. Je pense que je vais m'arrêter chez Pink's et rentrer me coucher tôt.

Elle s'adressa à la gouvernante.

— Merci de l'invitation, madame Denby.

Après avoir serré Gilda dans ses bras et l'avoir embrassée sur la joue, elle dit :

— A demain matin. Et merci.

— Merci pourquoi ?

— Pour m'avoir ramenée ici, chez moi.

A sept heures, Devon arrivait au studio de Culver City. A la barrière, le gardien sortit la tête de son poste et jeta un regard dans la voiture.

— Bonjour, Harry ! lui dit-elle avec le sourire.

— Soyez la bienvenue, mademoiselle Barnes. Il y a longtemps qu'on ne vous a vue. Ça fait quoi, six ou sept ans ? Je me demandais si vous vous alliez vous souvenir de moi.

— Je comprends ce que vous voulez dire.

— Dites-donc. Vous êtes absolument radieuse. Je ne sais pas pourquoi vous vous en faites, ajouta-t-il en souriant. On ne vous attendait pas avant une heure encore. Monsieur Ofant, à la publicité, m'a demandé de lui téléphoner à votre arrivée, mais il n'est pas encore là. Vous allez travailler au studio trois. Vous savez où c'est ?

— Je crois que si. A moins qu'on ne les ait déplacés.

— Tout, sauf ça. Tout droit, le dernier bâtiment à votre droite. On s'occupera de votre voiture. Alors, comment on se sent de retour aux U.S.A. ?

— Très bien, jusqu'à présent.

— C'est comme monter à bicyclette, hein ?

Elle traversa le terrain de la MGM, en suivant des points de repère qui lui étaient familiers, et des panneaux de signalisation qui, eux, étaient une nouveauté. Les studios qui abritaient les vieux plateaux avaient tourné du rose au gris céleri. Un camion-cantine était arrêté devant le studio trois. Une petite bande de techniciens et de script-girls attendait dehors en buvant du café dans des gobelets de plastique.

Devon descendit de voiture et s'approcha du groupe.

— Bonjour, fit-elle à plusieurs de ceux qui grignotaient des brioches devant le gros camion d'aluminium.

On aurait dit qu'ils la surveillaient du coin de l'œil comme elle s'approchait d'eux. Son cœur se mit à battre la chamade.

— Salut, Shep, dit Devon après avoir reconnu le chef menuisier.

— Comment ça va, mademoiselle Barnes ?

Il baissa la tête.

Elle passa devant eux et se dirigea vers l'entrée du studio. Un homme en blouson d'aviateur vert lui dit :

— Vous vous souvenez de moi ?

— Vous vous appelez Noonan, dit-elle. John Noonan, n'est-ce pas? On vous surnommait le siffleur.

— Sauf qu'il siffle plus, aujourd'hui, lui cria un costaud. Pas depuis que son fils s'est fait tuer au Viêt-nam.

— Descendu par vos petits copains! lança un autre.

— J'en suis désolée, John, dit-elle en s'approchant de l'homme au blouson. Pas le petit Johnny? Je me rappelle de lui. C'était encore un gosse.

— Il avait dix-sept ans quand il s'est engagé, dix-sept ans quand il est mort. Deux jours avant ses dix-huit ans, que c'était.

L'homme lui tourna le dos et s'en alla.

Deux autres le suivirent.

— J'espère que vous êtes fière de vous! lui cria un troisième.

Devon poursuivit son chemin jusqu'à la porte en s'efforçant de retenir ses larmes, sentant les regards furieux derrière elle. Soudain, elle s'arrêta net et revint sur ses pas.

— Est-ce que vous n'êtes pas tous un peu cinglés? dit-elle sans prendre le temps de réfléchir. Vous croyez vraiment que je suis fière de la mort de Johnny Noonan? Comment osez-vous me dire une chose pareille? Pour qui vous prenez-vous? Pour qui me prenez-vous?

Le menuisier qu'elle avait salué plus tôt ne pouvait toujours pas la regarder dans les yeux.

— Shep, dit-elle en essayant de contrôler son timbre de voix. Pourquoi refusez-vous de me regarder? Avez-vous honte? Avez-vous peur de vous rappeler de moi? De vous rappeler qui je suis véritablement? Je ne suis pas un symbole. Ni le leur, ni le vôtre, ni celui de qui que ce soit. Vous me connaissez, et vous faites semblant de ne pas me connaître. J'aurais honte à votre place!

Elle tourna les talons en tremblant.

La moto était appuyée contre le mur de l'édifice. Devon venait à l'instant de la remarquer. King avait ouvert pour elle la porte d'entrée du studio.

— Salut! dit-il en lui posant le bras sur les épaules.

— Salut.

Elle tremblait encore et elle avait les jambes molles par suite de cette confrontation. Et voilà que King se mêlait d'être là!

Leurs yeux se rencontrèrent et elle détourna vivement la tête. Elle n'était pas prête à y trouver ce que Michel lui avait prédit.

Elle pénétra dans la vaste enceinte.

— Est-ce que tu as été témoin de toute la scène?

Il fit signe que oui.

— Pourquoi ne m'as tu pas prêté main-forte?

Et pourquoi suis-je toujours incapable de le regarder dans les yeux, se demanda-t-elle.

— Tu n'avais besoin d'aucun secours. Si jamais tu as besoin de moi, je serai là. Je n'ai pas l'intention de fuir, Devon. Plus maintenant.

— Sois la bienvenue, ma chérie.

Bud Dahlripple, le maquilleur, venait à la rencontre de la jeune femme.

— Bonjour, ma beauté! ajouta-t-il en l'étreignant, après quoi il examina soigneusement une mèche de ses cheveux. De quel Paris arrives-tu? De Paris, Texas?

L'un des menuisiers, un petit homme trapu dans la soixantaine, attendait tout penaud que Dahlripple relâche son étreinte.

— Je m'appelle Manny Ohrenstein, mademoiselle. J'ai travaillé au tournage de *Two Can Do*, annonça-t-il en lui serrant chaleureusement la main. Je suis bien content de vous voir. Dieu vous bénisse.

C'est alors que s'approchèrent d'elle tous ceux qui étaient ravis de la savoir de retour. Ils lui donnaient la main et l'embrassaient en disant :

— Heureux de vous voir, mademoiselle Barnes... Soyez la bienvenue, Devon... Nous sommes fiers de vous.

Elle conserva son sourire aussi longtemps que possible, même après avoir entendu un de techniciens dire :

— Ah, regardez! Elle est tellement heureuse d'être de retour qu'elle ne peut pas s'empêcher de pleurer.

Finalement, elle perdit son aplomb et se mit à sangloter.

King était là, comme promis. Il posa un bras autour d'elle et elle se blottit contre lui. Il ne disait rien, mais une force étrange se dégageait de son silence. Au bout de quelques instants, il la conduisit à la roulotte de maquillage où Bud Dahlripple l'attendait.

— Ça va aller, maintenant?

Elle hocha la tête en s'essuyant le coin de l'œil.

— Merci.

— Je suis juste venu te dire bonjour. Je ne travaille pas aujourd'hui. Mais, je peux rester si tu veux.

— Non, ça va aller.

— Je t'invite à dîner?

— Je ne suis pas prête à ça. Remercie Inez quand même. Savais-tu qu'elle et Hollis sont venus m'accueillir à l'aéroport? Ton fils...

Elle aurait voulu parler de Hollis. Comme il était grand à présent, et comme il avait l'air d'un garçon gentil et affectueux. Au lieu de cela, elle dit :

— Etais-tu au courant pour le fils de John Noonan?

— Oui. Il y a le neveu de Bud, aussi.

— Oh, ne parlons pas de ça, dit Bud en passant un sarrau à Devon. Il y déjà assez de choses morbides en ce monde. Et sur ce plateau, aussi. C'est le jour de ton retour, ma chérie. N'oublie pas que nous sommes dans le show-business. Enfile-moi ce sarrau et laisse-moi te transformer en une ravissante beauté joyeuse et frivole! Sinon, si je ne parviens pas à camoufler ces magnifiques yeux rouges, c'est dix-huit millions de dollars à l'eau!

— Tu es certaine que tout va bien? demanda King en lui faisant la bise. Dans ce cas, à bientôt. Je te dis le mot de Cambronne!

— Oh, non! fit Bud en grimaçant.

— Mais, c'est la tradition!

— Avec lui, ça peut porter malheur. J'espère que toi, au moins tu ne te casseras pas la figure. Tu sais ce que le jeune salaud a fait à son épouse!

— Quoi? Ah, tu fais allusion au bras d'Inez. Oui, j'en ai entendu parler.

— Tout le monde est au courant. C'est fini entre eux, tu sais.

— Le salaud et Inez?

— Mais non! King et Inez.

Bud tapotait le dossier de son fameux fauteuil de barbier en cuir. Certains de ses confrères se contentaient de fauteuils pliants, de fauteuils de directeurs, de tabourets. Mais Bud, lui, transportait son vénérable fauteuil de barbier d'un plateau à l'autre, relique d'un passé mémorable, que les Gable, Grable, Gardner et Greenway avaient poli de leur célèbre postérieur. Dans le temps, ce fauteuil faisait partie des meubles à la Metro autant que Léon le lion lui-même.

— Dis, tu as eu le temps de voir Gilda depuis ton retour? demanda-t-il en glissant une serviette de toile dans l'encolure de Devon.

— Oui, je l'ai vue hier.

— J'espère qu'elle est moins exigeante en audience privée qu'en public ces derniers temps. Elle en veut aux hommes et a juré d'avoir leurs couilles à tous! Et je t'assure que sa méthode est plus efficace que le scalpel d'un chirurgien. Ne va pas te méprendre! Je l'aime bien, tu le sais. J'ai toujours eu un faible pour elle, depuis *Night Anthem*. Et, ma chère, je comprends très bien qu'elle a la trouille, qu'elle a perdu confiance en elle, et que tout son avenir dépend du succès de ce film extravagant, mais...

— Ne sois pas injuste, Bud. Elle vient de perdre la personne qu'elle aimait le plus au monde et sur qui elle comptait depuis des années et des années.

— Ecoute, Devon, dit Bud en inclinant le visage de Devon de manière à le placer dans le rayon de lumière. Ma sœur Alice vient elle aussi de perdre quelqu'un qu'elle adorait. Un garçon de dix-huit ans, en l'occurrence, rentré au pays dans un sac de plastique. La vie est dure pour ceux qui restent, ma chérie. Gilda aurait avantage à être plus aimable envers nous tous.

Au même instant, une adjointe à la production mit le nez dans la porte.

— Salut, Bud. Tu n'aurais pas vu mademoiselle Greenway par hasard? Juste ciel! C'est vous! fit-elle en apercevant Devon. Euh, je vous prie de m'excuser. Je ne savais pas que vous étiez là. Je viens à peine d'arriver.

— Devon, je te présente Annie. C'est d'habitude une fille très compétente qui ne cherche pas ses mots. On dirait pourtant qu'aujourd'hui, elle se laisse impressionner par une vedette!

La jeune femme rougissait.

— Excusez-moi. Je me conduis en parfaite idiote, mademoiselle Barnes. Je suis une de vos plus ferventes admiratrices, vous savez. Et je suis enchantée que vous soyez de retour. Je vais en informer monsieur Sperling. Je sais qu'il est impatient de vous voir.

Elle disparut puis pencha à nouveau la tête dans la porte.

— Vous êtes bien certains de ne pas avoir vu mademoiselle Greenway?

— Quelle heure est-il? demanda Dahlripple avec impatience.

La fille consulta la montre qui pendait à son cou.

— Eh bien, il est encore tôt, je suppose. Nous l'attendions il y a une demi-heure seulement. J'avais pensé que, peut-être...

— Devon, ma chère!

C'était Nancy Brown, l'adjointe de Marvin Ofant, qui arrivait en trombe comme Bud mettait la dernière touche aux yeux de Devon maquillés à la Mondrian.

— Depuis quand es-tu arrivée? Oscar aurait voulu te voir au service de publicité avant que tu ne mettes le pied sur le plateau. Ma chère, les journalistes on pris d'assaut la barrière de l'entrée. Chaque feuille de chou qui a un représentant ici souhaite avoir une interview avec toi. Nous avons pensé te faire quelques recommandations avant d'ouvrir l'écluse. Si tu le désires, tu peux passer à *Today*, l'émission de télé. Ou encore, *ABC News* ou *60 Minutes*. Par surcroît, il y a aussi Rona qui tient à t'interviewer, de même que Shirley Eder, Billy, Sidney Skolsky...

Un jeune barbu aux yeux noirs et féroces comme des raisins secs montra la tête dans l'embrasure de la porte.

— Bonjour!

— Larry! fit Nancy avec enthousiasme. T'as vu la foule dehors? C'est une mer de mini-caméras et de micros. Marvin m'a demandé de dire quelques mots à Devon avant que nous ne les laissions entrer.

— Nous n'avons pas encore fait connaissance, dit le jeune homme à Devon. Je m'appelle Lawrence Sperling; je suis le réalisateur. J'attends ce moment depuis des semaines! Depuis des années, à vrai dire. Je tiens à ce que vous sachiez que je suis ravi de travailler avec vous.

— Quelle déveine! balbutia Nancy. C'est la rencontre de l'année, et nous n'avons même pas une Polaroid à portée de la main! J'ignorais que vous ne vous connaissiez pas. Devon, Lawrence est un génie! Tu en as entendu parler, n'est-ce pas? A vingt-huit ans, il a déjà deux nominations à son crédit, en plus d'avoir gagné un Oscar.

— J'ai eu l'occasion de voir *Prince Street* à Cannes, précisa Devon. J'avais très envie de travailler avec vous, moi aussi.

— Je pense que vous n'y verrez donc pas d'inconvénient. J'ai demandé à mon adjointe de renvoyer les journalistes.

Nancy était renversée de l'apprendre.

— Larry! Tu ne peux pas faire ça! Marvin aura ma peau. C'est le meilleur film que nous avons en tournage en ce moment. Tout le monde veut en faire un papier.

— Dis à monsieur Ofant de venir me voir s'il y a des ennuis.

— Des ennuis? Tu veux rire! Cinq minutes après que Marvin lui aura fait part que vous avez interdit l'accès au plateau, le vieux rappliquera en crachant le feu!

Comme Sperling reconduisait la publicitaire d'une main ferme, Inez les croisa en coup de vent et pénétra dans la salle de maquillage.

— Si le plateau est interdit, qu'est-ce qu'elle fait ici, celle-là? demanda Nancy furibonde.

— Arrangez-vous avec mon impresario et allez vous faire voir! lui lança Inez. Ah, voilà la divine Devon!

Elle embrassa l'actrice de chaque côté, en faisant un bruit sec de la bouche sans pourtant lui effleurer les joues. Devon remarqua une odeur de menthe mêlée d'alcool.

— Tu fais des merveilles, Bud. C'est toi que j'aurais dû consulter plutôt que Ralph Martin, ce boucher de Beverly Hills.

— Madame Godwin! Nous ne vous attendions pas avant la semaine prochaine, s'exclama Sperling.

— Ah, mais c'est comme « Les insolences d'une caméra ». J'arrive à l'improviste, lorsque vous vous y attendez le moins! répliqua-t-elle en lui faisant un clin d'œil.

336

— J'en informe Marvin immédiatement, dit Nancy en s'éclipsant à une telle vitesse que la laque de ses cheveux en crépitait.

Bud Dahlripple leva les yeux au ciel et Devon éclata de rire.

Au même instant, Avery Calder faisait son entrée.

— J'espère que ce n'est pas ce que j'ai écrit qui la fait fuir de la sorte! s'écria-t-il en ouvrant les bras pour étreindre Devon. Gilda m'a prévenue que tu était ravissante, mais qu'est-ce qu'elle en sait?

Le rire moqueur, les lunettes rosées, l'impeccable complet de toile blanche, l'ascot de soie, le panama, rien de tout ça ne réussissait à camoufler l'état d'extrême fragilité auquel Avery en était arrivé. Il puait le formol.

— Avery! s'écria Devon en courant se jeter dans les bras du dramaturge. Bud va m'en vouloir de gâcher mon maquillage, mais tant pis; je suis si contente de vous revoir.

— Elle pleure encore? fit Dahlripple en refoulant lui-même quelques larmes. Je vais l'étrangler!

Avery étreignit Devon, puis recula d'un pas en lui tenant les mains.

— Tu sais à quoi je pensais ce matin en prenant mon premier screwdriver? Je me remémorais cette soirée où tu avais passé une audition devant moi pour Oscar McGrath à New York. Ensuite, je me suis dit qu'il y avait maintenant près de vingt ans de ça. Près de vingt ans, Devon! Tu t'imagines? C'est pas croyable. J'en ai perdu l'appétit.

— Le pauvre cher homme! fit Inez en lui lançant un regard par-dessus ses lunettes noires. Si je n'étais pas en sevrage, je vous offrirais à boire.

Avery se raidit mais n'en perdit pas pour autant son aimable sourire.

— Qu'est-ce que tu fous ici? demanda-t-il à Inez en un faible murmure. Gilda est sur les lieux et toi, tu n'es pas censée l'être. Ou bien, serais-je encore plus perdu que de coutume?

— Comment êtes-vous entrée, madame Godwin? lui demanda Sperling. Le plateau est fermé aux visiteurs. J'ai laissé des instructions très nettes.

Inez n'en fit aucun cas.

— Je me sens bien, Avery. Très bien. Vous n'avez aucune raison de vous inquiéter tous autant. Je suis cent fois mieux qu'hier. Tenez! fit-elle en étendant les bras. Aussi stable qu'un rayon laser. Je ne tremble pas et je ne vois pas d'éléphants roses. J'ai mon magnétophone quelque part ici, disait-elle en fouillant dans son grand sac Gucci. Je trépigne d'impatience.

Avery regarda nerveusement derrière lui.

— May est avec Gilda en ce moment pour la calmer un peu. Je vais essayer de lui faire étirer ça. Rien que le temps qu'il faut pour te sortir d'ici à la sauvette.

— Qu'est-ce qui ne va pas? s'enquit Devon.

— En plus de sa nervosité habituelle, Gilda a dû affronter une horde de journalistes très déçus devant l'édifice Thalberg. On leur avait promis qu'ils te verraient, ma chère. Et ils refusaient de bouger tant qu'ils ne t'auraient pas parlé. Nous avons eu toute la peine du monde à traverser cette cohue pour entrer.

— Je vais voir ce que je peux faire pour les obliger à évacuer les lieux.

Lawrence Sperling s'en alla ensuite retrouver Gilda.

— Elle devrait pourtant avoir l'habitude des reporters, dit Inez qui farfouillait encore dans son sac. Elle leur fait face depuis l'invention du maïs soufflé.

— Ce ne sont pas les journalistes qui l'ont bouleversée, dit Avery en regardant partir Sperling. Ce sont ses bien aimés « collègues ».

— Que s'est-il passé, Avery? demanda Devon tandis que Dahlripple cherchait à réparer le maquillage de la comédienne.

— Eh bien, fit-il en insérant une cigarette mentholée dans son fume-cigarette vert jade à la Auntie Mame. Certains de ses anciens copains l'attendaient dehors. Il se trouvait là des techniciens, des perchistes, et même certains de ceux avec qui elle jouait au poker dans le temps. Franchement, c'était pas joli à voir. Ils étaient tous en colère.

— Oui, je le sais. J'ai eu à leur faire face moi-même, dit Devon entre deux coups de pinceau.

— Ils ont essayé de nous empêcher d'entrer. Ils l'ont traitée de tous les noms et...

— Ils lui ont lancé des injures? A cause de moi? Comme quoi, par exemple?

— Oh, tu sais, des choses comme «traîtresse», «communiste», enfin, toute la rhétorique habituelle des fanatiques du drapeau.

— Et, ensuite?

— Ensuite, un des anciens lui a dit qu'elle faisait injure à la mémoire de Patrick en jouant dans le même film que toi. Voilà! J'en suis navré, ma chérie. L'incident doit passer aux nouvelles de dix-huit heures.

— Attendez un peu, s'écria Inez en sortant son magnétophone qu'elle brandissait triomphalement. Juste un petit moment. Il faut absolument que j'enregistre ça. Un peu de patience pendant que je branche le micro.

— Je ferais mieux d'aller trouver Gilda, dit Devon en se levant du fauteuil de barbier.

338

— Non, devait la prévenir Avery. Donne-lui encore quelques minutes, ma chérie. Elle est encore trop furieuse.

Gilda arpentait sa luxueuse loge, celle qui avait autrefois appartenu à Greta Garbo; elle fumait une cigarette après l'autre et frappait sa table de toilette à grands coups de brosse à cheveux, ce qui avait pour effet de faire voler au sol les télégrammes et cartes de souhaits qui y avaient été déposés. Au milieu de cette agitation, Tallulah Aussi aboyait à l'arrivée de tout nouvel intrus.

— Sacré nom d'un chien! Comment ont-ils eu le culot de me faire ça! Je les connais depuis des années. Pour qui se prennent-ils? Me traiter de tous les noms!

Elle s'interrompit soudain et dit d'une voix étouffée :

— Et Patrick. Pourquoi m'ont-ils dit toutes ces atrocités à son sujet? Ce n'est pas vrai, n'est-ce pas May? Patrick était aussi fier d'être Américain que John Wayne; la seule chose, c'est qu'il aimait bien Devon. Il l'aimait comme sa propre fille. Ce n'était pas suffisant pour ternir sa réputation, pas vrai, ma chérie?

— Bien sûr que non, répondit May en s'approchant d'elle et en la serrant dans ses bras. Tous ces hommes, vois-tu, ils sont en colère parce qu'ils ont perdu quelqu'un dans une guerre qu'ils ne comprennent pas. C'est pour cette raison qu'ils sont révoltés. A présent, acheva-t-elle en tirant sur sa cigarette, allons-y. Il faut tourner un film. Et, au diable le reste!

Avery était toujours en conversation avec Devon.

— Je t'assure qu'ils n'y sont pas allés avec le dos de la cuiller.

C'est alors que May Fischoff entra en trombe.

— Tu peux le dire! Une véritable meute d'assassins. Est-ce qu'Inez est dans les parages?

En jetant un œil autour de la pièce, elle aperçut la squelettique madame Godwin en train de fouiller dans son sac. On aurait dit une mouche en costume-pantalon de soie.

— Voilà! J'ai trouvé le microphone! annonça-t-elle en sortant un fil tordu coincé dans la fermeture-éclair de son sac Gucci. Où est Mitch? Je n'ai aucune idée de la façon dont il faut brancher ce machin-là. Est-ce qu'on peut l'envoyer chercher?

Elle tirait à grands coups sur le fil et finit par renverser le contenu de son sac sur la table de toilette.

— Mitch, cria-t-elle par-dessus l'épaule. Mais, où diable est-il passé?

Une petite fiole de verre roula de la table et toucha le sol avec un bruit sec.

— Merde! Ramasse ça, veux-tu? ordonna Inez à Dahlripple.

May se pencha et saisit la fiole remplie de poudre blanche.

— Salut, l'impresario, fit Inez avec un sourire resplendissant en saluant comme un militaire. Brenda Starr à vos ordres. C'est ma première journée de travail, et déjà, il y a plus de saloperies qu'il n'en faut pour écrire deux bouquins. Mais, où donc est Mitch? Je suis incapable de mettre ce fichu machin en marche.

— Je l'ai foutu à la porte, annonça May en montrant la fiole. Qu'est-ce que c'est? De la coke? Du speed? De l'héroïne, ou quoi?

— Tu l'as foutu à la porte? dit Inez dont les yeux désemparés s'écarquillèrent avant de se plisser dans un regard haineux. De quel droit?

— Tu n'es pas censée être ici aujourd'hui, Inez. Allons nous-en.

May lui tendit la main.

— Je sais pourquoi tu l'a renvoyé, May.

— Inez, je t'en prie, ma chérie, dit Devon. Calme-toi.

— Et baisse le ton, pour l'amour du ciel. Tu veux peut-être que cette histoire soit ébruitée, lui dit Avery tout bas. Où est Gilda? demanda-t-il à May.

— Avec Sperling, j'espère. Ils attendent tous que Sam Durand vienne faire un tour sur le plateau. Ecoute, Inez. Nous nous sommes entendues là-dessus : tu ne mets pas les pieds sur le plateau cette semaine. Est-ce que tu l'avais oublié?

— Tu es jalouse, hurla Inez. A cause de Mitch. Parce qu'il ne veut plus baiser avec toi. C'est vrai! fit-elle en saisissant le bras de May de ses griffes décharnées. Vous savez comment elle est. Elle a toujours été jalouse de moi, pas vrai? Elle est très détraquée, tu sais, Devon. Elle baise avec des gamins...

Soudain, la porte de la loge s'ouvrit d'un seul coup. Lawrence Sperling s'avança à grandes enjambées, regarda autour de lui et secoua la tête.

— May, je croyais que tu t'occupais de cette histoire pour moi?

Gilda était derrière lui dans la porte, en robe de chambre de coton éponge jaune dont l'encolure portait des traces de maquillage Max Factor. Elle était blême de colère. Elle balaya la pièce de ses yeux félins qui s'arrêtèrent sur Inez.

— Qu'est-ce qu'elle fait ici, celle-là?

— Elle partait justement, dit Avery.

— Elle est un peu troublée, expliqua May. Elle s'est trompée de semaine.

— Mon œil! fit Inez en se dégageant de l'emprise de Devon. Je suis ici parce que je viens à mon travail comme tout le monde. Et Mitch est le seul qui sache comment mettre le magnétophone en marche. Et ma chère amie May a jugé bon de le foutre à la porte. Maintenant, c'est de moi dont elle veut se débarrasser. Et je sais pourquoi. Elle a encore le béguin pour lui, mais lui, il ne veut plus coucher avec elle. C'est moi qu'il désire. Qu'est-ce que tu penses de ça? Le petit Mitch est un homme à présent, et c'est avec moi qu'il veut baiser!

— Inez, dit Gilda d'une voix calme, le dernier homme qui voulait de toi, c'était ton père. Et encore, il fallait qu'il soit saoûl. Maintenant, barre-toi! acheva-t-elle en leur tournant le dos à tous. Vous pourrez m'appeler lorsque le plateau sera dégagé, lança-t-elle à Sperling en sortant.

— Des cobras! hurlait Inez comme les gardiens la forçaient à quitter les lieux. Avery a raison. C'est ce que vous êtes tous, tant que vous êtes! Surtout toi, Gilda!

Un mois plus tard, un cobra de deux mètres était livré aux Perles accompagné d'une carte qui se lisait comme suit : « Merci pour des souvenirs étouffants. Un admirateur. »

Inez nia avec véhémence être l'expéditrice de ce présent et, à l'instar de tous, encouragea fortement Gilda à l'offrir au jardin zoologique de San Diego.

— Mais, tu comprends, Gilda a toujours eu un faible pour les animaux, confia May à Billy Buck. Elle a même écrit un livre au sujet de son écureuil favori. Mon père me disait autrefois que dans les années quarante, elle emmenait toujours un martin en tournée. Il y avait toujours un aquarium dans chacune des loges qu'elle a jamais occupées. Un jour, elle avait capturé un serpent à sonnette lors d'un tournage à Durango et avait exigé qu'un des perchistes ramène le maudit animal à Los Angeles en jeep. Il fut un temps où sa ménagerie comprenait un mulet, une chèvre et treize chiens, jusqu'à ce que les voisins se plaignent des odeurs et de la clôture, sans compter les foutus aboiements. Et aujourd'hui, c'est un cobra. Quelle plaisanterie de mauvais goût!

Pourtant, Gilda prétendait que madame Denby s'était prise d'affection pour cette créature. Malgré ce que chacun lui conseillait dans son entourage, elle décida de garder l'animal.

23

L'automne 1977

— Je te parle! dit King en saisissant Devon par le bras pour la forcer à lui faire face.

Il lui prit la main et, d'un geste vigoureux, la plaça sur sa poitrine, doigts écartés, la paume sur sa peau nue, de manière à ce qu'elle puisse sentir les battements de son cœur.

Elle portait un jupon de satin. Lui, pieds nus, portait le pantalon d'un pyjama de coton assez moulant mais il avait le torse nu.

Larry Sperling secoua la tête.

— On reprend, s'il vous plaît!

Un jeune garçon inscrivit 81 et 12 à la craie sur le claquoir et sauta devant la caméra.

— Scène quatre-vingt-un, douzième prise!

L'après-midi tirait à sa fin. Gilda avait quitté le studio d'une humeur massacrante après avoir passé le plus gros de la journée à attendre que King et Devon achèvent leur scène. Inez, à qui on permettait officiellement l'accès au plateau à présent, avait pris l'habitude de se montrer quotidiennement pour une heure à peine après le déjeuner. May avait embauché un jeune et méthodique étudiant en cinématographie qui se chargeait de prendre des notes pour Inez; la seule critique que cette dernière avait formulée au sujet de cette entente était que le garçon était trop sérieux, trop court, et avait les cheveux roux.

— Tous les roux sentent le beurre d'arachide.

King tendit le bras pour saisir encore la main de Devon. Cette fois, elle fit volte-face avant qu'il ne l'ait touchée. Il lui effleura l'épaule.

— Pardonne-moi, dit-il.

— Non. C'était ma faute.

— On tourne toujours, cria Sperling au caméraman. Reprends-toi, King. Saisis-la par le bras. Devon, toi, attends. Reste détendue jusqu'à ce qu'il te touche, ça va? Allez, on reprend.

— Je te parle! reprit King en ouvrant la main de Devon pour la plaquer contre sa poitrine.

— Qu'est-ce que c'est que ce geste, Devon? demanda Sperling. Qu'est-ce qui se passe?

— Quel geste? fit-elle en se couvrant les yeux.

— Tu as retiré ta main. Tu es censée te rapprocher de lui, bon sang, pas t'en éloigner!

— Je n'ai pas fait ça?

Exaspéré, King hocha la tête et Devon éclata en sanglots.

— Ça va, coupez! cria Sperling en enfonçant les mains dans ses poches, les épaules courbées. On fait une pause.

King commença à s'éloigner. Une habilleuse accourut jeter un peignoir sur les épaules nues de Devon. L'adjoint de Dahlripple s'empressa de retoucher sa coiffure.

— Je vous en prie, dit Devon en lui faisant signe de s'en aller. King, attends!

Sperling frappa des mains.

— Que tous ceux qui n'ont rien à faire avec cette scène quittent le plateau! On va essayer sans auditoire.

Devon s'empressa de rattraper King.

— Je n'ose pas te demander d'être patient, tu l'as déjà été assez. Pardonne-moi. Je ne sais pas pourquoi je ne fais que tout gâcher!

— Je l'ignore moi aussi, surtout que ce n'est pas la première scène d'amour qu'on tourne ensemble. Si tu avais eu à réagir, j'aurais pensé que tu l'aurais fait la semaine dernière, pendant le tournage des scènes de lit.

— C'est étrange, n'est-ce pas? J'étais complètement dans la peau de mon personnage à ce moment-là. Ce n'était pas toi et moi, c'était Rollins et Carrie.

— Avery m'a dit qu'il pensait que Sperling nous aspergerait d'une douche d'eau froide au lieu de crier : « Coupez »!

— Aujourd'hui, je ne peux pas m'enlever de la tête qu'il s'agit de toi et de moi, dit-elle d'un air malheureux.

— Eh bien, c'est flatteur pour moi!

— Je ne sais pas ce qui me prend. On dirait que j'ai peur de rentrer dans la peau de mon personnage encore une fois. Après cette scène, la semaine dernière, j'étais exténuée et terriblement morose. C'est à peine si j'ai pu rentrer chez moi me cacher sous les couvertures.

— Annie, quelle heure est-il? demanda King à l'adjointe de Sperling.

— Seize heures quarante-neuf.

— Devon, dit-il d'une voix douce en serrant les épaules de l'actrice. Arrangeons-nous pour réussir la prochaine prise, et Avery et moi t'emmenons dîner au Palm. On va te payer un magnum de champagne et un bifteck bien juteux.

Elle réfléchit et poussa un soupir.

— Hé! Je ne suis pas du genre à prendre la poudre d'escampette après avoir embrassé une fille! poursuivait-il de sa voix lente et séductrice. On va tourner la scène, se rafraîchir un peu, et déguerpir d'ici en vitesse pour aller bouffer. Ne t'en fais pas, ma chérie. On y arrivera. Tôt ou tard, je te prendrai la main et je la plaquerai contre moi, comme ceci. Alors, je verrai dans tes yeux que tu sens battre mon cœur, comme il faut que tu le fasses. Voilà! Oui, comme ça, justement! Mais, regarde-toi, Devon Barnes! C'est précisément ce que tu dois projeter en Technicolor.

Elle lui adressa un sourire langoureux, jouant des hanches comme le voulait son personnage, et lui dit :

— Je m'appelle Carrie.

Il glissa un bras autour d'elle et plongea dans ses yeux un de ses profonds et dangereux regards de saphir.

— Ma fille, si je te disais que ça fait vingt ans que je te fais l'amour sous tous les noms imaginables.

Elle appuya la joue sur la poitrine nue de King.

— De quelle épaisseur as-tu promis qu'il serait, mon bifteck?

— Larry! cria King sans la relâcher. Nous sommes prêts pour la prochaine prise. Et cette fois, nous allons jusqu'au bout. Pas vrai, ma jolie?

Bras dessus, bras dessous, ils revinrent sur le plateau. Elle garda un bras autour de la taille de King tandis que l'adjoint de Bud retouchait sa coiffure. Devon ne lâcha toujours pas prise mais tourna la tête afin que la maquilleuse parvienne à essuyer les bavures de mascara sous ses yeux et rafraîchisse son fond de teint.

Elle consentit à lui rendre sa liberté au moment où le garçon au claquoir criait :

— Scène quatre-vingt-un, treizième prise.

Par une fenêtre fictive, elle contemplait le paysage peint, comme le voulait son rôle. Elle serra les bras, toujours comme le voulait son rôle, mais eut l'impression que sa chair se souvenait du contact de King, des doigts de King sur son bras, de la poitrine de King sur sa joue, de son cœur sous la paume de sa main.

— C'est le treize chanceux, s'écriait Sperling cinq minutes plus tard. Ça y est! Coupez! Merci à tous, et bonne soirée. Ça valait la peine d'attendre. Dormez bien, vous deux. Vous pouvez faire la grasse matinée, demain. Vous n'êtes pas attendus avant...

Il regarda Annie qui répondit :

— Huit heures quinze.

* * *

King remplit le verre de Devon, vidant ainsi une deuxième bouteille de champagne. Il planta la bouteille à l'envers dans le seau et fit signe au garçon.

— Je t'en prie, King, laisse-nous respirer, dit Devon.

— Oui, elle a raison, renchérit Avery. Tu n'y vas pas de main morte depuis le début de la soirée. En tout cas, moi, je suis bourré.

— Moi aussi, fit Devon. Et toi? Comment se fait-il que tu puisses encore bouger les lèvres? Je ne sens même plus les miennes.

King pencha la tête de Devon et lui donna un baiser.

— Grand Dieu! Où donc est Vincent Minelli maintenant qu'il nous faut quelqu'un pour mettre fin à la scène?

— Ah! Mais je les sens, à présent! dit Devon en se touchant les lèvres.

King se renversa sur la banquette.

— Cigarette? leur demanda Avery. Il paraît que c'est la coutume!

— Avez-vous l'intention de finir vos steaks, demanda King. Non, mais regardez-vous! Pleins jusqu'aux as et vous n'avez pas pris plus de deux bouchées.

Avery examina l'épaisse tranche de viande, refroidie à présent, baignant dans son jus coagulé. Il poussa son assiette du côté de King et s'empara du verre de champagne de ce dernier.

— Voilà! Nous sommes quittes.

Le garçon réapparut, portant une bouteille de champagne qu'il allait déboucher.

— Pas la peine, lui dit King. Je m'en occuperai le moment voulu.

— King. Tu sais ce que ça me rappelle d'être ici, entourés d'amis? demanda Devon. Le seizième anniversaire de May. Tu te souviens? Au « 21 ».

— Les seize ans de May Fischoff? fit Avery. Ma chère, tu as une de ces mémoires! Et moi qui souffre de sénilité prématurée!

— J'étais amoureuse de King, leur confia Devon.

— Ce ne sont pas des souvenirs, c'est de la fantaisie, dit King. Elle est un peu embrouillée, notre vieille amie. C'est moi qui étais amoureux d'elle. Comme un fou. Le coup de foudre. J'étais assis à côté d'elle et je planifiais notre avenir. Sans blague! Je vous donne ma parole.

Avery haussa un sourcil en les observant.

— Je me demande ce que Gertie Lawrence chanterait en pareille occasion.

— Tu es vraiment le roi des enquiquineurs, King, fit Devon. Je viens de t'avouer le secret le plus intime de ma jeunesse, et tu te moques de moi. Donne-moi ta main. Voilà! C'est mon cœur qui bat comme ça! Je suis énervée à ce point. King, chéri, j'étais vraiment amoureuse de toi.

— Retire ta main de la poitrine de cette fille avant que nous nous retrouvions tous au supermarché, ordonna Avery.

— Je suis toujours amoureux de toi, Devon.

— Se retrouver au supermarché? demanda Devon.

— Oui. Sur la page couverture de ces feuilles de chou qu'on trouve à la caisse. Ils ont la manie de publier les plus horribles photos! Tout le monde ressemble à un parfait aux fraises!

— Je vous demande pardon, Avery, dit King. Je crois que vous m'avez coupé la parole.

— Oh! Mille excuses, fit Avery en le lorgnant de ses verres teintés de rose. Tu disais?

— Je disais que j'étais toujours amoureux de Devon.

— Et, que comptes-tu faire, à présent? Est-ce que tu vas m'embrasser?

C'est ce qu'il fit.

Avery pianotait sur la table.

— Le *Star* fait des photos couleur. Quant à moi, je préfère l'allure des années quarante que préconise l'*Enquirer* avec le noir et blanc. Bien entendu, il faut aussi considérer le nouveau papier glacé de *Time-Life*. Comment ont-ils appelé leur nouveau magazine, déjà? *People*? Ah, mais enfin, je vous en prie, mes enfants. Prenez le temps de respirer un peu!

— Tu le savais déjà, dit King.

— Est-ce que ça change quelque chose?

— Non. Je sais pourquoi tu as réussi à finir cette scène, aujourd'hui, après notre petite conversation.

— Pourquoi, mon chéri?

Avery demanda l'addition.

— Parce que je t'ai promis que nous irions dîner.

— Pourtant regarde! Je n'ai rien mangé.

— Là n'est pas la question. C'était parce que tu savais que nous serions ensemble après le tournage. Que nous ne ferions pas seulement nous mettre en appétit pour entendre Larry nous interrompre. Que nous ne nous éloignerions pas l'un de l'autre une fois de plus.

— Pardonne-moi, dit Avery en s'adressant à King par-dessus l'épaule de Devon. Tu n'aurais pas un beau billet de cent tout neuf?

Il lui montra l'addition.

— Vous acceptez le plastique?

— Oh! Après tout, je pense que je vais le porter à mon compte! La vie est si courte. Continuez, mes enfants! Je ne voulais pas vous interrompre. Faites semblant qu'il s'agissait d'une pause publicitaire.

— Ainsi, tu penses que je suis une femme facile, c'est ça, n'est-ce pas? Tu n'as qu'à m'offrir à dîner, et hop! Je saute dans ton lit. C'est ce que tu penses, pas vrai?

— Le feras-tu? demanda-t-il en glissant la main sur la cuisse de Devon sous sa jupe.

Elle ferma les yeux.

— A l'instant même, si tu veux!

— Est-ce seulement parce que tu es ivre?

— Est-ce seulement parce que tu voulais que je le sois?

— Mes enfants, je crois qu'il est temps de rentrer.

— Oh, non! Nous allions justement baiser ici même.

— Ne fais pas ça, ordonna-t-il à King, en frappant du revers de sa cuiller la main qui glissait sous la jupe de Devon. Si on sautait le dessert? Qu'en dites-vous? De toute façon, ils ne servent pas de gâteau aux carottes, ici. Mademoiselle Barnes. Serait-ce trop vous demander que de me conduire chez moi avant que vous et Jeannot Lapin ne rentriez dans votre tanière?

— Attendez un peu, dit King qui se levait en fouillant dans la poche de son pantalon.

— Seigneur, King! Tu ne vas tout de même pas me demander de te la frotter pour te porter chance?

King saisit la bouteille de champagne toujours intacte, après quoi il sortit son jeu de clés dont il détacha celle de sa moto. Il la déposa sur la table, devant Avery.

— Tenez, prenez ma moto.

— Pas question, à moins qu'il n'y ait un side-car. Jeune homme, dit-il au garçon. Vous voulez bien m'appeler un taxi?

— Avec plaisir, monsieur Calder. Où allez-vous?

— Au Château Marmont.

— J'habite juste un peu plus haut que Sunset, répondit le garçon. Si ça ne vous ennuie pas d'attendre quelques instants, je serai très heureux de vous déposer.

— Vous êtes vraiment trop aimable, dit Avery. Merci quand même, mais je traverse une phase de chasteté.

En s'adressant aux tourtereaux, il ajouta :

— Maintenant, je sais quelle mélodie Gertie chanterait en cette occasion. (Il fredonna quelques mesures de *I'll See You Again*.) Et vous! Vous voulez devenir acteur, je suppose?

— Pas du tout, répondit le garçon. Je suis auteur dramatique.

Avery poussa un soupir.

— Oh, dis donc! fit-il en sifflant. Les bois regorgent de lapins ce soir!

* * *

Ils se tripotaient et s'embrassaient comme des adolescents en chaleur avant même d'être rentrés chez Devon.

— Attends un peu, dit d'une voix rauque Devon qui cherchait d'une main le bouton de l'interrupteur en riant d'excitation et de désir anticipé.

— Tu as des flûtes à champagne? demanda-t-il en débouchant la bouteille de Perrier Jouet qu'il avait rapportée du Palm.

Elle accrocha au passage deux verres en cristal vénitien et montra le chemin de sa chambre.

— Tu sais, King, c'est idiot, mais je me sens soudain nerveuse comme une collégienne. Mon cœur bat si fort que j'ai peine à respirer.

— Devon...

Il lui caressa la joue, l'oreille et les lèvres du revers de la main. Puis, il lui effleura le cou et traça des cercles avec les doigts sur la partie supérieure de ses seins.

Devon frémissait sous ses caresses. Elle ne pensait plus à rien. Tout son corps n'existait plus que pour King, ne ressentait plus qu'un immense désir de lui.

— Devon, Devon, murmurait-il.

— Pourquoi avons-nous tant attendu?

Il pencha la tête et donna un baiser à Devon. Elle n'en pouvait plus d'attendre; la tension lui était intolérable et elle ne voulait pas retarder davantage l'instant où elle sentirait son corps nu collé contre lui.

Elle se dégagea et d'un geste impatient arracha son chemisier de soie. Elle retira son pantalon et ses bottes.

Il porta un verre aux lèvres de la jeune femme et elle but quelques gorgées de champagne tandis qu'il se débarrassait en vitesse de ses vêtements.

Enfin, ils s'étreignaient, leurs corps enflammés de ce désir depuis tant d'années refoulé. Ils tombèrent sur le lit, les bras et les jambes entrelacés.

Leurs bouches scellées, leurs corps se fondaient l'un dans l'autre. Ils se caressaient avidement. Devon attirait King à lui, son corps l'implorant de la pénétrer.

Il s'aventura profondément en elle, se retira, puis pénétra à nouveau comme Devon levait les hanches pour l'accueillir et serrait les muscles autour de lui. Tout ce dont elle avait conscience, c'était que King était avec elle et qu'elle voguait avec lui sur ces vagues qui la firent crier de plaisir au moment où elle atteignait avec lui l'extase la plus absolue et parfaite.

— Salut, Devon, dit-il après qu'ils eurent repris leur souffle.

— Salut, King.

Elle s'étendit sur lui, le menton appuyé sur ses bras croisés.

— « A ma mort, je suis certain de monter au ciel, car j'ai vécu l'enfer ici-bas. » Où est-ce que j'ai pris ça?

— Sur un des blousons de Deau. Il l'avait fait broder dans le dos.

— Ah oui! Deauville. Grand Dieu! Je trouve qu'il y a soudain trop de monde ici!

— Il nous en a fallu des détours avant d'arriver ici, n'est-ce pas? Rien de surprenant que nous ayons un peu d'excédent de bagages. Nous avons tous deux des coupons de réclamation qui proviennent de partout dans le monde.

— Du gai Paris!

— De Rome.

Il eut un petit rire étouffé.

— Du bagage de première classe!

— De Mexico, ajouta Devon.

Si Michel t'a raconté la vérité au sujet du Mexique, alors tu sais que je n'étais pas là-bas avec lui.

Il entoura Devon de ses bras et la serra très fort contre lui. Il pouvait sentir ses hanches et son ventre ferme.

— En vérité, c'était avec toi que j'étais, acheva-t-il.

Il sentait les cuisses de Devon, chaudes et humides, se coller à lui. Il aurait pu les écarter d'un faible mouvement. Il savait qu'elle s'ouvrirait encore à lui.

Devon caressait la blonde crinière de King. Ses seins veloutés lui effleuraient la peau pendant qu'elle explorait son visage de ses mains.

— Tu es le seul amour de ma vie, dit-il dans un soupir.

Elle explora l'abdomen de King et la forêt velue entre ses jambes. Elle observa son sexe se gonfler à nouveau.

— Tu ne peux pas te rassasier de moi, hein? dit-elle en riant.

— Du champagne? demanda King en s'étirant pour atteindre la bouteille sur la table de chevet.

Devon secoua la tête, mais il remplissait déjà son verre.

— Etends-toi sur le dos, lui dit-il.

Elle sursauta lorsque King versa du champagne sur ses seins et son abdomen. Il trempa les doigts dans son verre et frotta les mamelons de Devon entre le pouce et l'index.

— Ma femme au champagne! dit-il en ne faisant aucun cas des faibles protestations de Devon qui se tordait sous ses caresses.

Le rire de Devon se changea bientôt en une suite de grognements essoufflés comme il répandait sur elle le pétillant champagne, couvrant ses seins, son ventre et le triangle entre ses cuisses d'un bain de ce vin chatouillant.

— King! King!

Elle n'arrêtait pas de répéter son nom, elle ne pouvait s'empêcher de se cabrer pour aller au devant de la bouche et des mains de King.

Mais il la trouva en premier. Il retenait ses poignets haut par-dessus sa tête tout en léchant chaque centimètre de sa peau aspergée. King la suçait et la buvait.

Devon était vaguement consciente d'entendre une voix la sienne qui suppliait King de ne pas s'arrêter.

De ne jamais s'arrêter.

Jamais!

Et puis, elle n'eut conscience de rien d'autre que de son besoin désespéré de lui.

Ensuite, rien.

— Je t'aime, King, lui disait-elle beaucoup plus tard.

Il traçait de ses mains la courbe de son dos, de sa taille, de ses hanches, et les rondeurs de ses fesses.

Il plaça les mains sur le postérieur de Devon qu'il serra contre lui en roulant leurs corps de manière à ce qu'ils se retrouvent face à face sur le côté.

— Tu as des yeux si merveilleux, dit-elle en souriant.

— Tu détournais toujours ton regard. Qu'est-ce qui...

— J'avais peur. J'avais toujours l'impression qu'il y avait une fête dans tes yeux et que je n'y étais pas invitée. Peut-être aussi que je craignais de te regarder profondément dans les yeux et de me rendre compte qu'ils étaient vides. Je ne sais plus.

Il la rapprocha de lui. Ils restèrent allongés, étroitement enlacés, la joue de Devon nichée dans un creux humide dans le cou de King.

— Je t'ai toujours tellement aimé, lui dit-elle. Je pense que j'avais peur de voir ton amour. Même aujourd'hui, ça m'effraie. Mais c'est ce que j'ai toujours voulu.

— Alors, qu'est-ce qui t'effraie?

— J'ai peur de ne pas te mériter. Que tu me quittes.

— Pourquoi?

— Je pourrais te faire mal. Je pourrais paniquer. Regarde ce qui est arrivé avec Deau. Et ensuite, avec Michel. Je les ai laissés. Je passe mon temps à m'enfuir.

— Eh bien! Nous avons toujours ça en commun! Ma chérie, dit-il au bout d'un moment, as-tu jamais pensé que tu te sauvais vers quelque chose, ou quelqu'un?

— Oh King! Je me fiche de ce qui pourrait arriver. Il se peut que ce soit toi qui me laisses. Peut-être aussi que je deviendrai si effrayée et préoccupée que je te quitterai la première. Je sais par expérience que rien n'est éternel. Mais pour l'instant, j'ai ce que je désire.

— Je comprends ce que tu veux dire. Moi aussi, j'ai ce que je désire.

— Dis, King...

— Oui, chérie?

— Je sais que je t'ai souvent blessé en m'enfuyant toujours, comme ça. Tes cicatrices ne sont peut-être pas apparentes, mais elles sont là, en-dedans de toi. Je tiens à me racheter, même si ça doit prendre le reste de mon existence. Dieu sait que je n'ai pas complètement changé depuis mon retour de France. Je suis encore une fichue névrosée. Mais je tiens le coup. Je ne comprends toujours pas que les gens puissent rester indifférents, mais je ne comprends pas non plus les saloperies qu'il faut faire pour nourrir les pauvres ou guérir les malades. Je voulais tout changer, mais je n'avais ni l'argent, ni les moyens technologiques. Tout ce que j'avais, c'était beaucoup de compassion. Je crois que j'ai quand même contribué à quelque chose. Pourtant, je devenais de plus en plus frustrée. J'ai donc décidé de rentrer. A présent, je veux tout recommencer, avec toi cette fois.

— Devon...

— Non. Laisse-moi finir. Ce que j'essaye de dire, c'est que je suis consciente que nous avons tous souffert d'une certaine violence émotive. Personne ne peut s'immuniser contre ce genre de chose. Tout ce qu'on peut faire, c'est de repenser ses priorités et donner autant d'affection qu'on en reçoit. Je ne sais pas ce que je donnerais pour effacer le passé; or, étant donné que je ne peux pas faire ça, je suis prête à tout pour avoir encore une chance. Je te promets de faire de mon mieux.

Il l'étreignit si fort qu'elle entendait son cœur battre, qu'elle sentait les pulsations de son pouls dans son cou.

— Je te promets de te donner la chance d'essayer, lui dit-il.

— Je me sens comme au matin de Noël d'être avec toi, comme ça.

— Un peu chaud pour la saison! murmura-t-il dans les cheveux de Devon.

— Parle-moi du Mexique, de cet endroit que tu as trouvé et que Michel prétend être le paradis.

— C'est tout près du Yucatan. Ça s'appelle Puerto Cruz. C'est pratiquement un banc de sable. Cinq ou six kilomètres de plage magnifique située en plein entre le golfe et la jungle. L'eau y est aussi bleue que celle d'un récif de corail des Caraïbes, et la ville, bâtie sur les falaises, s'élève droite comme une flèche dans le ciel.

Il n'y a rien d'autre à faire là-bas que de méditer. Le plus gros événement de la journée consiste à apercevoir de temps en temps un espadon faire une sortie spectaculaire, mais le poisson retourne aux profondeurs de l'océan et toi, tu retrouves la paix profonde de l'esprit. Tu n'as qu'à t'installer nue dans le sable et te laisser gagner par la chaleur du soleil et la douceur du vent; tu oublies les horloges et rien ne compte plus. Le jour, c'est l'air le plus pur au monde; et à la tombée de la nuit, lorsque l'humidité se fait sentir, il devient épicé, comme un film de Sydney Greenstreet.

Elle se mit à rire.

— Epicé! Quelle étrange expression!

— Tu trouves?

Il la fit rouler sur le dos et s'appuya sur un coude. Il dessinait de ses doigts la courbe de son abdomen et écarta avec douceur la touffe humide entre ses jambes.

— C'est ce que je voulais dire. Humide et salé, comme toi. Là-bas, je rêvais que je te faisais l'amour dans le sable, sur un lit de fougère. Cette douce fougère veloutée et cette vigne qui poussent à l'orée de la jungle et envahissent la plage. Si nous nous étions aimés là-bas, tu serais devenue enceinte, dit-il en effleurant de ses lèvres les mamelons gonflés de Devon. Je rêvais de voir tes seins regorgeant du lait le plus doux.

— Emmène-moi là-bas, King, murmura-t-elle en l'entourant de ses bras doux mais solides.

— Oui, je t'y emmènerai.

A trois heures du matin, il la quittait, la laissant épuisée et endormie, mais il était de retour à six heures avec un sac de croissants frais, un thermos de café au lait et un bouquet de fougère veloutée.

— Ainsi, je n'avais pas rêvé! dit-elle en ouvrant les yeux avec le sourire au moment où il entrait dans sa chambre sur la pointe des pieds.

— J'ai acheté des victuailles. Tu n'as pas beaucoup mangé hier soir.

Il s'assit à côté d'elle sur le lit et lui baisa la main.

Elle l'attira à elle et l'embrassa.

— J'ai eu le genre de festin que je souhaitais.

— Tant mieux. Et, pour ce soir?

— Si on laissait tomber le bifteck?

— Je connais un petit restaurant épatant sur la côte où l'on ne sert que des fruits de mer.

— King... fit-elle, le visage soudain embrumé.

Il posa un doigt sur les lèvres de Devon.

— Tu préfères l'espadon ou les langoustines? demanda-t-il en l'embrassant. C'est la seule décision que tu auras à prendre aujourd'hui.

Six semaines après le début du tournage, Gilda était toujours aussi nerveuse. Elle n'avait pas encore voulu visionner une seule des scènes qu'elle avait tournées. Finalement, tard un certain après-midi, Avery réussit à la convaincre de regarder les essais.

— C'est qui, cette vache? demanda-t-elle.

Ecrasée dans son fauteuil, une main devant les yeux, elle regardait l'écran à travers ses doigts écartés.

— Il ne se peut pas que ce soit moi, mon cher. J'emprunterais le fusil de Pat sur-le-champ si je pensais que c'est vraiment ce dont j'ai l'air.

— Enfin, confiait-elle à King et à Devon ce soir-là en dînant à Ma Maison, ce n'est pas un film artistique. Si on accordait des Oscars pour l'effronterie, je serais la lauréate de cette année, dit-elle avant de vider son verre de vin blanc. Bien que, vous deux, vous auriez certes une mention honorable!

Une semaine après avoir couché avec Devon, King avait quitté sa somptueuse résidence de Holmby Hills et emménagé dans la maison de plage que May venait d'évacuer à Malibu. Les premiers jours, Devon se sentait coupable chaque fois qu'elle regardait Inez. Pourtant, en peu de temps, elle était trop préoccupée par son métier le jour, et par King le soir, pour s'en faire à ce sujet.

Elle vivait d'amour et d'adrénaline! A l'exception de quelques dîners en compagnie de Gilda et d'Avery, elle et King passaient le plus clair de leur temps ensemble; ils parlaient, riaient, faisaient l'amour. Ils célébraient le fait qu'enfin ils s'étaient tous deux arrêtés assez longtemps après toutes ces années pour se retrouver.

Craignant que Gilda aurait peut-être grand besoin de soutien moral si toutefois elle n'aimait pas les essais, ils avaient cru bon de l'inviter ce soir-là. Ils en avaient visionné eux-mêmes quelques jours plus tôt et se trouvaient dans l'impossibilité de décider si le film serait un succès retentissant ou un désastre absolu. L'électricité entre eux était flagrante et excitante. Cependant, Devon trouvait Gilda nerveuse et lasse à l'extrême. Elle savait que Gilda avait des réserves au sujet de ce film depuis le tout début, et la nervosité de la célèbre actrice transparaissait parfois dans les prises quotidiennes.

— J'espère bien que je n'ai pas commis une erreur en vous laissant me convaincre de tourner ce film.

Gilda avait à peine grignoté quelques crevettes. Pleinement conscient de ce que *Cobras* représentait en ce qui concernait la tournure de sa carrière, elle s'inquiétait des autres choix qui pourraient se présenter. Si vous avez plus de quarante ans dans ce métier, on ne fait pas plus cas de vous que d'un caillou sur la route. Elle n'avait pas l'intention de faire publier une demande d'emploi dans les magazines de cinéma, comme Bette Davis l'avait déjà fait. Elle ne voulait pas non plus attendre qu'on lui offre des rôles de Mère Supérieure, comme à Loretta Young. Pas plus d'ailleurs qu'elle n'avait l'intention de se réfugier dans un coin et de se laisser mourir comme tant d'autres légendes sur leur déclin avaient fait et continuaient de faire. Elle ne voulait pas révéler ses secrets les plus intimes dans un livre scandaleux, et ensuite, se faire inviter à l'émission de Merv Griffin pour rappeler à la population amorphe qu'elle était toujours en vie.

Non. Le grand écran demeurait son premier amour, son lieu de prédilection où elle pouvait exceller. Si seulement elle n'avait pas autant la trouille!

— J'ai l'impression que je mets ma réputation en jeu, cette fois. S'il fallait que le film soit un fiasco... remarquait-elle en grimaçant avant de changer de sujet. Et vous deux. Avez-vous pu cesser de vous regarder dans les yeux assez longtemps pour réfléchir à l'avenir? Parfois, je me dis que c'est à cause de moi si Inez et vous deux vous trouvez dans cette galère, même si j'avais les meilleures intentions, et que je devrais vous sortir de ce pétrin.

— J'ai l'intention d'aborder le sujet d'un divorce avec Inez dès la fin du tournage, annonça King. C'était d'ailleurs comme ça que c'était déjà convenu entre nous.

— Et, je suppose que cela signifie que tu vas rester parmi nous, ma chérie? dit Gilda à Devon en souriant. Seigneur! Ne me dis pas que tu rougis! Enfin, ce n'est pas la même situation que pour des gosses qui ont tout l'avenir devant eux. Pourquoi ne pas vous marier aussitôt que possible et faire de moi une grand-mère?

— C'est précisément ce que je m'évertue à faire comprendre à cette tête de mule.

Devon tendit la main sur la table et serra très fort celle de Gilda en signe d'affection.

— Ce n'est pas encore le temps de faire ça, répondit Devon. Je préfère attendre que King soit complètement libre et au-dessus de tout soupçon. Et puis, nous avons tellement de plaisir en ce moment qu'il est difficile de faire des projets longtemps à l'avance.

— C'est que je voudrais tant que vous ne commettiez pas la même erreur que moi gaspiller toute une vie à attendre le temps qui passe trop vite. On marche, on tombe, on se relève. On se réveille à peine, que déjà la vie s'est écoulée. C'est alors qu'on entend le murmure d'un lointain tambour, et on se demande où le temps est passé. Il s'est enfui pendant que vous aviez le dos tourné.

Les beaux yeux gris vert de Gilda se gonflèrent de larmes.

— Qu'est-ce qui me reste? Vous, les enfants. C'est tout ce que j'ai. Si jamais vous deviez m'abandonner... (Elle refoula ses larmes et s'efforça de sourire.) Parbleu! Mais, voilà que je deviens sentimentale, à présent! Pourquoi mon verre est-il vide? King! Tu ne peux même pas voir à ce qu'il ne me manque pas à boire. Comment peux-tu prétendre t'occuper de Devon? le gronda-t-elle en levant les yeux au ciel. Patrick, mon pauvre bougre d'idiot, veille sur ces deux imbéciles, veux-tu? supplia-t-elle en riant. Je tiens à ce que ce soit moi qui porte le premier toast à votre mariage, mes enfants. Alors, j'espère que vous n'allez pas disparaître avant moi. J'ai dans la tête un discours tout à fait approprié pour vous deux.

Inez prétendait qu'elle travaillait trop fort pour se préoccuper du départ de King.

— De toute façon, annonça-t-elle à May et à Billy Buck en déjeunant au Polo Lounge, Mitch est tout aussi vaillant que King, et des années plus jeune que lui. Non, mais regardez moi! dit-elle en tendant une main tremblante. C'est ce que ça vous fait, ce métier d'écrivain. Pas étonnant que Fitzgerald buvait. Et lui, au moins, il n'avait pas à s'occuper d'une maison ni d'une famille.

Elle ne remarqua pas le sourire d'exaspération que s'échangèrent May et Billy.

May avait toujours dit qu'Inez était la seule personne qu'elle connaissait à Beverly Hills qui était ceinture noire en shopping. Aujourd'hui, elle venait de découvrir la mode *op-art* et portait des bijoux de plastique : des dominos, une montre en forme d'horloge, un bracelet cadran solaire, d'énormes boucles d'oreilles carrées en verre avec des billes à l'intérieur; on aurait dit de gigantesques baromètres.

— C'est la mode du graphisme, ma chère, expliqua-t-elle. Je fais ça pour épater les gens et pour m'amuser. Tout ici dépend du fait que vous puissiez ou non amuser les gens.

Ou, pensa Billy, du fait que vous êtes vraiment désespéré.

— Oh, j'y pense, May, poursuivait Inez. J'ai rencontré Hollis la semaine dernière et je n'étais pas du tout contente. Il a les cheveux comme un tas de foin. Tu ne pourrais pas l'envoyer chez un coiffeur? Il ressemble à un membre du groupe Manson. Je vous prie de m'excuser, fit-elle en se levant de table après avoir écarté son dessert. Je reviens tout de suite.

— Tu dois avoir les reins malades, dit May. Ça fait au moins cinq fois que tu vas te poudrer le nez depuis notre arrivée.

— Je vais me poudrer le nez! T'as entendu, Billy. On appelle ça un « Fischoffisme », une expression à double sens dite avec autant de subtilité qu'une massue. Elle veut insinuer que je vais m'envoyer de la poudre dans le nez, tu piges? Ma chère May, dit-elle d'un ton sifflant, je commence à en avoir assez de tes remarques désobligeantes et de tes insinuations.

— Oh, ça va! Je t'en prie, Inez, dit Billy. C'est quand même une expression courante, après tout.

— Excuse-moi, dit May, mais tandis que tu y es, tu te regarderas dans le miroir. Aurais-tu oublié à quoi ça sert vraiment, un miroir? Tu as de la poudre blanche plein les narines.

Inez se frotta le nez et goûta la poudre sur le bout de ses doigts.

— C'est du sucre en poudre, aucun doute.

— Je me demande bien d'où il sort. Tu as commandé une salade et une mousse au citron. Je me demande d'ailleurs pourquoi. Tu n'as touché à rien de ce qu'on t'a apporté, sauf trois vodkas.

— Mais, on ne tient pas les comptes, n'est-ce pas?

— Ah, et puis, allez vous faire foutre, tous les deux. Et commande-moi un cognac, veux-tu Billy? Je m'en vais *sniffer* un nuage, bougre d'un nom!

Six semaines plus tard, Devon prenait place sur la banquette arrière d'une limousine. Il y avait à côté d'elle un fourre-tout Hermès, et dans le coffre arrière, deux grosses valises. Au moment où le chauffeur virait dans la petite rue sinueuse qui menait aux Perles, Devon se rappela ce que Gilda avait dit le soir qu'elles dînaient en compagnie de King à Ma Maison.

« Si jamais vous deviez m'abandonner... »

Devon se demandait si elle ne commettait pas une erreur. Gilda se retrouvait seule et aux prises avec un terrible sentiment d'infériorité. Elle ne se voyait plus que comme une bande de celluloïd desséché, une ancienne vedette dont les meilleures performances moisissaient lentement aux archives du studio. Il fallait admettre que ce n'était pas le meilleur moment pour partir.

Beaucoup de troubles avaient surgi, tant sur le plateau qu'ailleurs. L'Association des réalisateurs avait en effet paralysé la production pour une semaine parce que les producteurs avaient embauché des employés non-syndiqués. Ensuite, ce furent les éclairagistes et les techniciens qui déclenchèrent une grève impromptue et illégale qui avait exigé deux semaines de négociations avec le syndicat avant d'en arriver à une entente.

Les producteurs avaient déjà grevé leur budget de deux millions de dollars. Les dirigeants du studio voulaient la tête de Gilda, et celle de tous ceux qui étaient mêlés à ce film.

356

Et pour couronner le tout, Avery avait recommencé à boire de plus belle. Après que l'auteur eût été évincé du Château Marmont pour avoir mis le feu à son appartement, le coordonnateur du scénario s'était un midi présenté à la maison qu'Avery avait louée dans Maple Drive dans le but de revoir son texte, et il l'avait trouvé étendu sur un rideau de douche au beau milieu du salon, où il faisait une partouze à l'huile végétale avec cinq jeunes acteurs aussi nus que lui.

Larry Sperling faisait des pieds et des mains pour empêcher que le film ne tourne au désastre. Il avait trouvé bizarre que Devon lui demande de terminer au plus vite les prises qui la concernaient, car elle devait s'absenter. Mais il avait trop de problèmes sur les bras pour s'en inquiéter et avait acquiescé à sa demande.

— Mais oui, bien sûr! Nous avons presque terminé en ce qui te concerne, de toute façon. Tu peux dire à Joe qu'il a ma permission de refaire un échéancier pour toi.

Il alluma encore une cigarette et fit comprendre à Devon de ne pas s'en faire. Elle lui avait demandé de garder le secret et elle savait qu'elle pouvait avoir confiance en lui.

Seulement, comment allait-elle l'annoncer à Gilda?

Et à King?...

Il fallait qu'elle les abandonne, et c'était la chose la plus difficile qu'elle avait jamais dû faire. Pourtant, au plus profond de son être, elle était convaincue d'avoir pris la bonne décision.

— Je reviens dans vingt minutes, dit-elle au chauffeur de la limousine qui lui ouvrait la portière.

— Vous auriez dû téléphoner, la réprimanda madame Denby, toujours aussi accueillante. Eh bien, ne restez pas là! Entrez. Je vais dire à mademoiselle que vous êtes là.

Devon était dans le salon et elle se disait : Mon Dieu, faites qu'elle ne me déteste pas pour ce que je vais faire.

— Ma chérie! Quelle bonne surprise, fit Gilda en exécutant une entrée spectaculaire dans sa robe de chambre de velours vert, même si l'après-midi était déjà avancé. Tu aurais dû me prévenir. J'attendais un reporter qui devait venir m'interviewer aujourd'hui, mais l'imbécile s'est décommandé. C'est déjà assez pénible que *People* ne s'intéresse pas à moi, il fallait que le magazine *Us* change d'avis. Alors, poursuivit-elle en écartant d'un geste cette désagréable pensée, je me suis enduit le visage de cold-cream et j'ai décidé de passer l'après-midi au lit. On m'attend sur le plateau à sept heures trente demain matin. Quelle corvée, hein? Je te sers quelque chose?

— Non, merci. Je n'ai pas beaucoup de temps...

— Attends! Laisse-moi deviner. Tu es venue m'annoncer que King et toi avez fixé la date de votre mariage. Oh, ma chérie...

— Gilda. Je m'en vais, dit Devon à voix basse.

Gilda resta stupéfaite.

— Tu t'en vas?

— Je suis en route pour l'aéroport. Il y a une limousine qui m'attend dehors.

Devon perdit soudain contenance. Elle s'avança vers Gilda et lui prit les mains. Elles étaient de glace.

— Qu'est-ce que tu veux dire? Le film n'est même pas encore achevé. Où diable t'en vas-tu comme ça? cria Gilda d'une voix que la douleur et la colère rendaient perçante. De quel droit peux-tu m'abandonner de la sorte?

— Je ne peux rien te dire de plus pour l'instant. Mais je te jure que je ne t'abandonne pas.

— Qu'est-ce que tu fais, alors? Et puis, qu'est-ce que tu entends par « Je ne peux rien te dire »? Tu oublies que c'est à Gilda que tu parles, ma chère, et non à George Christy du *Hollywood Reporter*.

— Gilda, je t'en supplie! Je ne peux pas en discuter à présent. C'est une chose que je dois régler moi-même.

— Qu'est-ce que tu dois régler toi-même? Comment oses-tu ne pas m'en parler? Après tout ce que nous avons traversé ensemble!

Gilda marchait de long en large, ses pieds nus battant impatiemment le marbre blanc. Elle se rendit jusqu'à une armoire antique, sortit une cigarette mentholée d'une boîte en argent, et l'alluma d'une main tremblante.

— C'est parce que le film est un fiasco que tu t'en vas! Tu le sais aussi bien que moi!

— Non, Gilda.

— Si! Ils vont nous écorcher vifs à cause de *Cobras*.

Devon cessa de protester en apercevant madame Denby sur le seuil de la porte.

— Qu'est-ce que vous me voulez? s'écria Gilda. Pour l'amour du ciel, pourquoi passez-vous votre temps à m'épier?

— Je vous ai entendue crier. J'ai pensé que vous aviez besoin de moi, répondit la gouvernante.

Cette dernière, au visage d'habitude pâle et pincé, était rouge de honte et de rancœur alors qu'elle poursuivait en s'adressant à Devon :

— Pourquoi la mettez-vous dans cet état?

— Sortez d'ici, lui ordonna Gilda enragée.

Tallulah Aussi, copie conforme du chien que Gilda avait élevé pendant ses débuts à Hollywood, émit un jappement et déguerpit en vitesse de la pièce.

— C'est vous tous qui allez la faire mourir avant le temps, lança madame Denby en sortant majestueusement du salon. Vous, les nouvelles étoiles de Hollywood!

— Je t'en prie, Gilda. Je n'ai pas beaucoup de temps.

Gilda fit volte-face.

— Assieds-toi! ordonna-t-elle à Devon en se versant une mesure de whisky au bar. Je sais qu'il y a un certain rapport avec le film. Malheur à toi! Malheur à vous tous! s'écria-t-elle soudain. Quel gâchis! Et par ma faute! D'abord Patrick, et maintenant toi. Tous mes enfants ont gâché leur vie, à vrai dire.

Elle se mit à compter sur ses doigts.

— Une droguée. Une imbécile qui est tombée amoureuse d'un garçon qu'elle n'a aucun espoir de garder. Un irresponsable coureur de jupons qui gaspille son talent aux quatre coins du monde depuis des années. Et toi! Toi que j'aime plus que tous les autres – une ingrate sans domicile.

— J'ai besoin de toi, lui cria Devon. Tu ne comprends pas? *J'ai besoin de toi!*

Pour la première fois depuis que Devon connaissait Gilda, elle vit le visage de son aînée se déformer en une hideuse expression qui ressemblait fort à la haine.

— Ne me fais pas le numéro de la fillette en détresse. Tu penses que je pourrais te croire, toi qui as fait le tour du globe je ne sais plus combien de fois? Toi, la dulcinée de la presse libérale, voyageant partout en Europe et en Asie en compagnie d'un Français qui reluque toutes les filles comme un chat chez le poissonnier? Et que faisais-tu de moi, pendant tout ce temps? Tu avais tellement besoin de moi que tu n'as pas remis les pieds ici pendant sept ans. Eh bien, ma jolie, j'ai quelque chose à te faire comprendre. Regarde-moi, cria-t-elle. Regarde ce que je suis devenue. Je suis une relique d'une époque révolue à qui on ne veut plus accorder d'interview, qui peut s'estimer chanceuse de faire un épisode de *Love Boat* ou de paraître dans un feuilleton dont la cote d'écoute n'atteint même pas trois pour cent. Aujourd'hui, vous et King, deux petits tourtereaux qui se prennent pour Liz et Dick, vous vous enfuyez en me laissant à moi le soin de ramasser les pots cassés de ce maudit Titanic.

Elle s'effondra sur sa chaise longue, complètement épuisée après cet accès de colère.

Le silence régnait dans la pièce. Devon prit enfin la parole.

— Je pars sans King.

Gilda leva les yeux.

— Il y a quelque chose qui ne tourne vraiment pas rond, n'est-ce pas? Tu es dans le pétrin. De quoi s'agit-il? C'est

cette histoire de politique? Je t'en supplie, Devon. Il faut me
le dire!

Devon traversa la pièce et vint s'asseoir à côté de Gilda.

— Il faut me faire confiance. Je promets de t'écrire d'ici
quelques semaines. Aussitôt que je serai installée.

— Est-ce que King sait où tu t'en vas?

— Il ne sait même pas que je pars. Il a bien fallu que je le dise
à Larry Sperling, évidemment, et j'ai fait mon doublage la semaine
dernière. Toutes les prises qui me concernent sont terminées. La
majeure partie de l'action se passe à l'intérieur, de toute façon.
Larry prétend que nous n'avons pas besoin de tourner des
arrière-plans fantastiques. Ils n'auront pas grand-chose à faire
pour la finition. Tu comprends, ce n'est pas un de ces films comme
La Guerre des étoiles où le véritable boulot se fait surtout au
laboratoire après que les caméras ont cessé de tourner. Tu sais, ma
chérie, en dépit de tous les problèmes que ce film a dû encaisser,
chacun prétend que ce sera un film merveilleux. Et toi, tu seras
merveilleuse à ton tour.

Devon hésita un moment en se mordant la lèvre, puis ajouta :

— Je sais que c'est difficile à comprendre, mais je préfère que
tu n'en parles pas à King. Il a besoin de réfléchir, lui aussi. Je lui
ferai signe lorsque je serai prête.

Gilda lui répondit d'une voix si frêle que Devon pouvait à peine
l'entendre.

— Tu es une idiote, Devon Barnes. Tu t'éloignes de ce qui
pouvait t'arriver de mieux au monde, et tu ne veux même pas me
laisser te sortir de je ne sais quel pétrin dans lequel tu t'es fourrée.
Eh bien, j'en ai assez, et si c'est ce que...

— Votre chauffeur fait dire qu'il est temps de partir! annonça
madame Denby qui était réapparue, blême de colère. Il n'arrête
pas de klaxonner; il a semé la panique chez les animaux. Ils sont
dans un tel état! Si vous entendiez le tapage dans la volière! Le
jardinier en a pour une semaine à ramasser des plumes sur la
pelouse.

— Alors, donne-moi une bise puisque tu ne veux pas me donner
ta bénédiction.

— Je suppose que tu voudrais que je te reconduise, en plus, fit
Gilda d'un ton glacial. Il semble que tout ce que tu saches me
demander, ce sont des faveurs. « Retrouve la tombe de mon
père », as-tu dit. « Donne-moi une bise pour que je puisse me
sauver de toi. » Je vais te la donner, ta bise, va. Et te souhaiter
bonne chance, aussi. Mais si jamais tu décides de remettre
les pieds ici, Devon Barnes, tu as besoin d'avoir une bonne
explication à me donner!

Après le départ de Devon, le retour de Gilda à l'écran attirait la curiosité du monde entier. Au cours des semaines qui suivirent, elle fut interviewée tour à tour par le *Hollywood Reporter*, le *Ladies' Home Journal*, le *Redbook*, les agences télégraphiques, le *New York Times*, le *Harper's Bazaar*, le *Chicago Tribune*, le *Washington Post* et le *Cosmopolitan*. Mais, ce fut le papier de Billy Buck qui raconta la seule la véritable histoire de Gilda. En effet, le magazine *Esquire* devait le rémunérer grassement pour un portrait de la célèbre actrice qu'ils intitulèrent : « Retour de Gilda – Des perles plein la vue. » C'est ainsi que Billy vint à connaître son sujet comme la paume de sa main.

Il y aurait lieu de préciser ici qu'à chaque fois que Gilda consommait un margarita de trop en compagnie de Billy, elle se mettait à lui raconter son passé, de cet accent qui lui revenait en ces occasions, aussi prononcé que le goût de mélasse de son pays natal.

— Je t'assure, mon ami, que la vie n'était pas rose tous les jours.

Ses yeux se gonflaient de larmes tandis qu'elle décrivait les dîners sur la véranda grillagée chez son oncle Freddy, où elle s'amusait à tuer les mouches tout en léchant à la cuiller de la glace aux pêches maison. Ou encore, elle attrapait des mouches à feu dans un pot à confiture.

Gilda Rae Quinn était une fille toute simple dont le seul crime était d'être d'une rare beauté. C'étaient Vy, la sœur de Gilda, et son mari Orval, qui faisaient pour elle de grands rêves.

— Si tu trouves que j'ai du cran, j'aurais aimé que tu connaisses ma sœur Vy. Elle avait un physique ordinaire comme une baratte à beurre, mais assez d'énergie pour deux. « Ma petite sœur », me disait-elle, « si je n'arrive pas à être quelqu'un en ce bas monde, au moins toi, tu y parviendras. » C'était Vy qui m'avait forcée à passer une audition pour la pièce annuelle à l'école. On y jouait du Somerset Maughan cette année-là. Les pauvres gens de Hilltop n'ont jamais su ce qui leur arrivait, pas plus que Vy, d'ailleurs. Elle trouvait ça honteux ! Tu vois, je n'avais pas beaucoup de talent, mais chacun trouvait que je jouais avec tant de sincérité. Sans compter que j'étais déjà assez bien tournée, même si je n'étais encore qu'une gamine mal fichue, une adolescente peu soignée.

Les autres magazines avaient raconté une partie de la vie de Gilda, c'est-à-dire ses mésaventures avec ses époux, ses aventures amoureuses, sa vie trépidante à Rome où elle dansait sur les tables avec des matadors espagnols, sa passion pour le chocolat. Mais aucun n'avait encore capturé l'essence même de cet oiseau en liberté.

— Lorsque je suis venue à Hollywood, Vy m'a suivie pour quelque temps. Figure-toi qu'elle a déjà dit à Louis B. Mayer d'aller se faire voir! Ce qu'il a d'ailleurs fait, je crois bien. Car il baisait avec toutes les filles qui franchissaient la barrière d'entrée de la MGM. Tout ce que je peux te dire, c'est que dans les années cinquante, je gagnais quatre mille dollars par semaine tandis que tous les autres n'en gagnaient que trois. Tu sais, Mayer m'a toujours détestée; autant qu'il détestait Lana et Ava. Tu comprends, à son avis, nous n'étions pas des dames distinguées, nous fréquentions de mauvaises gens. Mayer aimait les dames gantées et chapeautées. Il avait le béguin pour Greer Garson. Mais le vieux bouc comprenait une chose, cependant. Ça, c'était les recettes. Et à chaque film que je tournais, les caisses-enregistreuses chantaient une chanson qui faisait le palmarès. Pourtant, Dieu sait ce que j'avais de spécial, mais il faut croire que je devais faire ce qu'il fallait puisque j'ai tourné douze films l'un après l'autre, et on me demandait encore de tourner. Toutefois, certains de ces films étaient de véritables navets.

Billy était au courant. Il avait déjà lu des articles dans lesquels on déclarait qu'elle s'était bien défendue. Mayer l'avait souvent menacée de suspension, comme on avait fait avec Bette Davis à la Warner, mais l'atout caché de Gilda, c'était Ida Koverman, le bras droit de Mayer à la Metro.

— Si vous plaisiez à Ida, l'affaire était dans le sac, avait expliqué Gilda à Billy. A chaque fois que le vieux me faisait des menaces, je n'avais qu'à téléphoner à Ida qui me disait : « Je vais arranger ça avec L.B. » Personne ne pouvait arriver chez Mayer à l'improviste, peu importe qui c'était. Il fallait d'abord téléphoner à Ida Koverman. Celle-ci me faisait asseoir sous le drapeau américain et me disait en imitant le vieux : « Gilda, je te parle comme un père. Il n'y a pas de mauvais films; il y a seulement de mauvaises actrices. Tu ne seras jamais de celles-là si tu suis mes conseils. » Elle avait raison. C'était la seule façon de s'entendre avec ces monstres qui tenaient la ville dans leurs mains. En leur présence, il fallait jouer le jeu. Ensuite, lorsque vous quittiez le studio, vous pouviez faire ce dont vous aviez envie en essayant d'éviter qu'ils ne l'apprennent. Ces hommes-là utilisaient cette soi-disant autorité paternelle sur toutes les filles à la Metro.

Plus tard, lorsque le vieux a commencé à perdre les pédales à la fin des années quarante, il a senti la soupe chaude. Moi, j'ai travaillé à la Metro de 1940 à 1952. Un à un, les acteurs qui avaient été sous contrat à long terme ont pris la porte de sortie, après quoi c'était chacun pour soi. Lorsque les studios ont perdu les cinémas dont ils étaient propriétaires, après le fiasco de l'affaire anti-trust, ils ont aussi perdu leur écurie de serviteurs contractuels. La période dorée touchait à sa fin et c'est alors que les jeunes ont pris la tête. A partir de ce moment-là, il importait peu qui vous étiez – Gable ou Garland – c'était chacun pour soi.

Mais, je ne m'en plains pas. J'ai tourné vingt-cinq ou trente films sous contrat, je ne sais plus au juste, et à la fin, je commençais à en avoir assez. J'ai fait quelques films à la pige à cette époque, mais ils étaient presque tous plutôt moches. Tu vois, les films pour lesquels je resterai célèbre, s'il en est, ont tous été tournés pendant la période dorée.

Billy les avait tous vus. Depuis son fauteuil au balcon de Dieu sait combien de cinémas, il était tombé amoureux de « la Dame aux perles », en même temps d'ailleurs que tous les jeunes Américains. Il avait observé la comédienne qui additionnait d'alcool les laits frappés de Van Johnson, dansait avec Fred Astaire, et se pâmait dans les bras de Robert Taylor. Dans Greenwich Village, aux représentations de minuit, il riait en lui-même en écoutant les pédés cinéphiles réciter à voix basse les répliques d'un des grands classiques de Gilda, *The Lady Waited*. « J'ignorais que tu étais une femme de fer », disait Clark Gable en chiffonnant de la main le pull angora de Gilda alors que le couple s'enlaçait. Et l'auditoire répondait en chœur : « Pas de fer, mon chéri, de fer-blanc! »

Dans *The Bridge*, elle interprétait le rôle d'une religieuse. Dans l'immonde saleté, la dégradation et la faim auxquelles l'île de Sumatra était soumise par les Japonais, et après avoir parcouru la jungle à grand-peine pendant six jours, elle tient un enfant mourant dans ses bras et implore le ciel d'envoyer la pluie bienfaisante. Dans *Ebb Tide*, elle ramène à la santé un pianiste aveugle qui, inspiré par elle, écrit son plus grand concerto; et elle réussit à accomplir tout ça de son lit de mort dans un sanatorium pour tuberculeux. Dans *Jinxed Lady*, elle interprète une femme de la pègre qui se retourne contre la mafia pour venger le meurtre du policier dont elle était amoureuse.

Billy avait applaudi tous ces films et ne pouvait pas croire que la femme qu'il avait tant vénérée à l'écran en croquant d'innombrables barres de chocolat faisait aujourd'hui de lui son confident.

Devant les journalistes, Gilda connaissait les règles du jeu; elle savait comment poser pour des photos, comment raconter quelque anecdote grossière sur le plateau pour satisfaire l'appétit vorace de ces misérables. « Gilda Greenway accorde des interviews formidables! » écrivait un jour un reporter pédé du *Village Voice*.

Pourtant, elle n'était pas dupe de leurs manigances. Et elle réservait à Billy ses meilleures confidences intimes.

— Je n'ai jamais fait confiance aux journalistes. Malgré tout, je me suis toujours bien entendue avec cette bande de salopards. Pourquoi Hedda Hopper, alors au faîte de son règne de terreur, m'accordait-elle sa protection? Parce que, tandis que tout le monde à Hollywood se moquait de son fils Bill, moi je le logeais sans frais dans mon pavillon pour les invités. C'est un reporter du *Denver Post* qui m'a donné la chaude-pisse la première fois. J'ignorais ce que c'était et je n'avais jamais entendu parler de la pénicilline. J'ai fait un empoisonnement de sang et pour peu, j'y laissais ma peau. Quand j'y pense! Il m'a fallu six mois pour m'en remettre! Et tout ce que j'en ai retiré, c'est un article d'une page dans le supplément du dimanche intitulé : « Une nuit mémorable avec une star ensorceleuse de Hollywood. » Le saligaud m'en avait fait parvenir une copie sur laquelle il avait inscrit : « Chérie, tu étais formidable! » Après cet incident, j'ai continué de baiser mais j'ai cessé de lire les journaux.

On aurait dit qu'il se jouait dans sa tête une éternelle partie de ping-pong et son corps en faisait les frais. En effet, un jour, c'était « Sésame, ouvre-toi! », et chacun avait droit à un présent, depuis le jardinier mexicain jusqu'à l'instructeur de culture physique qui lui rendait visite en camionnette hippie et lui massait le dos à l'huile d'avocat. Le lendemain, c'était la déprime, et elle sombrait dans un état qu'elle appelait « ma colère rouge »; elle se mettait alors à boire du whisky au jus de pomme jusqu'à en perdre l'esprit, en proférant des jurons contre tous ceux qu'elle voyait à la télé, enfermée dans une pièce ténébreuse où elle fumait sans arrêt au point d'en perdre toute sensation.

— Le fait que cette femme porte toujours la taille trente-six comme il y a vingt ans demeure un plus grand mystère que la mort de Jean Harlow, disait May. Je crois qu'on appelle ça de l'auto-défense.

— Qu'entends-tu par là? demanda Billy qui, accompagné de l'impresario, sortait de la salle de projection où ils venaient de visionner les plus récentes prises quotidiennes.

— Après avoir été bousculé assez longtemps dans ce métier, tu n'as plus confiance en personne et tout ce qu'il te reste, c'est ton apparence physique. Si au départ tu es de nature aimable et généreuse et que par surcroît tu atteins un certain succès, alors, on va abuser de toi. A qui peux-tu te fier? Le public est difficile. Les fans peuvent aussi bien faire ton succès que ta ruine. Ta vie privée aussi en prend un coup. Tout ce qu'il reste à ces vieilles actrices c'est leur glace. Donc, quand le reste flanche, Gilda s'assure que la caméra, elle, l'aime toujours.

Les interviews que Gilda accordait à Billy se transformèrent peu à peu en une relation plus profonde. Il devint l'ami de la comédienne, celui qui l'accompagnait partout, celui qui l'écoutait. Il lui faisait répéter ses répliques. Il lui arrivait parfois de dormir aux Perles pour éviter à Gilda le supplice d'une autre nuit solitaire et agitée. D'un accord tacite, c'était dans la luxueuse chambre désordonnée de l'actrice, aux relents d'orange, de chrysanthèmes et d'un soupçon de parfum, à la lueur vacillante du feu dans la cheminée, qu'ils convenaient toujours de se rencontrer. C'est là qu'elle passait ses nuits blanches à faire les cent pas, le seul bruit de la maisonnée endormie étant celui de son mélangeur électrique. C'est là qu'il contemplait la silhouette solitaire de Gilda, éclairée par la seule lumière que projetait la porte ouverte du mini-réfrigérateur dans un coin de la chambre, où elle préparait des pichets de margaritas.

Il arrivait souvent au journaliste de trouver les renvois les plus bizarres dans le carnet d'adresses en cuir de son amie, organisé de la même étrange façon que l'esprit lui-même de Gilda. Un jour, par exemple, il y cherchait le numéro de téléphone de Jimmy Stewart.

— Regarde dans les « B », lui cria-t-elle depuis sa baignoire.

Et c'était bien là que le numéro se trouvait, sous la rubrique « Bridge, les joueurs ».

A une autre occasion, il découvrit par hasard le nom d'une actrice de Hollywood jadis célèbre inscrit dans les « D », sous la rubrique « Doublures ».

Un soir, Gilda et lui avaient rencontré Barbara Stanwyck chez Dominick's.

— Comment ça va? avait demandé Gilda en s'arrêtant un instant à la table de Barbara.

— Ça peut aller, lui avait répondu la Stanwyck de sa voix grinçante et ténébreuse.

Gilda et Billy s'étaient ensuite installés à leur table.

— Cette chipie me déteste depuis le jour où Robert Taylor s'est mis à me faire de l'œil en 1949. Elle a une mémoire d'éléphant!

Billy ne savait pas s'il devait ou non la croire. Elle avait raconté tant d'histoires qu'elle commençait à croire ce que les journaux écrivaient sur son compte.

— Tu peux la croire, lui dit un jour King à la cafétéria du studio. Il est fort probable qu'elle dise la vérité. Cette femme-là a déjà tout essayé, et même deux fois plutôt qu'une. Ecoute ce que je vais te raconter. Un soir, dans les années quarante, elle se trouvait à un grand dîner chez Romanoff's. Samuel Goldwyn venait de prononcer une de ses légendaires allocutions dans lesquelles il bafouillait constamment et mêlait les mots à tout bout de champ. Alors, Gilda s'est levée et lui a dit : « Vous savez, d'après le magazine *Time*, d'ici l'an 2000, un Américain sur trois sera un illettré. Monsieur Goldwyn, vous avez soixante ans d'avance. » Louella Parsons avait cité la réplique dans sa chronique!

Les deux hommes s'esclaffèrent en buvant leur bière.

— Est-ce qu'on t'a déjà raconté l'histoire de sa querelle avec Bruce Gerber? demanda King à Billy. Tu n'ignores pas que Gerber est une pédale qui pense qu'il cache bien son jeu. Il a tenu des postes importants dans à peu près tous les studios de la place et chaque fois que le petit rouquin de pédé fait un geste, il s'imagine qu'il vient de sauver l'industrie du désastre. Toujours est-il que Gilda et lui se détestent. Il suffit de mentionner le nom de Gerber en présence de Gilda, et elle réplique : « Cet homme-là a du sperme d'araignée. » Et elle sort!

Il poursuivit :

— L'histoire en question avait donc débuté au Festival de Cannes. Gilda et Avery avaient rencontré Bruce sur la plage où il cherchait à faire la connaissance d'un jeune garçon, bien qu'il prétendait être à la recherche de nouveaux talents. Le soir, Avery les avait tous invités à dîner à un restaurant marocain qui se trouve derrière le Carlton. Or, le dramaturge était accompagné d'un jeune Français blond et mignon – le genre Brigitte Bardot en favoris, quoi! Bruce en avait tout de suite eu envie et avait ramené le garçon à son hôtel. Ça avait été le coup de foudre, et le plus répugnant gros bonnet de Hollywood découvrait les plaisirs de la vaseline.

Avant longtemps, on apprenait que le jeune homme était en Californie et vivait dans la maison de Bruce à Laurel Canyon. Pendant quelque temps, le célibataire le plus en vogue filait le parfait amour, sauf que son standing en prenait pour son compte. Il ne pouvait inviter personne chez lui, tu comprends, car il lui aurait fallu expliquer la présence de son invité; d'autre part, il ne pouvait pas non plus emmener le gosse chez Betsy Bloomingdale lorsqu'il y était invité à dîner. Donc, Gerber avait téléphoné à Gilda et lui avait demandé de prendre le petit chez elle. Elle s'est rendue chez Gerber comme convenu, mais le jeune leur a fait une de ces scènes! Couteau en main, il a menacé d'arracher à Bruce le peu de cheveux qu'il lui restait. C'est alors que Bruce a accusé Gilda de l'avoir mis dans ce pétrin. Il lui a juré qu'il s'arrangerait pour qu'elle ne trouve plus jamais de travail au cinéma. Inutile de dire que c'était la goutte qui faisait déborder le verre!

Un an plus tard, le jeune homme était de retour à Hollywood. Gilda décida donc d'inviter Bruce aux Perles après avoir imploré son pardon et lui avoir promis son éternelle amitié. Une telle déclaration ayant flatté l'orgueil d'un Gerber déjà imbu de lui-même, il s'empressa d'accepter. Sans perdre un instant, Gilda a immédiatement téléphoné à Inez pour la prévenir qu'un nouveau chapitre était sur le point de s'inscrire dans les annales de Hollywood. Nous nous sommes donc rendus aux Perles pour la fameuse soirée. Entre-temps, Gilda avait invité les journalistes en leur promettant une histoire du tonnerre. Les dirigeants de tous les studios y avaient été conviés. Le dîner servi, on constate qu'il s'agit de mets marocains! C'est alors que Bruce est devenu écarlate, au moment même où Gilda annonçait : « Mesdames et messieurs, j'ai le plaisir de vous présenter ma dernière découverte, arrivant directement de France. Ou, est-ce toi qui l'a déjà découvert, mon cher Bruce? » La petite pédale aux yeux en vrille s'est étouffée en avalant son couscous de travers. Ensuite, sorti d'on ne sait où, le jeune garçon, nu comme un ver avec son machin qui lui pendait jusqu'aux cuisses, s'est approché de Bruce Gerber et s'est assis sur ses genoux en disant : « Je serai toujours reconnaissant à monsieur Gerber ici présent pour m'avoir découvert le premier. C'est à mademoiselle Greenway que je donne ma commission, mais c'est à monsieur Gerber que mon cœur appartient! » Bruce en était bleu de rage. Ensuite, dans le tumulte qui s'ensuivit, Gilda s'est penchée sur la table en disant : « Tu n'aimes pas ton couscous, mon cœur? Pourtant, tu le trouvais si délicieux à Cannes! » Après, elle a versé une bouteille de chianti dans la soupe de Gerber. Joyce Haber a fait un papier spécial sur cette histoire dans le *Times*. La réputation de Gerber était ternie à jamais. Lui, il pense toujours qu'on ignore qu'il est pédé, mais c'est le secret de Polichinelle.

Billy commençait à comprendre le caractère de Gilda. L'histoire que King venait de lui raconter était sans contredit absolument sensationnelle, mais pourtant impubliable. Gilda était une femme aux appétits énormes, d'une grande compassion et d'une sensibilité à fendre le cœur. Mais c'était aussi une créature complexe, sujette à des sautes d'humeur extrêmes et des doutes terrifiants. Devant ses confrères comédiens, elle pouvait se montrer têtue et intransigeante. Pour les membres d'une équipe de tournage, c'était un compagnon d'armes. En effet, en dépit des craintes qu'ils avaient pu exprimer quant à sa parution dans le même film que Devon Barnes, les techniciens l'adoraient et n'étaient pas gênés de le lui dire. Plusieurs des techniciens employés au tournage de *Cobras* étaient des anciens qui avaient travaillé avec elle autrefois et qu'on avait triés sur le volet parce qu'ils connaissaient ses phobies et savaient la mettre à l'aise. Ils se rappelaient qu'elle leur avait jadis trouvé du travail, à une époque où les emplois se faisaient rares, et ils lui démontraient leur reconnaissance de mille et une façons sur le plateau. Par exemple, ils lui servaient du café et lui apportaient des friandises. Ils lui racontaient leurs histoires grivoises et lui permettaient de regarder les plans par le viseur de la caméra. Pour elle, ils avaient placé des miroirs en certains endroits stratégiques du plateau afin qu'elle puisse en tout temps vérifier sa coiffure et son rouge à lèvres, même au beau milieu d'une prise. Sur le plateau, elle était la reine et eux, ses loyaux serfs.

Chez elle, par contre, c'était autre chose. Les murs de sa chambre accusaient des taches là où elle avait lancé des plateaux à la tête de madame Denby. Et il émanait parfois du tapis certaines odeurs évocatrices des moments où elle n'avait pu se retenir assez longtemps pour se rendre aux toilettes.

— Si seulement Patrick était encore là, gémissait-elle. Je suis trop vieille à présent pour exciter un homme.

Elle ne s'attendait plus à être aimée et savait qu'elle ne jouirait jamais d'aucune sécurité à moins de se la fabriquer elle-même. Au fond, d'après ce que Billy avait pu constater, elle craignait éperdument d'être considérée comme une très grosse vedette ayant très peu de talent. Mais il y avait quelque chose de remarquable dans son acharnement : c'était la détermination avec laquelle elle accomplissait ce dernier effort pour conserver sa renommée cinématographique avant de se retirer.

Malheureusement, elle buvait beaucoup, et le lendemain d'une cuite, elle enflait toujours comme une grenouille, à tel point qu'il était impossible de la photographier. A plusieurs reprises pendant le tournage de *Cobras*, il avait fallu faire d'elle uniquement des prises de dos. Parfois, elle se disait malade, et on devait s'arranger pour tourner des scènes qui ne l'incluaient pas. Deux jours plus tard, elle arrivait sur le plateau à sept heures, aussi radieuse qu'une fleur, suivie de ses chiens qui arboraient des colliers de diamants. Elle parlait tout en douceur et disait à l'éclairagiste en lui pinçant les fesses et lui adressant un clin d'œil :

— Harry, sois gentil et sers-toi de ce rose comme tu le faisais pour Kim Novak.

Et les prises étaient épatantes.

Cobras mit un temps fou à sortir du laboratoire de montage à la fin de l'hiver, arriva clopin-clopant jusqu'au printemps, et trouva une mort prématurée au guichet. « Beau, coloré et insipide », avait écrit le critique du *Time*. « Une sorte d'épopée sudiste sortie des boules à mites et qui pue la pourriture de magnolias », prétendait Pauline Kael, qui ne se privait pas de démolir le scénario d'Avery Calder. « A mon avis, l'intrigue est trop faible pour soutenir le poids de tant de grosses vedettes », devait ajouter le critique du *New York Times.*

Cependant, chacun louait les interprétations de King Godwin et de Devon Barnes, et les critiques sérieux, ceux qui avaient plus de vingt-cinq ans, s'accordaient à dire que toute œuvre mettant en vedette Gilda Greenway valait certes le prix d'entrée. Gilda en était flattée, mais une petite veine sur sa tempe gauche dansait fébrilement pendant que l'actrice lisait la recommandation particulièrement virulente que lui adressait une journaliste, c'est-à-dire que la prochaine fois, si jamais il y en avait une, elle aurait avantage à jouer un rôle qui convenait mieux à son âge.

L'article de Billy Buck démontrait plus de générosité. Il avait réservé ses critiques pour le réalisateur, Larry Sperling, qu'il accusait de faiblesse dans sa mise en scène, et pour le directeur de la cinématographie à qui il reprochait d'avoir « fait un usage outrancier de filtres, à tel point que cette icône encore spectaculairement belle paraît avoir été photographiée à travers un pot de mayonnaise. » En lisant cela, Gilda avait déclaré :

— Ben, quoi? De quelle autre façon peut-on photographier une salade défraîchie?

Quant à Devon, elle, ce fut en lisant la revue *Variety* dans une minable *taverna* mexicaine qu'elle prit connaissance des critiques du film. Pour peu, elle s'étouffait en buvant sa sangria épicée. Les commentaires étaient cinglants, c'était le moins qu'on pouvait dire! *Cobras* avait fini par grever son budget de huit millions de dollars. En outre, il fallut reprendre trois fois la trame musicale en raison du fait que Sperling avait intenté une poursuite contre le studio qui avait d'abord utilisé une bande sonore que le réalisateur n'avait jamais approuvée. Les deux producteurs indépendants que May avait fortement encouragés à financer le film durent déclarer faillite, et Sperling ne réalisa aucun autre film avant cinq ans.

En fin de compte, *Cobras* devait s'inscrire dans les annales comme le pire navet ayant une distribution de stars depuis *The Misfits.*

King partit immédiatement pour Almeria, en Espagne, où commençait le tournage d'une co-production franco-israélienne racontant l'histoire d'un groupe d'espions américains pris au piège par les Palestiniens. Avery Calder, désemparé par la façon peu élogieuse dont les critiques avaient accueilli son scénario, renonça à tout et rentra à Londres.

Ayant pris son parti, Gilda se réfugia dans le sanctuaire des Perles. Ensemble, ils avaient cherché à produire un film qui traitait de situations réelles mais le milieu cinématographique avait trop changé. On en était à l'ère de *La Guerre des étoiles* et autres films à la Steven Spielberg. A quelques reprises, May téléphona à Gilda dans le but de lui remonter le moral, prétendant que certaines rumeurs voulaient qu'on l'approche sous peu pour lui proposer de nouveaux rôles. Gilda savait pourtant que son téléphone silencieux témoignait du véritable état des choses. Après avoir tout donné, elle manquait à présent de verve et d'enthousiasme.

— Les seuls rôles qu'on offre aux femmes de plus de cinquante ans sont ceux de grossières meurtrières ou de mères maladives. Roz Russell m'avait dit un jour : « Evite les rôles de mères, ma chère, car l'auditoire leur préfère toujours les filles. » J'attendrai donc qu'on me propose un bon scénario au sujet de la maladie d'Alzheimer.

Gilda avait toujours eu la voix grave, mais à présent, on aurait dit que ses paroles sortaient des profondeurs d'un abîme. La comédienne avait encore du piquant et pourtant, elle avait perdu son goût pour la bataille. Elle était loin de se douter que *Cobras* serait pour elle le chant du cygne. Et celui de Devon, aussi.

24

Le 26 décembre 1979

Ayant été forcé de stopper sa Jag derrière trois roulottes à un feu de circulation sur l'avenue Vermont, Billy Buck pianotait sur le tableau de bord.

Devon était restée muette pendant tout le trajet de retour. En journaliste expérimenté qu'il était, Billy savait qu'il y avait certaines occasions où il valait mieux ne pas poser de questions. D'ailleurs, après les trois margaritas qu'il avait pris au déjeuner, il lui fallait accorder toute son attention à la route.

Ils roulaient dans un quartier minable de Los Angeles qu'on ne voit jamais au cinéma. Billy s'y était rendu une seule fois déjà, lorsque le bibliothécaire de la MGM l'avait conduit aux anciennes archives de la Metro où l'on rangeait les anciennes pellicules nitratées avant de les copier sur de la pellicule de conservation. Etant donné que de nombreux incendies s'étaient déjà déclarés sur les lieux mêmes du studio, les bobines inflammables des anciens films traités au nitrate avaient été transférées de Culver City à un entrepôt climatisé situé dans un quartier délabré que peu de résidents de Beverly Hills avaient jamais vu.

Dans ce temps-là, Billy cherchait à retrouver certains numéros qui avaient été retranchés des anciennes comédies musicales avant leur parution. Il se remémorait le sentiment d'ironie qu'il avait éprouvé ce jour-là, alors qu'à l'aide d'une lampe de poche il fouillait dans les boîtes d'entreposage à la recherche soit de numéros de danse de Fred Astaire, soit de chansons de Judy Garland ou de sketches des Marx Brothers, relégués aux oubliettes et dont on se souciait aussi peu que des mauvaises herbes perçant le trottoir minable et lézardé à l'entrée.

Autrefois un quartier où les cols bleus vivaient dans des maisonnettes propres et convenables, le *barrio*, entre les avenues Figuero et Vermont, était aujourd'hui peuplé de Cubains et de Mexicains. On y faisait souvent des descentes de drogue, et les attaques au poignard étaient si fréquentes que les journaux ne prenaient plus la peine d'en faire mention.

C'était un quartier où abondaient les ateliers de réparation de carrosserie et les terrains vacants, où il y avait dans l'air des odeurs d'huile à moteur et de friture. Billy se demandait bien ce que Devon Barnes faisait dans un coin pareil.

— C'est la prochaine à droite, dit Devon. Nous y sommes.

Billy se sentait tout drôle. Il se dit en lui-même que Gilda avait dû penser la même chose.

— Devon... D'accord! Tu ne veux pas me dire où tu étais ces dernières années. Mais peux-tu au moins me dire si tu es de retour pour de bon? Je serais désolé d'avoir à te quitter le jour même où que je t'ai retrouvée!

— Non, Billy. Je te promets de ne plus m'enfuir. Mon avenir est plutôt incertain pour l'instant, mais je peux quand même t'affirmer que je n'ai pas l'intention de disparaître.

— Tu es certaine que tout va bien? lui demanda Billy l'air inquiet.

— Si tout va bien? Oh! Tu veux parler de la P.J. J'ai rendez-vous avec le détective Biggs cet après-midi. Dis, Billy. Tu me crois, n'est-ce pas, quand je te dis que je n'ai rien à cacher?

— Tu me connais, ma belle. Je suis prêt à tout croire.

— Comme un cochon du Texas! C'est ce qu'on disait à Mullin, tu sais, dit-elle en riant. Grand Dieu, ça fait des siècles que je n'ai pas utilisé cette expression. C'était une des préférées de mon père. Quelle ironie! Lui qui était l'un des êtres les moins méfiants que cette terre ait jamais portés.

— Est-ce que Gilda a jamais trouvé la tombe de ton père, en fin de compte?

Il s'engagea dans l'avenue Mariposa, comme Devon le lui avait demandé, et se retrouva dans une rue délabrée bordée de bungalows aux couleurs pastel délavées, aux volets brisés et dont la peinture s'écaillait. Quelques enfants qui jouaient à la marelle les saluèrent de la main en souriant au passage de la voiture.

— Oui, en fait. Malgré toute la haine et la douleur qu'elle éprouvait après mon départ, elle a quand même entamé des recherches. Mon père est enterré dans un petit cimetière mexicain dans la vallée de San Joaquin.

— Quelle femme extraordinaire! Tu pourras maintenant rendre visite à la tombe de ton père.

— C'est déjà fait. Je m'y suis rendue la veille de Noël.

— Alors, quand as-tu parlé à Gilda?

Devon laissa échapper un grand soupir.

Billy secoua la tête, ce qui le fit grimacer de douleur en constatant qu'il souffrait d'une migraine.

— Pourquoi tant de mystère? Aurais-tu rencontré quelqu'un chez elle, par hasard? demanda-t-il en s'efforçant de paraître nonchalant.

— Tu cherches à savoir si j'ai des témoins? Billy, mon cœur, tu es meilleur journaliste que détective. Laisse donc Biggs s'occuper de tout ça.

— D'accord. Mais dis-moi une chose. Ces perles que tu portais. Elles ressemblaient à s'y méprendre à celles de Gilda!

— C'étaient les siennes. Voilà! Nous y sommes.

Elle lui montra une poussiéreuse maisonnette en stuc à quelques mètres de là, à demi dissimulée derrière un bananier dont les feuilles brunissaient sous l'effet de la chaleur.

— Ici? demanda Billy incrédule.

— J'ai des amis ici. Ils m'ont recueillie la veille de Noël après m'être enfuie des Perles.

Elle se pencha pour ouvrir la portière.

— Tu t'es enfuie? Avec les perles de Gilda?

Il lui saisit le bras comme elle descendait de voiture.

— Je t'en prie, Billy! Je n'aurais jamais dû te dire ça. Et je suis en retard. Il faut que je voie King avant d'en dévoiler davantage. J'ai des choses à lui dire.

Elle se pencha et embrassa Billy sur la joue.

— Comme, par exemple, qui se cache dans cette maison?

Il porta son regard en direction de la maisonnette. La porte grillagée venait de s'entrouvrir. Une femme rondelette à peau brune, un foulard rouge noué sur la tête, s'avança sous le porche avec un jeune enfant dans les bras.

— Il faut que je me sauve. Merci pour tout, Billy.

Elle sauta de la voiture et courut jusqu'à la maison.

— Devon! Attends!

C'était peine perdue. La femme brune ouvrit la porte grillagée et laissa entrer Devon. Au moment où la porte se refermait derrière elles, une poule étiolée sortit en trombe de dessous le perron, soulevant par le fait même un nuage de poussière et de plumes.

25

Le 26 décembre 1979

La Thunderbird décapotable de Hollis Godwin fit halte dans l'entrée de la somptueuse résidence de sa mère à Holmby Hills.

— Tu es certaine que ça ne t'ennuie pas? demanda-t-il à May. Elle me paraissait tellement moche aujourd'hui. Je veux m'assurer que tout va bien. Nous rentrons tout de suite après.

Dès sa sortie de la chapelle, tout en se frayant un chemin parmi la foule des collectionneurs d'autographes et des fans éplorés de Gilda, Hollis avait retiré son veston qu'il avait roulé puis enfoui dans le compartiment entre les deux sièges avant de la voiture. Il avait agi comme l'enfant impatient qu'il était encore parfois. A présent, il retirait sa cravate et déboutonnait son col de chemise en même temps qu'il passait dans ses cheveux une main couverte de taches de rousseur. Il ressemblait tellement à son père lorsqu'il faisait ce geste. May était émerveillée de constater qu'il avait déjà vingt et un ans. King avait presque le même âge à la naissance de Hollis.

— Non, ça ne m'ennuie pas, fit-elle en effleurant la joue de Hollis, touchant du bout du doigt l'infime cicatrice qui séparait le sourcil gauche du jeune homme. Je t'attends ici.

— Ça va?

— Tout compte fait, ça va!

— Je n'en ai pas pour longtemps, lui promit-il.

May le regarda faire un sprint sur la pelouse à côté de la maison en direction du tennis et de la piscine. Il se retourna avant de passer le coin et adressa à May un signe de la main.

D'où sortait-il, se demandait May en silence. Elle lui posait régulièrement cette question, à laquelle Hollis se contentait de sourire de son sourire de clown, comme il venait de le faire. Elle l'aimait tellement! Même en ce moment, alors que tous les muscles de son corps se raidissaient en un spasme carabiné.

Le visage bien bronzé du jeune homme était encadré de cheveux blonds aux mèches décolorées par le soleil et d'un ton plus foncé que ceux de King; ses yeux étaient d'un bleu encore plus brillant que ceux de son père. C'était un véritable rejeton de la célèbre côte ouest ensoleillée et, maintenant que May et lui se sentaient vraiment à l'aise ensemble, il était décontracté, comme tous ses congénères de ce merveilleux coin du pays.

A l'âge de treize ans, il avait supplié May de l'adopter. A quatorze ans, il s'était enfui de chez lui et s'était « planqué » à la maison de plage de l'impresario pendant deux semaines. A l'occasion de cette fugue, Hollis avait décidé que May avait besoin qu'on s'occupe d'elle, et il s'était lui-même nommé son gardien et critique.

— Comment fais-tu pour vivre comme ça? lui demandait-il, les bras chargés de chemisiers souillés ou de contenants vides qu'il avait ramassés sur le parquet, ou encore, de scripts et de livres épars qu'elle avait cherchés partout.

Pourquoi ne t'arranges-tu pas pour perdre du poids? Tu sais, tu es vraiment très belle, seulement, tu es grosse comme une truie, lui disait-il.

— Tu es ma marraine, lui répétait-il. Tu devrais me donner l'exemple. Je pense que tu ne devrais pas coucher à gauche et à droite comme tu le fais. Surtout pas avec ce genre de paumés que tu fréquentes!

Elle avait fini par s'imposer et se défendre.

— Ça suffit, jeune homme! lui avait-elle crié. J'en ai assez. Je suis trop salope, trop libérée. Je suis comme je suis! Je suis grosse, et c'est comme ça! Tant pis. Je suis aussi ta marraine. C'est à prendre ou à laisser!

Elle l'avait dévisagé en refoulant ses larmes, ce grand garçon aux cheveux blonds blanchis par le soleil et l'air salin, ce jeune aux larges épaules brunes courbées, les pouces accrochés à la ceinture de son blue-jean délavé et trop moulant.

Hollis Godwin l'avait regardée à son tour en disant :

— Tu ne peux pas me faire ça, May. Je t'aime.

C'était la première fois qu'il le lui disait. Renversée par tant de franche sincérité, elle en était restée bouche bée. Ensuite, elle avait pris une grande respiration.

— D'où sors-tu, dis-moi? lui avait-elle demandé.

— Tu as l'air sensass, May!

Se protégeant les yeux du soleil, elle chercha à voir qui l'interpelait. Mitch Misyak s'approchait à grandes enjambées en retroussant ses manches de chemise.

— Où est Hollis?

— Il est passé par l'arrière pour aller voir Inez. Comment va-t-elle? Elle ne paraissait pas tellement dans son assiette ce matin.

— Elle est très éprouvée. Tu ne rentres pas? Elle aurait besoin d'une amie, aujourd'hui. Et moi aussi. Je t'assure, May, tu es radieuse!

— C'est plutôt le soleil qui est radieux. Je suis en train de fondre par cette chaleur.

Il s'appuya contre la voiture. Face au soleil, May devait plisser des yeux pour voir le visage du jeune homme, à moitié dissimulé par ses verres fumés. Mitch avait la hanche sur le coin du pare-brise de sorte que son entrejambe se trouvait à la hauteur du regard de May.

— Je ne t'aurais jamais quittée si j'avais su que tu deviendrais une femme aussi aguichante. Ma foi, petite mère, t'es vraiment formidable!

— Tu as quelque chose dans le nez, Mitch. Je ne peux pas dire d'ici si c'est de la coke ou de la morve. Tiens! dit-elle en sortant son mouchoir de son sac. Fais disparaître les preuves.

Mitch porta un doigt à ses narines et le lécha.

— Ce n'est pas de la coke. Allons, May, poursuivit-il en tirant sur son blue-jean comme s'il était trop juste. Tu te rappelles comme c'était bon, nous deux? Tu me manques, tu sais.

Pauvre Inez, pensa May en secouant la tête.

— Mitch, tu permets que je sois franche avec toi? Je vais te faire un dessin, tiens! Va te faire voir!

— Tu as tout ce qu'il te faut, alors?

— Plus qu'il ne m'en faut!

— J'en suis ravi, ma chère. Tu as toujours mérité ce qu'il y avait de mieux.

— Tu as de beaux bras. Un beau hâle, aussi. C'est à peine si on peut distinguer les traces de piqûres!

— Va te faire foutre, May, répliqua-t-il en remontant ses manches.

— Tu sais, dit-elle en souriant, tu devrais mieux t'occuper d'Inez. Si jamais il devait lui arriver quoi que ce soit, tu serais dans la rue, et ce n'est pas facile de nos jours de faire autant d'argent que tu en as en ce moment. Tu piges? Pas de maison, pas de Jag, pas de vêtements, *rien*, mon coco. Zéro. Alors, si t'as l'intention de continuer à te bourrer le nez de saloperies, tu cours à ta perte, tu comprends? C'est toi qui es censé veiller à ce qu'elle ne prenne rien. Elle était plus droguée que jamais ce matin à la chapelle!

— Ouais! C'est un triste jour pour nous tous.

Tout à coup, Hollis se trouvait derrière Mitch qu'il saisissait aux épaules.

— Bon sang, Mitch! Elle est encore camée.

— Hé, Hollis, mon pote! Comment ça va? Je te jure que cette fois, ce n'est pas ma faute. Je ne sais pas trop où elle a trouvé un fournisseur. En tout cas, elle a sniffé toute la matinée. C'est dans son inhalateur qu'elle l'a cachée, tu vois! Elle a dû s'en envoyer un gramme dans le système avant que je m'en rende compte. Elle était déjà gelée avant notre arrivée au cimetière. Elle prend très mal ce qui est arrivé à Gilda, tu sais. Qu'est-ce que tu veux que je fasse? Je vais l'aider à passer ce mauvais moment, c'est tout. Rien n'y paraîtra plus dans un jour ou deux. C'est à cause de Gilda, tu comprends?

Au sommet de Topanga Canyon Road, des cyprès soigneusement alignés se balançaient sur un fond d'azur. Ayant déjà gravi la moitié de la montagne, May pouvait apercevoir les jeunes arbres solides et, immédiatement à leur droite, la silhouette de sa maison s'élançant haut dans les airs. Elle éprouvait toujours un grand plaisir à retrouver cette vue qui la surprenait encore, car jamais auparavant elle n'avait rien créé d'autre qui était le fruit de sa propre imagination. Cette maison était la sienne et lui convenait en tous points.

Elle avait fait venir soixante-quinze arbres de France. De concert avec les paysagistes, elle avait travaillé d'arrache-pied afin de choisir l'endroit exact où chacun des arbrisseaux serait planté, à deux mètres l'un de l'autre, comme des sentinelles montant la garde devant un vaisseau spatial. En compagnie de l'architecte, elle s'était donné beaucoup de mal pour tracer les plans de la maison qui, aujourd'hui, s'érigeait telle une énorme sculpture d'adobe, frappant contraste avec les arbres en mouvement constant. Elle, May « Je m'en fiche » Fischoff, avait bien choisi, pour une fois. Elle avait contribué à construire quelque chose de beau plutôt qu'à semer la confusion comme d'habitude.

Chacun s'attendait pourtant au pire. C'était bien son genre, disaient-ils en blaguant, de dépenser trois millions de dollars pour la maison et la remplir de peccadilles sans valeur. Mais, elle les avait bien eus. En effet, depuis sa tendre enfance dans le sombre appartement familial de West End Avenue, elle avait une aversion quasi puritaine pour les pièces encombrées. Chez elle, donc, on ne trouvait aucun napperon. Aucune tapisserie victorienne, non plus. Et aucune armoire d'acajou.

Evitant un style trop chic ou à la page, elle avait plutôt opté en faveur du genre *pueblo* aux couleurs de poterie mexicaine, très dégagé, évoquant les paysages de Santa Fe éclatants de soleil que peignait Georgia O'Keeffe. L'extérieur était une sphère terrestre, et l'intérieur était intentionnellement dépourvu d'angles droits; tout y était rond et doux, comme May elle-même l'était autrefois. Le hall d'entrée aux carreaux terre brûlée, aux murs de stuc couleur de sable, donnait accès aux autres pièces dont les murs d'un ton délavé de bleu méditerranéen, clair et frais, étaient accentués au plafond d'anciennes poutres en bois. Les meubles blanc cassé, constitués en majeure partie de bois de pin naturel et de rotin, se fondaient dans le décor. Les parquets blanchis, traités de sept couches de polyuréthanne, brillaient comme un miroir.

Les murs au fini granuleux, des cactus géants en pots, de même qu'une collection d'objets amérindiens, conféraient à la demeure son aspect du Nouveau-Mexique où May retrouvait « la paix et la tranquillité dont j'ai besoin après une journée de labeur dans la jungle de Hollywood ». Des tapis tissés par les Indiens de la tribu des Navajos recouvraient le sol devant de grandes cheminées de pierre. Des coussins de conception primitive et confectionnés de retailles de tapis indiens agrémentaient les sofas de coton blanc tandis que de vieux paniers de pêcheurs servaient de pied aux lampes. Les cornes de bétail accrochées au-dessus d'un canapé de cuir usé, les vases en céramique bleue et les rideaux de dentelle, tout invitait à la détente dans un milieu aéré où le temps perdait son importance.

Cette maison, perchée haut sur la colline derrière les cyprès, c'était le plus beau présent que May s'était jamais offert, sans compter Hollis, bien entendu.

Peu importe ce que Gilda en pensait.

Comme la Thunderbird grimpait la colline, May se surprit à ressentir un frisson en se rappelant les querelles qu'elle avait eues récemment avec Gilda. Il s'agissait de querelles à propos de Hollis, mais également au sujet d'un contrat pour la télévision que May négociait de la part de Gilda depuis un an déjà. Selon May, c'était un rôle qui ferait mourir Joan Collins de jalousie.

Les deux femmes s'étaient querellées souvent ces derniers mois, et toujours pour les mêmes raisons. Surtout en ce qui concernait Hollis.

Après avoir passé des années à espérer que Gilda avait autrefois dit vrai et qu'un jour, la grassouillette petite May aurait vraiment tout ce qu'elle souhaitait, voilà que la prédiction se réalisait.

May était tombée sous le charme de la beauté et de la jeunesse de Hollis. Elle n'était plus cette grosse et joyeuse bonne femme qui baisait avec empressement de jeunes prostitués qu'elle foutait ensuite à la porte pour mieux se gaver de glaces et de beurre d'arachides diététique. Elle aimait Hollis et lui en voulait de l'aimer en retour; de l'aimer maintenant, alors qu'un jour il la quitterait. Gilda avait raison. C'était inévitable.

Cinq ans auparavant, pour son trente-quatrième anniversaire, May avait rendu visite à King sur le plateau où il tournait *The Last Soldier*. Gilda et lui avaient trouvé moyen de forcer la jeune femme à se rendre au studio ce jour-là elle ne se rappelait plus très bien comment ils s'y étaient pris et lui avaient fait la surprise de lui offrir un cadeau d'anniversaire arrosé de champagne. Lorsqu'elle leur avait rappelé qu'elle détestait célébrer son anniversaire en public, Gilda lui avait dit :

— Pourtant, c'est presque une tradition. Tu te souviens de ton seizième anniversaire au « 21 »?

May avait pris place dans un fauteuil de toile portant le nom de King en lettres brodées. Un jeune garçon en cache-sexe s'était alors approché d'elle en se déhanchant et en chantant : « Joyeux anniversaire ».

May s'y était prêtée de bonne grâce, remarquant que ses amis avaient reconnu son goût pour les beaux et jeunes garçons.

Le garçon avait donc achevé son boniment, après quoi il s'était installé sur les genoux de May et lui avait donné un gros baiser d'anniversaire. Et tout le monde avait ri encore.

Le bruit qu'avait alors fait la toile en se déchirant avait été aussi fort et grossier qu'un pet. Chacun s'était mis à rire de plus belle. C'est-à-dire chacun sauf May et le jeune Hollis Godwin, alors âgé de seize ans, qui s'était arrêté au studio en compagnie de Mitch Misyak, un des réguliers de May cette année-là.

Tandis que les flashes scintillaient de toute part et que le garçon en cache-sexe se vautrait sur le ventre de May en souriant aux caméras, Hollis fonçait dans la foule d'acteurs, de perchistes et de techniciens. Il fit déguerpir le jeune garçon, aida May à se relever et, ayant posé un bras protecteur sur les épaules de sa marraine, quitta le plateau en sa compagnie.

May se plaisait à raconter que depuis lors, elle n'avait jamais regardé en arrière! Ce jour-là, il y avait un an qu'elle n'avait revu Hollis et il avait beaucoup grandi. Il était plus grand qu'elle et portait ses cheveux plus courts. Le bras du garçon autour de ses épaules était aussi vigoureux que celui d'un homme.

May avait secoué la tête en disant :

— Ma parole, Hollis! Tu es très séduisant!

— J'espérais que tu le remarques, avait-il répondu en souriant. May, qu'est-ce que je vais faire de toi?

Il avait allumé un joint, en avait tiré quelques bouffées, et l'avait présenté à May.

— Tu aimes encore le danger? lui avait-elle demandé en expirant un nuage de fumée.

— Il paraît que toi, tu aimes les drogués?

— Comme employeur, j'offre des chances égales à tous.

— Ton goût en matière d'hommes laisse toujours à désirer. Mitch est mon pote, mais c'est un beau salaud, aussi. Et il a une grande gueule.

— Pas seulement la gueule!

— Ah, May! Tu vas te taire, oui?

A cette époque, Hollis se promenait à moto. Il avait donc demandé à May de porter un casque protecteur.

— Tu perds la boule, ou quoi? lui avait-elle demandé. Si je monte derrière toi là-dessus, il est certain que nous aurons une crevaison avant d'arriver à Malibu, mon chou.

— Sapristi, May! Monte!

Il l'avait ramenée chez elle, était entré prendre une bière, et n'était jamais reparti.

Ils avaient bavardé jusqu'à ce que le soleil, comme une immense pastèque jaune, se noie dans le Pacifique. Ensuite, elle avait allumé des chandelles. Ils avaient discuté du problème de Hollis avec la drogue, et de celui de May avec les hommes. Elle lui confia qu'elle cherchait sans doute à reprendre le temps perdu, à baiser avec tous les beaux jeunes hommes qu'elle n'avait pas eus dans sa jeunesse. Lui, il lui raconta qu'il pensait que la drogue représentait le sein de sa mère, la seule chose qu'elle ne lui avait jamais donnée.

Ils étaient d'accord que ce dont ils souffraient tous deux, c'était un manque d'amour. Et que ce qu'ils cherchaient, c'était à en donner. Seulement, à qui se fier dans cette sale ville? Qui méritait le véritable amour? Qui se donnerait sans réserve, sans non plus le chanter sur tous les toits?

Ils étaient camés de mari et de vin lorsqu'ils entendirent sonner le téléphone.

— Non, Mitch, avait répondu May. Je ne tiens pas à te voir ce soir. Je ne suis pas seule. Oui, je suis avec le petit Hollis. Quoi? S'il emménage ici? Attends un instant, je vais le lui demander. Ecoute Hollis, j'en ai assez de tout ça. Est-ce que tu veux revenir habiter avec moi, comme tu l'avais fait à quatorze ans? Aimerais-tu vivre avec moi, et ramasser mon linge sale et surveiller mon régime?

— Tu parles! Passe-moi le téléphone. Hé, Mitch! Que je ne te reprenne pas à téléphoner ici, tu m'entends? Si tu as à me parler, téléphone chez ma mère et laisse le message. Mais ne viens plus ennuyer cette dame, t'as compris? Oui, c'est bien ce que j'ai dit. Cette *dame*, précisa-t-il en faisant un clin d'œil à May. C'est la femme de ma vie. Quoi? C'est elle qui va me faire vivre? Et comment, donc! Trois repas par jour. Seulement, tu vois, avec May, je n'ai pas besoin de trois repas par jour. Nous comptons vivre d'amour et d'eau fraîche.

Sur ce, May se leva et saisit un sac en plastique rempli de marijuana qui se trouvait sur la table. Elle ouvrit la grande porte coulissante qui donnait sur le patio et déversa le contenu du sac dans le sable.

Hollis souriait.

— Qu'est-ce que t'as d'autre? lui demanda-t-elle.

Il se leva afin de vider ses poches. Elles contenaient quatre joints, une bouteille d'un gramme de coke et quelques *Quaaludes*. Ensemble, ils jetèrent le tout à la poubelle.

— Quand peux-tu emménager? lui demanda-telle.

— C'est déjà fait.

Gilda lui avait promis la beauté, l'intelligence, le succès et l'amour.

Or, May avait toujours été intelligente.

Elle avait travaillé comme un forcené pour réussir.

Et elle avait enfin perdu ses kilos en trop. Quarante, pour être plus précis.

Gilda était tellement fière d'elle!

Jusqu'au moment où May lui avait dévoilé le dénouement du troisième acte.

— Je suis amoureuse de Hollis.

— Mais, ce n'est qu'un enfant! lui avait dit Gilda à plus d'une reprise. Crois-tu vraiment que Hollis va rester avec toi quand tu auras vieilli et que tu auras des cheveux gris? Allons, ma fille. Réfléchis un peu.

— Tu ne veux pas accepter la situation parce que tu te vois vieillir toi-même. Et tu le constates encore plus lorsque Hollis est dans les parages. Ça n'a rien à voir avec moi!

— Ah, c'est de la foutaise, tout ça! avait répondu Gilda d'une voix sèche et déplaisante. Diable, Patrick était plus âgé que moi, et le grand Ted aussi. Je n'ai pas peur des ans. Mais toi? En ce moment, la différence d'âge n'a pas beaucoup d'importance, mais lorsque tu auras soixante ans et lui, quarante-deux? Lorsque tu en auras soixante-dix et lui cinquante-deux? Tu crois qu'il sera encore là? Je voudrais bien le voir!

— Salope! lui avait répondu May. J'y ferai face en temps et lieu.

Bien entendu, pensait-elle en regardant distraitement par la fenêtre de la voiture, nous aurions fini par régler ce différend. Je ne pouvais jamais rester longtemps fâchée avec Gilda.

Jusqu'à ce qu'elle me téléphone au sujet de son contrat avec Aaron Spelling!

Encore aujourd'hui, je la tuerais pour ce qu'elle m'a fait!

* * *

Quelque chose t'inquiète? lui demanda Hollis en changeant de vitesse après un mauvais virage à mi-chemin de la maison.

— Tu es parfois d'une telle perspicacité!

— Je cherche seulement à t'aider. De toute évidence, tu n'as pas besoin d'aide!

— Veux-tu dire que je n'en ai pas besoin, ou que je n'en veux pas? demanda-t-elle d'un ton irritable.

Il la fixa des yeux quelques instants puis reporta son regard devant lui.

— May, je suis ton amant. Ton meilleur ami. Ne l'oublie jamais.

Elle restait coite. Elle lui tourna le dos et reprit sa contemplation du paysage.

Ce n'est qu'une question de temps avant qu'on ne vienne m'interroger à mon tour, pensait-elle. Ce n'est certes pas King qui a tué Gilda. Elle riait presque à cette seule pensée. Si les foutus policiers savaient la vérité, ils sauraient aussi que King serait incapable de faire une chose pareille. Tout d'abord, il n'avait aucun mobile. D'autant plus qu'il aimait trop Gilda. Enfin, je l'aimais, moi aussi, sauf que moi, j'ai un mobile.

Un bougre de bon mobile.

May eut un frisson.

De cet endroit sur la route tortueuse, le toit de la maison se trouvait obscurci par la forêt dense. Les vignes entrelacées, les buissons épineux et fournis, et les branches à moitié mortes qui pendaient des arbres, revêtaient soudain pour May un aspect oppressant, désordonné, et la forêt lui paraissait même laide en comparaison avec les cyprès bien ordonnés au sommet de la montagne. May pensait à Gilda, et à l'absence de Gilda.

Tout à coup, elle se sentait désemparée.

Et elle avait peur.

— La terre appelle May! La terre appelle May! Répondez! A vous!

— Oh, ne t'en fais pas pour moi, Hollis. Je suis fatiguée, c'est tout. On a encore conclu un chapitre de notre existence aujourd'hui.

En arrivant dans l'entrée en demi-lune devant la maison, ils furent tous deux étonnés, comme toujours d'ailleurs, de la grandeur de cette vaste demeure. C'est un monument à l'argent, pensait May. Pourtant non, ce n'était pas vraiment le cas. A vrai dire, c'était plutôt une récompense pour les journées de dix-huit heures qu'elle consacrait à son travail et une hernie hiatale qui ne lui laissait aucun répit. L'argent n'avait été rien de plus que le moyen de s'offrir cette récompense.

Hollis gara la voiture dans l'entrée. May tourna la clé dans la porte de l'entrée principale et retira son chapeau tandis qu'ils entraient dans la maison par la cour intérieure. Les journaux du matin, qu'ils n'avaient pas eu le temps de lire avant les funérailles, étaient toujours là sur une table. May les ramassa en se rendant à leur cabinet de travail, où elle lança son manteau noir en direction d'un fauteuil à côté de la cheminée. Le vêtement atterrit sur le tapis navajo. Elle savait que Hollis lui ferait des reproches si elle ne le ramassait pas, mais qu'importe.

Aujourd'hui, ça n'avait aucune importance.

Elle s'agenouilla devant le foyer et entreprit d'empiler du papier et du petit bois d'allumage sur les chenets. Hollis apporta du café frais et deux tasses qu'il déposa par terre derrière elle. Il s'agenouilla à côté de May en feuilletant les journaux et tomba sur la chronique de Billy Buck.

— Quel âge avait Gilda sur cette photo? demanda-t-il en étalant le journal devant lui.

May regarda par-dessus l'épaule.

— Oh, mon Dieu! Sur cette photo... Attends que je réfléchisse. Elle est née en 1922, donc elle devait avoir trente ans. Seigneur, elle était tellement sensationnelle. Et regarde la mine que j'ai là-dessus. J'avais seize ans, et quelle malheureuse boule j'étais! Ta mère, par contre, elle est très bien, tu ne trouves pas? Elle portait le pull de Harriet Brinkley. Oh, et regarde King. Et Devon!

— J'aurais aimé mieux connaître Gilda, dit Hollis. Elle était très belle, n'est-ce pas?

— J'aurais aimé qu'elle te connaisse mieux, elle aussi, répondit May.

Hollis la regarda d'un drôle d'air.

— Qu'est-ce qui te prend, May?

— Rien. Je suis nerveuse, c'est tout.

Elle contemplait la photo de la souriante Gilda entourée de ses admirateurs, rassurée par leur amour. Même la piètre reproduction de la photo sur le papier journal n'arrivait pas à obscurcir l'élégance et la beauté de l'actrice. C'était là le portrait d'une femme qui avait tout ce qu'elle voulait.

— Bien sûr, je la trouvais belle, dit-elle avec un brin d'amertume. Enfin, j'avais entendu parler de ce fameux visage toute ma vie. Mais, pour ma part, j'avais cessé de la trouver si belle. Je ne me souviens pas qu'elle fût si... exquise. C'était ma marraine, ma bonne amie et confidente, ma célèbre cliente, et finalement, mon propre jardin de Gethsémani. Quand j'étais enfant, je la vénérais. Je n'aurais jamais pensé qu'elle pouvait se montrer cruelle.

— Cruelle, dis-tu?

— Est-ce que tu m'aimes, Hollis? demanda May les yeux rivés sur les flammes.

— Ah, je t'en prie, May. Qu'est-ce qui se passe? répondit-il en lui posant une main sur l'épaule. Allons! Tu n'es plus la même depuis qu'ils nous ont annoncé le décès de Gilda. Et avant ça, même. Il se passe quelque chose. Il faut que tu m'en parles.

— Je n'ai pas envie d'en parler.

— Oh, je n'aime pas que tu me répondes comme ça! Je te dis tout, moi. Tout ce que je pense, tout ce que je ressens, tout ce que je sais. Et toi, tu me caches toujours quelque chose. Tu te montres supérieure, tu joues à la mère, quoi! Mais, tu n'es pas ma mère. Tu n'es même plus ma marraine, à présent, tu sais! Je suis le gars avec qui tu vis. Celui avec qui tu couches. Merde, May, qu'est-ce que tu es en train de faire? Tu veux bien m'accueillir dans ton lit mais tu vas me tenir à l'écart du reste? Pas question!

— Je pense à une chose que Gilda m'a dite, c'est tout.

— A quel sujet? A propos de moi?

— Non, lui mentit-elle. Bien sûr que non. Laisse-moi seule, à présent, veux-tu? l'implora-t-elle en lui effleurant la main. Ne fais pas attention à moi. Je suis en deuil et en colère par surcroît. Je suis furieuse qu'elle ne soit plus là; j'avais encore tant de choses à lui dire.

Il retira sa main et se leva subitement.

— Où t'en vas-tu? demanda-t-elle.

Il avait déjà franchi la moitié de la pièce.

— Je sors, lui lança-t-il sans ralentir le pas. J'ai besoin de m'éloigner d'ici pendant quelque temps.

Il claqua la porte derrière lui.

26

Le 26 décembre 1979

Depuis environ une heure, King essayait de lire un script inspiré d'un roman d'Elmore Leonard, mais il n'y parvenait pas. C'était l'histoire d'un policier, furieux et exaspéré, qui attend le moment propice pour capturer un monsieur qui, tout digne qu'il fût, n'en était pas moins un assassin aux habitudes meurtrières redoutables. L'histoire d'un policier! Cette seule pensée lui donnait la chair de poule.

May lui avait fait parvenir ce scénario deux semaines auparavant.

Deux semaines, pensait King. Comme il s'en était passé des choses depuis!

Il ôta ses pieds de la table à café en rotin et tourna son fauteuil de manière à pouvoir contempler la plage par les portes à persiennes qui donnaient sur le balcon. Les vêtements qu'il portait le matin même étaient toujours sur le parquet où il les avait laissés. Après les funérailles, il s'était changé en vitesse, reprenant son blue-jean délavé et endossant un gros pull blanc avant d'entreprendre une promenade sur la plage. Le sable lui collait encore aux orteils et il en avait laissé une traînée sur le tapis de coton blanc.

Il louait la maison de May à Malibu depuis deux ans déjà, c'est-à-dire depuis qu'il avait quitté son domicile de Holmby Hills au moment où Devon était entrée dans sa vie.

Devon!

Quel choc de la voir aux funérailles ce matin-là! Où se cachait-elle à présent? Il avait laissé un message sur le répondeur de Billy Buck de même qu'à son propre service téléphonique. Il avait supplié May de lui faire signe aussitôt qu'elle aurait des nouvelles de Devon. Ainsi donc, il se retrouvait avec du sable dans ses souliers, du sable dans son lit, et une tempête de sable qui balayait sa vie encore une fois. Cette femme, la seule qu'il ait jamais vraiment aimée, avait bien choisi son moment pour réapparaître! Justement comme il commençait à se résigner à la solitude!

King admirait le Pacifique par les portes-fenêtres. Le bruit des vagues s'en trouvait étouffé; les corbeilles d'impatiens rouges et blanches accrochées au balcon se balançaient doucement au vent. King avait toujours ignoré le nom de ces fleurs jusqu'au jour où Devon lui en avait parlé.

— J'aime bien tes impatiens, lui avait-elle dit lors de sa première visite.

— Tiens! avait-il répondu bêtement, ébloui par sa beauté. Moi qui pensais que j'étais plutôt calme aujourd'hui!

Elle avait éclaté de rire, de ce rire impétueux et mélodieux des Texans.

— Imbécile! C'est comme ça qu'on appelle tes fleurs.

Ce soir-là, elle avait préparé de l'espadon grillé accompagné des premières petites pommes de terre de la saison et de maïs en épi. Ils avaient fait l'amour devant le feu de cheminée sur les gros coussins bleu marine de May, en écoutant des disques de Stan Getz. King se frotta les yeux dans l'espoir d'effacer ses souvenirs, mais rien n'aurait pu soulager la douleur qui le tourmentait au plus profond de son être. Privé de Devon, il n'était plus qu'un coquillage vide, comme celui qui ornait le manteau de la cheminée.

King examinait cette pièce confortable entièrement décorée en marine et blanc, dont les fauteuils de rotin capitonnés de canevas à voile soulignaient davantage le cachet nautique que May lui avait donné à l'achat de la maison. King se sentait à la fois aussi vieux et aussi éphémère que l'épave de bois, séchée et blanchie comme une corne de bête, qui lui servait de cale-porte. Il avait pris pour acquis, sans s'en rendre compte avant ce jour, que cette maison de plage s'était transformée en refuge depuis que Devon s'était enfuie sans rien dire, sans même lui écrire un mot.

Il examina ce salon, jadis bien ordonné, où s'amoncelaient à présent des scénarios à lire, des contenants de yaourt vides, des tasses à café, et des tas de sous-vêtements et de souliers de jogging. Le désordre le fit réfléchir à tout ce qui encombrait sa vie. Incapable de se concentrer, il lança le script sur la table et ramassa un journal ouvert à la chronique de Billy Buck, celle où paraissait la photo des « quatre fans ». Trois adolescentes qui avaient le fou rire et un jeune blanc-bec embarrassé qui se donnaient un air sophistiqué. Et Gilda, et son magnifique sourire radieux.

« Placez la langue derrière les dents, » leur avait-elle conseillé.

Peu après, à son appartement de la Quarante-sixième rue, King s'était exercé à exécuter ce sourire tandis qu'il endossait l'uniforme de garçon de table que Deauville Tolin lui avait prêté pour sa sortie au théâtre le même soir.

— Tu ne devineras jamais avec qui j'y vais, mon pote. Jamais dans cent ans!

Evidemment, Deau ne l'avait pas cru. Gilda était une étoile de cinéma; l'une des plus célèbres beautés de son époque. King regarda la photo sur le papier-journal et constata que Gilda les éclipsait tous, jusqu'à Devon.

— Ah, Gilda! Son voluptueux sourire parfait. Ses pommettes saillantes et ses pâles yeux félins. Sa chevelure flamboyante tombant en cascade sur une seule épaule. Sa main gantée de chevreau tenant délicatement une coupe de champagne.

Cette même main, nue et soyeuse, avait redressé le nœud papillon de King en cette soirée d'autrefois, il y avait maintenant si longtemps. Vêtu de son habit emprunté et usé, il avait fait les cent pas sous la marquise illuminée du théâtre en attendant l'arrivée de la Cadillac blanche.

Gilda en était descendue, accueillant avec bienveillance les acclamations de ses admirateurs. Avery se trouvait un pas derrière elle, entre deux vins comme toujours.

Elle avait alors retiré ses gants, redressé le nœud papillon de King, et lui avait dégagé le visage de quelques mèches rebelles.

— A ton avis, Avery, est-ce qu'on a devant nous l'étoffe d'une vedette, ou bien est-il juste beau à regarder?

Avery avait alors toisé King de la tête aux pieds.

— Oh! C'est sans contredit de l'étoffe à vedette. Je dirais même du velours et de l'hermine, ma chère. Et encore, il y en a en trop!

Gilda était tellement généreuse et affectueuse à cette époque. King avait toujours pu compter sur son appui. Il n'ignorait pas que Devon avait la préférence de la célèbre actrice, mais il avait toujours pensé que c'était lui qui venait en deuxième.

Aussi, à la disparition de Devon, alors que celle-ci semblait s'être volatilisée sans laisser aucune trace, c'était naturellement à Gilda qu'il s'était tout d'abord adressé.

Pourtant, elle avait refusé de lui dire ce qui arrivait, se contentant de lui répondre que Devon était partie. Cela s'était passé sur le plateau à la fin du tournage de *Cobras*. *Dans sa loge-roulotte, Gilda retouchait son maquillage entre les prises.*

— Qu'est-ce que tu veux dire, elle est partie? Où ça? lui avait-il demandé.

— Je n'en ai pas la moindre idée, lui avait répondu Gilda d'un ton glacial. Et à vrai dire, je pense que je m'en contrefous.

King avait soudain senti la sueur sur son front. Voilà bientôt vingt ans qu'il attendait le retour de Devon Barnes. A présent, elle l'abandonnait, sans raison.

Et Gilda, cette femme qu'il avait accompagnée avec tant de fierté à la première de *The Way Back Home*, restait figée devant lui, les rides sillonnant aujourd'hui le contour de sa bouche et de ses yeux.

— Je sais que son départ avait quelque chose à voir avec toi, lui avait-elle dit. Tu as d'abord gâché la vie d'Inez...

— Tu sais fort bien qu'Inez allait droit à l'autodestruction bien avant que je ne l'épouse, s'était-il empressé d'intervenir.

Il s'était effondré dans la transat qu'on retrouvait dans chacune des loges de Gilda. Sa respiration était pénible.

— Alors, pourquoi est-elle partie? demanda-t-elle.

— Sacré nom de Dieu, Gilda. Si je le savais, crois-tu que je viendrais te le demander?

Il avait étouffé un sanglot en se frottant les yeux d'une main. Pour la première fois depuis son enfance, depuis qu'il avait vu son père se faire projeter dans les airs, il avait envie de pleurer.

— En voilà une bonne! avait dit Gilda. Le *Hollywood Reporter* serait enchanté de voir Monsieur Macho, le type à la plus grosse quéquette dans le monde du cinéma, les larmes aux yeux parce qu'une de ses conquêtes a encore pris le large.

King avait ressenti une vive douleur oppressante à la poitrine en pâlissant à vue d'œil.

— Gilda, dis-moi ce qui est en train d'arriver, avait-il murmuré d'une voix à peine perceptible.

L'espace d'un instant, Gilda avait paru secouée.

— Pour la première fois de toute mon existence, j'ai l'impression que la vie me file entre les doigts, avait-elle répondu d'une voix faible qui ne lui était pas caractéristique. Ces derniers temps, en me regardant dans la glace le matin, je me vois dépérir.

Elle avait essuyé une larme.

King s'était levé péniblement.

— Prends soin de toi, Gilda, lui avait-il conseillé en sortant.

— C'est ce que j'ai l'habitude de faire, non?

King, cependant, avait fait fi de son propre conseil. Il devait vivre un véritable cauchemar pendant les semaines et les mois qui avaient suivi. Gilda devenait de plus en plus difficile et distante, surtout après la sortie de *Cobras* qui devait être massacré par les critiques. Avery s'était enfui à Londres, laissant King sans ami ni personne à qui se confier.

L'acteur s'était finalement jeté à corps perdu dans son travail, remède auquel il avait l'habitude de recourir pour apaiser ce cœur endolori qui ne lui accordait aucun répit. Malgré le fiasco qu'avait connu *Cobras*, King était encore une vedette recherchée du public. Cependant, il souffrait de grande solitude et ses premiers jours à Hollywood, alors que lui et Avery faisaient couler beaucoup d'encre, lui manquaient parfois.

Et puis un jour, cinq mois avant la mort de Gilda, Avery avait téléphoné de Londres. Le pauvre avait la voix si faible que King pouvait à peine l'entendre depuis l'autre côté de l'Atlantique. Il lui tardait de partir pour son cher Saint-Paul-de-Vence, disait Avery, mais il devait demeurer à Londres jusqu'à la fin d'une série d'examens désagréables que ses médecins, des maniaques, lui avaient imposés.

— Aussitôt après, mon ami, je m'envoles vers des cieux plus cléments.

Il rêvait de ces longs après-midi langoureux à la Colombe d'Or, où il discutait politique en compagnie de Simone Signoret et de James Baldwin malgré le tumulte que faisaient les vieux joueurs de pétanque dans le square.

— C'est l'endroit le plus paisible au monde, mon petit. Des murailles de la ville, tu aperçois un magnifique paysage par-delà les oliviers; des colombes blanches viennent picorer ton pain et le ciel tourne au mauve avec le crépuscule, alors qu'on n'a même pas encore enlevé le couvert de ton déjeuner. Tout le monde s'en moque si les critiques ne t'aiment pas. Ils sont beaucoup trop occupés à critiquer les critiques. C'est un endroit que j'adore. Je ne veux plus d'horloges dans ma vie, mon petit. Non, décidément, je n'en veux plus.

Il restait pourtant chez lui un soupçon de piquant.

— Le soir, je peux toujours faire les casinos de Monte-Carlo, avait poursuivi Avery en ricanant malicieusement.

Il s'était alors souvenu d'une chose dont il voulait faire part à King depuis longtemps.

— Comment s'appelait cette pute à la Fellini que Michel et toi aviez ramenée de Las Vegas il y a des années?

Il respirait péniblement.

— C'était Margie.

— Oui, c'est ça. Eh bien, King, mon cher neveu, elle s'était montrée très indiscrète, tu sais. Et je dois avouer que Gilda et moi l'avions été tout autant. Nous l'avions ramenée aux Perles ce soir-là. Je t'assure qu'elle était assez bourrée! Enfin, nous l'étions tous. Toujours est-il que, d'une blague à l'autre, Margie avait finalement fait parvenir à Gilda quelques bobines de film d'un genre plutôt particulier. Tu vois ce que je veux dire?

Ah, merde! pensa King en cherchant à se souvenir quelle allure il pouvait avoir comme adolescent maladroit et bandé!

Il se rappelait le matelas sur le parquet, Margie et ses énormes nénés, et un chien, un maudit *chien*.

— Ce n'était rien d'autre qu'une blague ridicule, avait précisé Avery de sa voix asthmatique. La fille avait besoin de pognon et prétendait avoir quelque chose à nous vendre. Gilda et moi, nous pensions que les films seraient plus en sécurité entre nos mains, tu comprends. Et j'admets que nous pensions aussi les trouver assez amusants. C'était loin d'être *Camille*, mais, crois-moi mon petit, ils étaient très amusants!

King se rappelait les costumes qu'on lui avait fait porter! Des vestes cloutées, des cache-sexe, des lanières de cuir! Il n'était alors qu'un pauvre gosse à peine débarqué de son village; il venait de s'acheter une moto et il était si fier des bottes usagées qu'il s'était procurées pour la conduire qu'il les avait même portées dans deux de ces satanés films. Bon Dieu de Bon Dieu! Quel con il était à cette époque!

— Nous avions pensé t'inviter à la projection, mais il est évident que nous ne l'avons pas fait.

J'ai bien besoin de ça! pensait King dont l'appréhension se changeait en colère à mesure que la voix d'Avery se faisait plus faible et plus plaintive.

— Pardonne-moi, lui dit Avery. Tu sais que je ne ferais jamais rien pour te nuire. Je voulais simplement...

— Qu'est-ce que vous en avez fait? demanda King en lui coupant la parole. Je veux dire, après que vous vous soyez payé ma tête?

— Oh! répondit Avery, stupéfait. Je t'en prie.

L'auteur se mit à tousser. King attendait la réponse dans un silence lourd de sens.

— Je crois bien que Gilda doit toujours les avoir en sa possession. Tu me pardonnes?

— Vous n'êtes qu'un voyou de la pire espèce, Avery. Quand je pense que vous et Gilda vous êtes amusés à regarder des films porno que j'ai tournés lorsque j'étais encore un gosse!

Avery ne cessait pas de tousser.

— Vous me faites chier, tiens! acheva King. Bonnes vacances!

Et il raccrocha.

Le lendemain, en prenant son café sur le balcon, il réfléchissait. Avery avait toujours été si généreux et loyal envers lui.

Avery, c'était son ami et son mentor.

C'était lui qui avait permis à King de faire ses premières armes, qui lui avait tenu la main et lavé le visage lorsqu'il était malade, lui avait présenté aussi bien des putains que des rois, lui avait prouvé sa dévotion et son amitié de mille et une façons au cours de sa vie troublée, avait tenu tête aux lions de Broadway comme un valeureux chien de garde afin qu'on attribue à un inconnu le premier rôle de *Barracks Street Blues*. King aimait sincèrement cet homme, aujourd'hui vieux et frêle, et dépourvu de sa verve d'antan.

Il appela donc Londres, mais on ne répondait pas à l'appartement d'Avery. C'est alors que King pensa à téléphoner à Saint-Paul-de-Vence, ce qu'il fit à maintes reprises jusque tard dans la nuit. Finalement, ce fut Gilda qui lui téléphona, et ce, pour la première fois depuis le terrible désastre de *Cobras*.

— King, dit-elle d'une voix rauque. Je tenais à te l'annoncer avant que tu ne l'apprennes par les journaux. Avery est mort la nuit dernière.

Ce n'était pas possible! Il fallait que King lui dise qu'il l'aimait, qu'il se fichait éperdument de ces films porno. Après tout, King ne lui en voulait pas, malgré cette histoire.

Surtout malgré cette histoire!

Pauvre Avery! Son talent, si exceptionnel autrefois, avait dû faire place à des écrivains plus jeunes, à des créateurs d'inspiration plus féconde. Son genre d'écriture était passé de mode. Ces dernières années, les mêmes critiques qui, avant, le couvraient d'adulation, s'étaient mis à le démolir sans merci. Tiraillé entre sa prétention d'esthète et son exhibitionnisme, Avery avait progressivement perdu tout équilibre. La gorge serrée, King s'imaginait comment l'écrivain devait être à la fin un boulevardier solitaire en ascot souillé, mort d'emphysème et de Dieu sait quelles autres maladies, sans personne à son chevet, en crachant le sang sur son costume de toile blanche.

King ne tenait plus en place. Il se leva et se mit à arpenter le salon, s'arrêtant un instant pour contempler d'un œil distrait le Roy Lichtenstein rouge et jaune accroché au mur, avant de revenir devant les portes-fenêtres.

La tension lui était insupportable. Il consulta sa montre. Quinze heures trente. Encore trop tôt pour le bulletin de nouvelles à la télé. Mais peut-être y avait-il quelque chose à la radio? Il mit en marche l'appareil stéréo et tourna le bouton à la recherche d'un de ces postes qui ne diffusent rien d'autre que des nouvelles.

King faisait nerveusement les cent pas, fumant sans arrêt. Il écouta plusieurs minutes de reportage à propos d'une baleine venue s'échouer sur la plage à San Diego. Le speaker poursuivit : « Il n'y a toujours rien de nouveau à signaler au sujet de l'enquête policière concernant le meurtre de Gilda Greenway, survenu la veille de Noël à la somptueuse résidence de l'actrice à Beverly Hills. Mademoiselle Greenway, une des plus célèbres stars de Hollywood dans les années quarante, était une amie intime de Kingston Godwin avec qui elle avait d'ailleurs déjà tourné un film. L'acteur fut interrogé puis relâché par la police judiciaire de Los Angeles après avoir été cueilli sur la scène du meurtre. Les enquêteurs cherchent toujours le mobile du crime, étant donné que rien n'a apparemment été volé aux Perles, et qu'il n'y avait aucun signe d'entrée par effraction. »

Merde! King se demandait si Biggs avait cru son histoire. Il décrocha le téléphone et composa le numéro de Billy Buck pour la sixième fois de la journée.

Au même moment, il entendit arriver une voiture dans l'entrée. Il eut une poussée d'adrénaline, comme quelqu'un qui a trop bu de café.

C'est Devon, pensa-t-il.

Il prit une grande respiration en s'efforçant de ralentir les battements de son cœur.

Par la vitre givrée de la porte d'entrée, il suivit des yeux la forme qui s'approchait de la maison.

Trop élancée. De trop grande taille pour que ce soit Devon.

— Salut, papa! fit Hollis lorsque King lui ouvrit la porte. Dis donc! Tu ne me parais pas en meilleure forme que moi!

— Ça va mal? Où est May?

Le visage du jeune homme se rembrunit.

— A la maison. Elle est en train de me rendre cinglé. Il fallait que je m'évade un peu.

— Tu prends une bière?

— T'aurais pas plutôt un joint?

King lui lança un regard oblique.

— Je t'ai demandé un joint, pas une seringue!

— J'avais l'impression que tu te conduisais aussi sagement que Pat Boone ces derniers temps. May m'a dit que tu t'es replacé, que tu te débrouilles très bien à l'agence. Tu as même trouvé deux nouveaux clients, à ce qu'il paraît?

Hollis haussa les épaules.

— Ouais. Des copains avec qui j'allais à l'école. Ils ont formé un groupe. Ce sont de bons musiciens.

— Des copains avec qui tu allais à l'école?

— Avec qui je faisais l'école buissonnière, si tu préfères. T'es content? Merde! Fous-moi la paix. Tout le monde me tombe dessus aujourd'hui.

— Je suis désolé, dit King en posant une main sur l'épaule de Hollis comme ils sortaient sur le balcon. Il y a de l'herbe quelque part ici. Si tu la trouves, tu peux en fumer.

— Quel désordre! C'est pire que lorsque May habitait ici.

— Je viens de faire le ménage! Boucle-la, veux-tu?

— Elle n'a pas téléphoné?

— Qui? May?

— Non, Devon.

King secoua la tête.

— Je m'en veux de te raconter mes problèmes, surtout aujourd'hui, dit Hollis, perché nerveusement sur la rampe du balcon. Je sais que les derniers jours n'ont pas dû être faciles pour toi. Mais j'ai besoin de me confier à quelqu'un, sinon, je vais devenir dingue. May est très bizarre depuis quelque temps. Quelque chose la tracasse et elle refuse de m'en parler. Je sais que Mitch lui a fait des avances l'autre soir chez maman, la veille de Noël, mais j'ai assez confiance en elle pour savoir qu'il ne s'est rien passé entre eux. Tout ce que je peux te dire, c'est que quelque chose ne tourne pas rond depuis cette fameuse soirée. Plus précisément, depuis que j'ai décidé de rester au lieu de partir en même temps qu'elle.

— Au fait, pourquoi au juste est-elle partie si tôt? Je n'ai même pas eu le temps de lui dire un mot.

Hollis se passa la main dans les cheveux, imitation parfaite du geste de son père lorsque celui-ci est fatigué ou préoccupé. Il réfléchit un bon moment avant de répondre.

— Elle m'a dit qu'elle ne tenait pas à rencontrer Gilda. Elle était en rogne contre elle. Je pense qu'il s'agissait de ce contrat avec Aaron Spelling pour lequel May s'est tant esquintée. Si seulement j'étais rentré avec elle!

Hollis regarda son père, le suppliant en silence de le rassurer en lui disant de ne pas s'en faire, qu'il n'avait aucune raison de croire que May avait tué Gilda.

— Pourquoi n'es-tu pas rentré avec elle? demanda King en détournant son regard.

— Je ne comprends pas pourquoi tu me le demandes. Tu crois que j'allais laisser maman la veille de Noël, surtout étant donné que tu étais là? Comprends-moi bien. J'étais très heureux que tu viennes à cette soirée. C'était un beau geste de ta part. Ça faisait très paternel, très noble. Quel chic type, mon père! Seulement, t'es-tu rendu compte que maman était complètement bouleversée?

— Oui, je l'ai remarqué.

— Tout de même! Mais, il ne t'est pas venu à l'esprit de faire quoi que ce soit, n'est-ce pas? C'est moi qui ai dû rester avec elle.

— Rien ne t'y obligeait, Hollis, répondit King d'une voix douce.

— Je ne suis pas resté très longtemps. Seulement deux heures environ après le départ de May. Je ne pouvais pas laisser maman. C'était ta présence qui la bouleversait.

— Tu sais que ce n'est pas le cas.

— Alors, ta présence et l'absence de Gilda, si tu veux. Si Gilda était venue, la situation n'aurait pas du tout été la même.

— Evidemment, répliqua King. Et nous n'aurions peut-être pas passé la matinée au cimetière de Forest Lawn.

— Qu'est-ce que ça veut dire, cette remarque?

— Oh, je n'en sais rien, répondit King, les yeux rivés sur l'océan. Je viens de passer un mauvais moment, comme tu dis.

— Je m'inquiète de maman, poursuivait Hollis. Elle m'a forcé de la suivre à l'étage et elle a essayé de me faire prendre de la coke. Elle a sorti un sac de dessous son lit, comme une de ces vieilles clochardes des rues, ma foi! Savait-tu qu'elle cache de la drogue partout dans la maison? Elle gueulait contre Gilda. Tu comprends ce que je veux dire? C'était le pire coup que Gilda pouvait lui faire, l'ultime insulte, quoi, que de ne pas se montrer à cette soirée.

Une mouette oisive traçait au-dessus d'eux des cercles imprécis, intruse grise et criarde dans ce paisible ciel bleu de cobalt. Les deux hommes l'observèrent en silence, chacun de son côté perdu dans ses pensées. Hollis rompit le silence.

— Tu sais, papa, elle m'a fait monter la garde à la porte de sa chambre pendant qu'elle était dans la salle de bains. Je pensais qu'elle faisait simplement une crise de paranoïa. Mais non, elle se shootait. Elle ne sait pas que je l'ai vue faire.

— Et tu ne l'as pas empêchée?

Hollis fit rapidement volte-face.

— Qu'est-ce que tu voulais que je fasse? Appeler les flics? C'est ma mère! Au moins, je suis resté auprès d'elle. Au moins, je n'ai pas pris la poudre d'escampette comme toi.

— Hollis! protesta King.

— Merde! fit Hollis en crachant. C'est exactement ce que tu aurais fait! Dis-donc, Inez, t'as un petit problème de drogue? Alors, salut, ma vieille! Et, hop! Je saute dans ma voiture et je me casse, pas vrai? Tout comme le ferait mon paternel! Je déguerpis, comme cette mouette. Il y a un problème, ici? Alors, je me sauve!

Les paroles de Hollis avaient frappé King avec tout l'impact d'une explosion. Il en était estomaqué et avait le souffle coupé. Il s'assit, constatant tout à coup qu'il lui fallait cesser de fuir. C'était un réflexe qu'il traînait depuis longtemps, un réflexe aussi vieux que l'odeur de la fumée sur cette route de Louisiane et qui lui revenait en pareilles occasions. Il avait déjà vu son univers éclater devant lui dans le ciel. Son instinct lui avait alors dicté de s'enfuir et de ne jamais regarder en arrière. Il n'avait jamais cessé de fuir depuis.

— Je suis désolé, Hollis, dit King en s'approchant de son fils.

— Merde! Regarde comment je suis! s'écria Hollis. Je suis pareil à toi. J'ai envie de faire à May la même chose que tu me fais à moi depuis ma naissance. Elle est en difficulté et j'ai envie de lui dire : Tant pis, je m'en vais. Elle se comporte comme si elle avait commis une chose épouvantable. Elle ne veut pas me dire ce que c'est, mais elle souffre. Quant à maman, je ne l'ai jamais vue dans un pire état. Et toi, tu te tiens à l'écart avec ton air de Boris Karloff.

Il détourna encore la tête et contempla l'horizon sur l'océan.

Il y avait combien de temps, se demandait King, qu'il n'avait eu une véritable conversation avec son fils? Quand l'avait-il entretenu de questions importantes? Il fixait des yeux les larges épaules de Hollis, ses boucles décolorées sur son col, et il espéra tout à coup qu'il n'était pas trop tard.

— Hollis, dit-il en posant avec hésitation une main sur l'épaule du jeune homme. Si on faisait une promenade sur la plage, histoire de bavarder un peu?

— Tu y tiens vraiment?

— Oui, j'y tiens!

King n'avait pas réfléchi sur sa jeunesse depuis des années. Le père et le fils se promenèrent donc au bord de l'eau. Hollis écoutait, complètement fasciné. King lui raconta ses débuts à New York, comment on ne l'avait pas accepté dans les forces armées, et sa rencontre avec Alvin Beamer, la jeune recrue de la Louisiane. Il fit la description du trois-pièces exigu où il logeait sur la Quarante-sixième rue.

Finalement, il avoua :

— J'étais fauché et j'avais faim. Alors, j'ai fait une connerie. J'ai joué dans des films porno.

— Sans blague! fit Hollis, impressionné.

— Eh oui! répondit King en respirant profondément. Avant sa mort, Avery m'avait informé que c'était Gilda qui les avait en sa possession. Elle m'avait promis de me les offrir en cadeau pour Noël. Ils sont probablement toujours sous son arbre, joliment enveloppés, avec une carte à mon nom.

Hollis siffla entre les dents.

— C'est pour cette raison que je me trouvais aux Perles le soir où Gilda a été assassinée, poursuivit King. Elle m'avait dit qu'elle les apporterait à la soirée chez ta mère. Lorsque je me suis rendu compte qu'elle ne viendrait pas, j'ai décidé d'aller voir ce qui lui était arrivé. Je ne voulais surtout pas que ces maudites bobines fassent le tour de la ville.

— C'est à ce moment-là que quelqu'un t'a vu entrer chez elle et a fait venir les flics?

King fit signe que non.

— On les avait déjà prévenus avant mon arrivée aux Perles.

Hollis en frémissait.

— C'était le meurtrier! Qui veux-tu que ce soit d'autre! Celui qui a prévenu les flics, c'est lui le coupable!

Une légère brise fraîche souffla du large.

— Rentrons, dit King. Le temps se rafraîchit.

— Qui leur a téléphoné?

— C'était une femme.

Hollis s'arrêta net.

— Papa. May refuse de me dire où elle est allée ce soir-là en partant de chez maman. C'est une des raisons pour lesquelles il s'est dressé un mur entre nous.

Il ramassa un petit coquillage et le lança dans les vagues.

— J'aime May. Je n'ai pas l'intention de la quitter. Si elle a des ennuis, je veux l'aider à s'en sortir. Qu'il s'agisse de quoi que ce soit, je ne veux pas fuir.

— Ça n'a aucun sens, dit King. Je ne peux pas croire que May aurait pu faire du mal à Gilda. Elle l'aimait. Gilda l'avait élevée, pour ainsi dire. Non. Quelle que soit la chose qui la trouble en ce moment, elle finira bien par t'en parler.

— Tu crois?

— Mais si! Tu n'es pas un fuyard, Hollis. Toi, tu es un amoureux!

— Ah, papa! Hollis frappa du poing le bras de son père. Puisque je suis si bon amoureux, tu pourrais peut-être me trouver un rôle dans un de tes prochains films porno? dit-il en riant.

Il fit ensuite un sprint sur la plage jusqu'à la maison.

King suivit lentement les traces de Hollis dans le sable, émerveillé de trouver en son fils tant de force et de compassion. Inez et lui avaient plus de chance qu'ils n'en méritaient d'avoir élevé un jeune homme aussi équilibré. Bien que, en toute honnêteté, King devait admettre que Hollis s'était élevé tout seul.

King avait fait un joli gâchis de sa vie, il n'y avait pas à dire! D'abord Inez, ensuite Hollis, Gilda, et enfin, Devon.

Rien de surprenant que Devon se soit enfuie.

King pressa le pas. Il se pouvait que Billy Buck lui eût retourné ses appels. Billy pourrait lui dire où Devon se cachait, comment faire pour la trouver.

Sans trop savoir pourquoi, c'est avec beaucoup d'optimisme qu'il enleva le sable de ses pieds au moyen d'un boyau d'arrosage et grimpa l'escalier du balcon deux marches à la fois.

En arrivant à la porte du salon, il resta figé sur place.

Il n'en croyait pas ses yeux.

Il venait d'apercevoir des cheveux noir corbeau tombant en cascade... Des yeux violets scintillant à la lumière éclatante du soleil couchant... Une grande silhouette en blue-jean dont la minceur était accentuée par la chemise masculine qu'elle portait... Une lèvre inférieure charnue mais légèrement tremblante.

Elle souriait, lui faisant ainsi comprendre que, bien qu'elle appréhendait cet instant, elle l'aimait toujours.

Elle tenait dans les bras une petite fille à tête noire bouclée, identique à celle de la femme qui la portait. L'enfant le regardait avec calme en suçant son pouce gauche.

— Salut, King.

— Devon! fit-il en souriant.

— Quinn, ma chérie, dis bonjour à ton papa.

La petite se cacha le visage dans le cou de sa mère.

— Je ne comprends pas, dit King.

Le sourire de Devon s'élargit.

— C'est notre fille, King!

Il posa doucement la main sur le dos de la fillette. Elle tourna vers lui son petit visage et cessa de sucer son pouce.

— Papa?

— Elle est magnifique, Devon. C'est tout ton portrait!

— Oh, mais elle est aussi têtue que toi, en plus d'avoir tes yeux et ton charme!

De grands yeux bleu pervenche bordés de longs cils noirs regardaient King. Il tendit les bras et elle lui permit de la prendre sans protester.

Il embrassa sa joue rondelette et veloutée.

— Bonjour, Quinn!

Il souhaitait en dire beaucoup plus mais il avait la gorge trop serrée et ne parvenait à prononcer aucune parole. Il décida donc de la serrer très fort contre lui; il avait envie de pleurer.

Il s'assit sur le sofa, la petite sur ses genoux. Devon prit place à côté de lui. Alors seulement, le bras de Devon frôlant le sien, sa jambe frôlant la sienne, alors seulement put-il enfin croire que c'était bien vrai, qu'elle était véritablement à côté de lui, là, dans la même pièce.

— Euh, papa! dit Hollis en montrant la tête par la porte de la cuisine. Je viens de parler à May au téléphone.

King avait oublié que son fils était encore dans la maison.

— Je crois que c'est le moment de faire ma sortie de scène, poursuivit le jeune homme. Merci de tes conseils. May vous invite chez nous lorsque vous en aurez assez de vous regarder! Nous avons hâte de faire la connaissance de made- moiselle Quinn. Salut, Devon! acheva-t-il en lui adressant un baiser de la main. Et tâche de rester avec nous, cette fois, d'accord?

Quinn venait de mettre la main sur un scénario que King avait laissé sur le divan. Elle tapotait à cœur joie la couverture brune cartonnée qu'elle cherchait à ouvrir.

— Une histoire, maman? demanda la petite.

— Oui, tout à l'heure, ma chérie. Nous te lirons une histoire tout à l'heure, la rassura Devon.

L'enfant babillait joyeusement en descendant des genoux de King pour se rapprocher de l'objet de son attention.

— Je sais que j'ai beaucoup de choses à t'expliquer, King, dit Devon en prenant la main de l'homme. J'ai dû te faire très mal et je suppose que tu devais être très furieux contre moi. Mais il fallait que je parte. Lorsque j'ai appris que j'étais enceinte, j'étais certaine de vouloir cet enfant. C'était ce que je souhaitais le plus au monde à part toi. Seulement, tu étais encore marié et je savais que ce serait long avant qu'Inez ne consente à te rendre ta liberté.

— Pourquoi ne m'en as-tu rien dit? (Il sentit un accent de colère dans sa voix et inspira profondément afin de se calmer.) Nous aurions pu être ensemble, vivre ensemble...

— Je t'en prie, King. Ecoute-moi jusqu'au bout, insista-t-elle en portant à sa bouche la main de King sur laquelle elle déposa un tendre baiser. Tu as épousé Inez par obligation; tu y étais forcé parce qu'elle attendait un enfant. Je ne voulais pas t'imposer la même chose encore une fois. J'ai pensé que tu aimerais peut-être avoir une période de réflexion, un certain répit pendant lequel personne n'exigerait rien de toi sur le plan émotif. Je voulais que tu aimes notre enfant par désir et non par obligation. D'ailleurs, poursuivit-elle, sa voix lui faisant défaut pour la première fois, n'oublie pas que nous parlons de Hollywood en 1977. J'avais des cauchemars à la seule pensée des manchettes: « Devon Barnes enceinte du Don Juan King Godwin! »

Quinn tirait la jambe de Devon.

— Maman, maman, *agua*, dit-elle en montrant la mer du doigt. *Mi arena.*

— Notre fille est bilingue, précisa Devon en riant. Oui, ma chérie, dit-elle en prenant l'enfant dans ses bras, allons jouer dans le sable.

King et Devon se promenèrent sur la grève, main dans la main, tout en surveillant Quinn qui courait et sautait dans le sable mouillé.

— Elle adore la plage, remarqua Devon. C'est l'asphalte et le béton qui l'ennuient. Et de porter des souliers! Elle déteste les souliers. Comme Gilda.

— Comment se fait-il qu'elle parle l'espagnol? demanda King.

Devon lui raconta qu'elle s'était enfuie à Puerto Cruz, à ce merveilleux endroit qu'il lui avait décrit si élogieusement lors de leur première nuit. Elle avait pensé le voir apparaître un beau jour. Après tout, il s'agissait de son paradis à lui. Ils auraient pu jouir ensemble de toute la riche simplicité des lieux.

Il secoua la tête.

— Non. Je n'aurais jamais pu me retrouver là-bas sans rêver de toi, sans penser à toi constamment. Tu me manquais tellement que je ne pouvais presque pas le supporter.

Il l'étreignit si fort qu'elle en perdit momentanément le souffle.

— Pourquoi as-tu décidé de rentrer maintenant? Pour les funérailles de Gilda?

— Je savais que c'était le premier Noël dont Quinn pourrait se rappeler. Or, je pensais à tous ces Noëls d'autrefois au ranch de Maybelle après la mort de mon père, alors que ma mère oubliait parfois de nous rendre visite. Je voulais donc que Quinn le passe au sein de sa famille, avec toi et Gilda.

Elle tourna vers King des yeux effrayés.

— Oh, King! fit-elle en pleurant. Comment une chose aussi terrible a-t-elle pu se produire?

— Maman pleure? dit Quinn, la bouche tremblante comme si elle aussi allait faire de même d'un instant à l'autre.

— Non, mon ange, ce n'est rien, lui dit Devon qui se pencha pour la rassurer d'un baiser tout en refoulant ses larmes.

— Raconte à papa pourquoi je t'ai nommée Quinn.

La petite leva vers lui ses petits bras bronzés, lui signifiant ainsi qu'elle voulait se faire prendre.

— Grand-maman, dit-elle en sautillant de joie dans les bras de King. Grand-maman Gilda!

King regarda Devon, l'air interloqué.

— C'était le nom de famille de Gilda avant que Ted Kearny lui demande de le changer.

— Est-ce que Gilda connaissait l'existence de Quinn?

— Non. Enfin, pas avant que je ne lui rende visite aux Perles l'autre jour.

Devon ne pouvait aucunement prévoir quelle serait la réaction de Gilda en la revoyant. Depuis son départ deux ans plus tôt, la jeune femme lui avait écrit tous les deux ou trois mois mais n'avait jamais reçu la moindre réponse. Devon s'inquiétait de l'état d'esprit de Gilda, surtout après avoir lu l'article de George Christy intitulé : « Gilda Greenway imite la Garbo. »

« Maintenant que *Cobras* s'est mérité une place dans les annales du cinéma comme étant la faillite la plus spectaculaire en dépit du talent des artistes qui font partie de la distribution, Gilda Greenway, jadis une grande vedette, est devenue une véritable ermite, non sans raison d'ailleurs. Il suffit qu'elle mette le pied dans un restaurant pour que le silence règne. Peut-on la blâmer de rester chez elle? Hollywood est une ville où les épouses ont des langues de vipère; elles se délectent à ternir la réputation de la star comme des charognards se régalent de la carcasse d'une bête. »

Devon pouvait s'imaginer comment Gilda avait réagi à cet article. Il fallait qu'elle la voie. Il fallait qu'elle donne à sa fille et à Gilda la chance de se connaître. Devon avait donc décidé d'entreprendre ce périple vers le nord, de quitter la jungle et la plage de Puerto Cruz pour Los Angeles, une jungle d'une autre espèce.

Elles y étaient arrivées en fin d'après-midi. Après la longue route sous le soleil implacable du Mexique, après l'exténuant voyage en avion et la circulation exaspérante sur l'autoroute, l'atmosphère qui régnait derrière les grilles des Perles était particulièrement reposante. La nuit commençait à tomber et l'air s'était rafraîchi; Devon entendait le croassement et le chant des oiseaux dans la volière. Quinn, émerveillée d'entendre les canards cancaner à leur passage, avait même retiré son pouce de sa bouche et frappé la vitre de la voiture à grands coups.

Madame Denby leur avait ouvert et Devon avait compris à sa physionomie que la femme était à la fois surprise et indignée.

— Bonjour, madame Denby. Est-ce que Gilda est là? avait demandé Devon de sa voix la plus plaisante.

— Où d'autre pensez-vous qu'elle soit! lui avait rétorqué la gouvernante.

— J'en suis ravie. J'ai grand hâte de la voir.

— Je pense bien! Mais de quel droit arrivez-vous ici sans prévenir? Et qui vous laisse croire que mademoiselle veut vous recevoir? avait-elle ajouté d'un ton assez furieux. Est-ce que vous ne lui avez pas déjà causé assez d'ennuis, vous et les autres? Elle est la risée de toute la ville. Vous l'avez embarquée dans ce maudit film, et vous l'avez laissée se démerder seule dans le pétrin. Et aujourd'hui, vous avez le culot de revenir, pensant que vous êtes toujours la bienvenue ici?

Elle avait pincé la bouche amèrement et dévisagé Devon un instant avant d'essayer de lui claquer la porte au nez.

Devon avait pourtant été plus rapide que la gouvernante. Avec Quinn en pleurs dans les bras, elle était entrée de force.

— Je suis désolée, madame Denby, mais cette fois, vous ne gagnerez pas.

— Je vais appeler le commissariat, lui avait dit la femme en colère.

— Faites ce que vous voulez, madame Denby. Vous ne vous en êtes jamais privée jusqu'ici.

Devon risqua un œil dans le salon vide, réfléchit un instant, puis grimpa le grand escalier en spirale.

Elle suivit le long corridor, passant par le fait même devant la salle de projection où King et elle s'étaient accrochés éperdument l'un à l'autre le jour du mariage. Elle passa aussi devant les chambres d'invités.

Que de souvenirs il y avait ici!

Et d'un temps déjà si lointain!

Devant la porte de la chambre de Gilda, elle entendait jouer la télévision.

Elle frappa; personne n'ayant répondu, elle ouvrit doucement la porte.

Dans le petit salon particulier de Gilda, de l'autre côté de l'énorme lit à baldaquin, une forme solitaire enveloppée d'une robe de chambre de velours vert était recroquevillée dans un fauteuil. Elle tenait une cigarette d'une main, un verre de l'autre. Devon était là, le cœur palpitant, sans rien dire. Même la petite Quinn restait parfaitement silencieuse; on aurait dit qu'elle sentait l'ambiance chargée d'émotion dans laquelle la pièce était plongée.

Gilda regardait une reprise de *Night Anthem*, le film dans lequel, près de quarante ans plus tôt, elle lançait son rang de perles par-dessus l'épaule et prononçait cette réplique désormais célèbre : « Je lui appartiens. »

— Gilda, dit Devon d'une voix presque trop humble.

Gilda, reprit-elle, plus fort cette fois.

Gilda déposa son verre et ferma le téléviseur au moyen d'un dispositif de contrôle à distance. Après s'être levée, elle se retourna en écartant une mèche de cheveux décoiffés de son glorieux visage, exempt de tout maquillage. Elle dévisagea Devon qui tenait l'enfant dans ses bras.

— Qu'est-ce que tu fais ici?

— Gilda. Il fallait que je te voie. Noël est presque arrivé...

Dieu qu'elle aimait cette femme! Les larmes lui mordaient les yeux.

— Je t'aime. Tu ne pourrais pas me pardonner? Comme ça, il n'y aurait plus d'amertume entre nous.

Gilda mangeait des yeux le visage adoré de Devon, son sourire timide, son épaisse crinière de longs cheveux noirs. Comme elle lui avait manqué! Son enfant perdue était enfin rentrée. Gilda se trouvait tiraillée par ses sentiments, indécise de l'attitude qu'elle devait adopter.

— Qui est cette petite? crut-elle prudent de s'enquérir.

Alors, Devon s'agenouilla, de sorte que ses yeux étaient de niveau avec ceux de l'enfant.

— Ma chérie, voici ta grand-maman Gilda.

— Ciel que je déteste ce mot! fit Gilda d'une voix rauque.

Devon la regarda de ses grands yeux.

— Je croyais pourtant que tu avais toujours souhaité avoir des petits-enfants.

— Pourquoi? Pour qu'ils m'abandonnent comme l'ont fait mes enfants?

Quinn trotta jusqu'à Gilda en babillant en son langage enfantin. Gilda tirait nerveusement sur sa cigarette.

— Comment s'appelle-t-elle?

— Quinn.

Gilda rassembla sa robe de chambre en blêmissant à vue d'œil.

— Seigneur Dieu! Pourquoi lui as-tu donné un nom pareil?

— En ton honneur. Tu sais bien que j'estime que c'est toi ma véritable mère. Et Quinn, c'est ton nom, n'est-ce pas?

— En mon honneur! Tiens, on dirait que c'est le temps des honneurs, tout à coup. D'abord l'Académie, et aujourd'hui, c'est à ton tour.

— De quoi parles-tu?

— Eh bien, ma chère, après le fiasco de *Cobras*, après que tout le monde se soit bien payé ma tête, Hollywood a tout à coup eu un revirement de sentiments. Figure-toi qu'ils vont m'attribuer un Oscar. Un prix spécial. Ils l'appellent le Prix d'excellence générale, ou quelque chose de ce genre. Je pense que c'est une sorte de pelle qu'ils vous offrent lorsqu'ils estiment que vous avez déjà un pied dans la tombe.

— Mais, c'est formidable! s'exclama Devon en s'avançant pour embrasser son aînée.

Mais cette dernière demeura raide et impassible.

— Pour quelle raison es-tu rentrée? demanda enfin Gilda.

— A cause de toi et de King. Je désirais réunir autour de moi les trois personnes que j'aime le plus au monde.

— Voyez-vous ça! Tu m'en diras tant!

Les yeux de Devon se gonflèrent de larmes.

— Gilda! Je t'en prie, montre-toi un peu plus chaleureuse. Je sais que tu devais être très en colère lorsque je suis partie, et je sais que tu as de bonnes raisons d'être furieuse contre nous tous. Mais enfin, ce n'était pas notre faute. Tu n'as donc pas lu mes lettres? Est-ce que tu te contentais de les jeter au panier? Pour quelle raison penses-tu que j'ai continué à t'écrire pendant les deux dernières années?

— Qui est le père? demanda Gilda d'une voix glaciale en écrasant sa cigarette à petits coups secs.

— Tu ne trouves pas que c'est évident? Regarde ses yeux!

— Est-ce que King est au courant?

— Pas encore. Je voulais d'abord te voir et te parler.

— Maman, manger?

La froideur de Gilda s'évapora soudain.

— Oh, ma petite chérie! Tu as faim? dit-elle d'une voix roucoulante. Viens avec moi à la cuisine. Je vais te trouver quelque chose à manger. Devon, poursuivit-elle d'un ton sec, tu ne peux donc pas t'occuper de cette pauvre petite? Tu es un être tout à fait irresponsable, mais ce n'est pas une raison pour que la petite en souffre!

Elle prit Quinn par la main et la conduisit hors de la pièce en lui racontant qu'elle possédait beaucoup de chiens et d'oiseaux et tout plein d'autres jolies choses qu'elle allait lui montrer.

Devon comprit alors que, quelles que fussent les autres paroles d'injure que Gilda pourrait proférer, au fond, elle lui avait déjà pardonné.

Exténuée par le long voyage et les retrouvailles émotives avec Gilda, Devon était d'avis que toute autre question pouvait attendre au lendemain. Quinn s'endormit pendant le dîner, le menton couvert de miettes de gâteau. Devon la suivait au lit peu de temps après.

En se réveillant le lendemain matin, elle se rappelait vaguement avoir entendu la petite gigoter à côté d'elle et lui dire tout bas : « Trouver grand-maman. »

Quinn n'était pas dans la chambre.

Devon enfila un peignoir et dévala l'escalier en appelant tour à tour Quinn et Gilda.

Elle les trouva toutes deux sur la terrasse ensoleillée adjacente à la salle à manger, où Quinn buvait du lait dans un verre en cristal de Val Saint-Lambert tandis que Gilda lui coupait du pain perdu dans une assiette.

— Gilda! fit Devon en riant. Ce n'est pas très prudent de lui laisser un verre d'une telle valeur entre les mains.

— Oh, ma chérie, si tu savais comme je m'en moque! répondit Gilda d'une voix légère. En ce qui me concerne, la petite peut casser tout ce qu'elle veut. Au moins, elle met un peu de vie dans cette maison. Tu prends du café?

Elle sonna la clochette à côté d'elle et madame Denby apparut.

— Devon prendra du café, un jus d'orange et des toasts. Et veillez à ce qu'elles ne soient pas brûlées.

On aurait dit que madame Denby était sur le point de dire quelque chose, mais elle se ravisa et retourna en vitesse à la cuisine en disant :

— Bien, Mademoiselle.

— La vieille bique ne tolère aucune concurrence. Alors, ma chère Devon, tu as encore bien des choses à m'expliquer, mais je dois admettre que ce petit bout de chou vaut son pesant d'or.

A la clarté du soleil matinal, Gilda paraissait dix ans plus jeune que la veille alors que la tension accentuait les rides autour de sa bouche. Elle souriait à présent et sa physionomie s'était radoucie. Devon se pencha et lui donna une solide étreinte.

— C'est bon d'être chez soi!

Les deux femmes s'attardèrent sur leur petit déjeuner tandis que Quinn faisait connaissance avec Tallulah et s'occupait à dessiner sur le parquet de marbre de la terrasse. Devon s'expliqua enfin avec Gilda. Elle lui raconta pourquoi elle était partie si soudainement et de façon si mystérieuse, pourquoi elle pensait avoir pris la bonne décision, et pourquoi elle avait choisi de rentrer maintenant.

— Je tiens toujours à retrouver la tombe de mon père, poursuivit-elle. J'ai besoin de lui dire que je comprends pourquoi il nous avait laissées, ma mère et moi.

Gilda se mit à rougir, comme si on l'avait surprise à faire quelque mauvais coup.

— Ne va surtout pas croire que je t'ai pardonné de m'avoir abandonnée, annonça-t-elle avec un soupçon de colère dans la voix. Pourtant, j'ai quand même pu retrouver l'endroit où ton père est enterré. Dieu sait pourquoi je m'en suis donné la peine, d'ailleurs.

Devon poussa un cri de joie soudain et perçant, sur quoi la petite la regarda tout alarmée.

— Tu es trop bonne pour moi, Gilda. Vraiment trop bonne.

La sonnerie du téléphone vint interrompre les protestations de Gilda.

— Répondez, voulez-vous? cria-t-elle à madame Denby.

Quelques instants plus tard, la gouvernante venait annoncer que May Fischoff insistait pour parler à Gilda.

— D'accord. Apportez-moi le téléphone.

Ce que fit madame Denby, après quoi Gilda décrochait le récepteur.

— Bonjour, May... Oui, je sais que je ne t'ai pas rappelée hier, mais il s'est présenté un imprévu... Ne viens pas m'emmerder, May... Oui, bien sûr que je comprends combien tu t'es dépensée sur ce projet. Il est grand temps que tu fasses quelque chose pour moi. Non, je ne le peux pas en ce moment. J'ai des invités de l'extérieur.

Elle adressa un clin d'œil à Devon avant de conclure.

— Je ne sais trop, May... Il se peut que je change d'avis... Tu as bien entendu... Ecoute, je ne peux pas en discuter davantage en ce moment. Je te rappelle un peu plus tard.

Elle raccrocha sans dire au revoir à May.

— De quoi s'agit-il? demanda Devon.

Gilda haussa les épaules avec impatience.

— May a dans la tête de me faire signer un contrat pour un télé-roman. Je dois admettre que c'est intéressant, sans compter qu'on m'offrirait un excellent salaire. Seulement, m'as-tu bien examinée?

Elle prit une pose dramatique, tête renversée, mains sur les hanches.

— Tu penses vraiment que la caméra aimerait encore un visage et un corps comme les miens? D'autant plus que je ne suis pas certaine de vouloir me tuer à la tâche cinq jours par semaine pour une émission qui ne fera probablement pas plus d'une saison. Je me suis laissée prendre au jeu parce que je ne savais trop que faire de mon temps; maintenant que tu es de retour, surtout avec cette mignonne petite poupée, à quoi bon?

— Et May, que devient-elle?

— Je dois admettre qu'elle se débrouille vachement bien. Quoique j'ai toujours su qu'il en serait ainsi. Elle a enfin perdu sa graisse de bébé.

Devon souriait en elle-même. C'était bien le genre de Gilda d'appeler « graisse de bébé » les kilos superflus que May avait accumulés pendant des années de gourmandise incontrôlable.

— Elle habite toujours avec Hollis?

Gilda laissa échapper un soupir de colère.

— Oui. Je la trouve bien idiote, ma pauvre filleule. Elle refuse d'écouter mes conseils, cette tête de linotte. Je lui ai répété cent fois qu'elle ne regarde pas les choses en face. Qu'un beau jour, lorsque Hollis décidera qu'il veut avoir des enfants, il la quittera, comme Ted Kearny m'a quittée dans le temps. Les hommes sont comme ça. Seulement, jamais elle n'admettrait que j'ai raison et qu'elle a tort.

Gilda alluma une cigarette et inspira profondément une bouffée.

— Devon, je viens d'avoir une excellente idée. Inez donne une réception ce soir pour la veille de Noël. Je m'attends à ce que ce soit une soirée très ennuyeuse, mais tout le monde y sera. Il y aura là May, Hollis, King, Billy, et environ cent cinquante soi-disant amis d'Inez. Tu devrais m'accompagner. Tu vois d'ici le plaisir que nous aurions à faire ensemble notre entrée théâtrale? Tu te souviens de Bette Davis et Miriam Hopkins dans *Old Acquaintance*?

Devon s'étira avant de se lever.

— J'en aurais bien envie, Gilda. Ça serait vraiment marrant. Cependant, il faut absolument que je voiet King seul avant quiconque d'autre. Et avant même de faire ça, j'aimerais me rendre sur la tombe de mon père pour, comment dirais-je, me réconcilier avec lui, si tu veux.

— Evidemment. Tu vas me laisser affronter seule cette bande de vipères!

En voyant l'air désolé de Devon, Gilda ajouta :

— Ne fais pas attention à ce que je dis. Je ne suis qu'une vieille malcommode. Je me suis débrouillée sans toi depuis deux ans, je peux bien attendre une journée de plus. Je te comprends, pour ton père. Attends! Je vais aller chercher les coordonnées de la route à suivre. C'est juste au nord de Bakersfield, si j'ai bonne mémoire. Et vas-y quand bon te semblera.

Devon n'avait pas prévu que Gilda lui pardonnerait aussi facilement. Inconsciemment, elle retenait son souffle, s'attendant à ce que son amie revienne à la charge d'un moment à l'autre et lui reproche toute la souffrance que son départ lui avait infligée. Mais, Gilda était trop accaparée par Quinn. Elle emmena la petite à la ménagerie.

— Voilà des mois que je n'ai remis les pieds ici, confia-t-elle à Devon.

Ensuite, elle s'amusa dans la piscine avec l'enfant, lui fit la lecture de son livre d'histoires préféré, et la mit au lit pour une sieste. Elle insista pour préparer elle-même le déjeuner de la petite à son réveil à treize heures.

— Ne t'inquiète pas pour nous, dit-elle d'une voix désinvolte à Devon. Tu peux aller prendre une douche et faire ce que tu as à faire. Cette fillette est comme sa grand-mère; elle s'arrange très bien sans toi.

Quinn riait aux larmes de voir Gilda faire des singeries. Et toutes les deux riaient encore aux éclats au moment où Devon redescendit à la cuisine, prête à entreprendre le long trajet qui la mènerait au cimetière.

— Viens, je vais te laver le visage, ma chérie.

Elle souleva Quinn jusqu'à l'évier.

— Tu peux encore changer d'avis si toutefois tu décidais de passer la veille de Noël en ma compagnie, dit Gilda, faisant mine d'être tout à fait indifférente à la question.

— Je le voudrais bien, mais... je ne t'ai même pas apporté un cadeau de Noël, répondit Devon en se frottant la nuque.

406

— Tu sais, Quinn, poursuivit Gilda d'un ton malicieux. Ta mère est un peu ridicule. Elle ignore que tu es le plus beau présent de Noël que j'aie reçu depuis que Patrick Wainwright m'a offert un collier de perles.

Sans comprendre la blague, Quinn éclata de rire. Elle savait seulement que Gilda était une grand-maman très amusante.

Gilda s'adressa à nouveau à Devon.

— Mais, ma chérie, moi non plus je n'ai aucun présent pour toi.

Elle plissa les yeux un instant, puis un large sourire illumina son visage.

— Mais si, j'en ai un! Viens, Quinn. Allons chercher le cadeau de ton idiote de maman.

Devon secouait la tête, amusée du spectacle que Gilda lui offrait. Elle allait verser du café dans une tasse lorsque madame Denby entra d'un pas feutré dans la cuisine.

— Je vous sers un café, madame Denby?

— Permettez-moi de vous rappeler, mademoiselle, que c'est moi la gouvernante aux Perles, et que je suis ici chez moi. Je n'ai pas à attendre qu'une étrangère m'offre une tasse de mon propre café!

— Oh, pour l'amour du ciel...

Et puis, à quoi bon, se dit Devon. Je n'ai jamais plu à cette femme, pas davantage d'ailleurs que ni l'un ni l'autre des « enfants adoptifs » de Gilda, pour autant que je sache. Elle s'installa à l'ancienne table de pâtissier en bois de pin et dégusta son café en pensant à la route qu'elle avait à parcourir, et à toutes les paroles qu'elle n'avait jamais adressées à son père avant qu'il ne meure.

— Maman, maman! s'écria Quinn qui pénétrait dans la pièce en courant, suivie de près par Gilda.

Cette dernière avait les mains derrière le dos et son visage affichait un sourire moqueur. Sans tenir compte de la présence de madame Denby, elle s'approcha de la table.

— Lève-toi et ferme les yeux, ordonna-t-elle à Devon. Et ne les ouvre pas avant que je te le permette.

Devon obéit sagement.

Il n'y avait aucun bruit dans la pièce, sauf le babillage de Quinn qui s'émerveillait devant quelque chose de « joli, joli ». Devon entendait au loin l'aboiement des chiens et le chant des oiseaux que la brise apportait de la ménagerie.

Devon sentit quelque chose de léger et de frais lui effleurer la nuque.

Tout à coup, un grand bruit fracassant coupa le silence.

En ouvrant les yeux, Devon entendit un cri étouffé.

Madame Denby dévisageait Devon de ses yeux effarés, poings fermés sur ses doigts tordus par l'arthrite.

Aux pieds de madame Denby se trouvait une tasse en porcelaine fracassée en mille morceaux. La gouvernante venait à peine de se servir du café.

Devon baissa les yeux. Elle aperçut à son cou un long rang de magnifiques perles. C'était le légendaire collier de Gilda.

— Oh, non, commença-t-elle à protester.

Elle fut toutefois interrompue par madame Denby.

— Gilda! Quelle audace de lui offrir vos perles!

Pâle de rage, la gouvernante criait à tue-tête.

Quinn se mit à pleurer à pleins poumons, effrayée par tout ce tintamarre. Pourquoi la vieille dame laide avait-elle gâché la surprise que grand-maman faisait à maman?

— Madame Denby, dit Gilda en prononçant exagérément chacune de ses paroles. Comment osez-vous me parler ainsi? Vous oubliez qui vous êtes, il me semble!

Devon réconfortait sa fille en pleurs. Madame Denby dévisageait Gilda d'un œil furibond.

— Je trouve votre conduite très répréhensible, poursuivit Gilda. Puisqu'il vous est impossible de traiter mes invités avec respect, vous pouvez quitter cette maison immédiatement. Et n'y remettez pas les pieds avant leur départ.

— Gilda! intervint Devon.

— Ma fille, ne te mêle pas de ça! lui répondit Gilda d'un ton sec.

Madame Denby n'avait pas bronché d'un poil. C'est à peine si elle osait respirer.

— Est-ce assez clair? ajouta Gilda en pointant sur la gouvernante un index bien manucuré en rouge. Sortez de chez moi et que je ne vous y revoie pas avant que je vous fasse signe.

— Vous n'êtes pas sérieuse! fit madame Denby d'une voix entrecoupée.

— Vous savez fort bien que je ne badine jamais avec vous. Vous m'avez entendue; prenez vos huit jours.

Gilda se retourna vers Devon et Quinn.

— Là, ma mignonne. La méchante dame va s'en aller. Viens avec ta maman. Nous allons retrouver Tallulah.

Flanquée de Gilda et de Devon, la petite sortit de la cuisine.

Madame Denby redressa les épaules, passa la main sur son tablier et rajusta le collet de son uniforme. Sans faire de bruit, elle ouvrit ensuite la porte de la cuisine et emprunta le sentier en pierres plates qui menait à la ménagerie.

Le jardinier s'affairait à émonder les azalées roses et pourpres.

— Bien l'bonjour, madame Denby! lui lança-t-il.

Le pauvre resta sans réponse.

La gouvernante longea lentement la piscine où Dennis, le garçon d'entretien, enlevait les feuilles mortes à la surface de l'eau.

Il la regarda, s'attendant à ce qu'elle lui dise comme d'habitude : « Tu ferais mieux de bien nettoyer la piscine. Inutile de gaspiller l'argent de mademoiselle. »

Pourtant, elle ne fit aucun cas de lui.

Elle traversa le bosquet d'eucalyptus derrière lequel elle laissa le sentier, pénétrant dans la fraîcheur ténébreuse du bâtiment qui abritait ce qui était naguère la célèbre collection d'animaux exotiques de Gilda Greenway.

Les trois singes capucins de Colombie jacassaient dans leur cage en attendant leur dîner. Jorge, le plus audacieux des trois, gambada jusqu'à l'avant de la cage et passa sa petite patte noire entre les barreaux, montrant les dents en quêtant une pomme.

Madame Denby l'observa quelques instants.

Elle lui saisit alors la patte et la secoua violemment contre les barreaux, de gauche à droite, à plusieurs reprises; les cris et hurlements du pauvre animal se faisaient entendre aux quatre coins du bâtiment et retentissaient jusque dans le parc.

— Maudit petit chenapan! lui criait-elle.

Dans leur cage, les toucans poussaient de leur côté des cris aigus, effrayés par les hurlements perçants des petits singes.

— Vous n'êtes que des scélérats, tous autant que vous êtes! leur criait madame Denby malgré le tapage.

Elle saisit la cage des oiseaux qu'elle secoua à grands coups, de telle sorte que les cris des toucans se mêlaient à la cacophonie des singes.

Il était impossible de distinguer les propres hurlements de douleur de madame Denby des cris des animaux. Ses appels angoissés se répercutaient au plafond et jusqu'à l'extérieur.

Dehors, le gardien de la piscine s'avança dans le sentier, se demandant s'il devait ou non aller voir ce qui se passait. Il demanda l'avis du jardinier.

— Ne t'en fais pas, lui répondit celui-ci. La vieille est complètement cinglée.

Gilda se prélassait dans un bain de mousse où elle accompagnait de la voix la chanteuse Peggy Lee. En raison du fort volume de son appareil stéréo, elle n'entendit rien du vacarme. Elle avait effacé de son esprit le souvenir de madame Denby et avait pris une décision quant à sa conversation avec May Fischoff.

Elle sortit de sa baignoire circulaire encastrée taillée dans un marbre italien blanc, et se sécha à l'aide d'une grande serviette monogrammée à la main. Après avoir endossé un déshabillé, elle se rendit à son salon particulier et composa le numéro privé de May à sa résidence.

— May, dit-elle sans autre forme de salutation.

— Bonjour, Gilda.

May se trouvait à son bureau de style colonial espagnol, où s'entassait la paperasse concernant le contrat de télévision qu'elle négociait depuis longtemps au nom de Gilda. Le bureau qu'elle s'était fait aménager dans sa résidence, empreint de l'atmosphère désertique du sud-ouest, était très décontracté, en flagrant contraste avec celui de ses locaux de Beverly Boulevard, où le décor n'était que verre et chrome stylisés.

Chez elle, dans ce sanctuaire privé où elle passait de plus en plus de temps à l'écart du bureau, elle s'offrait le luxe de quelques antiquités de valeur, de tissus fleuris et colorés, et de sofas Chesterfield. Le portrait de Norma Fischoff signé Augustus Johns était accroché au mur rouge piment derrière elle.

La grande valeur de son bureau antique n'empêchait en rien May d'y appuyer les pieds et de se renverser dans son fauteuil en peau de vache lorsqu'elle conversait au téléphone. (« Procurez-moi des antiquités en quantité », avait-elle informé son décorateur du Groupe A, Larry Mako, « à condition que j'aie un fauteuil bien coussiné. »)

— Nous sommes à un cheveu de conclure le contrat, était-elle ravie d'annoncer à Gilda, et je voulais simplement revoir certains menus détails avec toi.

— J'ai changé d'avis, lui annonça Gilda. Je ne veux pas faire ce télé-roman.

— Quoi?

— Tu as bien entendu. Oublie tout. Ça ne m'intéresse pas.

En un rien de temps, May était debout.

— Gilda! Mais qu'est-ce que c'est que cette histoire?

— J'ai mieux à faire de ma vie. J'en ai assez de faire l'amour à la caméra pour ensuite lire dans les journaux des remarques insidieuses sur le fait que je vieillis avec grâce.

— Bon Dieu, Gilda, s'écria May en fendant l'air d'une main soigneusement manucurée. Ça fait déjà un an que je m'évertue à te négocier le meilleur contrat de toute l'histoire de la télé. J'ai réussi à faire accepter à Aaron Spelling un contrat de deux millions et quart par année, avec en plus une clause pénale d'un million et demi, et tu viens me dire que tu as mieux à faire de ta vie?

May arpentait de long en large le tapis navajo. Qu'est-ce qui arrivait donc à Gilda? Est-ce qu'elle perdait la boule?

— Oublie ça, te dis-je. Je ne serais pas surprise qu'il s'agisse encore d'un de ces feuilletons de second ordre.

— Tu dis des bêtises! Spelling conçoit tous les épisodes en fonction de toi. On prétend même qu'après trois ans, l'émission devrait éliminer *Dallas* des ondes. Je t'en prie! Tu es en train de tout gâcher. Peux-tu seulement t'imaginer à quel point j'ai dû me débattre pour obtenir ce rôle pour toi? Ce que j'ai dû faire pour les convaincre que tu étais meilleure que Lana Turner et Jane Wyman? Comment peux-tu me laisser tomber, à présent?

Gilda regardait la télé dont elle avait baissé le volume au moyen de son contrôle à distance. Elle sautait d'une chaîne à l'autre à la recherche d'un ancien film.

— May, laisse tomber, veux-tu? Tu n'as toujours été qu'une petite égoïste qui ne pense qu'à elle-même.

— Je ne suis qu'une égoïste! hurla-t-elle dans l'appareil. Après tout ce que j'ai fait pour toi? Toi qui avais besoin d'argent lorsque ton maudit cowboy s'est flambé la cervelle et t'as laissée sans le sou. Toi qui ne t'es jamais occupée d'un seul centime de tout l'argent que tu gagnais. Et aujourd'hui, tu lèves le nez sur un contrat de deux millions de dollars pour un rôle qui te serait si facile que tu pourrais presque le jouer par téléphone!

May tremblait tellement qu'elle pouvait à peine tenir le récepteur.

— Je n'ai plus rien à dire, ma chérie. *Sayonara*.

May saisit une boîte émaillée provenant de l'Angleterre et datant du dix-huitième siècle, un article d'une valeur inestimable, et la fracassa sur le mur, en plein sur la moulure en chêne d'un tableau de Remington.

— Salope! Vulgaire pute! Je t'aurai bien, va. Tu ne joueras jamais plus dans aucun film!

Il était difficile de déterminer laquelle des deux avait raccroché la première.

Devon consulta sa montre.

— Il faut que je me sauve. J'ai promis au lieutenant Biggs de passer le voir à dix-sept heures. Viens, Quinn. Il est temps de partir.

— Papa? demanda la petite d'un air inquiet.

Elle était déjà très éprise de cet homme qui sentait le bonbon, qui la serrait dans ses bras et la faisait rire.

— Oui, répondit King en ôtant le sable sur la joue de l'enfant. Papa vient avec toi. Il va couler beaucoup d'eau avant que je ne vous laisse des yeux, vous deux.

C'était Quinn qu'il regardait, mais Devon savait que les paroles de King s'adressaient à elle.

— Eh bien! A compter de maintenant, essaye seulement de te défaire de moi!

Elle était radieuse.

Ils rentrèrent tous trois d'un pas nonchalant, s'arrêtant à tout moment alors que Quinn apercevait encore un joli coquillage qu'elle ajoutait à sa collection, emmagasinée dans les poches de pantalon de son père.

— King, dit Devon, j'étais aux Perles le soir du meurtre de Gilda.

— Dev! Pourquoi n'es-tu pas venue me retrouver?

— Je me suis enfuie en pleine nuit. Je ne t'avais pas revu depuis deux ans. Belle façon de te revenir! « Salut, chéri, me voici de retour. Quelque chose de terrible vient de se produire, et, ah oui, en passant, voici ta fille, Quinn! » Non, vraiment, il fallait que je réfléchisse.

— *Casa, casa*, pleurnichait la petite.

— Oui, ma chérie. Nous y sommes presque, lui dit Devon en souriant. Nous avons été recueillies par des gens du *barrio*. Notre gouvernante à Puerto Cruz a des parents ici. Je leur ai rapporté un tas de présents pour Noël. Ce sont des gens formidables. Ils n'ont pas dit un mot lorsque j'ai débarqué chez eux après minuit. Ils nous ont très bien traitées Quinn et moi.

— On s'est manqué de peu l'autre nuit chez Gilda, dit King. J'y étais moi aussi. C'est l'histoire de notre vie.

— Il est grand temps de réécrire le scénario.

Il l'entoura de ses bras puissants.

— Je t'ai perdue autrefois, il y a de ça très longtemps, et j'ai passé le reste de ma vie à te chercher. Mais je ne trouvais de toi que certaines bribes à la fois. Un soir, je couchais avec tes cheveux; le lendemain, la fille avait ton nez. Une fois, en me retournant dans mon sommeil, j'ai touché la cuisse d'une d'elles et j'ai dû prononcer ton nom, car elle m'a fichu à la porte!

— Elle a bien fait.

Devon lui donna une bourrade amicale et lui lança d'un pied du sable sur les jambes.

— Je ne te lâcherai plus, à présent. A partir de maintenant, c'est la vie à trois, dit-il en l'embrassant tendrement. J'ignore de quoi nous allons vivre, cependant. Après ce scandale, je ne pourrais probablement même pas réussir à me faire arrêter dans ce bled.

Aussitôt ces paroles prononcées, ils éclatèrent de rire, comme à un signal.

— Tu veux te reprendre? demanda Devon en riant.

— Viens ici, belle coquine!

Il l'étreignit encore tandis que Quinn applaudissait de ses petites mains potelées.

27

Billy Buck pénétra d'un pas léger dans l'air frais et climatisé de son hacienda située dans un quartier retiré de Bel Air; il ramassa l'amas de courrier que le facteur avait plus tôt glissé par la fente dans la porte. Il comptait bien sûr des lettres de ses admirateurs, comme d'habitude, certaines offres d'admiratrices, des invitations à la projection des films qui n'étaient pas sortis à temps pour la période des fêtes, deux factures, une lettre de sa sœur qui habitait Atlanta, et le catalogue d'un magasin pour hommes très exclusif.

Il avait une migraine monstre, sans doute occasionnée par la chaleur, l'alcool, le chagrin, la tension, et trop de questions demeurées sans réponse. Il pensa prendre un bain mais en repoussa l'idée. Au train où allaient les choses ces derniers jours, il n'aurait pas été surpris de trouver Janet Leigh dans sa douche!

Il alla à l'armoire du salon de style espagnol, dans laquelle il dissimulait sa chaîne stéréo, derrière des portes bien cirées. Une musique de Gershwin, exécutée par le débonnaire Bobby Short, envahit immédiatement la maison. Tout exténué qu'il fût, Billy n'en appréciait pas moins la sereine beauté de sa demeure. Il arrivait souvent que ses invités expriment une certaine surprise devant le fait qu'il n'avait pas meublé son intérieur d'antiquités françaises ou anglaises. Ce à quoi il répondait infailliblement que cette maison se trouvait bien à Los Angeles et non à New York.

Les sofas, capitonnés d'un motif à feuilles, le fauteuil fleuri agrémenté d'un pouf assorti, les carreaux exclusifs du parquet en bleu, blanc et or, tout lui convenait parfaitement.

A la cuisine, Billy pressa une limette dont il versa le jus dans un verre d'eau Perrier qu'il avala avec deux cachets d'antiacide. Il déboutonna sa chemise blanche en allant à son cabinet de travail où il s'arrêta devant l'imposant portrait que Karsh avait fait de Gilda.

Son chat angora blanc aux yeux sournois, un présent que lui avait fait Doris Day à Noël trois ans auparavant, était vautré sur son répondeur. Les longs poils blancs collés à l'appareil prouvaient sans contredit que c'était là l'endroit de prédilection de l'animal. Une lumière rouge clignotait sans arrêt. Le téléphone n'avait pas dû cesser de sonner de toute la journée. Il mit en marche le dispositif d'écoute, s'étendit sur le canapé au tartan écossais, et prit connaissance de ses messages en sirotant son Perrier.

— Billy, ici Margaret Gardner. Je suis à Athènes avec Mélina. C'est terrible ce qui arrive à Gilda, n'est-ce pas? Je sais que vous étiez très intimes et j'espère que tu ne le prends pas trop mal. Nous sommes avec toi en pensée. Mélina te fait ses amitiés.

— Billy, ici King. Demande à Devon de me téléphoner immédiatement.

— Salut, mon chou! C'est Liza. Quoi de neuf à Hollywood? Je m'esquinte jour et nuit parce que, tu comprends, mon nouveau spectacle prend l'affiche au Sands la veille du jour de l'An. Je compte sur toi?

— C'est Mitch Mysiak. Inez veut te parler. Tu peux passer quand il te plaira.

— Billy, mon cher. C'est Byron Kerr. Tu es vraiment un petit malin, n'est-ce pas? Tu aurais quand même pu informer quelques-uns de tes confrères que Devon et toi aviez l'intention de vous enfuir ensemble, comme ça!

— C'est encore King. Si tu es chez toi, je t'en supplie, réponds-moi... Bon. Dis à Devon qu'il faut absolument que je lui parle.

— Salut, Billy, c'est May. Rappelle-moi aussitôt que possible.

— Très cher, ici Gloria. J'étais désemparée d'apprendre la nouvelle au sujet de Gilda. Tu dois être dans tous les états. Je serai là-bas mardi prochain pour mousser la vente des blue-jeans Murjani. Donne-moi un coup de fil au Beverly Wilshire. Nous pourrions dîner ensemble si ça te convient.

— Sapristi, Billy. Où diable est Devon? Je suis à la maison de plage. Je t'en prie...

Billy se pencha et tourna le bouton d'arrêt. Pauvre King. Enfin, si Devon n'était pas encore chez lui, elle y serait d'un moment à l'autre. Pourquoi lui gâcher sa surprise?

La sonnerie de son téléphone particulier se fit entendre. Etait-ce Devon?

— Allô, j'écoute.

— Billy? C'est Mitch.

— Mitch comment?

— L'ami d'Inez. Mitch Misyak.

— Comment as-tu obtenu ce numéro?

— Qu'est-ce que ça change? Dis donc, tu ne tiens pas compte de tes messages?

— C'est justement ce que j'allais faire. Et après, j'appelle la compagnie de téléphone pour changer ce numéro.

— Inez veut te voir. Elle a une histoire exclusive pour toi.

— Ouais! Eh bien, moi aussi j'en ai une pour elle. Dis-lui que...

— A ta guise, interrompit Mitch brusquement. Au fait, elle prétend savoir qui a tué Gilda.

— Dis donc. Qu'est-ce qui t'as pris au téléphone tout à l'heure? dit Mitch en ouvrant la porte avant même que Billy n'ait sonné. Tu me connais, mon vieux. Je fréquentais May Fischoff dans le temps. Et j'habite avec Inez depuis plus de deux ans maintenant, depuis le jour où son mari s'est taillé. On s'est rencontré des dizaines de fois!

— Est-ce qu'on nous a déjà présentés l'un à l'autre? demanda Billy.

Évidemment, il reconnaissait le jeune homme. Aujourd'hui, Mitch portait ses cheveux plus courts que lorsqu'il fréquentait Hollis. Billy se demandait si l'autre vendait toujours de la drogue. Je dois en perdre, se dit Billy. Vivre avec Inez, c'était le paradis des vendeurs. Elle était l'hôtesse avec le plus de fric et de came de tout Holmby Hills.

— Pas officiellement, répondit Mitch.

— Voilà la raison! Je suis très pointilleux sur l'étiquette. Où est votre patronne?

— A la piscine... Monsieur Buck?

Billy se retourna.

— Oui, monsieur Misyak?

— Elle n'a pas cessé de prendre de la coke depuis huit heures ce matin. A votre place, je prendrais ce qu'elle dit avec un grain de sel. Vous comprenez ce que je veux dire?

— Je pense qu'elle ne fait plus usage de sel depuis longtemps, mon garçon. Merci quand même de l'avertissement.

— *De nada.* Quelle sortie vous avez faite avec Devon Barnes ce matin! Inez a eu la surprise de sa vie lorsque Devon s'est présentée à la chapelle. En fin de compte, où se cachait-elle depuis deux ans?

— Tu n'as qu'à lire ma prochaine chronique! lui répondit Billy avec un sourire poli.

— J'aime beaucoup votre chronique. J'aimerais bien faire quelque chose qui me vaudrait l'honneur d'y être mentionné. Mais, c'est peut-être déjà fait. Qui sait? dit-il d'un air polisson. Je ne suis pas né d'hier!

— Es-tu jamais allé aux Perles?

— Non, mon ami. Non. Je préfère la vue du balcon. Vous comprenez, on voit mieux l'ensemble de là-haut.

Billy en avait assez. Il baissa ses verres fumés et examina Mitch de manière délibérée, depuis ses souliers Gucci qu'il portait sans chaussettes, en passant par l'entrejambe généreusement renflée, jusqu'à son sourire de putain.

— D'après ce que je peux voir, dit Billy en remontant ses lunettes sur son nez, je ne manque pas grand-chose.

Inez était emmitouflée comme une passagère de première classe à bord du Queen Elizabeth II en pleine tempête au milieu de l'Atlantique. Elle était complètement emmaillottée de coton éponge blanc, exception faite de son visage, à peine visible sous un turban blanc. D'énormes verres fumés lui cachaient les yeux.

— Bonjour, Inez.

Chapeau, ma fille, pensa-t-il en lui-même. Pour sa seule capacité d'absorption, Inez méritait une mention dans le livre des records Guinness. Sur une table en verre à côté d'elle, une bouteille de vodka à moitié vide gisait de travers dans un seau à glace en argent. A proximité du seau, un cendrier regorgeait de mégots de cigarettes. A quelques centimètres, un inhalateur, un flacon d'un gramme de poudre blanche, une minuscule cuiller en argent, un billet de cinquante dollars roulé en cylindre et une lame de rasoir tenaient compagnie à une myriade de pilules de toutes les couleurs de l'arc-en-ciel.

— Tu prends un repas léger?

— Sers-toi, dit Inez. Si tu veux autre chose, Mitch s'en chargera.

Billy fit un signe de tête négatif.

— Comment vas-tu, chère Inez? demanda Billy d'une voix douce en approchant une chaise laquée de blanc.

— Comment penses-tu que je me sens? répondit-elle en riant d'un rire sans joie. Je me sens comme si j'avais assisté à des funérailles ce matin. Je pense qu'ils ont incinéré le mauvais cadavre. Ils auraient dû prendre le mien, pour l'usage que j'en fais! N'est-ce pas, Mitch?

— Tu laves encore ton linge sale? J'ai bien quelques sous-vêtements souillés, là-haut, si ça te chante?

— Mitch, prends le large, veux-tu? dit Billy en tournant le dos au garçon.

— C'est un voyou, fit Inez. Mais enfin, la plupart de mes amis le sont. N'est-ce pas, Mitch? Au fait, comment la trouves-tu, la grosse May? Il n'y a plus que la peau et les os, à présent, pas vrai? J'aurais pensé qu'elle était trop maigre pour ton goût. Tu aimes ça lorsque les os sont bien en chair, non? Sacré Mitch! Il te manque un peu de chair à toi aussi, sur ton os. Il n'est pas plus gros qu'un crayon ces derniers temps.

— C'est la coke, souffla Mitch à Billy. Je ne cesse de lui répéter de ne pas y toucher si elle ne la tolère pas mieux que ça. Mais, qu'est-ce que j'y peux? C'est effarant à quel point elle tient à se détruire, cette femme. C'est vrai, oui ou non, que je t'ai prévenue, Inez? Sois franche! Dis-lui que j'ai tout fait pour t'empêcher de te camer.

— Je t'ai vu, Mitch. Je t'ai vu te frotter contre May. Et maintenant que Devon est de retour, King aussi aura quelqu'un contre qui se frotter. Et voilà, Billy! Ce sont mes amis dont je te parle. Mes meilleurs amis.

— Je te répète qu'il ne s'est rien passé. Je l'ai raccompagnée à sa voiture, c'est tout. Est-ce que tu ne m'as pas demandé d'être poli avec tes amis?

— Si jamais Hollis apprend à quel point tu as été poli avec la femme de sa vie, tu auras le visage plus tuméfié que le mien, crois-moi!

Billy fit la grimace.

— Depuis quand préconises-tu la violence, Inez?

— Mon cher Billy! Mitch est loin d'être un boy-scout.

Sur ce, elle arracha ses lunettes noires. Elle avait un œil au beurre noir qui lui fermait complètement les paupières. Sa pommette droite était rouge et éraflée.

Je parie que Mitch est gaucher, pensa Billy. Il examina donc le garçon du coin de l'œil. Et en effet, un pansement tout frais couvrait les jointures de sa main gauche.

— Elle a l'air de se maîtriser comme ça, expliqua Mitch, mais elle était complètement déchaînée en rentrant du cimetière. Ensuite, Hollis et May se sont arrêtés pour voir comment elle se sentait. Après leur départ, elle a encore commencé à m'ennuyer au sujet de May. En un rien de temps, elle avait déjà le pic à la main.

— Un pic?

— Oui, un pic. Une aiguille. Une seringue, quoi! Elle était déjà droguée au maximum et allait se shooter du speed! Premièrement, j'avais promis à Hollis de retenir Inez autant que possible. Deuxièmement, le speed, c'était trop pour elle. C'est mortel. Elle n'est pas en très bonne forme physique. Ni mentale, d'ailleurs. Mais ça, c'est plutôt votre problème. Le mien, c'était de lui retirer cette fichue aiguille du bras. Elle me ruait de coups, alors je l'ai frappée. Ça valait mieux que de la laisser se shooter, quand même! Maintenant que j'ai réussi, on veut mettre la police à mes trousses!

— Inez. Une de mes plus chères amies s'est fait assassiner il y a deux jours. Je ne suis pas d'humeur à faire l'arbitre pour une querelle de ménage. Je suis venu ici parce que tu prétends avoir une histoire pour moi. Tu as dit savoir qui a tiré sur Gilda.

— C'est vrai, je le sais.

Elle déboucha le flacon, inséra la cuiller en argent dans la fine poudre de cocaïne, la porta à sa narine droite et en aspira le contenu en se bouchant la narine gauche avec l'index.

— Comme c'est bon! dit-elle avec satisfaction. Mon cher Billy, je ne doute pas que tu sois en deuil, mais moi, je ne fais pas jouer la marche funèbre. En ce qui me concerne, le monde se trouve libéré d'une garce aujourd'hui.

Elle inspira une seconde cuillerée de poudre par la narine gauche.

— Dis, Billy. Tu es un écrivain. J'ai une petite mine d'or entre les mains. Seulement, j'aurais besoin d'un peu d'assistance. Je veux que tu écrives un livre. En collaboration avec moi, bien entendu. Une histoire d'Inez Hollister-Godwin, telle que racontée à Billy Buck.

Billy n'avait aucune idée de ce qu'elle racontait.

— Viens-en au fait, Inez. Qui a tué Gilda?

Elle redressa son turban, baissa ses lunettes, et le regarda d'un seul œil.

— Qui, d'après toi?

Au soleil couchant, Inez finissait de raconter son histoire.

— Si tu ne me crois pas, va jeter un coup d'œil dans le réservoir de la toilette de ma chambre.

Elle est folle, pensa Billy. Mais il se peut qu'elle dise la vérité.

Inez était enroulée dans une couverture d'où dépassaient ses pieds nus. Elle venait encore d'allumer une cigarette. La fumée montait en spirale de sa bouche tandis qu'elle fixait d'un œil catatonique l'eau de la piscine. Les derniers rayons d'un soleil de décembre en teintaient la surface de rose et de rouge.

Mitch accompagna Billy jusqu'à la maison.

— Elle aimait beaucoup Gilda, dit le jeune homme. Comme une fille aime sa mère.

A la droite de la piscine, il y avait l'abri couvert de vignes où King avait tenté de prévenir Devon au sujet de Michel Weiss-France. Par-delà cet abri se trouvait le terrain de tennis où, lors d'une autre soirée, Billy s'était promené en compagnie de Devon en écoutant sa fantastique histoire. Il l'avait taquinée en lui disant : «Tu vas téléphoner au commissariat et leur dire que tu te fais suivre par des hommes peu intéressants?»

C'était là, sur cette même terrasse, que Gilda et Avery avaient ri et raconté des histoires; ils s'étaient bien moqués de la blonde aux cheveux teints que King avait ramenée de Las Vegas. Et, à cette époque, Billy dépassait Hollis d'une tête le soir où le jeune garçon l'avait frôlé dans sa course, à la recherche de sa May adorée.

— Alors, qu'allez-vous faire? demanda Mitch.

— Je vais aux toilettes, répondit Billy. Tu permets?

— Voyons, soyons sérieux! Que comptez-vous faire au sujet d'Inez?

A l'étage, Billy traversa la chambre des maîtres en se rendant à la luxueuse salle de bains au décor tout de marbre et de laiton. Il souleva le couvercle du réservoir de la toilette. C'est alors qu'il l'aperçut, malgré l'eau bleutée par un désinfectant. *Et, si elle disait la vérité?* Il décrocha le récepteur du téléphone mural et composa le numéro du détective Lionel Biggs.

28

Le 26 décembre 1979, 16 h 58

Biggs avait l'estomac à l'envers. Non seulement avait-il découvert que Gilda Greenway n'était pas morte d'un coup de feu, et non seulement avait-il aussi découvert qu'Inez Godwin avait eu un accident de voiture aux Perles à peu près au même moment où Gilda mourait, mais il venait encore d'entendre au téléphone une tirade de son supérieur, Harry Monahan, celui qui avait perdu une testicule.

Voilà pourquoi il digérait mal.

Il avala deux comprimés d'antiacide avec un verre de lait. Au même moment, il vit par la fenêtre King Godwin et Devon Barnes qui arrivaient. King tenait un enfant dans ses bras.

— Ça alors, mademoiselle Barnes! On peut dire que vous tenez parole! Entrez, je vous en prie.

Et pourquoi ne pas avouer ce meurtre, par la même occasion? pensa-t-il.

Devon s'assit. King et la petite prirent place à l'extérieur du bureau. Biggs ferma la porte derrière lui. Il avait un sourire fatigué; il était presque au bout de son rouleau. Devon et lui échangèrent quelques politesses, après quoi Biggs en vint au fait.

— A présent, vous allez tout me dire au sujet de votre séjour chez Gilda Greenway.

Devon repoussa d'une main les mèches rebelles sur son front. Biggs ne pouvait s'empêcher de la trouver infiniment plus belle qu'en photo. La caméra ne lui rendait pas justice. En vérité, cette femme était frappante.

— Tout d'abord, je me dois de vous avouer que c'est moi qui ai téléphoné à l'Urgence la veille de Noël.

Biggs haussa les sourcils.

— Ainsi, c'est vous qui avez signalé le meurtre. Pourquoi ne vous êtes-vous pas identifiée à la téléphoniste?

Devon laissa échapper un soupir.

— Pour un tas de raisons. Je n'avais pas les idées claires. J'étais... effrayée. Mon Dieu, je venais juste de voir... Disons que j'étais sous l'effet du choc. Et j'avais ma fille avec moi.

— Votre fille?

— Oui. C'est une des raisons pour lesquelles je tenais à ne pas m'identifier.

Elle sentait que sa voix allait défaillir et réussit à se contrôler avant de poursuivre.

— Il faut vous rappeler que je venais tout juste de trouver Gilda. Je la considérais comme une mère, vous comprenez. Et je venais de constater qu'elle était morte, assassinée.

— Il hocha la tête.

— Je dois dire aussi que je pensais que la téléphoniste ne m'aurait pas prise au sérieux. Enfin, vous pouvez vous imaginer ce qu'elle aurait dit d'une femme qui prétend être Devon Barnes, et qui signale un meurtre. Qui croirait une histoire aussi invraisemblable? Elle m'aurait sans doute répondu : « Bien sûr, ma petite dame. Et je suppose que le Père Noël est au lit avec vous, en plus? »

— Je comprends votre point de vue, mademoiselle. Mais, racontez-moi plus en détail ce qui s'est passé aux Perles.

Il ouvrit le tiroir de son bureau et, mine de rien, mit en marche son magnétophone à cassettes.

— Je rentrais d'une visite au cimetière où mon père est enterré, un peu au nord de Bakersfield. C'était Gilda qui avait enfin localisé l'endroit, après des années de recherche. J'étais arrivée la veille du Mexique où j'habitais depuis deux ans. J'ai passé la première nuit chez Gilda; en début d'après-midi, la veille de Noël, je me suis rendue à Bakersfield d'où je suis rentrée le même soir. Il était très tard...

Devon ne s'en souvenait que trop bien, hélas!

Elle venait de laisser Coldwater Canyon pour s'engager, au volant d'une voiture de location, dans la rue latérale qui mène aux Perles. Pendant tout le trajet de retour du cimetière elle n'avait cessé de penser combien elle était heureuse d'être rentrée aux Etats-Unis. Heureuse de retrouver Gilda et King et tout ce qu'elle avait laissé derrière elle en partant pour le Mexique. Le fait d'avoir trouvé la tombe de son père, après y avoir pensé pendant toutes ces années, lui procurait enfin la paix d'esprit qu'elle avait tant recherchée. Elle avait fait la paix avec Gilda, sa mère adoptive, et maintenant, avec son pauvre père défunt. Ce père qu'elle n'avait jamais vraiment connu, mais à qui elle vouait une éternelle adoration.

Elle serait à jamais reconnaissante envers Gilda d'avoir trouvé l'endroit de sépulture de Harris Barnes.

Elle jeta un regard rapide sur sa fille, endormie dans son siège d'enfant, et bifurqua pour prendre le chemin escarpé qui monte aux Perles.

Comme elle s'approchait de l'entrée, la grille s'ouvrit automatiquement.

Elle poursuivit son chemin jusqu'à la maison devant laquelle elle ralentit. Il y avait quelque chose de louche. La porte principale de la somptueuse demeure était ouverte et une lueur mystérieuse clignotait dans le hall d'entrée.

Elle gara la voiture et en descendit, laissant Quinn endormie dans son siège.

Tous ses sens étaient sur le qui-vive.

Elle sentait l'angoisse l'envahir et tous ses muscles étaient tendus.

Elle pensa un instant qu'il valait mieux rebrousser chemin, sauter dans sa voiture et déguerpir. Pourquoi craignait-elle autant de pénétrer dans la maison? Il régnait autour d'elle un silence absolu. On aurait dit qu'il n'existait aucune vie à des lieux à la ronde. Elle approcha lentement, pas à pas, et entra enfin aux Perles.

La lueur mystérieuse provenait de l'arbre de Noël illuminé dans le salon. C'était l'unique source de lumière au rez-de-chaussée.

Devon aurait voulu crier le nom de Gilda.

Mais elle avait peur.

Au fond du hall d'entrée, elle pénétra dans le salon.

Gilda s'y trouvait.

Quel soulagement! Devon laissa échapper un fort soupir, presque en riant. Dieu merci! Gilda était là.

— Oh, Gilda! J'ai failli mourir de peur en voyant de la lumière et la porte ouverte.

Devon s'approcha de Gilda, les talons de ses bottes martelant le parquet de marbre.

— J'ai passé une très belle journée, tu sais. J'ai trouvé la tombe de mon père, et je me suis réconciliée avec lui, grâce à toi. Joyeux Noël!

Elle se pencha pour embrasser Gilda.

En la regardant de plus près, elle aperçut la blessure du coup de feu.

Aucun cri ne pouvait sortir de sa gorge.

Les jambes molles, elle recula en cherchant son souffle. Il faut que je reste calme, se disait-elle. Il faut rester calme. Il n'est rien arrivé. Ce n'est qu'un cauchemar. Ce sera fini quand je me réveillerai. Elle tomba à genoux, le souffle coupé. Ce n'est pas vrai, il n'est rien arrivé.

Pourtant, en levant les yeux, elle vit la plaie sanglante.

— Gilda! cria-t-elle à ce cadavre dont les yeux la regardaient bien en face.

Il n'y eut aucune réponse.

Devon se leva péniblement et sortit à reculons en se demandant si l'assassin était toujours sur les lieux. Elle voulait se retourner, mais elle avait l'impression que ses bras et ses jambes ne lui obéissaient plus. Elle se sentait engourdie, paralysée de choc et de frayeur. Heureusement, son cerveau fonctionnait encore.

Et s'il était toujours ici, caché dans la maison? S'il se trouvait derrière moi en ce moment?

Quinn!

Et s'il était dehors? S'il voyait la voiture? S'il voyait Quinn?

Elle tourna les talons et s'enfuit en courant.

Comme elle cherchait éperdument à ouvrir la portière de la voiture, elle entendit le bruit sourd du moteur actionnant la grille de l'entrée.

Une voiture s'approchait.

Mon Dieu! Ce n'est pas possible! Le voilà qui revient!

Elle tremblait si fort qu'elle ne parvenait pas à mettre le contact.

La voiture s'approchait progressivement.

Satanée clé qui ne rentrait pas dans la serrure du démarreur!

Devon aperçut le faisceau lumineux des phares de l'autre voiture qui accélérait.

Il faut que je reste calme. Très calme.

Elle réussit enfin à insérer la clé dans le démarreur et écrasa l'accélérateur jusqu'au fond.

Le moteur fit un seul tour. Elle l'avait noyé!

Merde! s'écria-t-elle.

Les phares de l'autre voiture illuminèrent la façade de la maison.

Enfin, le moteur de sa voiture se mit à tourner.

Devon embraya en vitesse et fila à toute allure vers la sortie. Dans son rétroviseur, elle constata qu'une voiture s'arrêtait devant l'imposante demeure.

— Et, quelle heure était-il? demanda Biggs, assis à son bureau, les bras croisés.

— Environ vingt-trois heures trente.

— C'était probablement King. Il dit être arrivé à cette heure-là.

— A présent, je le sais. Mais ce soir-là, j'étais terrifiée. J'ai composé le numéro de l'Urgence depuis la première cabine téléphonique que j'ai pu trouver.

C'est alors que le détective O'Brien frappa à la porte de Biggs.

— Désolé de vous interrompre! Lionel, j'ai pensé que tu voudrais prendre connaissance de ceci immédiatement. Ça vient tout juste d'arriver de Mission Street.

Mission Street.

C'était le Centre des sciences médico-légales.

O'Brien présenta à Biggs une enveloppe à son nom portant le cachet « Confidentiel ».

Biggs l'ouvrit comme O'Brien refermait la porte derrière lui.

— Je vous prie de m'excuser un instant, dit Biggs à Devon.

C'était le rapport final de l'autopsie pratiquée sur Gilda Greenway, y compris le rapport de toxicologie. Il se mit à lire les pages fraîchement dactylographiées, revoyant en diagonale les passages qu'il avait lus plus tôt dans la journée. Il arriva enfin au rapport de toxicologie, et par le fait même, aux conclusions du médecin légiste sous la rubrique « Cause du décès ».

Il lut le rapport attentivement.

Puis, il le relut une seconde fois.

Il s'affaissa ensuite dans son fauteuil, oubliant jusqu'à la présence de la suspecte devant lui.

— Je n'en reviens pas! Cette histoire devient de plus en plus bizarre, plus encore qu'un film de Lon Chaney.

Il feuilleta le rapport, du début à la fin et vice versa, examinant le graphique du spectromètre inclus par le labo.

La cause du décès figurait bien en toutes lettres sur le rapport.

Sapristi! Toute son enquête s'en trouvait fichue. La seule affaire importante de sa carrière envolée! Adieu la publicité. Adieu l'avancement, le livre, le feuilleton télévisé. Merde! C'était donc pour rien qu'il s'était crevé à la tâche?

Biggs avait un mal de tête lancinant. Impossible de réfléchir clairement.

Et pour comble, la sonnerie du téléphone retentit. Il décrocha au troisième coup.

— Biggs à l'appareil. De quoi s'agit-il? demanda-t-il d'une voix lasse.

— Lionel, Billy Buck à l'appareil.

— Oh, oui, Billy! Ecoute, c'est très aimable à toi de me téléphoner, mais je vais devoir te rapppeler plus tard.

— Biggs, je crois que j'ai votre coupable.

Biggs se redressa dans son fauteuil.

— Ah, oui? Raconte toujours!

— Je suis chez Inez Godwin en ce moment, à Holmby Hills. J'aimerais vous poser une question. Avez-vous trouvé l'arme du crime?

Biggs observait Devon qui se rongeait les ongles. Par la porte vitrée il voyait King Godwin et la petite attendant patiemment. Certains policiers se promenaient devant son bureau, curieux comme tant d'autres de voir de près une vraie vedette. Il n'y avait pas de quoi fouetter un chat. Toute cette histoire n'était rien d'autre qu'un tas d'emmerdements.

— Non, nous ne l'avons jamais retrouvée. Tu sais quelque chose?

— Il se peut que j'aie trouvé le revolver.

— De quel calibre?

— C'est un trente-huit spécial.

— C'est vrai? demanda Biggs, se montrant soudain plus intéressé.

— Oui. Il se trouve au fond du réservoir de la toilette chez Inez. Elle prétend l'avoir utilisé pour tuer Gilda.

— Je sais qu'elle a eu un accident de voiture devant les Perles ce soir-là.

Devon faisait semblant de ne pas écouter, mais Biggs sentait bien que ce n'était pas le cas.

— En fait, poursuivit Biggs, on jurerait qu'il y avait une soirée mondaine chez mademoiselle Greenway le soir du crime. Inez, Devon et King y sont allés tous trois. May Fischoff est la seule qui ne s'y serait pas rendue. Dommage que l'hôtesse n'était pas en mesure de leur servir le traditionnel lait de poule des fêtes!

Sur ce, Devon pâlit et se mit à pleurer doucement.

— En ce qui concerne May, dit Billy Buck, vous connaissez comme moi les impresarios. Ils négocient les contrats, empochent l'argent, mais n'attendent jamais la fin du dernier acte. Ma parole! On dirait que ma découverte ne vous intéresse pas.

— Dis-moi. Est-ce que l'épouse de King est chez elle en ce moment?

— Son ex-épouse! Oui, elle y est. En tout cas de corps, lieutenant, sinon d'esprit. Car elle n'a pas cessé de boire ni de se droguer depuis le lever du jour.

— Un véritable boute-en-train, quoi!

— Elle prétend quelle s'est rendue aux Perles la veille de Noël. Elle aurait manqué la courbe avant l'entrée et heurté un palmier. Elle aurait ensuite grimpé la côte à pied, trouvé la porte ouverte, et serait entrée.

— A-t-elle dit ce qu'elle y faisait? Elle jouait au Père Noël?

— Oui, répondit Billy Buck. Rappelez-vous! Je vous ai dit hier matin que Gilda était invitée à une soirée chez Inez. Or, Gilda n'avait pas accepté cette invitation avec enthousiasme et elle a préféré dîner chez Chasen's avec moi. C'est très connu qu'Inez invite à ses soirées des gens qui, autrement, ne lui adresseraient pas la parole. Cette fois, c'était Gilda qui lui servait d'appât. Inez avait promis à tous ses invités que Gilda ferait sa grande rentrée en société après une absence de deux ans. Etant donné que Gilda ne s'est jamais montrée, Inez a pris ce geste comme une offense personnelle de même qu'un affront public. D'après elle, Gilda cherchait délibérément à gâcher son standing déjà précaire. Or, Inez était tellement bourrée de coke qu'elle a perdu la tête, assez pour se rendre aux Perles en voiture.

— Est-ce qu'elle t'a dit où Gilda se trouvait?

— Au salon. Elle pouvait la voir à la lueur des lumières de l'arbre de Noël. Rappelez-vous quand même qu'Inez était très droguée ce soir-là. Alors, vous savez, ce qu'elle raconte, il faut en prendre et en laisser. A vrai dire, je crois qu'au point où elle en est, elle aurait besoin de soins.

— Je vous envoie une voiture. A quel point en est-elle? Y aurait-il lieu d'envoyer l'urgence médicale?

— Ça ne serait pas de trop.

— Tu m'attends un instant?

Biggs pressa le bouton d'une ligne interne et donna ordre d'envoyer immédiatement une voiture à la résidence d'Inez Godwin à Holmby Hills.

— C'est fait, annonça-t-il ensuite à Billy. Une équipe est en route.

— Voici ce qu'elle m'a raconté. Elle aurait vu Gilda et lui aurait dit : « Merci d'être venue à ma soirée, espèce de garce! » Après, elle aurait tiré sur elle. Elle prétend qu'elle voulait seulement lui donner une bonne frousse. En voyant couler le sang, vous comprenez qu'elle a pris peur et s'est enfuie. Puisque sa voiture n'était pas en état de rouler, elle a marché jusqu'à Coldwater Canyon où un conducteur s'est arrêté et l'a ramenée chez elle vers vingt-trois heures quinze, d'après ce qu'en dit son petit copain. Après l'arrivée d'Inez, il a voulu récupérer la voiture avec un ami, mais on l'avait déjà touée. D'ailleurs, à cette heure-là, les voitures de patrouille fourmillaient déjà dans tout le voisinage.

— C'est à n'y rien comprendre! fit Biggs en poussant un soupir. Ce que tu viens de me raconter est très intéressant, mais ça ne résout pas l'affaire.

— Qu'est-ce que vous voulez dire?

— Je veux dire, précisa Biggs en regardant Devon droit dans les yeux, que ce n'est *pas* une balle de revolver qui a tué Gilda!

— Que dites-vous là? demanda Devon, en même temps que Billy Buck prononçait les mêmes paroles à l'autre bout du fil.

— Tu m'as bien entendu. Je viens de recevoir ce maudit rapport du médecin légiste qui affirme sans l'ombre d'un doute que ce n'est pas le coup de feu qui a tué la victime. Gilda était déjà morte quand Inez a tiré sur elle!

En entendant cela, Devon sortit en trombe du bureau. Biggs la voyait parler à King d'une manière très agitée.

— Ça, par exemple! fit Billy. Dans ce cas, de quoi est-elle morte?

— D'une morsure de cobra. Gilda Greenway est morte empoisonnée par du venin. Elle fut en effet mordue par un serpent peu avant qu'on ne l'abatte. Je t'assure, mon vieux, c'est l'affaire la plus bizarre que j'aie jamais vue de toute ma carrière. Je me demande bien où diable quelqu'un se serait procuré un cobra.

Billy se laissa tomber lourdement sur le rebord de la baignoire d'Inez.

— C'est un de ses admirateurs qui le lui a fait parvenir au moment où elle tournait un film intitulé *Cobras*. Nous l'avions suppliée de s'en défaire à l'époque, mais elle s'y refusait. Elle tenait à l'ajouter à sa ménagerie. Comment se fait-il qu'il se trouvait dans son salon?

— Je me demandais justement la même chose. Je n'en ai pas la moindre idée. Il se sera échappé de sa cage d'une façon ou d'une autre. Mais nous ne savons toujours pas qui a téléphoné à Gilda au restaurant. Ni pourquoi elle tenait à la main cette fameuse photo.

— Ainsi donc, puisque Gilda était déjà morte, Inez n'est pas vraiment coupable de meurtre, n'est-ce pas?

— Non. Enfin, nous pourrions toujours l'appréhender pour tentative de meurtre, mais la cause serait sans doute rejetée.

Billy alla à la fenêtre de la salle de bains donnant à l'arrière de la maison. Mitch Misyak était assis sur la chaise longue en bordure de la piscine; il tenait à la main la couverture dont Inez était tout à l'heure enveloppée. Un agent de police, un pied sur la chaise, était debout devant lui; il hochait la tête en lui parlant, tout en prenant des notes dans un petit calepin.

La présence du policier prenait Billy au dépourvu car le journaliste n'avait entendu aucune sirène. Il aurait aimé dire au revoir à Inez avant qu'on ne l'emmène.

Il la regardait partir. Elle se dirigeait vers l'avant de la propriété, flanquée d'un côté d'un policier et de l'autre d'un homme habillé de blanc, sans doute un infirmier. Elle allait pieds nus, les bras croisés devant elle, vêtue de sa robe de chambre trop grande. Elle pleurait et riait en même temps.

— Ils sont là, dit Billy, toujours en communication avec Biggs. Pauvre Inez!

— Pauvre Inez? fit Lionel Biggs. Tu plaisantes!

— Désolé, Biggs. Je suis exténué. Vous savez où me trouver.

Il regarda autour de lui dans cette salle de bains rose et se dit en lui-même : « Quelle ville! Il y a de quoi en devenir fou. »

Il s'examina dans la glace et fit la grimace.

— Ça ferait un fameux article, cette histoire, dit-il à son image réfléchie devant lui. Ah, Gilda! Tu aurais aimé ressasser toute cette merde avec moi. A la tienne, ma vieille!

29

Le 27 août 1984

La journée s'annonçait mal. En plus du fait que Billy Buck avait le cafard habituel d'un lundi matin, sa secrétaire, Patsy Lustig, s'était tordu le poignet en jouant au tennis et refusait de toucher à la machine à écrire. Billy aurait donc à demander un délai pour son article sur Clint Eastwood. A neuf heures, il prenait le petit déjeuner au Beverly Wilshire en compagnie du rédacteur du magazine *People* pour la côte ouest. A dix heures trente, il était attendu chez le docteur Solomon, « dermatologue des vedettes », dans le but de se faire enlever un grain de beauté à l'omoplate gauche.

La fête du Travail arrivait à grands pas, et il n'avait toujours reçu aucune invitation à passer le week-end à l'extérieur de la ville. Après le petit déjeuner, il téléphona à son bureau, question de savoir ce que contenait le courrier. Au point où il en était, il se serait contenté d'un voyage à Las Vegas comprenant une consommation gratuite au Caesar's!

— Il y a des factures de même qu'une invitation à une projection de la part de la MGM-UA.

— Tiens! Ils sont donc toujours en affaires?

L'ancien studio où Gilda Greenway était devenue légendaire avait aujourd'hui l'aspect d'un tombeau. Le terrain du fond avait depuis longtemps été vendu à des spéculateurs immobiliers; les costumes, les décors, et jusqu'aux arrangements musicaux des comédies musicales de la MGM avaient été vendus aux enchères. Les bouts de pellicule retranchés des grands classiques de l'histoire du cinéma avaient été perdus ou volés par d'anciens employés.

Les grands studios caverneux où Astaire avait tant dansé et où avait eu lieu le fameux incendie de la ville d'Atlanta qu'on voyait dans *Autant en emporte le vent* avaient été rasés. La jungle de Tarzan n'était plus qu'un vaste parking tandis que la piscine d'Esther Williams était enterrée sous d'affreux condominiums à prix modiques. Comme tous les autres studios de l'époque, la magie du pays d'Oz, qui jadis imprégnait de style et d'élégance l'industrie cinématographique et modulait les rêves des cinéphiles américains, avait été réduit en poussière; ce qui en restait avait été réquisitionné par des équipes de productions indépendantes afin d'y tourner des émissions hebdomadaires de télévision, c'est-à-dire les comédies et les émissions du genre policier. Billy avait la certitude que Louis B. Mayer, où qu'il était, devait en frémir dans sa tombe.

— Ah oui! Il y a quelque chose de Barney Ufland qui me paraît assez curieux.

— Barney comment?

— Tu sais, le gars à Santa Barbara qui t'a obtenu une interview avec Mitchum la fois où il se faisait poursuivre en justice pour avoir assommé une femme à New York avec un ballon de basket.

Comment pouvait-il l'oublier? Mitchum ne buvait pas ce jour-là, et il était de mauvais poil.

— Qu'est-ce qu'il me veut?

Le temps filait et Billy n'avait sur lui aucune autre pièce de monnaie à déposer dans le téléphone.

— Il te fait parvenir une coupure du journal local. Une vieille dame s'est fait renverser par une moto et...

— Ça peut attendre. Je serai de retour vers midi, pourvu que le docteur Solomon ne m'enlève pas la moitié du dos.

Or, c'est ce que le médecin avait fait, enfin presque. En rentrant chez lui, Billy retira ses chaussures d'un coup de pied. La brûlure vive qu'il ressentait au côté gauche lui donnait l'impression d'avoir été passé au chalumeau. Les vapeurs de vodka ne le soulageaient guère, mais la seule pensée qu'il avait à présent les moyens de se payer le verre de Baccarat dans lequel il buvait le rassurait quelque peu.

Patsy avait déposé le courrier de Billy sur sa machine à écrire, de même que ses notes concernant l'interview avec Clint Eastwood. Le journaliste buvait d'une main et, de l'autre, feuilletait l'amas de paperasses encombrant son bureau. Une courte note de Barney Ufland « J'ai pensé que ceci pourrait vous intéresser » était brochée à un article du *Santa Barbara News-Press*.

Le gros titre se lisait comme suit : « Citoyenne blessée dans un accident. » Il y avait la photo d'une dame aux cheveux gris, en pull de ski, à la physionomie austère et au menton déterminé.

« Madame Viola Scribner, âgée de 73 ans, a subi des blessures hier lorsqu'un motocycliste a perdu le contrôle de son véhicule sur un chemin de gravier devant le domicile de la victime. Le conducteur, un citoyen de Montecito âgé de 25 ans nommé Ray Cooney, s'en est tiré indemne. La victime repose dans un état satisfaisant à l'hôpital St. Francis, ayant reçu des coupures aux mains et au visage et souffrant d'une fracture de la clavicule. Madame Scribner, qui habite au numéro 33 de l'avenue Pine Road, est la sœur de la regrettée Gilda Greenway, ancienne vedette de Hollywood. »

Le cristal de Baccarat vola en mille éclats. Billy était trop stupéfait pour ramasser le dégât. Il examina la photo encore une fois. Elle ne lui disait rien. Est-ce qu'on avait jamais vu une photo de Vy quelque part? Gilda avait pourtant dit que sa sœur était décédée peu après leur arrivée à Hollywood, dans les années quarante.

Ce n'était pas pour rien que la mémoire exceptionnelle de Billy en avait fait un journaliste hors pair. Il se souvenait mot à mot de ce que Gilda lui avait raconté : « La pauvre Vy est retournée en Oklahoma pour se débarrasser là-bas de tous nos souvenirs, et là, elle et Orval ont péri dans un incendie. J'en ai encore les larmes aux yeux. Changeons de sujet, veux-tu, mon cœur? » Seulement, si Vy était vivante depuis tout ce temps, pourquoi Gilda avait-elle menti? Et pourquoi Vy ne figurait-elle pas dans le testament de Gilda? Cette dernière avait tout laissé à différentes fondations consacrées au bien-être des animaux. N'aurait-elle pas légué ne serait-ce qu'une boucle d'oreilles à sa seule parente vivante?

Il éloigna son chat du téléphone et composa le numéro particulier de May Fischoff.

— Ici le secrétaire de May Fischoff, répondit un jeune homme à l'accent du sud. Puis-je lui annoncer qui appelle?

— C'est Billy Buck.

— Un instant, je vous prie, monsieur Buck.

Ce fut alors une jeune femme à la voix très compétente qui vint lui parler.

— Puis-je vous être utile, monsieur Buck? Mademoiselle Fischoff travaille chez elle aujourd'hui et souhaite ne pas être dérangée.

— Dites à May que si elle ne décroche pas à l'instant même, j'envoie Mitch Misyak chez elle sur-le-champ.

— Mitch Misyak, dites-vous?

La jeune femme paraissait perplexe mais elle demanda néanmoins à Billy de rester en ligne. May répondait un instant plus tard.

— Salut Billy. On m'a passé ton appel chez moi. Crois-tu que je m'amuse à regarder les télé-feuilletons? J'ai du travail par-dessus la tête. Tu ferais mieux d'avoir une bonne raison.

— May, il faut que je te voie.

— Hollis est à New York et j'ai devant moi trois contrats qui auraient dû être conclus hier. Tu ferais mieux d'avoir quelque chose de sérieux à me dire.

Billy se rendit donc chez May à Topanga Canyon. Il savait parfaitement que de déjeuner avec May Fischoff un lundi était comparable à une audience avec le pape le jour de Pâques. Cependant, il était un vieil ami qui ne prenait pas rendez-vous à la légère.

— Je suis journaliste et j'ai des renseignements au sujet de Gilda.

— Et moi, je suis impresario, et je n'ai rien à foutre de Gilda. Ecoute, Billy. En ce qui me concerne, Gilda, c'est de l'histoire ancienne. Personne d'autre ne s'y intéresse non plus.

— Alors, jette un coup d'œil là-dessus.

Il sortit de sa poche l'article de journal.

May se mit à le lire.

— Tonnerre de Dieu! La fameuse Vy n'est donc pas morte! Enfin, pas encore.

Elle examina la photo. Elle faisait des yeux ronds comme des macarons.

— Sapristi de merde, Billy! Tu ne l'as donc pas reconnue? C'est madame Danvers de l'hôtel des Horreurs! Tu sais, la vieille madame Denby dont nous avions tous si peur pendant des années. Ça, par exemple! La gouvernante de Gilda n'était nulle autre que sa propre sœur!

Dans son potager, Devon était en train de verser du sel sur les limaces lorsqu'elle entendit la sonnerie du téléphone dans la cuisine. Elle venait de connaître un été idyllique au Connecticut. Il y avait bientôt cinq ans que King et elle avaient acheté cette maison à Roxbury; depuis, elle s'était réconciliée avec son âme, avec elle-même, avec sa vie. Aujourd'hui, il lui semblait que ces trois choses étaient intimement liées comme par quelque force bienfaisante qui, par-delà les nuages, au-dessus des érables sur la colline, la surveillait en souriant.

Arthur Miller habitait une ferme voisine qu'il avait achetée pour Marilyn Monroe à un moment où la célèbre beauté s'était temporairement échappée de ce difficile métier qu'ils exerçaient tous, en l'occurrence celui de bâtisseurs de rêves. A cette époque, en short très court et chemisier à petits carreaux, ses cheveux dorés noués avec une guenille, Marilyn faisait de longues promenades devant la maison que Devon et King occupaient aujourd'hui. Elle cueillait des fleurs sauvages et avait appris à faire la cuisine; dans ce temps-là, lorsqu'elle accordait des interviews, elle parlait de se retirer et de vivre comme un véritable être humain, près de la nature. Marilyn avait échoué, mais Devon, elle, y était parvenue!

Après la mort de Gilda, ils avaient tous été officiellement disculpés, mais on entretenait encore des soupçons à leur égard. La carrière de King avait subi le contrecoup de toute la publicité négative, et ça, il le savait. Trois projets de contrats avaient en effet fini en queue de poisson à la table de négociations; en outre, un feuilleton d'aventures policières, pour lequel May avait travaillé à la sueur de son front, avait pris fin aussitôt le premier épisode diffusé.

« C'est une mauvaise période, c'est tout. Personne ne travaille plus de nos jours à moins de faire partie de la clique de *Saturday Night Live* », lui avait dit May en guise d'encouragement. Cependant, King voyait venir les choses et n'avait aucun besoin de lunettes pour les distinguer.

Aussi, ils décidèrent de sortir de l'entreposage les meubles appartenant à Devon, et rentrèrent avec Quinn dans l'est, là où tout avait commencé. Ils firent l'acquisition d'une maison de style colonial, blanche aux volets verts. La propriété comptait trente-huit hectares de liberté. Comme cadeau de départ, Lionel Biggs avait offert à King les films porno qu'il avait trouvés sous l'arbre de Noël de Gilda. King décrocha un rôle comme l'un des principaux personnages dans un télé-roman de la NBC et Devon apprit comment vérifier le taux d'acidité du sol, comment faire pousser des tomates aussi grosses que des œufs d'autruche, et comment faire la cuisine aussi bien que Julia Child.

L'été, elle avait une récolte suffisante pour nourrir la moitié des habitants de Litchfield County. A l'automne, elle et King ramassaient eux-mêmes les feuilles mortes, façonnaient pour Quinn des lanternes dans leurs propres potirons, et passaient de longues soirées à flâner devant l'un de leurs cinq foyers, en sirotant du cidre de pommes que Devon faisait elle même avec les fruits de leur verger. Au cours des longs hivers rigoureux de la Nouvelle-Angleterre, alors que le paysage évoquait les peintures les plus pittoresques, ils lisaient et confectionnaient des glaces maison en se servant de neige fraîche. Ils se régalaient alors de ces soupes nourrissantes que Devon faisait mijoter, composées des légumes de leur récolte automnale laborieusement mis en conserve, surgelés ou marinés en ces longs après-midi de septembre, après que Quinn avait repris l'école. Au printemps, c'était une véritable rhapsodie de fleurs. Devon se prélassait alors dans sa chambre bleu marine, un feu matinal crépitant dans l'âtre, réchauffant l'air un peu cru. Par sa fenêtre aux rideaux d'organdi de sa propre confection, elle regardait éclore les lilas. Il y avait en outre des pivoines aussi grosses que des choux, des roses et des œillets de poète.

Et aujourd'hui, les jours d'été s'approchant paresseusement des premières gelées, il fallait cueillir les derniers zinnias, les asters et les dahlias. Il ne fallait pas non plus que Devon oublie de mettre en conserve sa sauce tomate qu'elle apprêtait avec les dernières brindilles de basilique cultivé dans son carré de fines herbes. C'était par des journées de ce genre, lorsque King était en ville et que Quinn se baignait dans la piscine du voisin, que Devon savourait le plus la vie qu'elle menait à présent. Et elle détestait entendre la sonnerie du téléphone!

— Nom d'un chien, tu en as mis du temps à répondre!

— Bonjour, May. Je chassais les limaces de mon jardin. J'aurai bien encore une récolte de tomates avant la première gelée.

— Il y a si longtemps que tu côtoies tes choux de Bruxelles, ma chérie, j'ai peur qu'un de ces jours tu en deviennes un toi-même! Tu devrais venir faire un tour par ici. En un rien de temps, tu aurais un contrat pour un épisode de *Love Boat*.

— Si tu fais ça, je ne t'adresserai plus jamais la parole! D'ailleurs, qui donnerait-on comme partenaire à une ancienne jeunesse comme moi? Chevy Chase? Tu sais très bien qu'il n'y a aucun rôle intéressant pour une femme qui a passé le cap de la quarantaine. King et moi sommes très satisfaits de jouer au Paul Newman et à la Joanne Woodward du comté.

— Dans ce cas, je veux que tu me réserves une tarte aux pêches de ces arbres fruitiers que Hollis et moi vous avons offerts le printemps dernier. Nous serons là pour Noël, alors, faites bonne provision de lait de poule. Je suis d'ailleurs persuadée que tu pondras les œufs toi-même!

— King dîne avec Hollis, ce soir. Il reste en ville car il doit tourner deux épisodes demain. J'ai demandé à Hollis de faire un saut jusqu'ici, mais il paraît qu'il rentre en Californie dès demain matin.

— Il ne peut jamais se passer de moi très longtemps, tu le sais bien. Il a beau ne plus être un gamin, il bande encore chaque fois que je lui pince une oreille. Il faut croire que nous sommes faits l'un pour l'autre.

— Quand finirez-vous par vous marier et faire de moi ta belle-mère?

— Idiote! Nous sommes très heureux comme ça et, ma foi, Devon, il a du génie en affaires. Alors, pourquoi courir le risque de tout gâcher? Comme le disait l'immortel Elvis Presley, à quoi bon acheter la vache si on peut la traire entre les barreaux de la clôture? Comment va King?

— C'est un parfait gentleman-farmer, ma chère. Il a même remporté un prix cet été à la foire du comté. C'est lui qui a récolté la plus grosse courgette.

435

— Oui, j'en ai entendu parler de sa courgette, bien que je dois admettre ne jamais y avoir goûté moi-même. Devon, ma chérie. Nous avons assez parlé de la ferme. Il y a quelqu'un à côté de moi qui meurt d'envie d'entendre ta voix. Mais, attention! Ne lui dis rien que tu ne veuilles lire dans les journaux. Il n'écrit que des potins, acheva-t-elle en passant le récepteur à Billy. Tiens! C'est ta cuisinière préférée.

Dans la cuisine de May, Billy Buck saisit le récepteur.

— Devon, ici Billy.

— J'ai l'impression que c'est mon anniversaire. Quel honneur de vous parler à tous les deux. Comment ça va au pays des lilliputiens?

— Les lutins sont décédés, j'ai bien peur. Tu ne le savais pas? L'industrie du cinéma, elle aussi, est décédée. On ne fait plus que des films de science-fiction; c'est la réalisation des fantasmes de Steven Spielberg lorsqu'il était enfant. Grand Dieu, Devon! Où donc avons-nous fait fausse route? Tu te rends compte? Voilà maintenant qu'on attribue des Oscars à des individus comme Sylvester Stallone! Ce type ne peut même pas prononcer un mot qui comprend plus de trois syllabes. Toutes les étoiles, de nos jours, semblent sorties de l'école de théâtre de leur gymnase de quartier. Je n'aurais jamais pensé dire ça un jour, mais tous les meilleurs sont à la télé.

Devon se mit à rire.

— Je ne peux pas me prononcer. Le dernier film que j'ai vu, c'était *Les Dents de la mort*. King avait apporté une cassette-vidéo à la maison. J'ai trouvé que mon poisson rouge me faisait parfois plus peur. Je ne mène vraiment plus la même vie, à présent. Je suis devenue une ménagère ordinaire et ennuyeuse qui lit *Marie-Claire*.

— Suzanne Somers est ennuyeuse. Toi? Jamais de la vie!

— Suzanne Somers travaille. Moi? Jamais de la vie.

— Est-ce que ça ne te manque pas un peu?

— Billy, j'ai une fille qui aura bientôt sept ans et qui lit déjà les grands auteurs. Je ne m'ennuie jamais. Hier, elle a demandé à son père ce que c'était qu'une lesbienne!

— Répondez-lui que certaines des meilleures amies de son père en sont.

— Parlons-en! Non, franchement, le métier ne me manque pas. Trois jours par semaine, je travaille auprès d'enfants handicapés mentalement. Je sais tricoter, je peux canner une chaise et fricoter le meilleur pot-au-feu à l'est du Mississipi avant même que tu ne te souviennes du dernier James Bond que tu as vu.

— Je ne me souviens pas du titre du dernier James Bond que j'ai vu. Je ne me souviens même pas du titre du dernier film que j'ai vu, et c'était il y trois jours.

— May nous fait toujours parvenir des scénarios, de manière assez régulière. Seigneur! Quelles imbécilités peut-on écrire de nos jours! On a approché King à quelques reprises pour des rôles intéressants. Je pense qu'il retournera à la scène la saison prochaine à New York. Ce serait dans une pièce très touchante au sujet des enfants maltraités. Ça me rappelle Inez. Comment est-elle, Billy?

C'était une histoire assez triste. Inez était en sanatorium privé depuis bientôt trois ans. Ses médecins avaient abandonné tout espoir qu'elle retrouve ses esprits.

— Je l'ai revue le mois dernier. Elle était méconnaissable. Elle se prend pour l'enfant prodigue de Zelda Fitzgerald. Elle regarde King à la télé, et elle lui parle. La dernière fois que je l'ai vue, elle prétendait lui avoir demandé le divorce, mais qu'il ne lui avait jamais répondu. Elle prétendait qu'il avait continué de parler à quelqu'un d'autre à l'écran, comme si elle n'existait même pas. Elle vit dans un monde chimérique. Hollis et May s'occupent beaucoup d'elle, cependant. Elle ne manque de rien, ne demande rien, ne se souvient de rien. Elle paraît tout à fait normale, et pourtant, les infirmiers ne la laissent pas seule une seconde avec une fourchette. Elle a si souvent tenté de se suicider que les cicatrices forment une sorte de bracelets permanents à ses poignets.

— Gilda serait bouleversée d'apprendre ça si elle vivait.

— Justement, c'est à son sujet que nous t'avons téléphoné. Nous venons d'apprendre certains faits nouveaux qui remettent en question les circonstances de son décès.

La voix chaleureuse de Devon changea soudain de ton et Billy en sentit toute la froideur, malgré la grande distance qui les séparait.

— Des faits nouveaux?

Il lui raconta l'histoire parue dans le journal. Elle reprit après un long silence.

— Billy, oublie tout ça. Le lieutenant Biggs considère cette affaire comme classée. Gilda repose en paix. Accorde-nous d'en faire autant.

— Tu en feras part à King?

— Oui, bien sûr. Quoique je ne pense pas que ça l'intéresse.

Elle téléphona à la NBC dans l'espoir de parler à King, mais il était déjà parti. Il se trouvait quelque part en train de siroter une consommation en attendant de dîner avec son fils. Le soleil se fondait dans les collines par-delà la clôture, de l'autre côté du chemin de terre. Devon s'en retourna à ses tomates en fredonnant. De l'extérieur, elle entendait à la radio de la cuisine les Beatles chanter *With a Little Help from My Friends*. Même les Beatles étaient dépassés à présent. Elle se mit à rire tout haut, appuya la tête contre la clôture du jardin, près des roses jaune thé, et dégusta une bonne tomate salée. La seule caméra qui aurait pu croquer cet instant était la face ronde d'une lune de fin d'été à peine levée, et elle aussi avait le sourire.

— Voici ce qui en est, Billy. Hollis est à New York et c'est jour de congé pour la cuisinière. Quant à moi, j'avais déjà vingt ans lorsque j'ai découvert que ce n'étaient pas des poules bouillies qui pondaient les œufs durs. Je te préparerais bien à déjeuner, mais je ne saurais que faire d'une salade de thon si elle n'arrivait pas toute préparée du restaurant. J'ai trop de choses dans la tête pour manger. Je vais me contenter d'un yaourt et me remettre au boulot.

Le cerveau de Billy était en pleine effervescence. Il avait tant frotté la coupure de journal entre ses doigts que le visage d'Edna Denby, alias Viola Scribner, s'en trouvait presque oblitéré.

May l'observait d'un œil morne en buvant une infusion, tandis qu'il composait impatiemment le numéro de l'hôpital de Santa Barbara. L'infirmière de jour passa la communication à un interne. Ce dernier annonça à Billy que la patiente, à qui on faisait porter un collet cervical, avait quitté l'hôpital trois jours plus tôt sans laisser d'adresse. Aux renseignements, la téléphoniste ne trouvait aucun numéro correspondant au nom de Viola Scribner.

— Calme-toi, Billy, sinon tu vas avoir une indigestion. Cet article est probablement déjà vieux d'une semaine.

Billy décida d'appeler Barney Ufland.

— Cette histoire me tracasse et je serais curieux de savoir ce qu'est devenue la vieille. Pourrais-tu te renseigner? Elle ne s'est quand même pas volatilisée!

Ufland promit de le rappeler le mardi suivant.

— Non, parbleu! Je veux que tu me rappelles ce soir même. Il est question d'un meurtre et non d'un film de Disney.

— Ecoute, mon cher, il n'y aura pas de suite à ce drame, dit May pour qui la patience avait des limites. Ceci n'est pas une affaire de meurtre. Je suis tout aussi surprise que toi d'apprendre que cette vieille bique est toujours vivante. Or, figure-toi que je m'en contrefous, tu comprends? Je ne te l'ai jamais avoué, Billy, mais j'étais aux Perles ce soir-là moi aussi. Personne ne m'a vue. Je n'ai même pas franchi la grille. J'ai aperçu Inez qui s'en allait à pied dans la petite rue d'accès, en titubant plus que jamais. Sa voiture s'était écrasée sur un palmier. J'ai fait demi-tour, réfléchissant à ce que j'allais faire. C'est à ce moment-là que j'ai vu Devon sortir de l'allée à toute vitesse au volant d'une voiture. Il y avait un bébé à côté d'elle. Tu parles si j'étais surprise! Je ne savais même pas qu'elle avait un enfant! Ensuite, c'est King que j'ai vu sortir; j'ai donc déguerpi au plus vite, comme tu peux te l'imaginer. Les flics ont dû s'amener une minute plus tard. Qui donc avait appris avant nous que Gilda était morte?

Billy suivit May au salon. Ils s'installèrent devant la cheminée de pierre tandis qu'elle poursuivait son récit.

— Quelques jours plus tard, j'ai appris l'histoire du serpent. Un maudit serpent, nom de Dieu! S'il s'agissait d'un scénario, je te parie que même moi, je ne parviendrais jamais à le vendre.

Elle poursuivit.

— Toujours est-il que, la veille de Noël, elle décide d'aller dîner avec toi chez Chasen's où quelqu'un lui a téléphoné, après quoi elle est partie, apparemment très ennuyée. Qui lui a téléphoné? Dieu seul le sait. Elle rentre donc chez elle et meurt d'une satanée morsure de cobra. Qui a laissé l'animal s'échapper de sa cage? Madame Denby n'était déjà plus là. Etait-ce la petite Quinn? Devon l'ignore. J'ai revu toute l'histoire avec le lieutenant Biggs il y a cinq ans, et il l'ignorait lui aussi. On a dû disculper les suspects, faute de preuve. Madame Denby avait disparu, mais ça ne changeait rien car on ne l'avait jamais soupçonnée de toute façon. On avait incinéré le corps avant que le médecin légiste n'ait eu le temps d'avertir Biggs au sujet du serpent. C'était Noël, bougre d'un nom! Pas moyen de parler à qui que ce fût! Rien que des foutus répondeurs. Biggs ignorait tout du serpent jusqu'au lendemain des funérailles. Pour peu, le médecin légiste se faisait remercier pour cette bévue. Toute l'histoire n'était qu'une suite d'erreurs magistrales.

Elle n'avait toujours pas terminé.

— A présent, tu voudrais réactiver cette affaire. Seulement, permets-moi de te prévenir d'une chose. Tout le monde s'en moque. Il se peut que Lionel Biggs s'y intéresse encore. Je ne lui ai pas parlé depuis. Mais ça n'intéresse personne d'autre. Les gens d'ici ne connaissent même pas le nom de Gilda Greenway.

Elle alla au bar et versa à Billy un Pepsi diététique.

— Il y a eu d'autres scandales depuis le temps. On a repêché Natalie Wood des eaux de Catalina et on ne sait toujours pas ce qu'il lui est arrivé. Grace Kelly a perdu conscience sur une route de Monaco, mais on n'a jamais dévoilé tous les détails de l'accident. Ensuite, ce fut ce pauvre John Belushi, mort d'une overdose comme un vulgaire cancrelat. William Holden quant à lui s'est fracassé le crâne sur un mur. Le cancer, une crise cardiaque, ou quelque autre cause naturelle mais tout aussi horrible nous a enlevé successivement Ingrid Bergman, Henry Fonda et Gloria Swanson. Aux yeux de ceux qui aujourd'hui vont voir les satanés films de Matt Dillon, Gilda Greenway n'est rien d'autre que la solution à une colle des mots croisés.

Billy avait l'estomac à l'envers rien que d'entendre ce que May lui disait. Il n'en croyait pas ses oreilles. May Fischoff, celle que Gilda avait élevée comme si elle avait été sa propre fille, et ce, depuis bien avant l'invention des couches jetables. Elle osait ternir ainsi la mémoire de sa marraine!

— Tu ne l'aimais donc pas? Tu te moques de ce qu'il lui est arrivé?

— Non. Je l'aimais. De tout cœur. Nous l'aimions tous, en fait. Mais, tu vois, ce que Gilda nous a légué, c'est la vérité. Elle nous a fait comprendre qu'il n'y a rien de mal à ce qu'une personne change. Elle nous a laissé sa propre version de ce qu'est le courage. Et elle a donné à au moins trois d'entre nous le cran qu'il fallait pour atteindre à la paix intérieure. Où en sont les quatre fans aujourd'hui? La première est une pauvre cinglée qui se retrouve à l'asile. Deux autres se cachent à la campagne, reproductions vivantes des peintures bucoliques de la dernière génération. Quant à la quatrième! Regarde bien au fond de moi, Billy. Regarde à l'intérieur de cette mince femme bien coiffée et toujours chic, devant qui se prosterne le tout-Hollywood. Regarde, et tu verras une grosse Juive qui cherche à s'échapper. Seulement, Gilda nous a donné à tous le courage d'être nous-mêmes, d'aller au bout de nous-mêmes pour y trouver la sérénité, et de ne pas avoir honte de ce qu'il nous a fallu faire pour y arriver. Il se peut que, dans le milieu cinématographique, on se moque de King et de Devon et de leur cave bien remplie de cidre de pommes. Néanmoins, ils connaissent les plus belles années de leur vie. Pour ma part, je pense qu'il est impossible d'être aussi rustre sans être sincère. En ce qui me concerne, les gens me traitent de garce sans-cœur, et ridiculisent le fait que mon associé en affaires est aussi mon compagnon de vie, et qu'il est assez jeune pour être mon fils. Ils ne viendront sûrement pas à mes funéraillles sans savoir qui d'autre compte y être. Pourtant, ce qu'ils ignorent, c'est que pour la première fois de ma vie je me sens en sécurité avec Hollis; je me sens épanouie et protégée. C'est évident que j'ai une trouille folle qu'un beau jour, il rencontrera une femme de son âge avec qui il voudra s'enfuir. Or, ce jour-là n'est pas encore arrivé. Et même si cela devait se produire, je suis d'avis qu'il vaut mieux avoir connu tout ce bonheur, quitte à le perdre, que d'être passé à côté.

Elle poursuivait toujours sa tirade.

— Tu sais ce que Gilda allait m'offrir pour Noël au moment de sa mort? La chère femme! Elle ne pouvait même pas tracer une ligne droite, mais elle avait néanmoins brodé à l'aiguille un coussin qui m'était destiné. Le travail est tout croche, les points sont inégaux, et les couleurs! On dirait du papier peint dans un bordel du Mexique. Pourtant, c'est ce que j'affectionne le plus au monde. Biggs me l'a remis après l'enquête. C'est un coussin sur lequel on peut lire les lettres FTDA. Dans la boîte, il y avait une note : « A May, de la part de maman. Fous-toi des autres! » Je crois bien que je vais l'emporter en terre. C'est mon talisman, ma ligne de conduite. C'est comme ça que j'ai fait la paix avec moi-même. De la même façon que Gilda l'avait fait avant moi.

May reconduisit Billy à sa voiture et se pencha par la fenêtre tandis qu'il cherchait ses clés. Elle lui pinça une oreille en disant :

— Rappelle-toi bien ceci, Billy. De peine et de misère, Gilda était parvenue au sommet de son métier dans un milieu où il faut se défendre quotidiennement. C'est comme si, tous les jours, elle avait avalé des lames de rasoir; or, lorsqu'elle saignait, personne ne s'en rendait compte parce qu'elle saignait de l'intérieur. Au moment où sa carrière a pris fin, elle en était tout à fait consciente. Pourtant, le destin lui a dérobé sa dernière réplique, mais je parie qu'elle aurait dit quelque chose comme ceci : « Peu importe comment vous y arrivez, faites ce qu'il vous plaît dans la vie. A la fin, vous aurez rendu au moins une personne heureuse. »

— C'était une perle rare, Billy, dans un métier où foisonnent les faux diamants. Ne lui enlève pas cette dignité qu'il lui reste, pas après toutes ces années. Chacun de nous a puisé en elle sa force intérieure. Il est probable que nous ne saurons jamais ce qui s'est passé la veille de Noël, il y a cinq ans. Fiche-nous la paix, à présent. Tout finit par changer, et tout le monde s'en moque.

Billy Buck, lui, ne s'en moquait pas. Il ne fallait pas que ça se termine ainsi. Il devait raconter l'histoire de Gilda. Il laissait aux barbouilleurs de papier le soin d'écrire leurs « Maman chérie ». Billy écrirait la pure vérité. « Il ne reste plus rien à raconter dans cette ville dénudée », lui avait dit May. Elle avait tort, pourtant. Rita Hayworth avait la maladie d'Alzheimer, Lana Turner s'était tournée vers Dieu, Elizabeth Taylor avait découvert la clinique de désintoxication de Betty Ford. Or, la vie de Gilda était de beaucoup plus intéressante, même si la conclusion se terminait court. Voyons, comment pourrait-il intituler son livre? Il avait pensé à *Un cobra de classe*, mais les critiques trouveraient cela de mauvais goût. Quant à Gilda, il est probable qu'elle renverserait la tête et dirait en riant : « Où se trouve Maria Montez maintenant qu'on a besoin d'elle? » Le titre idéal, évidemment, serait *Le serpent vole la vedette*, mais Jean Kerr y avait déjà pensé avant lui.

Sur l'autoroute, en rentrant de chez May au volant de sa XKE, il eut enfin un éclair de génie. Il intitulerait son ouvrage *La Dame aux perles*. D'ailleurs, il avait déjà en main une grande partie des notes nécessaires. A ses yeux, il rendait service au grand public, faisant sa part dans le but de conserver à Hollywood son caractère prestigieux. Evidemment, le livre ne lui mériterait certes pas un prix Pulitzer; néanmoins, il estimait contribuer à l'histoire du cinéma.

Il manquait cependant une pièce au casse-tête. Il lui fallait retrouver Vy, c'est-à-dire madame Denby. Une fois arrivé chez lui, il mit en marche le dispositif d'écoute de son répondeur. Il y avait les messages habituels de ses amis, ceux de ses prétendus amis, des relationnistes de différents studios, et de certains de ses informateurs. Il y avait également un message de Barney Ufland.

— Aucune trace de la personne en question. Sa maison de Pine Road fut vendue il y a deux jours à un couple du nom de Peterson, par l'entremise d'un agent d'immeuble nommé Carstairs. L'achat fut conclu et le contrat de vente signé en vingt-quatre heures; les honoraires de l'agent furent réglés directement par la banque. La vieille a disparu sans laisser d'adresse.

Billy consulta alors son répertoire et composa le numéro de Lionel Biggs. Une voix de femme lui répondit. Elle paraissait endormie et méfiante.

— Ici Billy Buck. Il faut absolument que je parle au lieutenant Biggs, madame.

Il y eut un long silence, après quoi la femme demanda d'une voix lente :

— S'agit-il d'une plaisanterie de mauvais goût, monsieur Buck?

— Je vous prie de m'excuser si j'appelle à un moment inopportun. J'ai cependant des renseignements au sujet de l'affaire Gilda Greenway qui intéresseront sûrement le lieutenant Biggs.

— Gilda Green... Mais, qu'est-ce que c'est que cette histoire? Monsieur Buck, mon mari est décédé depuis trois ans. Il était en train de tondre le gazon et son cœur a flanché. Comme ça, sans avertissement. Il était policier depuis vingt-cinq ans, et tout ce que j'ai eu comme pension, c'est l'équivalent de l'assistance sociale. Mon mari travaillait si fort et il était si fatigué, monsieur Buck, que je doute qu'il se soit souvenu de l'affaire Greenway. Je ne pense pas que personne s'en souvienne.

30

Le 24 décembre 1984

Au cinquième anniversaire de la mort de Gilda, trois personnes se présentaient au cimetière de Forest Lawn : un fabricant de poignées de portes d'Altoona, en Pennsylvanie, son épouse et leur fillette de sept ans qui ne cessait de pleurnicher. « Je veux aller à Disneyland, » disait-elle sans arrêt. Le même jour, Billy Buck publiait sa chronique spéciale de veille de Noël. Cependant, au lieu de publier les vœux qu'il adressait traditionnellement aux vedettes de Hollywood, il consacra tout son article à la mémoire d'une légende du cinéma et de ses quatre fans. Il parlait de King et de Devon, du sort peu enviable d'Inez, et de la force de survie de May, qui poursuivait sa carrière comme Gilda l'aurait souhaité. Et il concluait ainsi :

« Dans ce milieu où l'on ne s'arrête jamais longtemps à réfléchir sur quoi que ce soit, Gilda Greenway est un personnage dont on se souviendra avec révérence. Aujourd'hui, les administrateurs de cette industrie sont des magnats à leurs débuts qui, hier encore, étaient garçons de parking chez Chasen's ou travaillaient au service des dépêches chez May Fischoff.

« Gilda aurait fait figure de vieux cygne dans leur nouvel étang, mais Dieu sait qu'ils auraient avantage à démontrer aujourd'hui autant de style et de flair qu'elle. Elle est décédée en 1979, encore jeune à cinquante-sept ans, dans cette ville qui ne se souvenait même pas de Greta Garbo.

Pourtant, dans son dernier film intitulé *Cobras*, elle devait démontrer une fois de plus ce qu'était le charisme d'une véritable star. Si seulement Gilda elle-même avait pu voir ce que la caméra captait. Hélas, il n'en était rien. Elle était sous la constante emprise d'une crainte qui la dévorait de l'intérieur, une insécurité qu'aucun détective ne serait parvenu à élucider. Certains reporters malicieux ayant déjà écrit à son sujet dans des magazines prétentieux, la décrivaient comment étant « habitée en permanence par des démons, des envahisseurs ayant pris possession de son âme pour y rester. » Or, aucun d'eux ne connaissait le secret de Gilda.

« Elle craignait en effet et avec grande frayeur qu'on ne découvre qu'elle n'avait que peu de talent. Car elle ne possédait aucune formation, n'avait aucune technique du métier. Elle ne répondait jamais aux lettres de ses admirateurs, évitait les interviews télévisées, détestait les séances d'étude, refusait toute invitation aux cinémathèques, festivals, ou rétrospectives des films dans lesquels elle avait joué, qu'on présentait soit à l'université de Los Angeles ou au musée d'art moderne. Elle avait une piètre opinion d'elle-même et craignait que cela ne se propage, comme des microbes.

« Elle avait raison, évidemment – et tort, également. Elle ne connaissait rien du métier d'acteur, il est vrai. Elle ne connaissait pas la différence entre l'art et l'arthrite. Cependant, sur un plateau, elle savait où se trouvait le projecteur principal et comment en tirer parti. Elle possédait cette qualité magique, aussi rare qu'un chameau à trois bosses, que seule la caméra peut définir. C'était une qualité que possédaient les Gable, les Garbo et Garland, Cooper et Crawford, Tracy et Hepburn. Et Marilyn, aussi. C'est une qualité intangible que personne ne parvient à décrire mais que des millions de spectateurs pourront toujours percevoir – cette présence de star qui différencie les artistes légendaires de ceux qui passent aux oubliettes.

Gilda nous a quittés, mais ce qu'elle nous a laissé demeure, par le miracle de l'écran. Dans des années d'ici, j'aurai oublié les films d'aujourd'hui, les adolescents en rut, les agressions violentes, et les meurtriers diaboliques déguisés en Père Noël. Mais jamais je n'oublierai les films de Gilda Greenway. »

Tous ceux qui ne se trouvaient pas à Palm Springs pour Noël n'avaient pour Billy que des éloges. L'appel qu'il attendait avec le plus d'impatience ne devait cependant pas lui parvenir avant tard dans la soirée.

Une des chaînes de télévision de Los Angeles avait diffusé *The Bridge* à vingt-trois heures. Billy compta vingt-trois interruptions pour des messages publicitaires. La fameuse scène de viol, qui valut à Gilda d'être pour la première fois en nomination pour un Oscar, avait été retranchée au complet. Billy en était déprimé et dégoûté ; il avala une dernière gorgée de cognac et allait éteindre la lumière lorsque la sonnerie du téléphone le fit sursauter. Du plus profond de son être, par pur instinct, il savait que c'était là l'appel qu'il attendait.

Billy s'arrêta un instant avant de pénétrer dans une chambre au deuxième étage de cet hôpital gériatrique. Le nom de « Madame

Viola Scribner » était inscrit sur la porte. Une infirmière s'affairait autour d'une vieille femme couchée dans un lit étroit. Elle tenait d'une main le poignet de la patiente et comptait les secondes écoulées en regardant sa montre. Billy attendit que l'infirmière eût retiré le thermomètre de la bouche de sa patiente.

— Madame Denby? demanda Billy.

La vieille saisit de ses mains noueuses le bord de la mince couverture verte et leva la tête pour le regarder.

— Monsieur Buck. Je me demandais quand vous me rendriez visite, répondit-elle enfin. Bella va maintenant nous laisser seuls, dit-elle en faisant signe à l'infirmière d'une main tremblante. Dis-lui que tu es une sorcière, n'est-ce pas, Bella?

L'infirmière, au visage aussi plissé que la gueule d'un chien de chasse, fit en douce un clin d'œil à Billy en sortant, tout en dessinant des cercles dans l'air avec son index.

— Complètement cinglée, fit-elle. Elle prétend être la sœur de Gilda Greenway.

— Je vous remercie de m'avoir envoyé des fleurs, dit madame Denby après que l'infirmière eût fermé la porte. Si vous aviez mis plus de temps à venir me voir, vous risquiez d'avoir à les apporter sur ma tombe.

— On dirait bien que vous serez des nôtres pour quelque temps encore, répondit-il en se permettant de sourire.

Il ne parvenait pas à lui mentir et à lui dire qu'elle paraissait bien se porter. Elle avait le visage maigre et le teint cireux. Sa peau était tellement mince qu'il remarqua pour la première fois la sévérité dominante de ses pommettes.

— J'ai accouru dès que j'ai pu m'esquiver, madame Denby. J'étais très surpris de recevoir votre appel. Comment vous portez-vous?

— Ça fait cinq ans déjà. Si je n'avais pas lu votre chronique, je n'arriverais pas à le croire. Notre journal local publie votre chronique, vous savez. C'était un hommage assez touchant, monsieur Buck. Ma sœur avait beaucoup d'estime pour vous.

— Votre sœur, madame Denby? demanda Billy d'une voix douce.

— Je vous ai dit que Gilda était ma sœur. C'est bien ce que je vous ai dit au téléphone, non?

— Oui, mais enfin...

— Mais vous ne me croyez pas, n'est-ce pas? dit-elle en ricanant. Bella non plus, d'ailleurs. C'est ce que je trouve le plus drôle, vous comprenez. Si je me présentais au bureau du shérif dès aujourd'hui en disant : « Je suis la sœur de Gilda Greenway et je sais qui l'a assassinée », que ferait-on, d'après vous? On rirait, je suppose. Vous voyez, personne ne s'en préoccupe de nos jours, sauf vous et moi, monsieur Buck. C'est ce que nous avons en commun.

La vieille dame grogna en se levant avec peine sur son séant.

— Vous avez raison, madame Denby. Nous avons cela en commun. Je n'ai pas oublié Gilda et je pense souvent à elle.

— Moi de même, monsieur Buck, comme je l'ai fait tous les jours de ma vie depuis sa naissance. C'est moi qui l'ai élevée, vous savez. J'étais plus une mère qu'une sœur pour elle, à vrai dire. Je suis de quinze ans plus âgée qu'elle, et il y avait cinq garçons qui nous séparaient. En tant que fille aînée, c'était à moi qu'il incombait de donner un coup de main à notre mère.

Ainsi, elle était la grande sœur de Gilda. Billy se souvenait de certaines bribes de conversations. *Ma grande sœur, Vy.*

Viola!

Comment avait-elle pu le cacher à tous pendant si longtemps?

— Personne mieux que moi ne savait prendre soin d'elle, poursuivait madame Denby. Oh, si vous saviez comme j'aimais cette enfant, têtue et espiègle qu'elle était depuis le début. Sans moi, elle n'aurait jamais rien eu; elle n'aurait jamais quitté Hilltop, monsieur Buck. Je sais ce que vous pensez de moi. Une vieille folle qui se fait des illusions, dit-elle en examinant son visiteur.

— Je suis persuadé que vous l'aimiez beaucoup, madame Denby.

— Vous ne pouvez pas vous imaginer à quel point. Il aurait fallu que vous puissiez la voir autrefois, et comment nous vivions à cette époque. Tout était grisâtre où nous habitions, monsieur Buck.

Elle ferma les yeux, comme si le passé était une image peinte à l'intérieur de ses paupières.

— Notre vieille maison usée par le temps, là-bas, au milieu de nulle part, le chemin de terre qui s'y rendait, jusqu'au linge sur la corde, tout était gris-jaune. Nous vivions dans un monde de poussière grise et jaune. Et puis, un jour, elle est arrivée.

La voix de madame Denby se faisait plus forte.

— C'était une fleur radieuse au milieu du désert. Aussi différente de mes frères et de moi que le jour de la nuit. Elle avait un tempérament fougueux, aussi flamboyant que sa chevelure. Elle avait un sourire coquin. Elle avait une façon de vous regarder de ses beaux yeux de chat, avec un sourire moqueur, qui vous faisaient perdre l'envie de la gronder.

Elle ouvrit les yeux et poussa un long soupir.

— J'ai compris dès le début qu'elle n'était pas comme tout le monde. Et je le lui ai dit. Oh, avant même qu'elle puisse comprendre une seule parole de ce que je lui disais, je la berçais dans mes bras et lui racontais qu'un jour, lorsqu'elle serait grande, nous partirions au loin, et qu'elle porterait de jolies robes, et qu'elle aurait de beaux prétendants, et des manteaux de fourrure, et de belles voitures.

Elle poursuivait son récit.

— Le Seigneur en avait décidé autrement, mais j'ai entravé le cours du destin. Sachant qu'un jour, j'aurais à payer pour mon péché d'orgueil, j'ai sauvé la vie de la petite. Je ne le regrette pas. Si je n'avais pas fait ça, elle serait morte trop jeune et je n'aurais jamais pu quitter cette sordide maison grise.

Billy savait que Vy avait accompagné Gilda à New York en 1938. Il avait entendu dire qu'elle avait immédiatement détesté la grande ville. Gilda disait que Vy l'appelait « Sodome et Gomorrhe, remplie d'hommes rabougris et d'édifices aussi gros que des zizis de mulets. Tu ne peux regarder ni en haut, ni en bas, car il y a des saletés tant en l'air que par terre. »

Elle était venue à New York pour servir de chaperon à Gilda, après quoi elle avait rejoint son époux en Oklahoma où elle avait vécu heureuse, ou malheureuse, pour le reste de ses jours. Du moins, c'est ce que Billy avait toujours pensé.

— Quand lui avez-vous sauvé la vie, madame Denby?

— Elle avait quatre ans et je devais en avoir dix-neuf. Orval me courtisait déjà. Nous étions, lui et moi, sur le balcon avant de la maison. Je n'ai jamais aimé cette façon de se bécoter et de se peloter, mais il me disait toujours que tout le monde le faisait et que c'était tout naturel. Donc, il cherchait encore à m'embrasser, lorsque soudain, je l'ai repoussé et me suis levée d'un seul bond. Je lui ai demandé : « Où est la petite? Où est Gilda Rae? » Je vous le jure, monsieur Buck; je savais que la petite était en danger. J'ai jeté un coup d'œil tout autour et je l'ai trouvée à quatre pattes par terre, à côté de la maison. Au moment où je m'approchais d'elle, voilà que j'aperçois un serpent à sonnette sous le marchepied du camion d'Orval. Il secouait la queue en sifflant, à quelques centimètres de la petite. Grand Dieu! Je suis tombée à genoux sur place, en pleine poussière, et je me suis mise à prier avec toute la ferveur dont j'étais capable. J'ai dit : « Seigneur Jésus, cette petite m'est très chère. Je ferai tout ce que vous me demanderez si vous la sauvez. Je vous consacrerai sa vie. Et moi, je me consacrerai à elle. Je veillerai sur elle en tout temps et verrai à ce qu'elle mène une vie vertueuse. » Une vie vertueuse, que je Lui avais promis! Inutile de vous préciser quel genre de vie elle a menée.

— Et, qu'est-il arrivé au serpent? demanda Billy.

— Le Seigneur m'a répondu, dit madame Denby en tournant le visage vers la fenêtre. Il m'a dit : « Non. Cette enfant est un démon, attirée par le serpent comme Eve en personne. » C'est alors que j'ai pris ma décision fatidique.

Elle s'adressa à nouveau à Billy.

— J'ai soulevé Gilda de terre aussi vite que possible, et c'est moi que le serpent a mordu à sa place, en enfonçant sa langue fourchue dans ma cheville. J'ai alors appelé mon père et Orval à mon secours; ils m'ont fait une entaille à l'endroit de la morsure et mon père a extrait le venin en le suçant. Ensuite, ils m'ont emmenée en vitesse chez un médecin.

— J'ai toujours su que Gilda deviendrait une femme extraordinaire, poursuivait-elle. Je l'emmenais souvent au cinéma. Je fréquentais alors un garçon qui travaillait là les week-ends. Gilda était encore assez petite pour s'asseoir sur mes genoux. Plus tard, lorsqu'elle avait grandi, nous entrions en cachette par la porte arrière du cinéma parce que nous n'avions pas de quoi acheter les billets.

— C'était mon mari, Orval, qui avait pris les photos d'elle que Larry Malnish avait remarquées. J'avais convaincu monsieur Flynn, le photographe, d'exposer un portrait de Gilda dans sa vitrine. Et lorsque Larry exprima le désir d'emmener Gilda à New York, elle refusait d'y aller sans moi. Orval m'avait alors dit : « J'ai besoin de toi, Vy. Qui est-ce qui va me préparer mes repas et laver mes vêtements? » Je lui avais répondu : « Orval, tu es mon mari, mais Gilda, c'est mon sang. » C'est donc avec elle que je suis partie et je n'ai jamais revu cet homme de ma vie. S'il vit toujours, c'est encore mon mari parce que le divorce, c'est péché. Seulement, il ne m'a jamais tellement plu, et si vous voulez savoir la vérité, monsieur Buck, il ne m'a jamais manqué. Pas plus que Hilltop, d'ailleurs.

— Je ne comprends pas ce qui vous est arrivé, dit Billy. Je pensais que vous étiez rentrée en Oklahoma depuis des années. Vous êtes allée à New York en tant que chaperon de Gilda. Comment êtes-vous finalement devenue sa gouvernante?

— Ah, vous savez comment c'était, à cette époque. Ça paraît assez ridicule aujourd'hui, étant donné qu'aucun de ces artistes ne peut plus choquer personne, ni en paroles ni en gestes. Mais, dans ce temps-là, c'était autre chose. Tout importait – votre nom, où vous étiez né, ce que vous portiez et mangiez, et avec qui vous alliez danser. Moi, je n'étais qu'une pauvre campagnarde. Je n'ai jamais fini l'école. Larry Malnish apprenait à Gilda comment parler et marcher, il lui apprenait à porter des gants et des chaussures, bien qu'il n'ait jamais très bien réussi dans ce domaine, ajoutait madame Denby en riant.

— J'attendais à l'hôtel tandis que Larry emmenait Gilda dans les clubs de nuit et au spectacle. Je repassais ses vêtements et je la coiffais, et j'étais très heureuse comme ça. J'étais encore sa sœur, alors. Toutefois, lorsque le grand Ted Kearny est entré dans la vie de Gilda, tout a changé. Je le détestais, ce Kearny. J'avais prévenu Gilda, mais elle avait eu le coup de foudre et ne voulait pas entendre un seul mot contre lui. C'est à ce moment-là que Larry Malnish m'a demandé de prétendre que j'étais la « compagne » de Gilda plutôt que sa sœur. Ah, bien entendu, ça ne dérangeait pas Kearny de coucher avec une enfant de dix-sept ans. Par contre, Larry me disait que ça ne paraîtrait pas très bien pour Gilda d'avoir pour sœur une grosse campagnarde qui parlait avec l'accent du pays. J'ai demandé à la petite : « C'est bien ce que tu désires? Tu veux devenir la concubine de cet homme? Renoncer à ta famille et à ta religion?» Elle s'était mise à pleurer, vous comprenez. Ah, elle pouvait tout me faire faire. C'était infaillible. « Je t'en prie, Vy », m'avait-elle suppliée. « Je ne peux pas vivre sans lui. Ne me force pas à choisir entre vous deux. Reste avec moi. Fais ce que Larry te demande pour l'instant. » C'est donc ce que j'ai fait, pendant quelque temps. Mais après ce qui s'est passé, lorsqu'elle a tué son enfant, vous savez... »

Madame Denby fit une pause et lança un regard oblique à Billy.

— Oui, je suis au courant. Gilda a eu un avortement.

— C'est alors que j'ai compris ce que le Seigneur voulait dire le jour où Il avait envoyé le serpent dans la cour. Il savait que cette fille du démon tuerait un jour un enfant dans son sein. Après l'avortement, les choses se sont envenimées entre nous. A la fin, après notre arrivée sur la côte ouest, Gilda m'a demandé de partir. Seulement pour quelque temps, disait-elle. Elle m'a alors offert une petite maison à Santa Barbara. Je pense qu'elle appartenait à Kearny.

— Et, c'est là que vous vivez depuis cinq ans?

— Oui. Je viens tout juste de la vendre, à la suite de cet accident. Je suis trop vieille pour m'en occuper, de toute façon. Et ces gens-là qui l'ont achetée me tourmentaient depuis un an. Cette maison, c'est tout ce que ma sœur m'a jamais donné. Au moins, elle ne l'a pas léguée à Devon Barnes et à sa petite bâtarde.

— Madame Denby. Devon n'était pas l'héritière de Gilda. Le plus gros de ses biens a été distribué à des sociétés de protection des animaux.

— Je le sais déjà, monsieur Buck. Cependant, ces perles qu'elle avait données à Devon Barnes, ces perles, c'est à moi qu'elles auraient dû revenir!

Le visage pâle de la vieille s'empourpra soudain de colère.

— Vous êtes revenue chez elle après le mariage de Kearny? demanda Billy.

— Oui. Ah, elle avait besoin de moi, alors! Larry Malnish m'avait suppliée de retourner auprès d'elle. Il était le seul à connaître la vérité en ce qui nous concernait, Gilda et moi, et il a emporté son secret en enfer. J'aimais beaucoup vivre avec Gilda aux Perles. Nous étions seules à nouveau, à partager des secrets et des rêves, comme avant. J'étais si heureuse pour elle lorsqu'elle est devenue amoureuse de ce cher Patrick.

— Le fait qu'il était marié ne vous choquait donc pas?

— Oh, pas du tout. C'était un catholique, vous comprenez. Ce n'était pas sa faute. Je le comprenais. Je l'admirais. Sans compter que, bien entendu, c'était une vedette de cinéma. Une véritable star, monsieur Buck. Il n'avait rien en commun avec ces jeunes gens d'aujourd'hui qui se tiennent mal et ne savent pas prononcer correctement. C'est tout ce qu'on nous offre, de nos jours.

— Vous faites allusion à King Godwin?

— Précisément, dit-elle en redressant des épaules qui n'étaient plus aussi imposantes qu'autrefois. Godwin, et tous ceux qui lui ressemblent. Des acteurs! Il y en a partout, des acteurs, monsieur Buck. Pour la plupart, ils sont pauvres. Quelques-uns seulement ont la même veine que monsieur Godwin et deviennent aussi riches que lui. Mais des stars? Ah, il faut bien plus que l'argent et la renommée pour être une véritable star!

— Dites-moi, que pensez-vous de May Fischoff? demanda Billy, comme ça.

— Celle-là, c'est une putain de la pire espèce. Gilda n'avait jamais compris l'attitude de Frank Fischoff envers sa fille, mais moi, je comprenais très bien. Elle était pour lui une source d'embarras. Il l'a envoyée en pension, en espérant qu'elle changerait. Pourtant, je crois qu'à fréquenter les autres, elle a empiré. Cette pension qu'ils avaient choisie, c'était l'une des meilleurs au pays, d'après Gilda. Eh bien! Vous voyez quelle sorte d'ordures elle a rencontrées à cette académie réputée. Inez Godwin! Et, n'oubliez pas Devon Barnes!

— Vous n'avez jamais eu beaucoup d'estime pour les quatres fans, n'est-ce pas?

— Je les détestais, ces petits morveux. Je prenais soin de Gilda comme je le faisais dans notre jeunesse. Et, tout à coup, voilà qu'elle souhaitait avoir des enfants! Je ne lui suffisais donc pas? Enfin! Elle a un jour rendu visite à Patrick à New York et c'est à cette occasion qu'elle a trouvé une famille toute faite. Ils étaient tous affamés et voraces. Et tout ça, juste au moment où nous faisions une si agréable vie. Nous étions tellement heureux, Gilda, Patrick et moi.

— Je l'ai prévenue qu'ils finiraient par la laisser. J'avais vu juste au sujet de Ted Kearny, mais ça, elle l'avait oublié, bien entendu. Evidemment, ils l'ont un jour abandonnée. Après la mort de Patrick, Dieu ait son âme, il n'y avait que moi, à vrai dire. Vous vous rappelez de ce temps-là, monsieur Buck? Moi, je m'en rappelle bien. J'étais là. Jamais je ne l'ai abandonnée.

— J'ignorais quels étaient vos sentiments à l'égard des quatre fans, madame Denby, dit Billy en pensant que Clint Eastwood n'aurait pas mieux récité cette réplique, ni avec plus de conviction.

— Ils m'avaient volé tout ce que je possédais au monde. Eux, qui étaient riches, qui avaient leurs propres amis et leurs amants et leurs admirateurs. Elle les avait soutenus pendant des années. C'était à leur tour de lui rendre la pareille. Et, chaque fois qu'un de ces ingrats avait besoin d'elle, on me mettait à l'écart. Pourtant, à un moment donné, nous avons été heureuses pendant quelque temps. Gilda en avait assez du cinéma. Nous aurions pu aller quelque part et nous reposer un peu. Mais non! Inez et May l'ont convaincue de reprendre le travail. Ensuite, les deux enfants prodigues, Devon et King, sont rentrés. J'aimais bien monsieur Calder, cependant. Je me souviens lui avoir demandé pourquoi il avait intitulé son film *Cobras*. Il pouvait y avoir plusieurs significations à ce titre, m'avait-il répondu. Il était bien sûr question de la nature venimeuse de toute relation à Hollywood, mais aussi du serpent en tant que séducteur, le serpent du Paradis terrestre. C'est alors que j'ai tout compris, monsieur Buck. Vous voyez ce que je veux dire?

— Non, je ne comprends pas très bien, madame Denby.

— C'est moi qui lui ai fait parvenir ce cobra, deux ans avant sa mort. Je voulais lui rappeler nos liens du sang. Je voulais lui rappeler que je lui avais sauvé la vie autrefois. Que j'avais mis Dieu lui-même au défi de lui sauver la vie. Oui, je lui ai envoyé ce serpent. Or, Gilda était tellement préoccupée par ce film et ses chers enfants qu'elle n'a jamais fait le lien.

— Pendant quelque temps, elle les détestait, pourtant. Le film n'était pas un succès. Ils se sont tous enfuis à nouveau, et c'est pourquoi elle leur en voulait. Moi, j'étais enfin heureuse. Et puis, figurez-vous qu'elle m'a renvoyée! La semaine même de Noël, monsieur Buck. Je lui ai dit : « C'est une période de l'année traditionnellement consacrée à la famille, Gilda. Ne me demande pas d'aller m'enfermer seule à Santa Barbara. Qu'est-ce que tu comptes faire? » Vous comprenez, monsieur Buck, je m'en faisais pour elle. Je l'ai suppliée de me dire ce qui n'allait pas. Elle m'a simplement répondu qu'elle souhaitait être seule. Alors, je suis partie. Lorsque je suis rentrée pour m'assurer que tout allait bien, Devon Barnes et sa petite bâtarde avaient pris ma place. C'était avec elles que Gilda voulait passer la Noël! Et, quand j'ai vu Gilda offrir mes perles à Devon! Vous comprenez, ce collier devait me revenir. Le collier que Patrick avait offert à Gilda. C'était lui, mon cher et bien-aimé Patrick, qui m'avait légué ces magnifiques perles. J'ai donc vu là un signe du Seigneur, monsieur Buck. C'était le signe que j'attendais depuis des années. Je savais qu'un jour, j'aurais à payer pour avoir commis l'orgueilleuse sottise de garder en vie celle qu'Il avait désignée pour mourir. Je savais qu'Il m'ordonnerait de tuer ma sœur.

A mesure que la femme continuait son récit, Billy s'imaginait la scène. Il ne manquait plus que les caméras.

C'était la veille de Noël.

Et Gilda avait chassé sa sœur.

« Sortez de chez moi et que je ne vous y revoie pas avant que je ne vous fasse signe », lui avait-elle dit. Pourtant, n'était-ce pas également la demeure de Vy?

Elle s'en était allée, comme Gilda le lui avait ordonné. Elle avait quitté les Perles.

Ensuite, elle avait décidé que le temps était venu d'accomplir la volonté du Seigneur.

Elle s'était donc introduite dans la maison par la porte de service. Etant donné qu'elle connaissait tous les recoins de la demeure, il était inutile d'allumer les lumières. Sans faire de bruit, elle s'était rendue au salon, remarquant avec amertume les nombreux cadeaux joliment emballés sous l'arbre de Noël. Aucun d'entre eux ne lui était destiné!

Elle avait en outre aperçu un mot déposé sur le manteau de la cheminée.

Devon chérie,

J'ai changé d'avis au sujet de la réception chez Inez. Le charmant Billy m'emmène dîner chez Chasen's. Viens nous rejoindre si le cœur t'en dit. Et n'oublie pas ma poupée adorée.

Maman. »

Madame Denby chiffonna la note en boule et la fourra bien au fond de sa poche. Elle s'en fut ensuite à pas pressés jusqu'à la bibliothèque, celle de Patrick, où les grands albums en cuir étaient alignés sur les trois premiers rayons, avec certaines reliques du passé de Gilda. Madame Denby s'était fait un devoir de conserver les photos et coupures de presse. Elle avait tout classé par ordre chronologique, depuis leur premier voyage en train à New York jusqu'au programme-souvenir de la première de *Cobras*. Elle retira l'album étiqueté 1955-1960 en lettres dorées. Elle l'ouvrit à la page où apparaissait la publication, dans le magazine *Variety*, de la pièce d'Avery Calder, mettant en vedette Patrick Wainwright. Là, à côté du *Playbill* et du carton d'allumettes de chez Sardi's, se trouvait la satanée photo prise au « 21 ». Ils étaient tous là, souriant à Gilda d'un air timide\ ils souriaient toujours à Gilda mais ils ne se gênaient pas pour lui rire dans le dos. Car les « quatre fans » faisaient partie d'une nouvelle génération de charognards. Ils étaient avides et disgracieux. Lorsque madame Denby regardait leurs visages au sourire malicieux, elle ne voyait que des vampires.

Elle avait près de cinquante ans lorsqu'ils s'étaient immiscés dans la vie de Gilda. Pouvaient-ils seulement s'imaginer quel prix elle avait dû payer pour assurer à la star le succès qu'elle avait connu? Pouvaient-ils seulement comprendre que, d'une manière tout à fait désintéressée, elle avait vécu dans l'ombre de sa sœur, dans l'anonymat le plus secret? Non. A leurs yeux, elle n'était rien d'autre qu'une domestique à la fois sinistre et burlesque, une indiscrète importune toujours à l'affût, cherchant à protéger Gilda de leurs égoïstes exigences.

Comment pouvaient-ils comprendre qu'en même temps qu'elle avait transmis à Gilda ses vieilles robes taillées dans des poches de farine, elle lui avait aussi transmis ses rêves grandioses? Dans ce temps si lointain, à Hilltop, Hollywood lui apparaissait comme une oasis de palmiers au bord d'une mer bleue, alors qu'elles vivaient dans la pauvreté sur une terre aride. Au cinéma, elle avait découvert qu'il y avait lieu de ne pas désespérer, qu'il existait ailleurs un endroit où tout était étincelant les voitures, de grands escaliers en marbre, les chaussures des messieurs, les yeux des femmes. C'était un monde exempt de poussière, rempli de gens ingénieux, de rire, de joie et d'amour. C'était un endroit où l'on vivait sa vie en Technicolor et où tous les espoirs étaient permis. Or, ces quatre enfants avaient dérobé à Viola le bonheur de partager son rêve avec Gilda. Par leurs interventions, ils avaient avili son beau rêve.

Seule dans la bibliothèque de Patrick la veille de Noël, elle fixait des yeux la photo de ses bourreaux et de cette méchante fillette qu'elle avait autrefois arrachée à la volonté de Dieu. Viola retira donc la photo de la page et remit l'album à sa place.

D'un pas rapide, elle se rendit dans la pénombre jusqu'à la ménagerie où dormait le serpent dans sa cage. Elle enfila ses gants de travail, souleva l'animal avec soin et le déposa dans une boîte. Le serpent s'enroula confortablement sur le nid de paille et madame Denby referma le couvercle. Après coup, elle décida d'ajouter sur le placide serpent quelques feuilles de papier de soie sur lesquelles elle déposa la photo. Le reptile n'avait pas bronché.

Il ne lui restait plus qu'à envelopper la boîte avec du papier approprié pour l'occasion, après quoi elle attendrait l'arrivée de Gilda pour la voir ouvrir son cadeau et ainsi réveiller le serpent endormi. Depuis combien d'années dormait-il comme ça en attendant son heure? Depuis plus de cinquante ans, depuis le jour où madame Denby avait éloigné Gilda Rae des mâchoires mortelles du serpent.

Viola déposa la boîte sur une table dans le hall d'entrée. Elle composa ensuite le numéro de téléphone de chez Chasen's, prétendant qu'il s'agissait d'une urgence et qu'il lui fallait immédiatement parler à mademoiselle Greenway.

— Allô, c'est toi, Devon? Tu es déjà rentrée?

— Non, c'est Vy.

— Vy? Mais, que diable me veux-tu? Où es-tu?

— Je suis aux Perles, Gilda. J'étais venue t'offrir ton cadeau de Noël. Je pensais que tu serais de retour à cette heure-ci.

— Je t'ai dit, espèce d'imbécile, de sortir de chez moi. Tu n'as donc pas compris? Je n'ai aucune envie que tu viennes me border dans mon lit et me lire *Les Contes de Noël*.

Depuis le jour où elle s'était effondrée en larmes pendant une des colères qu'il arrivait souvent à Gilda de faire lorsqu'elle était ivre, et que cette dernière avait menacé de la renvoyer à tout jamais, madame Denby avait appris à se contrôler. En cette veille de Noël, pourtant, elle se mit à pleurer, et toute sa colère, toute sa rancœur, toute son amertume se traduisaient en sanglots qu'elle ne pouvait réprimer. Pourtant, cela n'avait plus aucune importance. Gilda voulait se débarrasser d'elle? Eh bien, soit! Mais madame Denby aurait d'abord son heure de gloire.

— Gilda, supplia madame Denby avec plus de sincérité que de simulacre. Je t'en prie, viens me rejoindre afin que nous passions cette veille de Noël ensemble.

— Seigneur! Tu m'ennuies à la fin avec tes histoires, tu sais! Enfin, maintenant que tu as déjà gâché mon dîner, oui, je veux bien rentrer te rejoindre. Mais, ma fille, dit-elle avant de raccrocher avec fracas, il vaut mieux pour toi que ce cadeau vaille le déplacement.

454

Madame Denby déposa la boîte enrubannée au pied de l'arbre, parmi les autres cadeaux, et elle attendit. Elle s'assit bien paisiblement sur le banc de chêne dans le couloir et, les mains jointes, observa l'horloge en savourant la plénitude du moment. Elle s'assoupit pendant quelques instants et se réveilla en entendant Gilda qui cherchait maladroitement à insérer sa clé dans la serrure.

Enfin, Gilda réussit à ouvrir la porte et s'avança dans l'obscurité.

— J'en ai assez de toi, Vy. J'ai pris une décision. Je veux que tu quittes cette maison, et pour de bon cette fois. Il y a déjà beaucoup trop longtemps que tu y es.

— Gilda, c'est Noël! Est-ce que ça ne pourrait pas attendre après les fêtes?

Vy n'attacha aucune importance aux paroles injurieuses de Gilda et l'incita à passer au salon. La comédienne s'assit sur la chaise longue et se débarrassa de ses chaussures en se faisant bouger les orteils comme lorsqu'elle était enfant, dans leur poussiéreux Oklahoma natal.

Madame Denby souleva délicatement le cadeau enveloppé au pied de l'arbre.

— Joyeux Noël, Gilda Rae! dit-elle en présentant la boîte à sa sœur.

— Vy, tu sais que je déteste ce nom-là. Tu m'exaspères à la fin. On dirait que tu le fais exprès.

Elle souleva le couvercle de la boîte.

— Qu'est-ce que c'est? demanda-t-elle en sortant la photo.

— Un nid de vipères! répondit Madame Denby à voix basse.

Gilda ne l'écoutait pas et elle mit la main dans la boîte.

— Je ne suis plus ta servante, Gilda Rae. A compter de maintenant, je suis la servante du Seigneur! lui cria Vy, les pupilles dilatées.

Le cobra s'élança de la boîte et toucha sa victime.

Les crocs du serpent déchirèrent la chair douce et satinée de Gilda à son poignet droit. Elle se renversa en poussant un cri. Elle avait toujours la photo à la main.

Elle cria encore, plongeant un regard d'horreur et de supplication dans les yeux fixes et déments de Vy.

Ensuite, elle porta les mains à sa poitrine, cherchant son souffle. Les paupières de Gilda se crispèrent violemment et Vy pensa que les beaux yeux gris-vert allaient voler en mille éclats, comme le contenu d'un kaléidoscope.

Vy attendit patiemment près de l'arbre que prennent fin les convulsions, après quoi elle enfila à nouveau ses gants de travail et ramassa le serpent qui s'était faufilé parmi les cadeaux. Elle le redéposa dans sa boîte en fermant bien le couvercle avant que la bête n'attaque à nouveau.

— Adieu, Gilda Rae, dit-elle, et sans faire plus de bruit qu'à son arrivée, elle sortit en emportant la boîte.

Un lugubre masque à l'expression horrifiée, faiblement éclairé par la lueur des lumières de l'arbre de Noël, voilà tout ce qu'il restait de la légendaire beauté qu'était jadis Gilda Greenway.

— Vous êtes restée là à la regarder? demanda Billy Buck, cloué sur place.

— Oui. Tout comme madame Danvers dans *Rebecca.*

— Comme qui, dites-vous?

— C'est ainsi qu'ils m'appelaient dans mon dos.

Billy avait les yeux rivés sur madame Denby. On aurait dit que son récit avait redonné ses forces à la vieille. Ses yeux gris-vert, accentués par les pommettes saillantes, scintillaient de plaisir tandis qu'elle partageait son ultime victoire avec le journaliste. Le sang colorait ses joues anémiques.

— Je suis un journaliste, madame Denby, je ne suis pas un prêtre, dit-il enfin. Pourquoi m'avez vous raconté tout ça?

— Ce n'est pas d'un prêtre dont j'ai besoin, monsieur Buck. Je ne faisais qu'exécuter la volonté du Seigneur. Cependant, je lis votre chronique. « Gilda Greenway est la seule dont ils se souviendront », avez-vous écrit. A présent, vous ne pourrez faire autrement que d'écrire quelque chose à mon propos. Je tiens à ce que les gens sachent que j'ai existé. Car, sans moi, il n'y aurait jamais eu de Gilda Greenway!

On frappa à la porte. Une aide-infirmière pencha la tête en regardant dans la chambre.

— Un peu de jus ou d'eau fraîche pour la sœur de la grande vedette? demanda-t-elle avec le sourire tout en faisant un clin d'œil à Billy.

— Si ce n'est pas trop demander, j'aimerais avoir un peu d'eau, s'il vous plaît, dit-il.
Et un double whisky sec, je vous prie.

— On ne tient pas à me contrarier, dit madame Denby. Vous comprenez, personne ne croit que je suis vraiment la sœur de Gilda.

— Pourquoi avez-vous attendu jusqu'à aujourd'hui avant de dévoiler enfin la vérité?

— Parce que, cher monsieur Buck, je suis une vieille femme et il est temps que j'aie mon heure de gloire. Je le leur aurais bien avoué à tous ces policiers qui sont venus fouiner dans les parages.

A vrai dire, j'étais plutôt déçue qu'aucun d'eux ne m'ait interrogée comme il le fallait. J'ai même rencontré cet imbécile de détective, le lieutenant Biggs, aux Perles. Il ne m'a jamais seulement demandé si j'avais un alibi à lui fournir. J'ai donc décidé que c'était la volonté de Dieu si les policiers n'avaient pas plus de cervelle! Non pas qu'ils auraient pu me retrouver. Ma petite maison à Santa Barbara était enregistrée à mon nom véritable. Tous mes papiers aussi, d'ailleurs. Edna Denby n'a jamais existé, sinon dans un des premiers films de Gilda comme personnage très secondaire. Nous trouvions que c'était une bonne blague que nous étions les seules à partager. Maintenant, vous aussi, vous êtes dans le coup.

Billy se leva dans le but de prendre congé.

— Dites-moi, madame Denby. Est-ce vous qui avez téléphoné au détective Biggs après les funérailles pour l'informer que Devon Barnes était aux Perles la veille de Noël?

Le visage de la vieille s'illumina.

— Vous êtes si intelligent, monsieur Buck! C'est précisément pour cette raison que je veux que vous écriviez mon histoire.

Elle leva la tête et se pencha vers lui avec une soudaine intensité.

— Je veux que le monde entier sache qui j'étais véritablement. Qui je suis. Une bien meilleure actrice que ma sœur, monsieur Buck. J'ai joué mon rôle pendant des années. Mais j'ai vécu dans l'ombre. A présent, je veux mourir en pleine lumière. Racontez mon histoire, monsieur Buck. Dites-leur qui je suis. Rendez-moi célèbre!

— Je dois m'en aller, maintenant, madame Denby.

— Mais, vous leur direz la vérité, n'est-ce pas? Vous êtes journaliste. C'est votre devoir de dire la vérité.

Billy s'inquiétait. Le cœur de la femme n'était peut-être pas assez solide pour souffrir tant d'agitation.

Il lui tapota donc les mains gentiment et lui dit d'une voix rassurante :

— Je ferai de mon mieux, madame Denby.

Il sortit ensuite de la chambre et disparut dans le couloir gris et peu attrayant de l'hôpital.

Il me faut un verre, se dit-il alors. Un bon verre, et tout va rentrer dans l'ordre. Il sera toujours temps de rentrer à Los Angeles après. Il se rappelait l'époque déjà si lointaine où il était nouvellement arrivé à Hollywood. En toute innocence, il avait écrit un article à propos de Gilda dans lequel il avait fait mention du grand Ted Kearny, ignorant que c'était un sujet tabou. Le relationniste du studio avait fait une sainte colère. Les amis de

Billy, quant à eux, pensaient qu'il avait perdu la boule. Pourtant, son métier exigeait qu'il révèle la vérité.

Pendant quelque temps après cet incident, il avait évité de rencontrer Gilda, craignant qu'elle ne fasse de lui qu'une bouchée. Cependant, Hollywood étant ce qu'il est, il était inévitable que Billy arrive nez à nez avec elle lors d'une réception. Gilda l'avait alors pris par le bras et l'avait emmené dans une pièce déserte où elle l'avait fait asseoir à côté d'elle sur le divan.

Elle avait laissé Billy lui bredouiller maladroitement des excuses et l'avait enfin interrompu de son sourire patient.

— Billy Buck, avait-elle dit. Je pense que tu apprendras très vite nos manières. Mais, petit, permets-moi de te donner un bon conseil. (Elle jouait avec ses perles comme avec un chapelet.) Billy, nous sommes à Hollywood. Ce n'est pas le pays de la vérité, c'est celui des légendes; à toi de les inventer.

Billy Buck débrancha tous les appareils de téléphone, ferma les volets brun chocolat dans son bureau aux murs de bois, et se versa un double whisky. Il remplit ensuite de cigarettes Marlboro une boîte en argent ayant appartenu à Cole Porter qu'il avait achetée chez Sotheby's. Il la déposa à côté d'un cendrier en porcelaine blanche de chez Tiffany, qui arborait un dessin de Hirschfeld représentant Carol Channing et signé par elle de sa grosse écriture d'enfant : « A mon ami Billy. Carol. » Il ajusta l'angle de sa lampe de bureau, mit en marche son appareil à traitement de texte, et se fit craquer les jointures. A deux reprises, il toucha le clavier puis se retira, perdu dans ses pensées lointaines et nébuleuses. Enfin, il se mit à taper :

La passion de Gilda

Prologue

Le 26 décembre 1979

C'est sous un soleil éclatant que Billy Buck descendait de sa limousine noire...

458